陈江风 主编

汉文化研究

河南大学出版社

图书在版编目(CIP)数据

汉文化研究/陈江风主编.—开封:河南大学出版社,
2004.10(2005.12重印)
ISBN 7-81091-157-0

Ⅰ.汉… Ⅱ.陈… Ⅲ.文化史-中国-汉代-学术会议-文集 Ⅳ.K234.03-53

中国版本图书馆 CIP 数据核字(2004)第 109302 号

责任编辑:靳宇峰
责任校对:四 知
责任印制:苗 卉
装帧设计:王四朋

出 版	河南大学出版社
	地址:河南省开封市明伦街 85 号 邮编:475001
	电话:0378—2864669(行管部) 0378—2825001(营销部)
	网址:www.hupress.com E-mail:bangong@hupress.com
经 销	河南省新华书店
排 版	河南大学出版社印务公司
印 刷	河南第一新华印刷厂
版 次	2004 年 10 月第 1 版 印 次 2005 年 12 月第 3 次印刷
开 本	890mm×1240mm 1/32 印 张 17.5
字 数	454 千字 插 页 12
印 数	2001—4500 册

ISBN 7-81091-157-0/I·224 定 价 45.00 元

(本书如有印装质量问题请与河南大学出版社营销部联系调换)

图 1.1

图 1.2

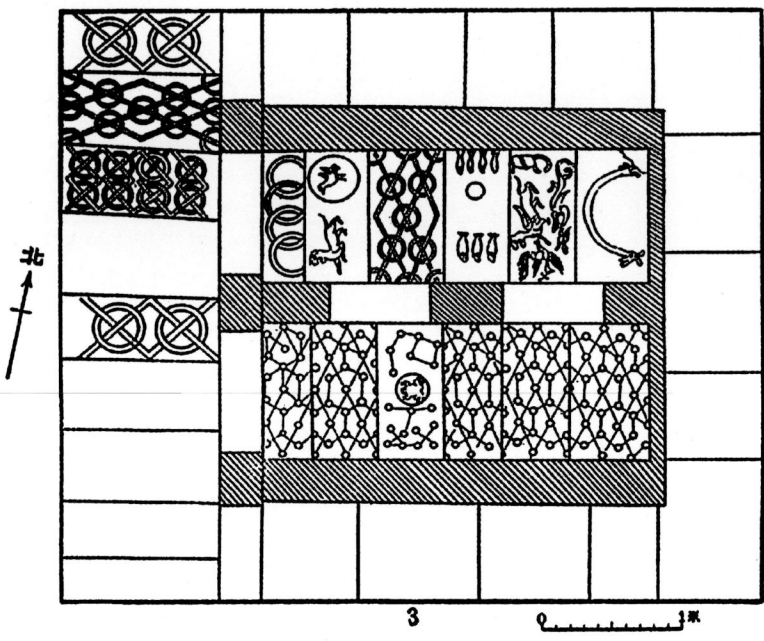

图 2.1

图 2.2

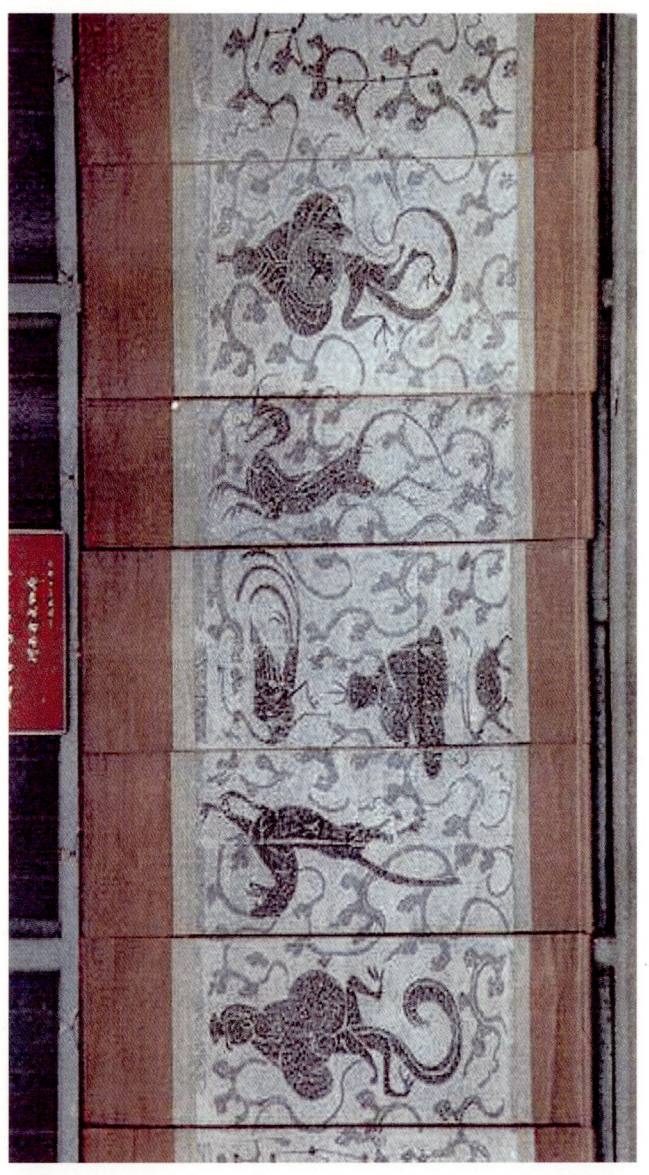

图 3

图 4

图 5.1

图 5.2

图 5.3

图 6

图 7

图 8.1

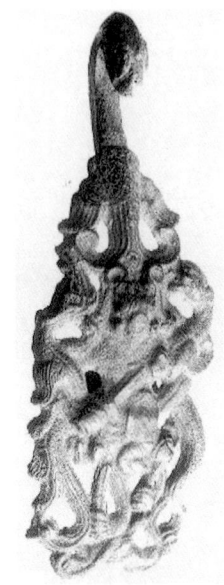

图 8.2

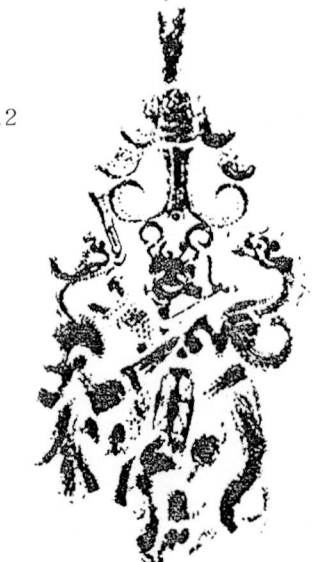

图 8.3

图 9

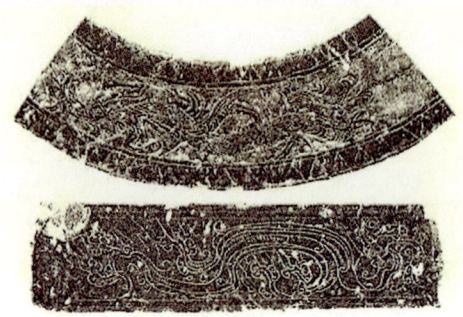

图 10.1

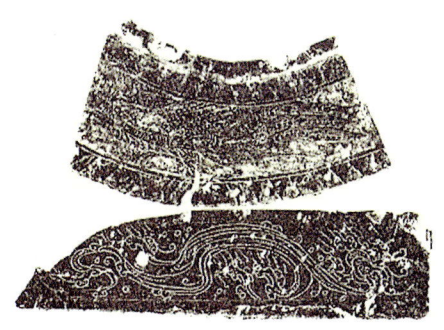

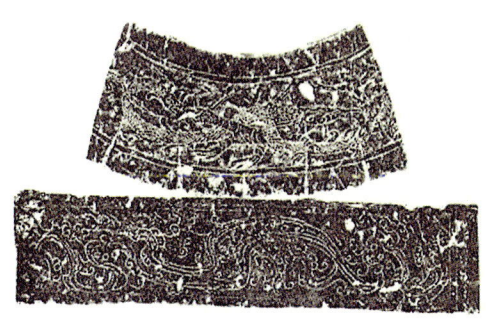

图 10.2

图 10.3

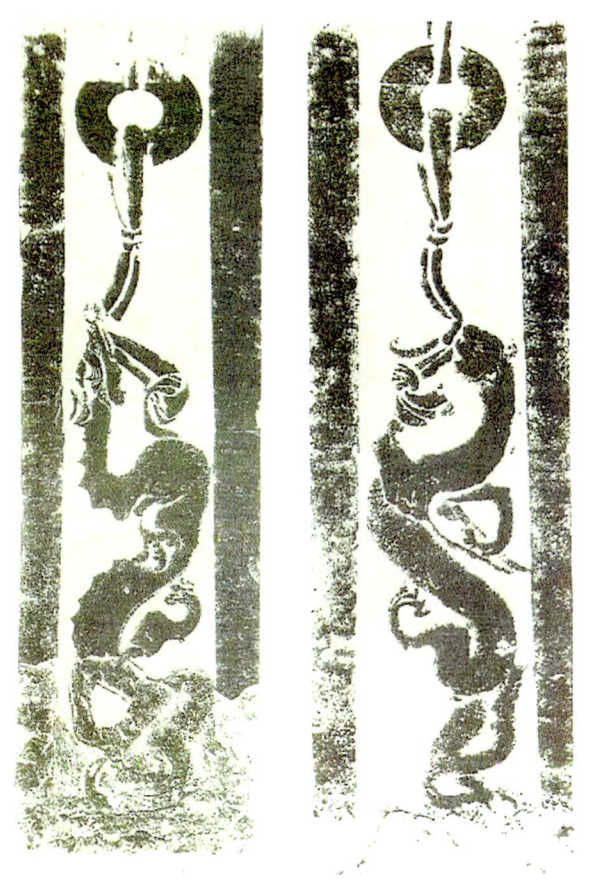

图 11.1

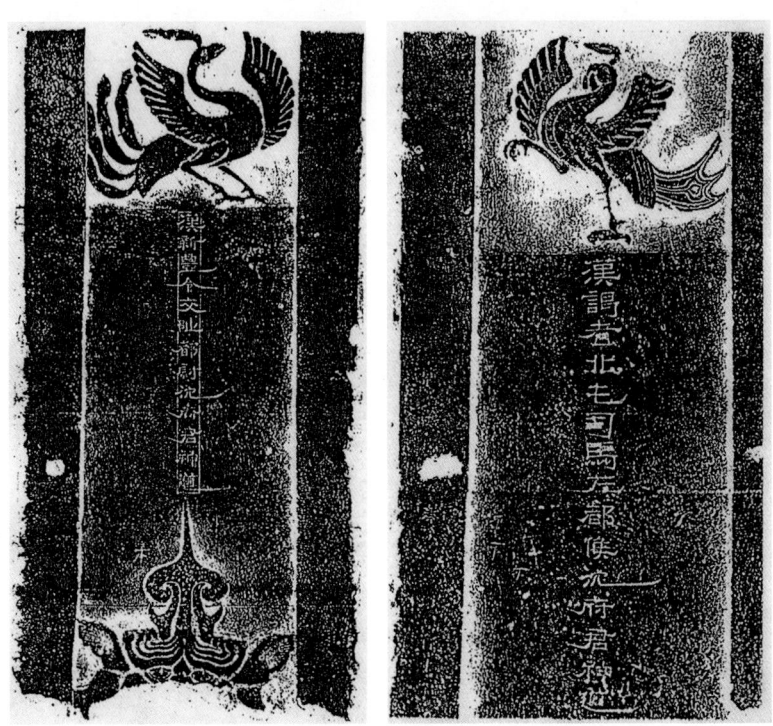

图 11.2

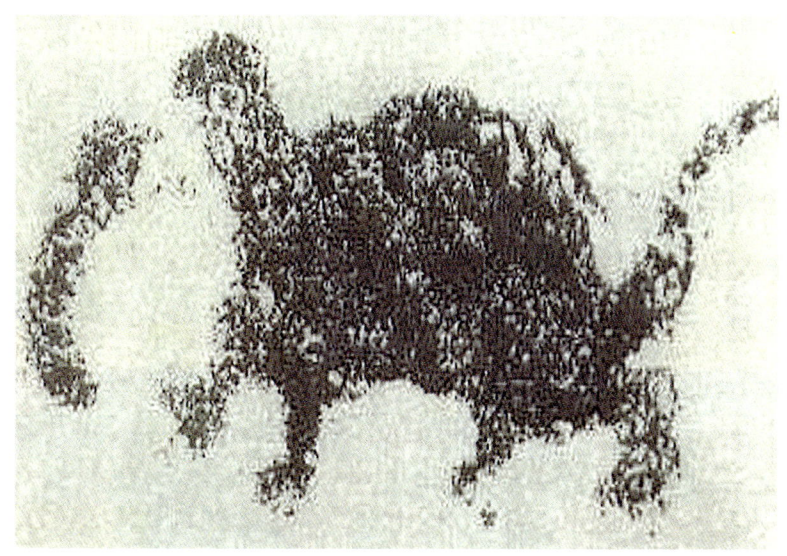

图 12

图 13

图 14.1

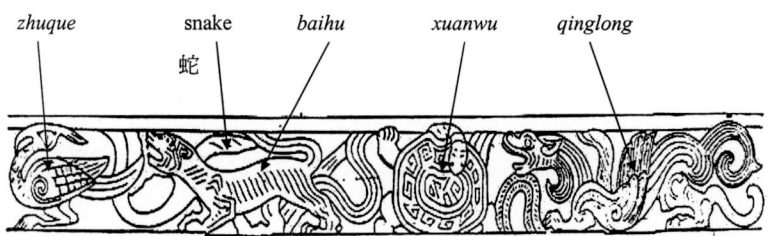

图 14.2

图 15.1

图 15.2

图 16.1

图 16.2

图 16.3

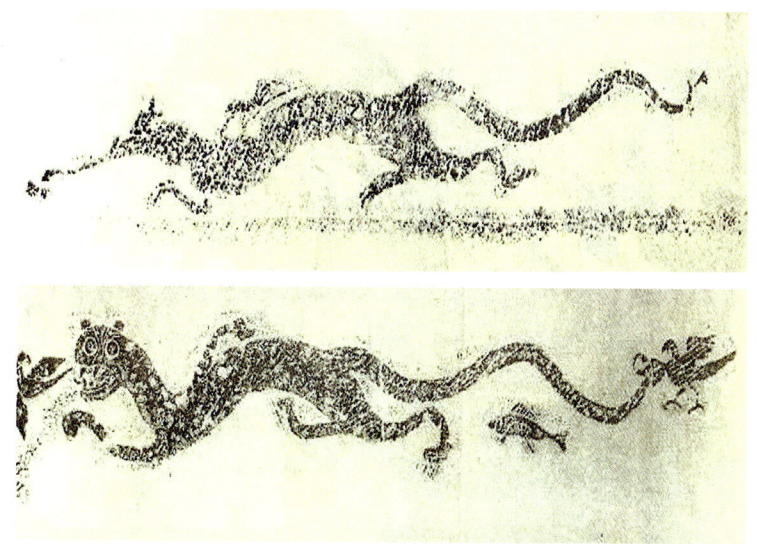

图 17.1

图 17.2

汉文化研究

主　编　陈江风
副主编　黄宛峰　刘太祥
　　　　王仁宇

河南大学出版社

目　　录

前言……………………………………………苗相甫(1)
汉民族的形成与发展……………………………朱绍侯(1)
从地域文化到主流文化
　　——论齐鲁文化在先秦秦汉时期的发展………孟祥才(10)
东汉党人、明末东林党人的生死观与士大夫精神…黄宛峰(22)
汉文化的传承与两汉宗族的发展…………………赵　沛(33)
试论汉武时代官僚群体之抑制心态………………夏增民(43)
东汉南阳太守述略…………………………………叶秋菊(57)
洛阳金谷园新莽墓壁画释读………………………贺西林(68)
从典型个案看方法在汉画研究中的重要性………陈江风(78)
汉代画像石研究综述………………………………刘太祥(91)
浪漫与现实交相辉映
　　徐州汉画像石艺术研究…………………………唐　军(119)
天人感应　拙笔妙彩
　　——洛阳汉墓壁画艺术大观……………………杜少虎(125)
从汉画看汉代的纺织业……………………崔　华　牛　耕(129)
试论汉画中的鱼及其文化内涵……………………牛天伟(134)
有意味的形式
　　——试谈汉画中的"菱形连(穿)环图案"………孙怡村(153)

试析南阳汉画中的祥瑞图像………………	曾宪波	郭瑞华(160)
汉代四灵图像的构图分析…………………………		黄佩贤(166)
简析汉画像石刻的视觉构成………………………		孙保瑞(177)
略论南阳汉画像石中的人物形象…………………		徐丽娟(184)
汉画音乐考古及其相关学科………………………		李荣有(197)
汉画艺术的时代精神………………………………		黄雅峰(205)
南阳汉画像砖石艺术形象构成的文化内涵………		王 蕊(215)

论南阳汉画像石艺术对南北朝南阳雕塑艺术的影响

　　　　　　　　　　　　　　　　　柳玉东　逯爱英(221)

汉画像乐舞百戏中的民俗文化底蕴………………………冯建志(228)

亦守亦退的政治倾向与亦乐亦苦的人生写真
　　——汉代车骑出行、羽化升仙画像石论略……刘 克(235)

汉画与中国戏剧的起源……………………………		王忠阁(242)
从汉画看汉代教育的繁荣…………………	曾宪波	姚建东(253)

由汉画看牛在当时社会生产、生活中的作用
　　………………………………………曾 艳　曾庆硕(266)

从汉画看汉代教育…………………………	罗松晨	刘花玲(276)
东汉草书艺术的演变及其精神内质………………		徐 华(284)
从汉画看门神的演变过程…………………………		李真玉(298)
南阳汉代的风俗文化………………………………		李法惠(305)
试论汉画中的民风民俗……………………………		王玉金(327)
略论汉代的三年丧…………………………………		杨天宇(356)
汉代夫妻关系研究…………………………………		薛瑞泽(373)
西汉后期南阳郡"南岳诸刘"等豪族的文化特征……		丁毅华(392)
《南都赋》自然生态史料研究………………………		王子今(401)
"乐府诗"中所反映的汉匈战争……………………		宋 超(415)
张衡:世界史中罕见的全才伟人 …………………		王志尧(430)
从对屈原的评价看汉代人的文学批评思想………		金荣权(444)

汉代律学概览……………………………… 刘　勇(452)
天人合一述论……………………………… 赵世超(466)
张衡与中国古代科学技术的发展
　　——兼论中国古代科技发展滞后的文化原因…………
　………………………………………… 王仁宇(499)
战国诸子相通论发微……………………… 姜建设(519)
汉初儒、道的融合与互黜新探 …………… 赵　振(530)
全国汉文化学术研讨会综述……………… 李法惠(541)
后记……………………………………………………(550)

前　言

　　南阳师范学院承办的全国汉文化学术研讨会于 2002 年 5 月 7 日至 9 日在历史文化名城河南南阳市召开,来自中国社会科学院、中国艺术研究所、中央美术学院、香港城市大学、中央党校、山东大学、东南大学、陕西师范大学、河南大学、陕西省历史博物馆、南阳汉画馆等 35 个科研机构、高等院校的 80 余位专家学者参加了这次会议。全国著名的学者张道一、朱绍侯、熊铁基、赵世超、黄留珠、孟祥才、伍国栋、王子初、王子今、叶舒宪、顾森、宋超、贺西林、廉静等应邀出席了会议,并做了专题学术报告。会议收到了一批高质量的论文,对汉画、汉代思想、汉代艺术、汉代民俗、汉代经济与文化生活等方面进行了全面深入的研讨,取得了圆满的成功。

　　汉代在中国历史上具有里程碑的意义。此间所形成的社会制度与精神文化尤其是价值取向和思维方式,奠定了中国文化的基础,铸就了中华民族的精神,长期支配中国历史发展的方向。研究汉文化,对于弘扬中华民族的优秀文化,增强民族自信心与民族的凝聚力将会起到积极的作用,能够为现代化建设提供强大的精神动力和丰厚的思想资源。

　　南阳历史悠久,文化灿烂。作为历史文化名城,它的主要内涵是汉文化。南阳在中国古代的黄金时代是汉朝。西汉时,它"商遍天下,富冠海内",是全国六大都市之一。东汉时,其为光武帝刘秀发迹之地,有"南都"、"帝乡"之称。雄厚的经济基础、优越的政治地位造就了南阳汉代璀璨绚丽的文化。其天文学、医学、文学、艺术等,在当时都卓尔不群、独领风骚。张衡的科学、文学成就举世称誉,以张仲景的《伤寒杂病论》为代表的中华医学文化至今仍闪耀着无与伦比的光彩。如果说,张衡、张仲景的科学成就代表的是汉代的精英文化的话,那么,被誉为"汉文化三绝"的南阳画像石、汉画砖、陶狗则代表的是汉代民间文化。南阳丰厚的文化遗存、浓郁的文化氛围,向来为世人所瞩目。南阳理应成为汉文化研究的重要基地。

南阳师范学院建校 50 年来,为南阳经济、社会和教育事业培养了大批优秀的人才。长期以来,学院坚持"以教学促科研,以科研带动知识创新"的指导思想,根据我院的学科优势、南阳的地域特点和社会经济发展的需要,确定了我院的科研特色。在社会科学尤其是在人文科学的研究方面,充分利用南阳丰富的汉代文化资源,以汉文化研究为龙头,推进我院的科研和教学。早在 1986 年《南都学坛》就开设了"南阳汉画像石研究"专栏,1989 年此栏改为"东汉文史研究",1994 年又改为"汉代文化研究"。在此栏目影响下,不仅联络了国内相关的研究专家,而且也培育了校内一批研究汉文化的人才。1995 年,成立了汉文化研究所,先后完成了国家社科规划项目"河南汉代文化研究"、"汉画与汉代音乐文化研究"等一批有较高学术价值的科研课题。我院的汉文化研究已取得了丰硕的成果,出版了《汉画与民俗》、《河南汉代文化研究》、《南阳汉画像砖石的视觉造型》、《汉画像的音乐学研究》、《张衡评传》、《汉唐行政管理》、《南阳汉文化》等学术著作,涌现出了一批汉文化研究学者。我院将把汉文化纳入重点学科建设计划,准备从汉代历史文化学、汉代艺术学、汉代文学与民俗三个专业加强该学科的建设。

这次汉文化学术研讨会特意邀请国内研究秦文化、楚文化、中州文化、齐鲁文化、汉画、民俗、艺术等领域的一流学者莅会,会议的显著特点是以汉文化为平台,多学科交叉,多元化思维。与会专家学者济济一堂,讨论切磋,交流了学术成果,拓宽了学术视野,这不仅有力地推动了我院的学科建设和学术发展,而且将带动全国汉文化研究工作的进展。现将这次汉文化学术研讨会上提交的论文选择出版,以飨读者。

南阳师范学院院长 苗相甫
2003 年 1 月 9 日

汉民族的形成与发展

朱绍侯

在20世纪50年代，我国史学界对汉民族的形成问题，曾经进行过热烈讨论。参加讨论的学者，都是以斯大林提出的"民族"的定义为根据，企图解决汉民族的形成和发展问题。

斯大林说："民族是人们在历史上形成的有共同语言、共同地域、共同经济生活以及表现于共同的民族文化特点上的共同心理素质这四个基本特征的稳定的共同体。"[①]斯大林还说："必须着重指出，把上述任何一个特征单独拿来作为民族的定义都是不够的。不仅如此，这些特征只要缺少一个，民族就不成其为民族。"[②]根据斯大林提出的民族四个基本特征，来探讨汉民族形成问题，当时主要有四种意见：一、秦统一后汉民族已经形成；二、唐宋时期汉民族已经形成；三、明末清初汉民族才形成；四、鸦片战争以后，汉民族才开始形成，在此以前汉族只能称为部族。

大家都是以斯大林的民族定义来探讨汉民族的形成，为什么会出现这么大的分歧呢？这首先是由于对汉族什么时候具备了民族四个特点的认识不同，更主要的是由于斯大林曾明确指出："在资本主义以前的时期是没有而且不可能有民族的，因为当时还没

---

① 斯大林：《民族问题与列宁主义》。
② 《斯大林选集》，第64页，人民出版社，1979年。

有民族市场,还没有民族的经济中心和文化中心,因而还没有那些消灭各族人民经济的分散状态和把各族人民历来彼此隔绝的各个部分结合为一个民族整体的因素。"①主张鸦片战争以后汉民族才形成的学者,特别重视斯大林上述这段话,并以此作为反对秦统一后汉民族已经形成的理论根据。其实,严格按照斯大林上述言论来衡量,鸦片战争以后,汉民族也不可能形成,因为在鸦片战争以后中国也没有进入资本主义时期,更没有出现斯大林所说的"资本主义上升时代",因此民族也就不可能形成,如此说来,在中国的历史上,汉族就没有形成为民族,其他各少数民族当然就更不用说了。这样,汉族和其他各少数民族,就只能称为部族,我们历史上的民族英雄,只好改称部族英雄,民族领袖也只能称部族领袖。这在理论上、常识上都不可能被人们接受。

斯大林还说过:"世界上有各种不同的民族。"②从斯大林的文章本意来看,他所说的"各种不同的民族",是指资本主义民族和社会主义民族,并不是说资本主义社会以前有民族,但从马克思、恩格斯、列宁等人的著作来看,对民族的提法并不限于以上四种。恩格斯在《自然辩证法》中说过"从部落发展成了民族和国家"的话。马克思、恩格斯在《费尔巴哈》中也说过:"城乡之间的对立是随着野蛮向文明的过渡,部落制度向国家的过渡,地方局限性向民族的过渡而开始的。"根据马克思、恩格斯的论述,在资本主义社会以前是有民族的,当然那不是资本主义民族,更不是社会主义民族,而是资本主义形态以前的民族。即使退一步讲,斯大林关于资本主义以前没有民族的论点是正确的,那也只能适用于欧洲,因为欧洲"在封建主义时期,既然国家分裂为各个独立的公国"③,所以民族的四个共同特征是难以形成的。而中国自秦汉开始,就已经是封建统一中央集权制的国家,因而它有可能出现民族四个共同特征。

---

①②③ 斯大林:《民族问题与列宁主义》。

所以我对范文澜先生在《自秦汉起中国成为统一国家的原因》一文中所提出的"汉族自秦汉以下,既不是国家分裂时期的部族,也不是资本主义时期的资产阶级的民族"的论点是赞同的。我认为范老所提出的在秦统一以后汉民族已有了共同经济生活、共同地域、共同语言、共同心理素质的论证,是有理有据的,对此我无可补充。下面想着重谈一谈汉民族形成和发展的四个阶段问题。

第一个阶段,是汉民族形成的酝酿阶段,即中国历史上第一次民族大融合的春秋、战国时期。这次民族大融合的特点,是在中国的腹心地区进行的。经过融合,形成了中华民族的主体民族——汉民族。

在中国历史上,有所谓南蛮、北狄、东夷、西戎的传统说法。其实在西周、春秋以前,所谓的戎夷蛮狄,都居住在中原和离中原不远的地方。① 我们知道西周是一个松散的分封制统一国家。华夏族只是居住在几个大的据点上,在东方有齐国、鲁国,在河南、山西有宋国、卫国、晋国,在河北有燕国,陕西渭水流域是周的根据地。当时的楚国还自称为蛮夷,而秦国也不属于华夏族的范围。就是在几个华夏族居住的据点之间和周围就有戎夷蛮狄等少数民族交错杂居着。在洛阳附近有陆浑戎和伊洛之戎,在西安附近有西戎、犬戎、骊戎,在山西、河北有赤狄、白狄、猃狁、山戎,在山东半岛有莱夷,在淮河流域有淮夷、徐戎,在长江流域有蛮族。这种华夷杂居状态,经过春秋、战国时期的民族融合与斗争,逐渐华夏化。东方的许多少数民族融合于齐国,北方则融合于燕国,韩、赵、魏三国则融合了河南、河北、山西等地的少数民族。特别值得注意的是秦、楚两国,在长期的民族融合、斗争中已华夏化,并融合了西方、南方等少数民族。到秦统一六国后,就把战国时期出现的七个大

---

① 中国古代的中原概念,并不专指河南,而是包括今山东、河南以及陕西、山西、河北一部分广大地区。

的华夏国连结在一起,形成为其疆域"东至海暨朝鲜,西至临洮、羌中,南至北向户,北据河为塞并阴山至辽东"①的幅员辽阔的秦帝国。在这个统一的秦帝国范围内,居住着一个有共同语言、共同经济生活、共同心理素质的,拥有两三千万人口的稳定共同体,对于这样一个人民共同体,我们只能称它为民族。

秦统一帝国存在的时间虽短,但对中国和世界的影响却非常大,现在有些国家称中国为 China,支那,就是"秦"字的转音。在秦国统治下的人民,就被称为"秦人",汉建国后,又称为"汉人"。"汉族"作为一个民族的称谓,就是由汉国而来的,但作为一个民族,则形成于秦的统一。

以上讲了汉族是由华夏族发展而来的,而华夏族又是怎么来的呢? 华夏是由夏、商、周三族融合而成的。如果再往前推,夏、商、周也都出自夷、羌、戎、狄等少数民族。研究中国古史的人都知道,夏、周两族出自西方,而且他们之间有血缘关系。据《孟子·离娄下》记载:"文王生于岐周,卒于毕郢,西夷之人也。"陆贾《新语·术事》篇则说:"文王生于东夷,大禹出于西羌。"孟子说文王"东夷之人也",陆贾又说"文王生于东夷",这不是"互相矛盾"吗?《孟子·离娄》注疏则解决了这一矛盾。它说:"东夷者,对西羌言之,则岐周之地为东也。"这样说来大禹、文王都出自西方羌族。周族的始祖母姜嫄,就是羌族姑娘,姜、羌都是牧羊人,实际是一个族。按原始社会的惯例,在血缘群婚之后,是部落内的族外婚,姜(羌)、周两族是一对婚姻氏族。武王伐纣时,有位军事家姜尚,就是羌族的领袖。周、姜两族直到春秋、战国仍保持婚姻关系,齐(姜)与周称为甥舅之国。但周、姜两族在华夏化之后,与羌族有明显的不同。羌族在汉族、中华民族的发展史上,贡献是较大的,他曾多次给华夏族、汉族输送新鲜血液,如五胡十六国时期,宋辽金元时期,

---

① 《史记》卷6《秦始皇本纪》。

都有大量羌人进入内地与汉族融合,但没有汉化的羌人,始终保持着自己的民族特点,直到现在羌族仍是中华民族56个民族中的成员。

商族是由北方或东方发展起来的,其族源应属于狄族或戎族,后来与夏、周共同成为华夏族的重要组成部分。

以上所述可以证明,汉民族是历史的产物,是由许多少数民族融合而成的。

第二个阶段,即中国历史上第二次民族大融合的魏晋南北朝时期,这次民族大融合的特点是民族迁徙出现了对流。即一部分汉人往周边少数民族地区去,周边少数民族则往内地来。这次民族大融合是南北方同时进行的,而主要是在北方。经过这次民族大融合,到隋、唐时期,就出现了一个朝气蓬勃、面貌焕然一新的汉民族。

在秦汉时期,封建国家对周边少数民族虽然有剥削压迫的一面,但是,对于远夷,即政府统治力量薄弱的地区,则采取薄赋敛的怀柔政策,如对南蛮,秦时规定"顷田不租,十妻不算",汉刘邦定三秦之后,令其渠帅"不输租赋,余户乃岁入賨钱,口四十"①。以后历届中央政府对周边少数民族基本上都采取类似政策。如西晋政府在户调制中明确规定:"其诸边郡或(交户调)三分之二,远者三分之一,夷人输賨布,户一匹,远者或一丈。"在占田制中又规定:"远夷不课田者,输义米,户三斛,远者五斗,极远者输算钱,人二十八文。"②由于历代封建政府对周边少数民族都采取这种怀柔政策,所以有一些汉族人民为了躲避沉重的租税负担,就向周边少数民族地区移动,而以游牧经济为主的周边少数民族,很向往汉族地区的稳定的农业定居生活,于是就向内地移动。另外,随着历届封

---

① 《后汉书》卷86《南蛮传》。
② 《晋书》卷26《食货志》。

建政府的对外不断扩张,又掠夺和强迫各少数民族迁徙塞内,但是,历届封建政府,特别是地方官吏及汉族地主阶级,对进入塞内的各族人民强烈不满和反抗,特别是在魏晋时期,汉族统治政权腐朽黑暗,其统治势力又大大削弱,周边各族的上层分子就利用这种形势,纷纷进入内地建立政权,先后出现二十来个国家,这就是中国历史上所谓"五胡十六国时期"。在这一时期,民族矛盾特别尖锐,阶级斗争空前激烈,但民族融合的进程也最快。从统治者来说,胡汉上层分子互相勾结,残酷压迫各族人民,而各族人民由于交往密切,特别是所受压迫相同,所以他们不仅在生产中相互学习,相互促进,在反抗各族统治者的斗争中,也并肩战斗,因而在魏晋南北朝时期的农民起义,有个共同的特点,都是各族人民联合起义,北方是这样,南方也如此。南方的越族、蛮族、奚族等等,都是与汉族人民联合起来,反对南方的汉族封建政权。

这一时期的民族大融合,北魏孝文帝改制时做了一个总结。孝文帝改制采取很多措施来巩固这次民族大融合的成果,促进、加快了民族融合的进程。孝文帝改制时期,施行了三长制、均田制,模仿汉族地主政权建立了封建政治制度。特别是改胡姓为汉姓,"禁北语(鲜卑语),一从正音(汉语)",改胡服为汉装,改变籍贯,代人迁洛者,一律改为河南洛阳人。提倡胡汉联婚等都是进步的改革政策。孝文帝改制的目的,是通过实现汉化、封建化以巩固北魏政权,而在客观上有利于民族融合。但是,我们必须看到,孝文帝所进行的汉化、封建化的改革,并不是他的天才创造,而是适应了民族融合的发展趋势,也可以说是顺应历史发展的必然结果。正如恩格斯所说的那样:"在长期的征服中,比较野蛮的征服者,在绝大多数场合,都不得不适应征服征服后存在的比较高的'经济情况';他们为被征服者所同化,而且大部分甚至还不得不采用被征服者的语言。"①马克思则说:"野蛮的征服者总是被那些他们所征服的民族的较高文明所征服,这是一条永恒的规律。"②鲜卑族所建立的北魏没有违反这条规律,以后的蒙古、契丹、女真以及满洲等族也都没有避开这条规律。中国的各民族融合历史,恰好给马克思、恩格斯的英明论断做了科学的验证。

孝文帝改制还验证了已故史学大师陈寅恪先生一句名言:"胡汉之分,不在种族,而在文化。"③

在孝文帝改制之前,各少数民族若不是对汉文化已有认同,孝文帝也不可能提出汉化、封建化改革措施,就是提出了也不可能被各族人民所接受。在北魏灭亡之后,东魏、西魏、北齐、北周相继建立,历史虽然又出现一股小小逆流,但民族大融合的趋势已不可逆转了。到隋唐时代,由于汉族吸收了各少数民族的新鲜血液,汉族的面貌为之一新,成为一个具有开放、进取精神的强盛民族。在当时不仅下层人民有很多人是胡汉混血儿,连隋唐的皇帝也是混血儿。李渊、杨广的母亲都是独孤氏,是鲜卑人。唐以后贴门神,一边是秦琼,一边是尉迟敬德,也是胡汉搭配。秦琼是汉人,敬德是汉化的鲜卑人。若不是经过魏晋南北朝的民族大融合,就不会有隋唐时期的胡汉一体、和谐相处的局面。

第三个阶段,是宋辽金元时期。这一时期的民族大融合,主要是在边疆地区进行的,不仅有少数民族融合于汉族,也有大量汉族融合于少数民族。这时,在北方兴起的有契丹族建立的辽国,女真族建立的金国,蒙古族建立的元国,在南方有白族建立的大理国,在西方有党项族建立的夏国。他们对开发边疆都做出了极大的贡献。在东北地区,契丹族与女真族之间有融合,契丹、女真和蒙古

---

① 《马克思恩格斯选集》,第3卷,人民出版社,1972年,第222页。
② 《马克思恩格斯选集》第2卷,人民出版社,1972年,第70页。
③ 陈寅恪:《隋唐制度渊源略论稿》。

族也有融合,同时他们都各自掠夺了很多汉人,也有很多汉人归化于契丹、女真和蒙古族。在云南的白族、在陕甘的党项族也吸收了很多汉人。民族融合从来都是互相吸收,你中有我、我中有你的。早在秦汉时期,就有一些汉人融合于少数民族之中。而这一时期,汉族人民融合于少数民族的情况就更为突出。

人所共知,元朝实行的是残酷的种族统治,把国内人民分成四个等级:第一等是蒙古人;第二等是色目人;第三等是汉人(包括契丹、女真、高丽、汉人在内的北方人);第四等是南人(南宋移民)。四个等级界限森严,但它还是阻挡不住民族融合的趋势。在元初,耶律楚材在《赠蒲察元帅》诗中就提到了"素绣佳人学汉舞,碧眼官伎拨胡琴"的情况,说明各族人民已在互相吸收对方的优秀文化。到了元末明初,蒙古人、色目人由于与汉人长期相处,已经达到"相忘相化"不易识别的程度,有很多蒙古人、色目人改汉姓,在语言、风俗习惯方面已基本一致。

最近出版了一本记述元代民族融合最典型的书《述善集校注》①。《述善集》是西夏党项族后裔唐兀崇喜(杨崇喜)编的一部文集。书中记述了唐兀台、唐兀闾马及唐兀崇喜子孙六代的事迹,即从西夏被元军灭亡后,唐兀台、唐兀闾马父子随元军征战,包括灭亡南宋的经历。在南宋灭亡后,唐兀氏一家被安排在河南濮阳定居。唐兀氏在西夏时就已经是汉化很深的党项人,到濮阳定居后改姓杨氏,"好学向义,勤于稼穑",又兴办崇义书院,"厚礼崇师,以教子孙",使其子孙彻底汉化,其儒学修养之深,汉人士大夫也难与比肩。到明代已与汉人融为一体,并已改入汉籍。若不是有《述善集》传世,由唐兀氏改为杨姓的这支人,恐怕已不知道自己为党

---

① 《述善集》最初成书于1358年,在唐兀氏家族内部保存600余年,从不外传,直到2001年才把此"祖传密宝"公之于世。《述善集校注》,甘肃人民出版社2001年版。

项族的后裔。

明朝加强了边疆的管理,在西藏设驿站,在西南搞"改土归流",在黑龙江设奴尔干都司,这些措施加强了边疆与内地的联系,加速了民族融合的进程。

第四个阶段,即第四次民族大融合的清代。这一时期,奠定了现在中国的疆域和以汉族为主体的,由56个民族组成的中华民族的基础。这时东北的开发最为显著,新疆、西藏与中央政权及内地人民的联系更加密切。清朝统治者对各族人民,特别是对汉族人民施行高压政策,但对各族上层分子却进行拉拢,甚至采用联姻手段,以笼络各少数民族的上层分子对清的效忠。热河避暑山庄,就是清帝为拉拢各族上层人物而设计的避暑胜地。为了尊重各族上层人物原来的生活习惯及所喜爱的建筑形式,修建了小型布达拉宫、蒙古包等建筑,使各族上层分子乐而忘返,可以安心地与清帝共议国事。清帝的这种拉拢手段是有成效的,有利于国家的统一和民族的融合。这样,在清朝的统治下,就出现了两种融合:一种是各族人民利益一致,在共同反抗清朝反动统治的斗争中融合起来;一种是各族上层分子联成一体,共同镇压各族人民。这两种融合,在阶级关系上是对立的,但在民族融合方面是一致的,最后连满族本身也卷进了民族融合的巨流中来,到现在满族虽然还属于中华民族56个民族中的一个重要成员,但在风俗习惯,语言及经济、文化生活等方面,都与汉族融合为一体,满族自己所具有的民族特点已经微乎其微了。

回顾汉民族形成和发展的历史,可以看到汉民族是由许多少数民族融合而成的,在它的发展过程中,又不断吸收各少数民族的新鲜血液,像滚雪球一样,越滚越大,而成为中华民族中的人口众多、文化先进的主体民族。从民族发展史的角度来考察,汉民族与世界上其他优秀民族一样,也是由多血统融合而成的。

从地域文化到主流文化

——论齐鲁文化在先秦秦汉时期的发展

孟祥才

当"人猿相揖别"的巨变悄悄发生后,中华文明一体多元的格局就逐渐形成。各个地域或同时或递次绽开的文明之花,逐渐发展成内容与形式各有异同的面积较小的地域文化。这些地域文化在历史的长河中不断地碰撞、融合,又逐渐汇流成囊括较大地域的文化系统。夏、商、西周以后,经过春秋战国五个半世纪的发展,在中国广袤的土地上形成了十数个具有丰富内涵、相对稳定的地域文化。如河北地区的燕赵文化,山西的三晋文化,内蒙古地区的草原文化,山东的齐鲁文化,河南为中心的中原文化,陕西的三秦文化,甘肃的甘陇文化,四川、云南的巴蜀滇文化,两湖的楚文化,两广的岭南文化,江苏、浙江的吴越文化等,这些地域文化同中有异,异中见同,多姿多彩,争奇斗艳,为中华文明一体多元格局的形成做出了各自的独特贡献。在这些地域文化中,只有齐鲁文化经过先秦两汉时期的发展,完成了由地域文化向主流文化的转变。其他地域文化只是作为文化的因子融入了主流文化。这其中的奥秘是值得认真求索的。

一

齐鲁文化发轫于东夷文化。四五十万年前的齐鲁大地,气候温和,雨量充沛,绵亘于中部,自西向东迤逦展开的泰山、蒙山、鲁山、沂山和胶东半岛的丘陵,生长着茂密的森林,是采集和狩猎的理想之地。鲁西、鲁北的大平原上,河湖纵横,土壤肥沃,特别适于农业生产的发展。泰山、沂山、蒙山之南,沂河、沭河、泗水等河渠缓缓南流,带来舟楫之利。而绵长的海岸线又给渔、盐业的发展提供了得天独厚的条件。所有这一切,为最早人类的生存准备了较适宜的环境。远在四五十万年以前,当北京猿人在周口店一带点燃文明之火的时候,东夷人的直系祖先沂源猿人也在沂山的洞穴中出没,面对群山树海,开始了走向文明的艰难跋涉。从原始社会至夏商时期,齐鲁的东夷人逐渐形成了两个文化中心。泰山以北,以今之淄博为中心,是爽鸠氏、季荝、有逢伯陵和蒲姑氏等活动的地域。泰山以南,以今之曲阜为中心,是少昊、蚩尤、颛顼、后羿、奄国等部落和方国的居地,同时又是与中原文化和南方文化联系紧密、便于交融的地区,因而有极其丰厚的文化积淀。大约距今六千年左右,齐鲁的原始居民进入新石器时代,他们被统称为"夷"或"东夷"。《后汉书·东夷列传》所记载的"畎夷、于夷、方夷、黄夷、赤夷、白夷、玄夷、风夷、阳夷"等,是他们中的不同支系。大约从距今五千年到公元前21世纪的夏代,东夷族先后出现过太皞氏、少皞氏、蚩尤、颛顼、皋陶、伯益、虞舜、契等传说中的重要部落的首领。与他们相对应的考古文化大汶口文化与龙山文化,以十分丰富的考古资料与传说相印证。大汶口文化与龙山文化的考古资料,除了展示东夷人的灵魂不灭、图腾崇拜、祖先崇拜与其他各种鬼神崇拜这些原始人共有的观念之外,还有对鸟、太阳和桑树这些独特事物的崇拜。与此相联系,礼制的雏形如仪式、伦理和等级以及相应的观念也在这里产生了。后来,齐鲁文化重礼的传统与东夷文化显然有着比较密切的联系。

随着生产力的提高与社会分工的发展,东夷人中产生了专门从事文化活动的巫觋、巫史、祭司、医生、天文学家和艺术家。在大汶口与龙山文化的遗址中都出土了占卜用的龟甲。相传颛顼氏任命的"绝地天通"的重黎就属于巫史之类的神职人员。少皞部落中担任"历正"的凤鸟氏与尧时代的羲、和等,显然是一批天文学家,他们能够观象授时,并且知道划分四季了。与此同时,作为记录工具的文字也发明出来,大汶口出土的陶文应是中国较早的象形文字,还可能是甲骨文与金文的先驱。

大量的考古资料表明,在原始社会时期,东夷文化是当时中国境内较先进的文化之一。但是,夏朝建立以后,东夷文化由于缺乏强有力的经济政治力量的支撑而逐步丧失了其优越地位。东夷文化于是在强大的夏文化的冲击下开始发生变异。其相对应的文化遗存为岳石文化,这一文化遗存展示的变异表现为对夏文化的吸收和向夏文化的靠拢。商朝代夏朝成为中原王朝以后,东夷文化又向商文化靠拢,融合则更进一步。因为商人原本是起源于东方的东夷人的一支,在文化上与东夷人有着共源的关系。在夏商时期千余年的历程中,东夷文化虽然不够张扬与辉煌,但由于它对夏商文化的广泛吸收,大大增强了与中原文化的联系。形成了蒲姑与商奄两大文明中心。西周以后,正是从这里生发出光耀千古的齐鲁文化。

二

西周初年,通过大分封在今山东地区建立了齐鲁两大诸侯国,标志着齐鲁文化区域的初步建立。西周时期的齐鲁文化是一种以周文化为主导,融合了夏商文化与东夷文化的个性鲜明的地域文化。这一文化系统是由齐文化与鲁文化两个亚文化系统组成的。

齐国的建立者是周朝的异姓贵族姜尚。他所在的氏族本是东夷人的一支,因而极易与东夷人找到文化上的认同。他在齐国奉行"因其俗,简其礼"和"举贤尚功"的治国方针,铸就了齐文化重实效、崇功利、举贤才、尚法治、扬兵学、倡开放的文化品格。春秋时期，管仲相齐桓公，高举"尊王攘夷"的旗帜，"九合诸侯，一匡天下"，将齐桓公推向五霸之首的尊位。同时，继续弘扬齐学的优长，在思想文化上也有着卓越的建树。他以"水本原论"展示朴素唯物论的自然观，以"顺民心"和"上功富民"的政治学说展示民本意识，而"礼义廉耻国之四维"则反映了他的礼治思想和伦理观念。此外，管仲在法律、军事和外交思想方面也有许多创见，大大拓展了齐文化的领域，深化了它的内容。管仲之后百余年的春秋晚期，齐国又出现了一个影响很大的政论家与思想家晏婴。他个人崇尚节俭，深自谦抑，提倡礼制，强调德化，要求维护君臣父子夫妇以及各色人之间的等级秩序，同时要求关心百姓疾苦，减轻对他们的剥削。在哲学上他主张"和而不同"，批判神道迷信，显示了浓重的人文主义色彩。他的思想进一步丰富了齐学的内容。

在齐文化迅速发展并向四方传播之时，泰山之阳的鲁国孕育发展了颇具特色的礼乐文化，鲁国是周武王之弟周公旦的封国，而这位周公正是武王之后周王室的实际当国者和"制礼作乐"的始作俑者，这样，鲁国就成为周文化在东方的最大的继承者和传播者。因周公主政王室，他的儿子伯禽奉命代父经营鲁国。他除了分得卫、唐两国都有的旗鼓一类军事仪仗品外，还特别分得了"祝宗卜史"等专职文化官员和"备物典册"等与礼仪相关的礼器和文物典籍，所以春秋时期吴国季札访鲁时才有"周礼尽在鲁矣"的慨叹。正因为如此，所以鲁文化一开始就显现与齐文化不同的风格。它极力维护宗周文化的纯正性，特别讲究道德名节，注重研究传统文献和阐发宗法伦理观念。正是这样的文化传统与文化氛围，孕育了儒家和它的伟大创始人孔子。

春秋时期，随着周王室的衰微、公室沦落和贵族间斗争的日趋激烈，奴隶主贵族政权对文化的控制力日益削弱，在"礼崩乐坏"的大背景下，文化下移成为不可阻挡的历史趋势。原来由周王室和诸侯国豢养的专职文化人,为了谋生不得不投靠发了家的低级贵族,或沦落为民间的自由知识分子。如此一来,一方面促成了私学的勃兴和受教育人数的增加,一方面使传统文化学术成果得以较广泛地传播。这种形势为孔子这样的没落的贵族后裔脱颖而出成为思想文化领袖创造了条件。孔子以仁学与礼学交融互补,构筑他政治思想的核心内容。一方面,他大力提倡以重礼乐、倡教化、明等级为主要内容的礼学,同时又极力弘扬以血缘亲情为基础的"爱人"、"立人"、"达人"的人文精神,强调人的道德自觉和主动求善的内动自律,推出很高境界的道德理想与人格理想。而他的天命观与鬼神论则充满了昂扬向上的主观能动精神。他整理《易》、《礼》、《诗》、《书》、《乐》、《春秋》等,这不仅为保存中国古代文化典籍立下了不世之功,而且为儒家学派选定了最基本的思想资料,加上他创办私学,从事教育活动,吸引了一大批志同道合的弟子,这一切使他顺理成章地成为儒家学派的创始人。孔子生前广收门徒,周游列国,使其学说传播到齐国、宋国、卫国、郑国以及南方的吴、楚等国。在他死后,众多的儒家后学进一步使他的学说在更大范围内播扬。这不仅使儒学日益成为引人注目的显学,而且对战国百家争鸣思潮的勃兴起了"金鸡一鸣天下晓"的作用。特别是,鲁文化与齐文化一开始就进行频繁的交流,增强了相互之间的渗透与融会,展示了两种具有紧密亲缘关系的亚文化之间异质互补的特征。由于孔子站在前所未有的理论高度上将传统的政治与道德思想提升到一个新的境界,因而给齐鲁文化注入了新的灵魂。有了儒家学说,齐鲁文化才真正具有了民族、地域的超越性,才真正能够担负起领导中国文化的历史使命。

三

战国时代是齐鲁文化的发皇期,此一时期,齐国的田氏取代姜氏，标志着封建制取代了奴隶制。齐威王厉行改革，使齐国一直是经济与军事力量举足轻重的东方大国。齐威王、齐宣王又特别礼贤下士，建造了规模宏大的稷下学宫，以崇高的礼遇、优渥的物质待遇，吸收大批列国学者前来进行讲学与研究，使齐国一时成为整个中国的思想文化中心。百家争鸣中不少顶尖的学者，如孟子、荀子、宋钘、尹文、淳于髡、彭蒙、慎到、接子、田骈、季真、接予、环渊、邹衍、儿说、田巴等，都曾在稷下的讲坛上留下他们的足迹，为稷下学派的繁荣做出了他们创造性的贡献。与此同时，鲁国尽管在经济与政治上日趋式微，但在思想文化上仍然有着骄人的建树。墨子、众多的孔门弟子以及建立思孟学派的两大思想家子思和孟子，都是在鲁国的土地上出生和成长的。反观其他地域，除了三晋地区活跃着一批法家代表人物，如商鞅、申不害、韩非外，还有老子道学的传人庄周北上，在宋鲁边境闭户著书，其余的地域文化虽然也在发展，但都没有产生出足以与齐鲁文化相伯仲的思想巨人。

战国时期齐鲁文化的最大成就是造就了墨家学派、儒家思孟学派、荀子学派、稷下黄老学派、邹衍的阴阳五行学派以及吴起、孙膑的兵学，并以比春秋时期更大的规模和更快的速度向全国播扬。

墨翟是鲁国（今山东滕州）人，他创立的墨家学派从儒学脱胎而出又与儒学相颉颃。墨子代表"农与工肆之人"，既反映他们的理想也反映他们的局限。他主张"兼爱"、"非攻"，追求"爱无等差"的普遍的人类之爱。他主张"尚同"、"尚贤"，要求各级执政者都是德才兼备的圣贤之人，在此前提下，下级必须逐级与上级保持一致，"上同而下不比"。他还主张"非命"、"非乐"、"节用"、"节葬"，反对天命，崇尚强力，要求整个社会生活都向劳动者的最低标准看齐，认为衣食住行之外的其他消费都是不必要的浪费。墨子也倡导"尊天""事鬼"，显示了他对鬼神迷信的痴迷。墨子提出了著名的"三表法"，显示了唯物论经验论的倾向。墨子的思想，特别是其中"尚同"、"尚贤"的理念，成为汉代董仲舒构筑其新儒学的重要思想资料。

战国时代的齐鲁儒学发展成具有重大影响的显学。孟氏之儒与孙氏之儒都是在这里发展为成熟的思想体系。子思与孟子创建了影响深远的思孟学派,对宋明理学产生了巨大影响。子思是孔子思想连接孟子思想的桥梁。郭店楚简、《大学》、《中庸》等文献,展示了他的"天道性命"、"正心诚意"以及从"正身"、"导民"到"修身、齐家、治国、平天下"的全套理论。孟子宣扬"性善",倡导"仁政",主张"民贵君轻",要求"制民恒产","五亩之宅,树之以桑","百亩之田,勿夺其时"。他还鼓吹"富贵不能淫,贫贱不能移,威武不能屈"的大丈夫精神,对中国古代知识分子的人生价值观念产生了重大影响。荀子创建的孙氏之儒与孟氏之儒虽然隐隐相对立,但对礼教与德化等的认识基本一致。他的"天论"集先秦唯物论之大成,其"礼论"集先秦礼学之大成。他以舟水喻君民关系,援法入儒,主张礼法兼容,德刑并用,大大拓展了儒学的施政空间。为董仲舒的新儒学提供了最切近实用的思想资料。谭嗣同"二千年之政,秦政也;二千年之学,荀学也",应是比较贴近事实的评论。孟子与荀子不仅大大丰富了儒学的内容,完善了儒学的体系,而且在更大的范围内传播了儒家的学说和扩大了这一学派的影响。孟子之见梁惠王,荀子之莅赵访秦,客观上都在播扬儒学。在稷下之学中,黄老之学是以不同于老庄道家的面貌出现的新道家。他们的思想凝结在《管子》一书的一些篇章中。黄老之学有一个唯物论的世界观,它主张"君道无为"而不否认尊君,倡导德治用贤同时重视刑法的作用,而在"无为而治"的大前提下,强调减轻对百姓的剥削,为之营造一个宽松的生产与生活的环境。它在汉初被统治者选中而能居庙堂之高,实在是渊源有自。

稷下之学的邹衍创建了阴阳学派,他将商周以来的阴阳五行学说加以综合改造,将五行相生五行相胜的理念引入社会历史领域,以五德之运诠释王朝的更迭。他还创造了大九州、小九州的观念,扩大了中国人关于世界的视野。他的理论也成为董仲舒构筑其新儒学体系的最重要的思想资料。另外,在稷下学者中,还有法家、名家、兵家等学派的代表人物,他们都为丰富和发展齐鲁思想文化做出了自己的贡献。还应该指出,此期的齐文化与鲁文化一方面弘扬原有传统并继续发展,另一方面,两种亚文化的交流、融会、整合以比春秋时期更快的速度进行。特别是孟子、荀子等儒家重量级人物加盟稷下之学以及黄老学派的创建,更进一步加快了齐文化与鲁文化融合的步伐。可以说,齐鲁文化在战国时期的发展与整合,为汉代齐鲁文化跃升为主流文化打下了坚实的基础。

四

短命的秦皇朝在文化上最大的贡献是统一了文字,使以汉族为主体的中华民族有了一个统一的交流工具,对维护中国长时期的政治上的统一和思想文化的发展起了重大作用。不过,由于秦皇朝实行了"以法为教,以吏为师"的专制主义的文化政策,窒息了战国时期学术上的百家争鸣思潮。特别是在李斯的运作下,秦皇朝以一次野蛮的"焚书坑儒"斩断了大多数知识分子与秦皇朝感情的思缕。此时的齐鲁知识分子,包括各学派的代表人物,已参加秦政权者如叔孙通等开始与之离异,部分人如孔鲋等还投入了反秦的农民起义军,另外还有相当多的儒生继续在民间聚徒讲学,传授儒家经典,为延续发展齐鲁之学做出了贡献。西汉初年,禁网疏阔,言论环境较为宽松,因而诸子余绪一度活跃,除墨家之外的不少学派都有代表人物出来活动。被司马迁誉为"汉家儒宗"的叔孙通通过为刘邦制定朝仪使之从实用的层面上认识了儒学的价值,因而有晚年去孔子灵前以太牢之礼祭祀圣人的壮举。刘邦死后,惠帝、吕后、文帝、景帝时期,黄老思想成为当国者的指导思想。如上所述,此一思想恰恰是稷下之学的一个流派。黄老思想进入汉帝国的庙堂尽管是汉统治者的自觉选择,但并没有通过教育手段有意识地在百姓中灌输这一思想,再加上其他原因,因而这一思想没有在百姓中扎根,其影响主要在国家的高级执政者阶层。

黄老思想尽管适应了西汉初年时代与百姓的要求,但是,其"无为而治"的观念与实践,一方面与国力强大后统治者好大喜功的热望相冲突,一方面也加剧了势力坐大后的诸侯王、地方豪强与汉中央朝廷的矛盾。所以,到汉武帝登基时,黄老思想已经对他失去了魅力。他思谋寻找另外一种思想代替黄老之学,恰在此时,经董仲舒改造过的新儒学使他看到了梦寐以求的罗各斯。

秦朝统一以后,面对百家争鸣的结束,齐鲁之学面临着全新的形势。每个学术流派为了自己的生存都在进行整合与改造。经过秦朝和汉初八十余年几代儒家学者的整合、改造、创新,齐鲁儒学发展成为当时势力最大、最具生机的学派,展示了其他任何学派都无法比拟的优势。第一,她拥有一批经过整理的稳定的思想资料,如《易》、《诗》、《书》、《礼》、《春秋》、《论语》、《孟子》、《荀子》等。第二,她拥有一批学识渊博、声望卓著的学者,他们或跻入庙堂做官从政,以自己的学识为统治者服务,如做了汉太常的叔孙通之类;或固守学派的营垒,聚徒讲学,全力延续儒学的香火,如伏生、浮丘伯之类;或努力整合,立志创新,对传统儒学进行精心改造,大大扩展了儒学的影响,如董仲舒之所为。第三,经过春秋、战国、秦朝和西汉初年数百年的传播,齐鲁儒学早已突破地域界限,在黄河上下、大江南北的广大地区播扬,影响日益扩大。第四,经过数代儒家学者的改造创新,特别是经过一位非齐鲁的学者董仲舒大手笔的精心整合,将齐学与鲁学的优长融为一体,儒学于是以全新的面貌出现,赢得了汉武帝的青睐。于是,通过汉武帝与董仲舒的热烈拥抱,以"罢黜百家,独尊儒术"的政策将儒学推上了主流意识的宝座。这其中,太学的建立,经学官学地位的确立,从儒生中选取官吏制度的确立,使儒学的主流意识地位日益巩固。此后,在两千多年的封建社会里,儒学作为主流意识的宝座始终没有动摇。

诚然,在齐鲁大地上孕育成长并蔚为大观的儒学跃升至主流文化的地位,和汉武帝以其皇帝之尊选定和推行的政策显然密不可分。不过,起关键作用的还是儒学的内容长期满足了社会的需要。

董仲舒改造传统儒学,创立今文经学,开启了儒学神学化、儒家宗教化、孔子教主化的进程,为中国封建社会找到了最为理想的意识形态,对稳定和巩固大一统的专制主义中央集权的统治起了重要作用,对于形成以汉族为主体的中华民族的心理结构产生了不可估量的积极影响。她既获得了统治者的青睐,又得到被统治者的认同,是中国宗法农业社会最适宜的意识形态。

由于儒学倡导大一统,鼓吹"内诸夏而外夷狄",反映了中华各族人民对祖国的认同,蕴含着深厚的爱国主义,形成了强大的民族凝聚力。由于她倡导尊君爱民,鼓吹等级秩序,"说忠孝,道中庸,与民言服从,与君言仁政",找到了统治者与被统治者利益的结合点,统治者与被统治者都乐于接受。特别是她倡导的三纲五常的伦理学说,给封建社会的人际关系罩上一层温情脉脉的纱幕,反映了中国宗法农业社会中君主、臣僚和百姓对伦理道德的认同。儒学具有强烈的民本主义的政治文化意识和博大深广的人道主义精神。一方面,她要求对百姓实行"仁政"、"德治",肯定"汤武革命"的历史正当性;一方面又提倡"仁爱"、"立人"、"达人"和"推己及人",要求以"爱心"和"亲情"建立"友爱"和谐的人际关系。儒学倡导"尽人力而听天命","知其不可为而为之"的积极进取的人生态度,鼓吹独立不移的大丈夫精神和操守重于生命的品格意识,一贯重视文化教育事业,这一切对中华民族的精英和知识分子都具有永恒的吸引力。儒学还具有开放性的学术品格,她从其产生的那天起,就不断从历史和现实中吸纳知识与智慧,不断从异质文化、"夷狄文化"中吸纳知识与智慧,以丰富、充实和发展自己。她不是一个自满自足、僵化封闭的体系,而是一个具有海纳百川的博大胸怀、与时俱进的奋发进取意识的开放性的学派,因而能够在历史的前进运动中不断增强对社会和人生需求的适应能力。还应该指出,儒学同时具有实践性和普及性的品格。她没有故作高深的玄理,也不用晦涩难解的文字。她的政治经济思想、伦理道德情操、人生价值理念,都是用比较贴近百姓的语言和司空见惯的事物表述的,因而能够通过学校教育和社会上一代又一代人的传播,润物细无声般地渗透到人们的身心之中,融化到人们的血液之中,变成民族文化的基因。

反观其他地域文化,燕赵、三晋、中原、三秦,基本上都属于法家文化圈,它们之间虽也有地域上的差异,但除了法家学派的人物外,只有赵国出了一个顶尖的儒家学者荀子,而他的思想却是形成于齐鲁,他本人也应归入齐鲁之学。由于法家学说的明显弊端,这些地域文化也就失去了上升为主流文化的可能性。岭南、巴蜀滇文化虽然一度辉煌,但它们除了在音乐、美术、舞蹈等艺术门类留下了一批珍品外,在思想领域却没有产生可与孔、孟相伯仲的人物与思想,当然也就不具备上升为主流文化的资格。楚或曰荆襄是老庄道学的发源地,产生了影响深远的道家学派。不过,此一学派只能补儒家学派之不足,却不能在建构主流文化时充当盟主或核心的角色。吴、越地区在春秋时曾产生了伍员和范蠡两位谋略家,其中,除范蠡的经济思想具有一定特色外,那里缺乏成体系的包括政治、经济、哲学和伦理的思想,当然也就更谈不到上升为主流文化的问题。

再看先秦以来那些辉煌一时的思想学术流派,尽管各有优长并对中国思想史的发展做出了独特的贡献,但他们本身都存在着许多明显的缺失,如墨家的"简而难尊",法家的"刻薄寡恩"、"有术易以兴,无术易以亡",道家的"无为"、"为我"、"出世",阴阳家的"使人拘而多畏",名家的"苛察徼绕"、"专决于名而失人情",农家的平均空想等,使它们都不能适应不断变化的社会对主流文化的需求。只有经过董仲舒改造过的新儒学,既保留了原始儒学那博大精深的内涵,又有选择地吸收了其他学派的理论和方法,并且基本上消除了原始儒家"博为寡要,劳而少功"的弊端,成为内容最丰富,涉及政治、哲学、经济、伦理、教育等涵盖深广的学说。她由近及远,由小到大,将"修身、齐家、治国、平天下"等个人修养与社会政治生活的方方面面联系在一起,尽量照顾到社会上各个阶级和各个阶层的利益,找到了剥削者与被剥削者、统治者与被统治者利益的结合点。既易于为人们所理解,又具有可操作性,因而成为中国封建社会主流文化的核心和主要组成部分,为中华帝国的长期存在、发展和几度辉煌提供了有力的思想文化支撑。尽管两千多年来,星转斗移,世事变迁,外来文化数度冲击,但由于儒学有着很强的因应能力,她的地位一直是安如磐石,没有丝毫的动摇。这种情况,直到近代西方殖民主义者东来,"西学东渐",在以民主和科学为旗帜的西学冲击下,儒学的颓势才显现出来。这一情况表明,中国古老的封建制度和与这个制度相适应的文化已经面临全面的变革。

东汉党人、明末东林党人的
生死观与士大夫精神

黄宛峰

在中国古代良莠不齐的儒生群体中,东汉党人、明末东林党人无疑是铁骨铮铮的正面形象。作为中国古代社会两次震撼朝野的士大夫集体殉道者,他们毫不妥协于黑暗的宦官集团,用鲜血与生命书写了中国士人史上异常悲壮的篇章,铸就与锻造了中国的士大夫精神。然而,对儒家学说的无条件崇拜,从根本上制约了他们的思想创造力,浓烈的忠君情怀使得他们的殉道几同于殉君。儒学成就了他们君子人格的完善,也造就了他们悲剧性的命运。这更是中国社会的悲剧。

一

东汉党人、明末东林党人均以铲除宦官集团为其鲜明的政治特色,他们因此被宦官诬以"党人"而惨遭迫害,其领袖人物大多死于狱中。生死之际,党人所表现出的气节与风范,确非常人所能为。

东汉党人最著名的是李膺、陈蕃、杜密、范滂诸人。李膺不奏请朝廷即诛杀大宦官张让的弟弟张朔后,在朝堂之上面对桓帝的责难,义正辞严地回答道:张朔虽死,主凶未擒,"特乞留五日,剋殄元恶,退就鼎镬,始生之愿也"①。他所谓的"元恶"显然是指权倾一时的张让。第二次党锢之祸起,大捕党人,乡人劝其逃亡,李膺却说:"事不辞难,罪不逃刑,臣之节也。吾年已六十,死生有命,去将安之?"②于是主动投狱而死。陈蕃在第一次党锢之祸既成的肃杀之气中,上书直斥桓帝拘捕党人无异于秦之焚书坑儒,极言李膺等人为"死心社稷"之臣,不可囚禁,并自申其志曰:"臣位列台司,忧责深重,不敢尸禄惜生,坐观成败。如蒙采录,使身首分裂,异门而出,所不恨也。"后与外戚窦武合谋欲尽诛宦官,事泄,情急之下,陈蕃竟以 70 余岁之身,仅率下属、门生 80 余人拔刃入宫与宦官论理,即日为宦官所害。③ 范滂在第二次党锢之祸中,闻难作即投狱。其母到狱诀别,范滂劝慰之,他的母亲却答道:"汝今得与李、杜(李膺、杜密)齐名,死亦何恨!既有令名,复求寿考,可兼得乎?"④识见如此!史弼因诛杀宦官侯览亲信而被捕,其下属皆避而远之,惟有他以前所举的孝廉裴瑜送别道边,激励他:以"摧折虐臣"获罪,"足以垂名竹帛,愿不忧不惧"。史弼答以"昔人刎颈,九死不恨"之语,⑤足见其信念之坚定。

东汉党人在与宦官抗争的过程中,常有激愤之语。如黄浮杀宦官子弟徐宣前,面对下属的苦苦劝阻,慨言曰:"徐宣国贼,今日杀之,明日坐死,足以瞑目矣!"⑥李膺之语,亦见其激越之气。然而,党人并不矫情,他们确实是将生死置之度外的。前有秦的焚书坑儒之祸,近有杨震、李固、杜乔等三公与外戚、宦官抗争而最终惨死的事实,明哲保身的士人早已看出李膺等人必将"生行死归",⑦

---

① ② ④ 《后汉书》卷 67《党锢列传》。
③ 《后汉书》卷 66《陈蕃传》。
⑤ 《后汉书》卷 64《史弼传》。
⑥ 《后汉书》卷 78《宦者列传》。
⑦ 《后汉书》卷 53《周黄徐姜申屠列传·序》。

重蹈坑儒之祸,①因而不肯出仕,或入仕"耽禄畏害"而不敢直言。李贽等人对政治形势的严酷,以及自己可能遭到的迫害是清楚的。但"澄清天下之志",②"以天下是非名教为己任"③的责任感与使命感驱使他们勇往直前。一腔激情使他们不能自已。李贽批评不肯出仕的妹夫钟瑾曰:"孟子以为'人无是非之心,非人也'。弟何期不与孟轲同邪?"④

较之东汉党人,明末东林党人生死观的思辨色彩较浓。他们中的不少人长期在书院讲学,著述较多,得以从容论道。东林诸君中以顾宪成的生死观最有代表性。他认为人有无形生死、有形生死。在《小心斋札记》中阐述其核心曰:"人身之生死,有形者也;人心之生死,无形者也。""人身"与"人心",实即形体与精神。人若仅以形体之生死为念,则生为徒生,死为徒死,"情欲胜而道义微,不过行尸走肉而已,圣贤见无形之生死,不见有形之生死,故常以无形者为主。道义胜而情义微,……固已超然与造物者游矣!"⑤。道义在身,即可超越肉体之生死,追求有价值的道德化的人生。冯从吾评论宋儒张载"为天地立心,为生民请命,为往圣继绝学,为万世开太平"的论点曰,人只有达到如此境界,才不负天地生人之意,使天地无憾。⑥ 既然人应追求道德化的一生,那么,道义与生命相比较,自然是舍生取义。高攀龙解释孔子"朝闻道,夕死可矣"的话曰"当死便死",即为道义而献身。他强调:"虽杀身也要成得一个仁才好。不然徒死无益,直如草木耳。"⑦在这种理念的支配下,东

---

① 《后汉书》卷53《申屠蟠传》。
② 《后汉书》卷67《党锢列传》。
③ 《世说新语·德行》。
④ 《后汉书》卷62《钟皓传》。
⑤ 《小心斋札记》卷6。
⑥ 《冯少墟集·宝庆语录》。
⑦ 《东林书院志·高景毅先生东林论学语上》。

林诸君义无反顾地走上了殉道之途。

天启五年(1625年)杨涟、左光斗等六人下狱。杨涟在东林士人中以刚直峻烈著称。魏忠贤派人刺杀而未成,所以杨涟早已知不免于难,但仍义无反顾地抗争。他坚信"人生梦幻,忠义千秋不朽"①,《狱中绝笔》谓"不悔直节,不惧酷刑,不悲惨死,但令此心毫无奸欺。白日冥冥,于我何有哉!"②

杨涟等六君子受尽酷刑死于狱中后,次年,又捕高攀龙、周宗建、周顺昌、缪昌期、黄尊素、李应升、周起元七人。高攀龙听到周顺昌已被逮,笑曰:"吾视死如归,今果然矣。"遂投水自尽,缪昌期等人均惨死狱中。高攀龙留下遗书两封,其一为《别友柬》:"仆得从李元礼、范孟博游矣。一生学力到此亦得少力。心如太虚,本无生死,何幻质之足恋乎?"③他所谓"幻质"与杨涟"人生梦幻"意同。而"心如太虚,本无生死"似有佛教意味。对此,刘宗周认为:"先生之心与道一。尽其道而生,尽其道而死,非佛氏所谓无生死也。"④这是符合高攀龙原意的。他是从"一生学问"即儒学中寻求精神动力,而不是从佛教教义中得到解脱。

东汉党人"或死或刑者数百人"⑤,牵连受迫害者数千人。东林党人仅天启五年左右的两年中,下狱而死或遭戍者百余人,受牵连遭迫害者千人以上。人非草木,孰能无情?在酷刑与死亡的威逼下,他们与凡人一样,对亲朋至友有着无限的依恋,同时对自己终生信奉的道义也不可避免地产生了一些怀疑。尽管史籍中此类史料较少,但我们仍可从中捕捉到党人微妙而复杂的心态。

---

① 《杨忠烈公文集·狱中寄子书》。
② 《杨大洪先生文集·狱中绝笔》。
③ 《碧血录》。
④ 《明儒学案》卷62。
⑤ 《后汉书》卷53《申屠蟠传》。

范滂在狱中与母亲、儿子诀别时,母亲以豪言为之壮行,但他内心仍不自安,回头对儿子说:"吾欲使汝为恶,则恶不可为;使汝为善,则我不为恶。"性善说是儒家礼治说立论的根据,从善去恶是儒家学说的重要原则之一。范滂在第一次入狱时面对宦官"何以结党"的诘问,答复即是"闻仲尼之言'见善如不及,见恶如探汤',欲使善善同其清,恶恶同其污",①表现出他对儒家道义的执着追求。而此次劫难必死无疑,面对幼子(范滂此时33岁),他既不愿其弃善从恶,但自己终生向善,下场又如何?万千心绪,难以言说。范滂凄楚无奈的心态,在一千四百余年后的东林党人那里,以诗文的方式表现出来:"世事浑如梦,贻经累后生","寄语儿曹焚笔砚,好教犁犊听黄鹂","却怪登车揽辔者,为予洒泪问苍穹"!②"登车揽辔者"是指范滂,他在担任清诏使案查地方时,"登车揽辔,慨然有澄清天下之志"③。当时是何等的踌躇满志,最终却命丧囹圄。儒家倡导修齐治平,而笃行此道的士大夫不仅不能治国,反而被害,李膺、范滂等人的悲剧再次重演。这不能不使东林诸君困惑万分:自己付出了如此惨重的代价,是否还要教育后代走这条路?刚烈如杨涟者,在受尽酷刑后,亦曾呼唤其家人至身边曰,回乡后"分付各位相公不要读书"④。这些号称"血性男子"的"刚肠铁石人"也有难以割舍的亲情,家中父老妻儿,无一不令他们牵肠挂肚:"君怜幼子呱呱泣,我为高堂步步思。最是临风凄切处,壁间俱是断肠诗!"⑤缪昌期有《就逮诗》八首,七首分别以《痛亲》、《痛弟妹》、《慰妻》、《示儿》、《慰女》、《慰妾》题名,足见其生死关头的痛楚心境。他们是血肉之躯,对生的渴望乃人之常情。东汉党人在狱中牵引出宦官子弟以自保,东林党人暂时承认魏忠贤集团强加于他们头上的受贿之事以图保住性命后再找申辩之机,都表现了他们对生

---

①③ 《后汉书》卷67《党锢列传》。
②④⑤ 《碧血录》。

命的珍惜,对死亡的拒绝。但当他们明白不能幸免于难后,便慷慨赴死。道义与生命两相比较时,他们选择的是前者,正是杨涟所谓"求仁得仁"。他们有凡人情怀,但骨子里是君子人格、大丈夫气概,所以,最终能以钢铁般的意志坦然地面对死亡,"大笑大笑还大笑,刀砍东风,于我何有哉"!正如顾宪成所言,以无形生死超越了有形生死。他们坚信"他日清朝应秉笔,党人碑后勒遗文"。① 青史留名,忠义永存,"常留日月照人心",② 他们便死而无憾了。

二

生与死,是每个人都要面临、思索的问题,而知识阶层显然考虑得更深入。中国古代诸家学说,究其根本均为人生哲学,自然不可避免都要言及生死这个重大问题。先秦诸家中,道家的生死观豁达通透,视生死为气之聚散的自然流程,因而生不喜,死不惧。儒家的生死观则深沉凝重,赋予生死以沉重的道德色彩。孔子、孟子、荀子三位儒学大师在生死问题上各有经典式的表述。孔子强调"士志于道",任重而道远,"仁以为己任,不亦重乎?死而后已,不亦远乎?"③ 士人以实践推行仁义为终生的事业,因而不论何时何地都不能违背仁义。若仁义与生命发生冲突时,只有牺牲生命:"志士仁人,无求生以害仁,有杀身以成仁。"④ 孟子的"舍生取义说"将这层意思讲得更明白:"生亦我所欲,所欲有甚于生者,故不为苟得也;死亦我所恶,所恶有甚于死者,故患有所不辟也。……非独贤者有是心也,人皆有之,贤者能勿丧耳。"⑤ 孟子倡

---

① ② 《碧血录》。
③ 《论语·泰伯》。
④ 《论语·卫灵公》。
⑤ 《孟子·告子上》。

导性善说,因而强调人固有舍生取义之心,贤者守而勿失罢了,意在推广其说至所有人。而实际上惟有终日研读儒经的儒生最注重此道。荀子曾言,有狗彘之勇,贾盗之勇,小人之勇,士君子之勇。前三者都可以做到"不避死伤",但那是为利;君子之勇则完全不同:"义之所在,不倾于权,不顾其利,举国而与之不为改视,重死持义而不挠,是士君子之勇也。"①先秦儒家学说的集大成之作《礼记》中专有一篇《儒行》,假借孔子之口概括了儒生的种种美德,其中之一即是"委之以货财,淹之以乐好,见利不亏其义;劫之以众,沮之以兵,见死不更其守。……身可危也,而志不可夺也。"这实际上是孔子"三军可夺帅也,匹夫不可夺志"的另一种表述。而这里的"匹夫"也不是一般老百姓,而是指儒生。儒家的上述学说,无一不在强调道义重于生死,而儒生是天经地义的殉道者:"天下有道,以道殉身;天下无道,以身殉道。"②道家不畏死的原因是体悟到大千世界物化不已、生生不息乃自然之道。儒家不畏死的原因则在于认定道义重于生死,死得其所恰恰是生命价值的最终体现。

儒家学说脱胎于三代礼文化,儒家被尊奉为正统学说后,中国古代无人不受其熏陶。因而,从先秦到明清,各种名目的殉道者代不乏人。而作为士大夫集团与邪恶势力抗争最终集体殉道之举,在中国古代社会则仅有东汉党人、明末东林党人两例。作为中国古代一种独特的文化现象,其意义何在?笔者认为,东汉党人与东林党人的集体献身,铸就与锻造了中国的士大夫精神,同时,他们的循道持义也不可避免地导致了思想上的保守。

东汉党人是中国政治舞台上首次以毫不妥协于邪恶势力姿态出现的士大夫群体形象。士大夫即知识型官僚在春秋战国已出现,以经明行修为特点的士大夫阶层亦即儒生士大夫则于西汉中

---

① 《荀子·荣辱》。
② 《孟子·尽心上》。

期以后逐步发展壮大,东汉时期在政治生活中占据了越来越重要的位置;而士大夫精神则是在东汉中后期士大夫集团形成一种富有影响力的政治势力后才逐渐形成的。先于李膺的杨震、李固、杜乔等三公以其悲壮的死惊动士林,但他们毕竟是个别人的行为,未成气候。桓灵时期则在全国范围内掀起了抨击宦官的风潮,党人理所当然地为其冠。先秦儒家倡导的"士志于道"的儒生特质,通过他们大张旗鼓的政治实践及集体献身而充分地昭示于天下。他们是知识群体形象的首次登台,且是以生命而不是笔墨去诠释儒家道义,从而铸就了中国的士大夫精神。士大夫精神的鲜明特色即以天下为己任。

较之东汉党人,明末东林党人的集体殉道则是对士大夫精神的磨砺与淬火。同为王朝末世,同为士大夫与宦官的斗争,东林党人面临的政治势力比东汉党人更险恶。这种险恶不仅来自于对手的强大,更来自于士大夫本身的世俗化。魏忠贤集团的专权暴虐空前绝后,士大夫不修士行,投靠魏忠贤门下者不计其数。故有学者认为此期是"士无特操","士人的人格普遍泯灭"①。而恪守儒家道统的东林党人面对士风日下之势,重新倡导"学者以天下为任"②,他们率先垂范,"益以名教自任"③,"慨然以整齐天下为任"④。这与东汉党人"以天下是非名教为己任"一脉相承。缪昌期《槛车》诗中曰:"尝读(李)膺(范)滂传,潸然涕不禁。而今车槛里,始悟夙根深。"⑤"夙根深"三字传神地道出了两者在思想深处

---

① 周明初:《晚明士人心态与文学个案》第 2 章第 4 节。
② 《高子遗书·与李肖甫》。
③ 《明史·薛敷教传》。
④ 《明史·赵南星传》。
⑤ 《碧血录》。

的契合。高攀龙、缪昌期均以"与李膺、范滂同游地下"为荣。① 东汉党人的悲剧性结局摆在那里,但东林党人偏偏仍走这条路。东林党人在晚明举世皆浊的士林中高自标置,弘扬正气,确立起了自己的正面形象。赵南星言:"天下将乱,则人鲜节义。然天地之正气不绝,必有一二矫矫者出焉。"②东林党人是当之无愧的士林矫矫者。邹元标强调:"人生天地间,只是一副真骨头,真精神"③,"吾辈所恃一生千生,此真精神耳。"④他所说的"真精神"乃指儒家坚定不移的道德追求。这种追求至死不渝。左光斗的门生史可法曾买通狱卒,见到备受酷刑后弥留之际的左光斗,只见左光斗"席地倚墙而坐,面额焦烂不可辨,左膝以下筋骨尽脱矣。史公跪抱公膝而呜咽。左公辨其声,而目不可开,乃奋臂以指拨眦,目光如炬,怒曰:'庸奴,此何地也,而汝来前。国家之事,糜烂至此,老夫已矣。汝复轻身而昧大义,天下事,谁可支持者!不速去,无俟奸人构陷,吾即先扑杀汝!'……(史可法)后来流涕述其事以语人曰:'吾师肺肝,皆铁石铸就也!'"⑤史可法后来成为抗清名将,左光斗对他的影响是不言而喻的。高攀龙的弟子华允超在崇祯朝直言敢谏,上"三大可惜四大可忧疏"时即备棺而待。⑥ 薪尽火传,东林诸君以天下为己任,为道义万死不辞的士大夫精神不绝如缕地延续下去。

然而,东汉党人、明末东林党人为之献身的"道",其实际内容是什么呢?孔子曾言"吾道一以贯之",是讲"忠恕"即仁。汉以后

---

① 《碧血录》。
② 《赵忠毅公文集·终慕录序》。
③ 《愿学集·答钱肇阳明府》。
④ 《愿学集·答史纬占宪副》。
⑤ 《方苞集》卷9《左忠毅公逸事》。
⑥ 《东林书院志·诸贤轶事》。

的"道",则指儒家所倡导的政治理想和道德原则,其核心内容是君臣等级制度。顾宪成讲得最简明:"道者何?纲常伦理是也。"①党人之所以与宦官展开殊死的搏斗,即是因为宦官以卑贱奴仆之身执掌国家权柄,妨碍了皇权的正常运作,有悖于纲常伦理。自然,宦官的专权阻塞了士大夫正常的仕进之路,也违背纲常伦理,因为士大夫作为儒家文化的传承者与实践者,理所当然是国家官僚队伍的主体。归根到底,党人以死与宦官抗争,捍卫的是君主的尊严与国家统治秩序的稳定。这种忠君情怀在东林党人身上表现得淋漓尽致。杨涟在受尽酷刑之后,痛恨的是奸佞迫害,使皇帝蒙枉杀臣子之名。因而他对范滂的一席话不以为然:"范滂临刑,欲汝为善,则我不为恶?父子相诀。涟谓何不更勉以忠义,而作此激愤之语!"②他自己是死而无怨的:"涟即身无完肉,尸供蛆蚁,原所甘心。不敢言求仁得仁,终不作一怨尤字也。然守吾师致身明训,先哲尽忠典型,自当成败利害不计,乃朝廷不虚养士也。"杨涟此言乃肺腑之语。循此我们可以了解他守师训,效先哲的特点。这也是东林党人的共同特征。而正是这种特征决定了他们的根本局限。他们认为孔子之道是"万世无弊"的真理,儒生只须精研义理,力行其道即可,儒家经典本身不容怀疑,儒学原理不可改变:"述而不作,不是圣人谦词。后世天下不治,道理不明,正坐一作字。不遵守祖宗法度,只作聪明以自用,天下安得治!不表章圣贤经传,只好异论以自高,道理安得明!"③对儒经无条件的崇拜,使得他们在儒学传承中缺乏创新,行为上循规蹈矩,难以越出传统道德的雷池。冯从吾道:"宋儒云:天不生仲尼,万古如长夜。余亦云:人不

---

① 《小心斋》卷9。
② 《杨大洪先生文集·狱中绝笔》。
③ 《冯少墟集·疑思录》。

学仲尼,万古如长夜。"①一种思想若长期流传,那可能是思想家的幸运,却是社会的大不幸。它说明社会没有发生根本的变化。孔子之道于中国社会正可作如是观。东林党人批评千余年前东汉党人忠义不足,他们以更正宗的儒学信徒出现,且相信儒学能够万古流传,难道不是士大夫的悲哀,中国的悲哀吗?!东汉党人处在汉民族形成的时期,而明朝则是中国古代社会汉民族建立的最后一个政权。东汉党人与东林党人作为文化精英,在汉民族发展的早期与晚期,在道德领域树立了两座巍巍的丰碑,对塑造汉民族文化精神起到了重要的作用。作为知识的传承者与创造者,民族的文化精英,国家政治事务的主要担当者,士大夫的道德追求与精神风貌千年不变,中国古代社会发展缓慢的原因也就不难理解了。

生死乃人之要事。明儒王守仁曾"历试诸艰,惟死生心未了,遂置石棺,卧以自炼"。② 东汉党人与东林党人坦然而死,凛凛正气光照千古。然而他们为君主尽忠殉节,只代表君子的气节与风范,并未带来社会的进步与发展。这一切都要从他们所终生恪守的儒学中寻找答案。对儒家道义的坚定追求成其高峻,对儒家学说的崇拜盲从又定其卑微,正所谓成也萧何,败也萧何!

---

① 《冯少墟集·宝庆语录》。
② 《明儒学案》卷 22。

汉文化的传承与两汉宗族的发展

赵 沛

经学传统是维系两汉宗族的重要纽带。各大宗族通过经学传统维系宗族势力,进而影响政治,是两汉宗族政治的一大特色。我们一再强调,两汉时期是宗族社会的恢复和重建时期,其表现之一,就是宗族势力与经学传统的结合。经学传统之成为维系两汉家族的纽带,是基于如下两种基础:一是汉武帝以后"独尊儒术"的文化政策以及由此而盛行的学校(官学和私学)教育的普遍发展,二是"经学取士"为重要内容的选官制度的确立。毋庸置疑,在文化传播还十分困难的汉代社会,各大豪强宗族利用他们的经济条件和文化传统,十分自然地成为汉代文化传承的最主要承载者。并因此在文化传承和宗族发展这二者之间,建立了某种内在的互为依存的关系。另外,还有一点不可忽视的原因就是汉代政治行政所具有的颇为重视技术行政之特征,也造就了一批以法律、文史和天文历算等为专门职业的世代相传的所谓"世吏"之家,他们也是构成汉代文化传承的重要的承载者之一。也因而使这些"世吏"之家,成为两汉宗族集团中的一支重要力量。

一

西汉建立之初,四海初定,朝廷在政治文化上崇尚黄老刑名之学,在行政上推行清静无为之术,总的来说,汉初几十年,是一个在政治文化上毫无建树的时代。黄老刑名、清静无为实际上就是"维护现状"而已。维护什么样的现状呢？简言之,就是维护汉初通过"白马之盟"而确立的军功阶层与刘汉皇室分享胜利成果,即刘姓宗室与军功集团"共天下"的政治现实。

这时朝野存在着四大势力的对抗与共存的复杂关系,即皇权、政府权力、诸侯王势力和地方强宗豪门势力。这其中诸侯王与地方强宗豪门势力始终为皇权所深忌,故天下稍定,便有异姓诸侯之诛,景帝平定七国之乱以后,武帝再施以推恩政策,最终"诸侯惟得衣食税租,不与政事"①,其中支脉疏远的宗室成员更与一般富室无异了。对于地方强宗豪门,汉初始终实行压抑政策,尤其是武帝时期杀伐之决断不可不谓残酷:颁布专门刑律处罚豪强田宅逾制、占地扩土;放任酷吏惩治强宗豪右,迁徙豪富于诸陵以实京师;利用刺史监察地方的六条问事等等,无一不是旨在打击和压抑地方豪强宗族势力。但是,这样的手段似乎并没有达到预期的效果,相反,终汉一代豪族势力始终经久不衰。看来杀罚并没有,也不能解决问题。其实,这一问题实际上涉及国家权力与社会力量之间的关系平衡问题。一个国家,其政权是否稳固,并不仅仅取决于国家权力的强大与否,更在于它是否拥有有效地调节国家政权与地方社会之间关系的手段。强大的秦王朝在短短的十几年间即将庞大、有力的国家机器推向毁灭,便是一个最好的例证。"社会是以共同物质生产活动为基础而相互联系的人类生活共同体",而国家是"从社会中产生但又居于社会之上,并且日益同社会脱离的力量"②。事实上,中国社会自秦灭六国,废除封建而设立郡县制度

---

① 班固：《汉书》卷14《诸侯王表》序。
② 马克思、恩格斯：《马克思恩格斯选集》,第四卷,人民出版社1975年版,第166页。

以后,便确立了以皇权为轴心的国家权力系统与以宗族血缘为轴心的社会权力系统的二元对立的基本结构。如何调节对立的二元系统,寻找二者的结合点,是秦汉以后政治实践的重要内容。因为"政治总是由无数个体所构成的社会中的政治,为政目的必须与部分个体的人生目的相契合,这种政治才能够得到这部分人的支持,为政治目的所容纳的个体人生目的越多,这种政治就越稳定。"①事实上,北宋大诗人苏轼早已洞察了这一奥秘:

> 不用士人,犹如"纵百万虎狼于山林而饥渴之,不知其将噬人"。

可谓卓识。许倬云也在他的名著《西汉政权与社会势力的交互作用》一文中指出:

> 对于任何权力结构,老百姓能否接受是这一结构是否能成为稳定和合法的第一要件;而老百姓中俊杰分子能否有公开的途径被选参加这一机构,则是老百姓能否加以接受的要件。

这实际上就是国家政权是否向社会权力系统开放的问题。前文提到,汉初政治的特点在于它的无为特征,实则就是"维护现状"的保守性。质言之,就是汉初的既得利益者的军功集团为巩固自身集团的利益,对政权体系采取的封闭和权力独享政策。因此,汉初政治现状,对地方社会权力系统而言,对作为地方权力系统的代表豪族宗族势力而言,是关闭和对抗的。也就是说,汉初国家权力系统与地方组织系统之间,缺乏一种机制,使之通过某种方式达到双方利益的一致。毫无疑问,从汉初到武帝朝皇权与地方社会的关系是非常紧张的。如何消除这种紧张状态,使从前作为离心力量的社会组织系统向政权靠拢,或者说,如何使汉王朝的政权力量得到社会组织系统中大多数人的支持,这是摆在汉武帝及其继任者面

---

① 刘广明:《宗法中国》,上海三联书店1993年版,第34页。

前的一个重大课题。宣帝以后,通过逐渐任用儒生为相,似乎找到了沟通双方的媒介。而事实上,在二者尚处于紧张对抗的汉武朝,雄才伟略的汉武帝毕竟已经为此做了一件意义深远的大决策。从以后历史发展的进程看,这一决策使地方社会组织系统的代表(俊杰分子)成为儒士并因此而跻身政权,从而完成了两大系统从对立到利益逐步一致的过程。这一决策就是推行"独尊儒术"政策以及以此为基础的以儒家经学教育为核心内容的学校(包括官学和私学)的兴盛和通经入仕制度的确立。这给汉代政治带来两个重大的影响,其一,是从根本上改变了汉代政治统治思想,其二,便是为知识分子开放了仕途,于是天下学士靡然向风,钻研儒家经典成为豪门子弟必修的功业。而且,由于他们在财力与教育方面的优越条件,在文化传播还比较困难的汉代,豪族很自然地成为文化的垄断者,尽管汉代也有清贫家境者通过奋发经学而出人头地者,但与那些豪强宗族子弟相比毕竟是寥若晨星。豪门宗族利用自身的这些优势通过经学的传承,垄断文化并以累世相传,便成为一种家学世业,即累世经学。

　　武帝朝与之相关的另一重大措施,即是元光元年最终建立起来的郡国岁举孝廉制度。众所周知,举孝廉的一个重要科目便是"明经入仕",但由于选举被控制在二千石的地方长吏手中,选举不可能真正贯彻公正的原则。事实上,在文化不发达的汉代,豪强大族垄断文化,从而形成了累世经学的世家与豪强宗族的必然结合,豪族子弟读书成为儒学世家似乎是顺理成章。《后汉书·章帝纪》诏曰:

　　　　每寻前世举人贡士,或起甽亩,不系阀阅,敷奏以言,则文章可采;明试以功,则有异迹⋯⋯

这一诏令说"前世举人贡士,或起甽亩,不系阀阅",恰好说明到东汉章帝之时,举人贡士从阀阅门第出发的现象已很普遍。王符在《潜夫论·高际》篇说东汉时期"贡荐则必阀阅为前",仲长统《昌言》则说:"天下有三俗,选士而论族姓阀阅,一俗。"实际上就是对章帝诏令的最好注脚。

在这种政治氛围之下,累世经学的豪族(他们往往被誉为"儒宗")通过控制选官而累世公卿。如沛郡龙元桓氏"父子兄弟代为帝师,受其业者皆至卿相,显乎当世。"①号称"关西孔子"的弘农杨氏,自杨震到曾孙杨彪"四世太尉,德业相传"②都是累世公卿的显族,又均由经学起家。

概言之,随着武帝"独尊儒术"政策的推行,儒学遂成为汉代社会文化之核心内容。豪强宗族利用经学传统作为起家并维系宗族的重要手段,由累世经学而垄断选举成为累世公卿的宗族。他们虽非世袭但历世公卿却是不争的事实。

二

还必须注意到,从武帝以后所谓儒宗与门生、故吏伴随着经学传授和举荐儒生为官而出现。二者构成一种以某一宗族为核心的拟血缘的宗族集团,并以此作为巩固宗族和维系宗族的基石。这是经学传统成为维系宗族纽带的另一表现。

西汉末年,儒学宗师有门生"众至千人"者,东汉以后,宗师的门生数百、上千更是寻常之事,多的可达数千、上万。问题是这种动辄成千上万的门生、故吏与所谓儒宗的结合,究竟对汉政治格局产生怎样的影响呢?

汉代儒学宗师讲学、亲授业者、转相授业者、或不授业但著录名籍者皆可通称门生或弟子,而且,越到后来,儒宗与门生、弟子之间也就越超出了经学传承的意义。儒宗的门生、弟子动辄上万,其

---

① 范晔:《后汉书》卷37《桓荣传》。
② 范晔:《后汉书》卷54《杨震传》。

绝大多数只是著录而已,故徐干在其《中论·谴交》篇中说"为之师无以教,弟子亦不授业"的现象已很普遍。儒宗与其门生、弟子已由原先单纯的经学师承关系,结合为一种越来越密切的政治势力,遥相呼应,兴衰与共。

故吏一词本身虽和门生有渊源上的联系,但它反映的则更直接地是一种政治关系。它与孝廉、茂才等儒学入仕本身有密不可分的联系,这些人通过儒学入仕,与征辟他们的主官(主要是一些儒学宗师)形成一种政治的结合。因此,门生、故吏与儒宗所构成的已非一般意义上的经学师承的简单含义。首先,门生、故吏与儒宗实则已构成一种如父子、君臣般的人身和政治依附关系。宗师生前,二者构成利害相连,兴衰与共的共同政治利益集团,党锢之祸即为明证;宗师死后,门生、故吏如同后世子孙为父祖立碑一样,也要为其立碑,至如守丧、服孝更习以为常。① 这种类似父子的关系表现在政治倾向上,往往构成了二者之间私为君臣的政治情结。清人赵翼就说:"汉制三公得自置吏,刺史得置从事,二千石得辟功曹掾吏,不由尚书选授,为所辟者即同家臣,故有君臣之谊。"②东汉末年的公孙瓒在他做上计吏时,也与其太守有"昔为人子,今为人臣"③之喻;再如《风俗通义》卷15《十反》载,安定太守胡伊曾为司空虞放掾吏,虞放罢官还乡后,"郡以伊为郡主簿,迎新太守。(伊)曰:'我为宰士,何可委质于朝乎?'"显然,胡伊视自己与主官如同君臣,把改换主官看做是委质二朝,故不忍为之。

其次,门生、故吏与儒宗本为师生,是以儒学传授为纽带而联结起来的,但到后来有的完全演变成了一种趋附名势、干求利禄的结合了。这种结合完全是一种政治利益的勾结,仅以经学传承为

---

① 范晔:《后汉书》卷37《桓荣传》,《隶释》卷12《杨震碑阴》。
② 《廿二史札记》卷3《长官服丧》。
③ 范晔:《后汉书》卷73《公孙瓒传》。

标签而已。正如徐干言曰：
>称门生于富贵之家,比屋有之。为之师无以教,弟子亦不授业。然其于事也,至乎怀丈夫之容,而袭婢妾之态,或奉货而行赂,以自固结。求志属托,规图仕进。

这种门生不习儒学,只是投靠权门以求得利禄而已。

儒宗与门生、故吏的政治集团伴随儒学入仕而形成。在以后与东汉另两大政治集团——外戚和宦官的斗争中,逐步得到巩固和发展,这一斗争的结果,使汉代官僚集团内部出现的所谓士庶、清浊、高寒之分进一步相对凝固化。所谓士族、清白、高门就是凭借儒学入仕构成的儒宗与门生、故吏集团。东汉章帝时,公卿中这一集团出身的比例已由西汉初到昭帝时的 10% 增加到 45% 左右。① 显然,从东汉中期以后,儒宗士族集团无疑已形成了对仕途的垄断。而曹魏时期"九品中正制"的出台,则标志着这种垄断的制度化。魏晋南北朝时期门阀的特权统治,正是汉代儒宗与门生、故吏的宗族集团发展的逻辑延续。

三

最后,来讨论那些通过行政专业技能的世代传承而世代为吏的"世吏"之家的文化传承与宗族发展之间的关系。

汉武以后儒生逐步参政,汉廷通过确定儒学为正统官学,置博士弟子,行察举,开明经入仕之途,"使天下之学士靡然风向"。入仕之儒生,通过经学传统,由累世经学而累世公卿、世吏二千石,并由此作为维系宗族之纽带,构成汉代的官僚豪族阶层。当然能够做到"累世公卿"、"世吏二千石"的家族毕竟只是汉代豪族中很少的一部分。而且,汉代豪族起家也非仅仅经学之一途,除经学外,

---

① 马彪:《试论汉代的儒宗地主》,《中国史研究》1988 年第 4 期。

明习律令、文史、算学、乃至天文历算等这些专门的行政职业技能，也是豪族起家的重要途径之一。

两汉行政注重"以德举人"与"以能举人"相结合，即采取儒生与文吏并举的方针。因为庞大的帝国行政，必须依靠高效的行政运作来维系，这就大量地需要那些受过专业的职业技能训练并熟练掌握行政专业技能的行政官吏。诚如《资治通鉴·汉纪》明帝永平七年载宋均所言："国家喜文法廉吏，以为足以止奸也。"其实，将"喜"改作"须"字可能更贴切一些。事实上，王充在谈到汉代政局时就曾曰：

> 古经废而不修，旧学暗而不明，儒者寂于空室，文吏哗于朝堂。

他进而解释道：

> 世俗共短儒生，儒生之徒亦自相少。何则？并好仕学宦，用吏为绳表也。①

汉代官僚集团自丞相至佐史有十二万多人，这其中当然绝大部分都是无印绶和低秩禄微的"吏"，以《续汉书·百官志》注引《汉官》为例：洛阳令秩千石，丞三人四百石，孝廉左尉四百石，孝廉右尉四百石，员吏796人，13人四百石，乡有秩，狱吏56人，佐史乡佐77人，斗食、令史、啬夫、假50人，官椽吏、幹小吏250人，书佐90人，循行260人。洛阳令下员吏790人，佐史、斗食以下吏员即占了600人。② 而这些吏员中，有相当一部分是一些需要一定的职业技能的职位，这种职位在两汉时期往往是世世相继的。即以治狱为例，就有"家世狱官"的例子。事实上，秦汉以法为治，律令条文极为繁复，以至于"典者不能徧睹"③，学习律令成了专门之学。

---

① 王充：《论衡·程材》。
② 邢义田：《从战国至西汉的族居、族葬、世业论中国古代宗族社会的延续》，《周秦文化研究》。陕西人民出版社1998年版。
③ 《汉书》卷23《刑法志》。

《后汉书·樊准传》樊准就曾上疏,请复召郡国书佐,使读律令。据汉简的记载,对地方和军队的下级官吏常以"能书会计,治官民颇知律令"为褒扬之辞,可知汉代行政是颇重律令程式的。早在秦代制定的"以吏为师"的职业官吏培训方针,就是使专门的行政职业技能,尤其是行政必须依据的律令之学,以一种口传身授的方法世代承袭。《秦简十八种·内史条》规定:

> 令史毋从事官府。非史子(也),毋敢学学室,犯令者有罪。①

即是说,只有"史子",也就是文书吏之子,才可以入学室学习。所以,《睡虎地秦墓竹简》对该竹简的注释说:"古时以文尽为职务的史,每每世代相传。"这无疑是正确的认识。其实,恐怕这种世世相传的"世吏"并不限于文吏。如张汤父为长安丞,张汤从小耳濡目染,其劾鼠掠治、传爰书、讯鞫、论报一套司法程序,竟来得像模像样,"如老狱吏",令其父大为惊奇,后张汤果然做了长安吏掾。又如于定国"少学法于父,父死……亦为狱吏,郡决曹";严延年父为丞相掾,延年少学法于丞相府;②王霸家"世好文法",祖父为诏狱丞,父为郡决曹掾,霸少时亦为狱吏,③都是以通晓法律而以法吏起家的。到东汉则有郭躬、陈宠、吴雄、种皓等法律世家。《后汉书·郭躬传》载:

> 郭躬家世衣冠。父弘,习《小杜律》……为郡决曹掾,断狱至三十年,用法平……躬少传父业,讲受徒众常数百人。

可知学习律令是当时的一门专门学问。明法亦为入仕途径之一,故有如此众多徒众。史载郭躬"家世掌法,务在宽平"。其"中子亦明法律,至南阳太守,政有名迹"。躬弟子镇"少修家业",官至廷

---

① 《睡虎地秦墓竹简》。文物出版社,1990年第63页。
② 《汉书》卷71《于定国传》,卷90《严延年传》。
③ 《后汉书》卷20《王霸传》。

尉。镇长子贺,贺弟祯"亦以能法律至廷尉",镇弟子禧"少明习家业,兼好儒学……亦为廷尉"。"郭氏自弘后,数世皆传法律,子孙至公者一人,廷尉七人,侯者三人,刺史、二千石、侍中、中郎将者二十余人,侍御史、正、监、平者甚众。"①可称得上法律世家。

除法律之外,另有如司马谈、司马迁之文史之家,许峻、许曼之方术之家,等等。这些"世吏"之家,他们在两汉社会政治生活中的地位和影响可能不十分抢眼,但由于他们离权力核心较远,职位较低,作为世世为刀笔吏的家族,依靠他们的"家业",世代传承,并能保持相对长久的家族世系。同时对两汉文化的传承无疑具有很大的意义。

两汉政治推崇"霸王道杂之"的统治之术,王朝在行政上倚重文吏,但在意识形态上对儒术是推崇备至的。诚如《论衡·程材》所言:

> 文吏以事胜,以忠负;儒生以节优,以职劣。二者长短,各有所宜。取儒生者,必轨德立化者也;取文吏者,必优事理乱者也。……文吏、儒生各有所志,然而儒生务忠良,文吏趋理事。苟有忠良之业,疏拙于事,无损于高。

二者各有千秋,都是汉代行政所不可或缺的。何况"吏服驯雅,儒通文法"②,儒士参政后渐次掌握了行政技能,也兼有了"优事理乱"之才,另一方面,文吏也开始兼涉经传,兼染儒风,就两汉而言,儒生文吏两大群体又处于相互渗透、相互融合之中。③ 在这种政治情势之下,经学文法为各大宗族垄断,并构成维系两汉宗族发展的重要途径。

---

① 《后汉书》卷 46《郭躬传》。
② 《艺文类聚》卷 52 王粲《儒吏论》。
③ 阎步克:《察举制度变迁史稿》,辽宁大学出版社,1997 年版。

试论汉武时代官僚群体之抑制心态

夏增民

所谓心态,即一个社会在特定时代中所具有的共同的"群体无意识"的显现。换言之,就是个体或群体在特定时代所展现的共同的心理状态或精神状态。对于群体心态而言,尤其强调它是由一定的集体共同经历而构成的特性。汉武帝时代,往往被视为古代中国的盛世,开放、进取也就成为那个时期公认的社会心态。然而,在这种精神状态的背后,尚另有一种倾向于保守、调和、妥协、反对个人的独立意志、注重顺从诚敬的意识。这可以说是一种抑制心态,随着历史的发展,其在文化心理上逐渐积淀为一种惰性,并占据了传统社会主流心态的地位。而汉武时代诚为其滥觞时期。

一

在皇权社会,官僚阶层行政能力的充分施展,势必会制约皇权的膨胀,对专制权力起到部分的消解作用。在汉初开放进取的积极心态下,面对官僚群体势力的抬升,雄才大略的汉武帝绝难忍受,因此,对官僚群体竭力加以控制,使其才能只能在皇权的监控下有限地展现成为必然。元封五年"求茂才异等"诏曰:"夫泛驾之马,跌弛之士,亦在御之而已。"①意即对那些才俊之士,必须善于驾驭,扬其长,避其短,对"其有恃功稍骄蹇者,则又挫折而用之"②。这说明,汉武帝对待其官僚群体的策略是在尽量小的影响官僚群体能力发挥的范围内最大限度地加强皇权权威,逐步完善高度中央集权式专制主义的国家制度。这个制度自从秦始皇初创始,其最大特点就充分显示出来:即国家权力的不可分割性(权力集中于专制君主一人)和不可转移性(皇权在本家族内世袭),独裁和世袭构成专制主义的主要特征及实质,对此提出异议的任何思想和行为必然受到专制权力的最严酷的打击。专制主义的这种暴戾特征正好迎合了汉武帝极度膨胀的自私自利心理,所以在助长官僚群体(必削弱皇权)和压制官僚群体(必削弱统治)的两难路径上,他选择了高强度的专制,甚至表现出对专制的渴求,这是汉武帝创制制度、完善专制统治的最初始的心理动因。内朝、刺史制度以及大量以尊崇皇权为中心的法律制度的设立,都是贯穿着尊君抑臣的原则,使专制制度更加完善。

更有甚者,武帝把此原则发展到极致,扩展到社会生活的方方面面。最重要的是对官僚群体进行人格的黜辱,使其时刻处于卑下的阴影中,需仰视才见,不敢对皇权产生觊觎之想。正如马克思所说:"君主政体的原则总的说来就是轻视人,蔑视人,使人不成其为人。"③卫青贵为大将军,"上踞厕而视之",丞相公孙弘燕见,"上或时不冠"④,以示困辱之意。高级官吏尚且如此,而那些次流官吏,如文史星历则"近乎卜祝之间,固主上所戏养,倡优畜之"⑤。

① 《汉书》卷6《武帝纪》。中华书局标点本,1962年版。
② 赵翼:《廿二史札记》卷2。中华书局影印本。
③ 《马克思恩格斯全集》第1卷。人民出版社1956年版,第411页。
④ 《史记》卷120《汲郑列传》。中华书局标点本,1959年版。
⑤ 司马迁:《报任安书》,见《汉书·司马迁传》。

凡身在汉武帝治下者,不仅在精神上受到辱视,生命也大有朝不保夕之虑,"群臣虽素受信者,或小有犯法,或欺罔,辄按诛之,无所宽假"①,至武帝晚年,"法令无常,大臣无罪夷灭者数十家"②。在武帝看来,"夫所谓才者,犹有用之器也,有才而不肯尽用,与无才同,不杀何施"③! 完全把官吏看做了为其无限效忠的工具。在这种思想指导下,官僚群体不得不对专制皇权噤若寒蝉。汲黯"以数切谏,不得久留内",不但受到张汤、公孙弘的排挤,即使武帝"亦不说也,欲诛之以事"④。董仲舒为一代学宗,因解说灾异得忤,几近诛身,"竟不敢复言灾异"⑤;东方朔恢笑不已,深得武帝喜爱,但其直言切谏时,也不得不"时观察颜色"⑥。尽管官僚群体对专制皇权唯唯诺诺,亦步亦趋,然其下场仍足以令人寒心。公孙弘为相时,"开东阁,延贤人与谋议,朝觐奏事"⑦,然而,"自(李)蔡至(石)庆,丞相府客馆丘虚而已,至(公孙)贺、(刘)屈氂时坏以为马厩车库奴婢室矣"⑧。丞相地位日黜,以至公孙贺拜相时"不受印绶,顿首涕泣",长跪"不肯起,上(武帝)乃起去,(公孙)贺不得已拜",而曰:"从是殆矣"⑨,后果然族家。汉武12相,惟田蚡、公孙弘、石庆、田千秋得卒官,余则不是被免职,便是遭杀身之祸。汉初一人之下、万人之上的丞相在汉武时代再也找寻不到昔日礼遇。丞相的遭遇即见官僚群体命运之一斑,其他则更有怵目惊心之处。汉武时代

---

① 《资治通鉴》卷19,汉武帝元狩三年。中华书局标点本,下同。
② 《汉书》卷54《苏武传》。
③ 《资治通鉴》卷19,汉武帝元狩三年。
④ 《史记》卷120《汲郑列传》。
⑤ 《史记》卷121《儒林列传》。
⑥ 《汉书》卷65《东方朔传》。
⑦ 《汉书》卷64上《严助传》。
⑧ 《汉书》卷58《公孙弘传》。
⑨ 《汉书》卷66《公孙贺传》。

重要将领30人①,得善终者仅卫青、霍去病、韩安国、苏建、李息、张次公、赵食其、路博德8人,其中韩安国郁郁而终,卫青晚年朝不保夕,苏、李、张、赵、路皆曾受贬,惟苏建、李息、路博德再行起用,然官位不彰;8人外竟只有韩千秋捐躯疆场,余则皆遭屠戮②。《史》、《汉》载酷吏11人③,仅杜周、赵禹、尹齐善终,余则皆自杀或诛身;而杜、赵尚遭贬黜。汉武周围侍问人员11人④,徐乐、严安、东方朔、枚皋不知所终,惟司马相如善终,余则终军死于南越,司马迁受刑,其他皆诛。惟儒士极力奉应专制皇权,得以显贵,除赵绾、王臧死于不得已外,见于史册者,并无悲惨记录。这大概与他们多为官地方,不居朝,远离专制权力的中心有关⑤。

二

汉武帝在政治、经济、文化等各个领域都加强了专制趋向,引起了社会生活的重大变化。对于汉武官僚群体而言,他们要求自由无碍追求理想目标的动机受到专制主义的阻碍,从而遭遇一种"挫折"情境,在心理上形成一种紧张、不安、焦虑的状态和情绪反

---

① 他们是韩安国、王恢、卫青、霍去病、李广、程不识、张骞、公孙贺、李蔡、曹襄、韩说、苏建、李息、李沮、公孙敖、张次公、赵信、赵食其、郭昌、荀彘、路博德、赵破奴、李陵、李广利、唐蒙、韩千秋、商丘成、莽通、杨朴、王温舒。统计数据出自《史记》、《汉书》。
② 程不识、李沮、郭昌、唐蒙不知所终,赵信、李陵、李广利降匈奴,两李族家。统计数据出自《史记》、《汉书》。
③ 他们是张汤、杜周、宁成、周阳由、赵禹、义纵、王温舒、尹齐、杨朴、咸宣(《史记》作减宣)、田广明。统计数据出自《史记》、《汉书》。
④ 他们是严助(庄助)、朱买臣、吾丘寿王、主父偃、徐乐、严安、终军,另有胶仓、严葱奇,史仅留其名,不得观其人。统计数据出自《史记》、《汉书》。
⑤ 据《史记》、《汉书》之《儒林传》,儒生多为君太守、国相二千石官。

应,即产生心理危机。从心理学的角度看,"所有的人都是具有一些创造性的,因为所有的人都要求追求他的归属,而造成他们自己的世界"①,这就是说,人生于世,必须经历一系列"自我认同",实现自我价值的定位,无论是适应社会,被社会所塑造,还是反叛社会,企图改变社会。正是如此,是坚持自己自然本心还是接纳专制主义,汉武官僚群体处于两难境地,从而表现为一种双趋式的动机冲突②。在专制主义的条件下,由于社会政治文化等方面的高压控制,可以说,只有专制皇权即皇帝一人的"利",单个个人"利"的追求必须要附丽于专制皇权,即使有开拓进取之心,也是为专制皇权添光增彩,自己则博取个功名,因此,在汉武官僚群体"荣华道路,立名当世"③的处世理念下,他们毫不犹豫地选择了趋附于专制皇权。因为,只有它,才能满足他们的嗜利趋富的自然本心,才能实现其人生价值。在他们看来,高度的权威是友善的、帮助性的;而事实上恰恰相反,专制权力的专横、暴虐压抑了人们的自然意识,剥夺了人们自由思想和行动的权力,其残酷性和操纵性为汉武官僚群体始料不及。从此,他们的思想和行为必须受无理强加的专制权力的绝对支配,而对此的抗争则意味着无情的镇压,因为专制权力有强大的国家机器做后盾,其在组织上又具有合法性,对专制权力的挑战必然是对现存统治秩序的挑战。这在汉武官僚群体的心理上蒙了一层浓重的阴影,使其自然本心的流露不再淋漓酣畅,并在一定程度上严重影响了其自然本心对社会政治的塑造。在日益强化的中央集权式的专制主义面前,受积极心态影响的汉

---

① 张玉法:《历史学的新领域》,台湾联经出版事业公司,1978年版,第110—111页。
② 即个体或群体在有目的的活动中,同时有两个并存的目标,而且个体或群体对这两个目标具有同样强度的动机。
③ 《史记》卷126《滑稽列传》。

武官僚群体所具有的积极进取、永不满足和孜孜以求变革的精神风貌固然正是应付"挫折"情境的良好态度,事实上,在"挫折"出现后,他们也立即作出应激反应,产生一系列的紧急心理防卫机制,但这些心理反应一定程度上促使汉武官僚群体人格加快异化,使之更加认同于专制权力,并呈现出一种趋慕心理,醇谨、奉迎之臣成为汉武官僚群体的一个突出现象。自然本心与附丽于专制权力的利益这一对双趋动机无法同时获取,他们最终认同了权威,屈服和尊从专制权力。

而换一个角度看,在专制主义的统治下,踞于权力顶峰的汉武帝,其所处的环境决定了他多疑和多变的性格,汉武官僚群体要想既能辅佐武帝建树卓越,同时又能避免杀身之祸,就要善于揣摸武帝的心理。一边是操有生死予夺之权、至高至尊的君主,一边是无生命财产保障、在苟且偷生下求富求贵的臣下,两者间微妙的关系就在于武帝既要利用其官僚群体又不信任他们,汉武官僚群体既要依靠武帝又畏惧他。在此种情形下,汉武官僚群体所面临的可能是两种不同的命运经历,一种是顺达,获取高官厚爵,得以善终;另一种则是相反,一生失意,甚至贬黜或极刑。这样,在对顺达的企求和对噩运的躲避上,他们同样也陷入困境,再度引发心理上的冲突,这就意味着汉武官僚群体选择专制主义在动机冲突上存在一种趋避式冲突①,而选择的结果则可能对汉武官僚群体随后的心态产生巨大影响。良好的效应鼓励和树立其信心,汉武官僚群体的文韬武略,功成于世即为千古传诵②,这一点也曾被汉武帝利用;而负面的效应则使其心怀忐忑,谨小慎微。在高度专制条件

---

① 即个体或群体对单一目的物同时产生两种动机,一方面好而趋之,另方面又恶而避之。
② 升华的心理防卫机制所发挥的作用亦在其中。升华机制是指原本不为社会认可的动机欲念,就改以符合社会标准的行为表现之。

下，其负面效应当然是主要的，这就相当严重地加重了汉武官僚群体的屈从心态。不仅如此，汉武官僚群体在遭遇"挫折"情境后，其心理防卫机制主要是压抑机制，即汉武官僚群体的自然心态既然受到专制主义的抑制，若仍任自然本心发展，必然会产生更深的挫折和焦虑，他们为了避免再度的痛苦经历，一方面要防止引起挫折的思想、行为发生；另一方面也需要把经历过的挫折和焦虑加以压抑，驱除出个人记忆和意识之外。在很多情况下，这种自觉或不自觉的"遗忘"，使汉武官僚群体不能获得清晰具体的自我感觉，从而成为丧失了主见、趋附于权势的庸碌者。

这种君臣之间的极不平等的关系，迫使臣下向君主阿谀、奉承，从而形成时时小心、处处提防、力避嫌疑、明哲保身、攀龙附凤的行为特征，也是应有之意。这种状况的日益发展，严重扭曲了汉武官僚群体的心理，人格逐渐发生异化。独立人格丧失，而代之的是依附性人格的形成。专制主义的发展，使其对官僚产生一种规定性的需求，即要求官僚及其后备军越来越趋向于对他们的政治行为作出一种可预期的标准，将其思想行为固定在可控制模式之中，从而形成依附性人格。从事理上说，官僚群体应具备经邦济国、经世济用的素质，必须有利于民生，有利于社会。但实际上，专制皇权需要的却是唯唯诺诺的顺民、良民和惟君主之命是从的奴仆，不要能独立思考、有创造性的人才。在武帝强力控制下，官僚群体固然仍有施展才华的机会，但局限性是非常明显的，专制权力对官僚要求的实质并没有改变。

这一切说明汉武官僚群体的心态在外力的强压下发生扭转，自然天性的流露受到阻碍，表现为一种抑制心态，这种心态越来越偏离本我，成为汉武官僚群体的主流心态。

三

专制主义对汉武官僚群体抑制心态的生成,其作用主要是来自外部,而汉武帝本身所具有的"卡里斯马"品质则从人心理内部施加压力,使官僚群体无法抵御他的个人魅力,身不由己地处于抑制状态。"卡里斯马"一词最早出现在《新约·可林多后书》中,指因蒙受神恩而被赋予的天赋。马克斯·韦伯引申、扩大了该词的涵义,用它来指具有神圣感召力的权威人物的非凡品格,如巫师、先知、劫猎头领、战争酋长、所谓的"专制"暴君等的超凡本领或神授能力。根据韦伯的经典说法,权威的合法性有三种类型:传统型、法理型和个人魅力型。汉武帝尽管存在传统型的世袭合法性基础,但他的权威不仅仅来源于此,更多的是来自他的个人魅力,即卡里斯马品质。卡里斯马权威的特点是"运用统治,并不遵照普遍的准则,既不遵照传统的准则,也不遵照理性的准则,而是——原则上——凭借具体的启示与灵感,因此,统治是'非理性的'。在不受任何现存的东西约束这个意义上讲,统治是'革命的'"①。从汉武帝的非凡品质特征上看,他声称"五帝之教不相复而治,禹汤之法不同道而王","朕不变更制度,后世无法",正体现了这种特点。在韦伯看来,卡里斯马权威往往孕育在历史大变动时期,汉武帝所在时代也恰恰给了他这个机遇。而董仲舒构建、传布"天人感应"思想,鼓吹天命论,以皇帝为上天在人间的代表,又从理论上系统地论证了皇帝("天子")的非凡品性。他认为"天者,百神之君

---

① (德)马克斯·韦伯:《儒教与道教》,王容芬译。商务印书馆,1995年版,第25页。

也"①;"唯天子受命于天,天下受命于天子"②;"受命之君,天命之所予也"③;从而在汉武官僚群体中塑造了天意伸张者和神的形象,从理论上赋予了汉武帝卡里斯马资格。卡里斯马权威这种统治类型是由被统治者凭着对特定的个人(如皇帝)的非凡品质的信任而服从其统治的,其统治的合法性"建立在非凡的、超越常人品质因而受到推崇的东西(最初作为超自然的东西被推崇)的信仰与献身上面,也就是建立在神秘信仰、启示信仰和英雄信仰上,这些信仰之源是由奇迹、胜利和其他成就,由被统治者的康乐考验出来的卡里斯马品质"④。在由武帝领导而西汉国力蒸蒸日上的背景下,汉武官僚群体跳不出汉武帝超凡魅力的光环,他们对其的敬畏和崇拜成了无意识的行动,身不由己地拜倒在高高的皇阙之下,因而从内在的心理机制上完成了抑制心态的形成过程。而且,也正是卡里斯马权威的作用,客观上助长了专制主义的发展,使专制主义在人们心理上获得了合法性,人们对专制的认同程度更高,对专制统治的权威更加深信不疑。

正是如此,虽然汉武时代专制倾向日益加强,但并未受到其时官僚群体广泛、强烈的抵制和反抗,却反而表现出认同甚至趋慕的态度,纵览《史》、《汉》,汉武之世,在职官吏绝少特立独行之人,而醇谨、阿主之臣大进。从卫绾、石奋家族、公孙弘到霍光、金日碑、田千秋,无一不是以醇谨敦厚得宠。附从武帝者贵宠,忤怒武帝者黜罚,这一点不但是巩固皇权的需要,也是武帝自负性格的心理需要。他是皇权的最高代表,是社会利益的终极分配者,官僚群体欲

---

① 《春秋繁露·郊义》。中华书局标点本,下同。
② 《春秋繁露·为人者天》。
③ 《春秋繁露·深察名号》。
④ (德)马克斯·韦伯:《儒教与道教》,王容芬译,商务印书馆,1995年版,第35页。

得显势,必然要与武帝亦即专制皇权深相交纳。于是对专制权力的认同、趋慕存在极深刻的必然性,并成为汉武官僚群体的主流意识。公孙弘"每朝会议,开陈其端,令人主自择,不肯面折庭争",武帝好儒术,重刑罚,他便"年四十余,乃学《春秋》杂说","习文法吏事,而又缘饰以儒术"①。对于此,辕固生警告他:"公孙子,务正学以言,无曲学以阿世"②,可谓是明眼人。张汤也是依汉武之意,"决大狱,欲傅古义","奏谳疑,必奏先为上分别其原,上所是,受而著谳法廷尉挈令,扬主之明",所治"即上意所欲释,予监吏轻平者"③。杜周为治大抵效仿张汤,而其论"前主所是著为律,后主所是疏为令"④,则更为突出专制君主的地位,阿上之意毕显。主父偃本师纵横,趋合世风,也是"晚乃学《易》、《春秋》",其上书"所言九事,其八事为律令,一事谏伐匈奴"⑤,均为武帝所乐闻,投合武帝心理,真是正中下怀。此外倪宽、郑当时、江充等更不待言⑥。至于寻常臣吏"绝宾客之知,忘室家之业,日夜思竭其不肖之材力,务一心营职,以求亲媚于主上"⑦者,当不在少数。而那些与武帝意愿不相一致者,则理所当然地受到冷遇,卜式就是因为反对盐铁政策而被贬职的,而颜异因不配合经济管制竟遭诛身。史载"自是之后,有腹诽之法比,而公卿大臣多谄谀取容矣!"⑧。阿主之意竟成风气。

---

① ⑤ 《史记》卷112《平津侯主父列传》。
② 《史记》卷121《儒林列传》。
③ 《汉书》卷59《张汤传》。
④ 《汉书》卷60《杜周传》。
⑥ 倪宽"在三公位,以和良承意,从容得久,然无所有匡谏"。(《史记》卷121《儒林列传》)郑当时"常趋和承意,不敢甚斥臧否";(《汉书》卷50《郑当时传》)而江充"奉法不阿,所言中意"。(《汉书》卷45《江充传》)
⑦ 《汉书》卷62《司马迁传》。
⑧ 《史记》卷30《平准书》。

汉武官僚群体抑制心态的生成,在中国古代具有典型意义,从此,抑制心态越来越成为古代社会历朝历代官僚群体的主流心态,其强势随专制主义的不断升级而加强,其对专制主义的认同感也随之升温,最终使官僚群体完全被训练成为专制主义的爪牙和帮凶。也正是从这个意义上讲,研究汉武官僚群体的抑制心态自有其独到意义。

四

事实上,一旦汉武官僚群体的社会心态形成,也就形成了自己一定的群体规范,因为人有这么一种心理机制,即人们在共同的生活中,对于外界事物的经验具有一种将经验格式化、规范化的自然倾向。抑制心态正是如此,它作为已规范化的经验积淀在心理结构深处,在遇到相同条件时会尽快作出反应。这就是说,抑制心态的群体规范在汉武官僚群体的共同活动中一经形成,便具有一种公认的社会力量,通过不断内化为其心理尺度,在官僚群体中的某个个体社会化过程中发挥出积极作用。而其作为一种强大的社会力量,还会对群体成员产生一种心理上难以违抗的压力,迫使他们按照群体的存在方式调节自己的行为。因此,群体规范其实是赋予个体行为和外界事物以一定的意义,使之明白做与不做要依据一定的价值标准,并使这个价值标准真正为个体所采纳和接受,内化为自觉行动的内部观念。这时,个体社会化进程便实现了一个质的飞跃,而彼价值标准也就成为其存在群体的"集体无意识"的源泉。这就是抑制心态产生和传衍的社会心理机制。

从心理分析的角度讲,动机冲突解决之后的结果,"作为既定的历史事实必然形成独立的生命,不仅给当事者本人,也给无数的后人留下精神之内和之外的影响"①,因此,抑制心态一旦形成,便嵌入民族性格中,成为持续影响历史进程的力量。在社会结构相对恒定不变的社会更是如此。在同一社会和同一文化环境下,长期生活于其中的群体必然会形成一种"同一的心理结构",进而形成"范型人格"②,抑制心态便是中国古代社会的"同一心理结构"和"范型人格"。而恰恰是这种"范型人格",客观上对专制主义的固化起了心理维系作用,促成了其在中国古代社会的长期延续,它影响中国社会两千余年,至今仍可感受到它的余烈。

综上所述,汉武官僚群体的抑制心态与专制威权有着紧密的关系。它是特定社会政治环境的产物,是专制君主通过政治力量对人性施加规范影响以获得政治预期的结果。因此,汉武官僚群体社会心态的实质是对政治的态度和行为。汉武官僚群体抑制心态的内在心理结构一旦形成,能必然通过一定的社会态度、社会意向和情感表现出来,它与行为有内在联系,对行为具有动机功能和驱动作用。从另一角度讲,汉武官僚群体也一定存在着多层次的需要③,在自然本心的支配下,他们的安全需要、自尊需要及自我实现需要等与社会体制密切相关的需要层次更为突出和迫切。需要是动机的前提,它与汉武官僚群体的社会态度共同引起他们行为的社会动机,使其产生一种内在动力,指引他们达到一定的社会目标,比如开拓、进取和成功等。

---

① 彭卫:《历史的心镜:心态史学》。河南人民出版社,1992年版,第189页。
② 张玉法:《历史学的新领域》。台湾联经出版事业公司,1978年版,第116、118页。
③ 根据马斯洛的需要层次理论,动机是由多种不同性质的需要组成的,而各种需求之间,有先后顺序和高低层次之分,每一层次的需求与满足,将决定个体人格发展的境界或程度,各层次的需要分别是生理需要、安全需要、爱与隶属需要、尊重需要和自我实现需要。

而抑制心态一定程度上对汉武官僚群体能力和作用的发挥产生一种掣肘作用,使得他们的创造力受抑,削弱了他们的文治武功,对社会政治而言是一种消解作用,是社会进步的反动力量。正是如此,汉武时期的吏治,有许多可堪忧虑之处。吕思勉先生论秦汉之世,认为彼时"贞亮伉直之士,亦非无之,如盖宽饶、息夫躬是也,然皆不得其死。其能安然无患、或且取富贵以去者,则皆庸碌之徒,取巧之士也。魏其、武安之龃龉,最足见之"①,指言当时除汲黯一人之外,余皆不足挂齿。贡禹也尖刻地指出:"亡义而有财者显于世,欺谩而善书者尊于朝,悖逆而勇猛者贵于官……行虽犬彘,家富势足,目指气使,是为贤耳。故谓居官而置富者为雄桀,处奸而得利者为壮士,兄劝其弟,父勉其子。欲之败坏,乃至于是。"②语虽过激,却也反映了当时的社会实情,如此吏治,不能不影响到政治的昌明和进步,这就是专制统治附带的恶果之一。现代心理实验研究也得出了同样的结论:"在群体环境中,民主的领导方式能够提高工作效率,放任自由的领导方式工作效率最低,专制的领导方式尽管能保证一定的工作效率,但群体成员缺乏信任感和创造力,相互之间充满了敌意和冲突"③。

这种结果从现代行政学的角度仍可得到解释。如果武帝与其官僚群体对社会是一种"共治"方式,即中央政府官僚机构的行政行为还具独立性,以相权为代表的中枢行政系统能较好地发挥作用,这将表明西汉政治中还存在一种"统治理性"。对于专制时代而言,统治集团"并治"总比君主极端独裁更具合理性和进步性。中国古代社会的政治实践已经证明,以一个权能明确、行之有效和

---

① 吕思勉:《秦汉史》,上海古籍出版社,1983年版,第528页。
② 《汉书》卷72《贡禹传》。
③ 参见沙莲香主编:《社会心理学》,中国人民大学出版社,1992年版,第88页。

能为君主所接受的中央行政系统作为主要载体所进行的中央集权活动,在巩固统治基础、维护统一局面和增强国家能力等方面的作用远胜于君主个人集权的作用。中央集权作为政府行为,应由行政中枢系统来付诸实施,并对执行过程进行有效调控,这将使集权活动在行政系统整体保障之下有序化地运作,进而实现君主和中枢机构共同的集权使命。而如果君主采取有悖于"统治理性"的做法,将全部权力集中于己身,造成惟君主独尊的政治局面,使官僚群体处于完全的抑制心态,不敢甚至不能荐一言,此虽一时间可以起到一定的威慑作用,但从长远看,终究会对政府的统治基础产生一种"隐性损伤",亦即民众在君主高压下产生日益强烈的心理反弹,离心倾向越来越重,使政府逐渐失去民意基础,结果导致总体性崩溃。好在中国社会具有独特的社会结构和自我修复机制,能在坍塌的废墟上迅速重建一个新政府。中国历史上的"治乱循环"正说明了这一点。

东汉南阳太守述略

叶秋菊

南阳古称宛,自秦朝设郡以来,就是一个非常重要的行政单位。时至东汉,南阳郡的政治地位更为重要。因为光武帝刘秀就出身于南阳,他所领导的政治军事集团,实际上是一个以南阳豪强为基础的统治集团,所谓"河南帝城多近臣,南阳帝乡多近亲"①。这使得南阳郡在东汉一朝具有了区别于其他郡治的独特的政治地位,而且南阳郡的人口和户数均居全国第一,是东汉三大经济、文化中心之一。与此紧密相关,东汉南阳太守群在出身、政绩、与朝廷的关系方面,就有着与其他郡太守不同的特征。本文略述东汉南阳太守的群体特征和主要政绩,并以此为切入口,剖析东汉时期地方政权与中央政权的复杂关系及其演变,以及东汉末年分裂割据局面形成的原因。

一、南阳太守的群体特征

东汉前期,朝廷为革除弊政,在各郡太守的挑选上都是较为严格的。而南阳郡因其独特的政治、经济和文化地位,其太守的选拔就尤其严格,能有幸取得南阳太守职位的官吏决非等闲之辈。总

---

① 《后汉书》卷21《刘隆传》。

体上说,东汉南阳太守群有以下四个特征:

第一,出身世家。南阳郡历任太守大都出自世家大族。如鲍德、郭昕、袁彭、第五颉、王畅、杨彪,都是累世公卿。试以袁氏、杨氏和郭氏为例。袁氏是汝南大族,自袁良后,其孙袁安官至司空、司徒,安子敞及京皆为司空,京子汤为司空、太尉,汤子逢官至司空,逢弟隗亦官至三公、太傅,所谓"四代五公"。至东汉末年,袁绍、袁术成为雄霸一方的大军阀。杨彪,祖上杨喜在西汉高祖时被封为赤泉侯,进入东汉以后,杨家更是红极一时,曾祖父杨震、祖父杨秉、父亲杨赐都曾官至太尉,杨赐还身为帝师,所谓"四世三公"。这些都为杨彪的仕进提供了家族背景。杨彪在南阳太守这一重要位置上磨炼几年以后,也一步步地走向中央部门,最后官至司徒、司空、尚书令。"郭氏自弘后,数世皆传法律,子孙至公者一人,廷尉七人,侯者三人,刺史、二千石、侍中、中郎将者二十余人,侍御史、正、监、平者甚众。"①总之,南阳太守群身上的这种"重出身"的特征,为日后门阀制度的形成埋下了伏笔。

第二,精通经学。汉代是经学最盛的时代,自汉武帝罢黜百家,独尊儒术后,"公卿大夫士吏,彬彬多文学之士",奉儒读经成了文人士大夫的利禄之途。宗经之风,东汉尤盛。据《后汉书·儒林传》记载,"光武中兴,爱好儒术,未及下车而先访儒雅,采求阙文,补缀漏逸。"刘秀身边的功臣名将已不像刘邦时大多为"布衣将相",而是呈现出"儒者气象"。以后更是以"学通行修,经中博士"为选官标准。要仕进为官,通经崇儒是必须的途径。东汉时出现了一些累世专攻一经的家族,如桓氏(桓荣)等。有些达官显贵也以传经相标榜以提高门第威望,如杨家世传欧阳《尚书》。南阳郡的历任太守皆通经学,陈球"少涉儒学,善律令"②,第五颉"有闲

---

① 《后汉书》卷46《郭躬传》。
② 《后汉书》第56《陈球传》。

暇,则以学文",袁彭"少传父业"①。应该说,东汉的地方官员都有深厚的儒学根基,这也是中央政府选拔地方官员的一个最基本的条件。而南阳郡因其特殊的政治地位,使得中央在选择南阳郡太守时更看重官员的儒学素养和水准,这在无形中为南阳的文化发展提供了良好的人文环境。

第三,刚正不阿,直面豪强。南阳郡"帝乡多近亲",不仅走出了开国皇帝刘秀和他的诸多功臣,还走出三位皇后(光烈皇后、和帝的阴后、邓后),真所谓"国庙出于章陵,三后生自新野"②,皇亲国戚不可胜数,王侯将相第宅相望。这些宗室贵戚,大多贵盛骄奢,很容易恃强凌弱,违法犯禁。南阳太守一上任,就必须面对诸多皇亲贵戚。"二千石逼惧帝乡贵戚,多不称职"③,因此中央政府挑选南阳太守时会优先考虑那些不畏权贵、刚正不阿的官吏。例如,杜诗担任南阳太守之前,"将军萧广放纵兵士,暴横民间,百姓惶忧,格杀之"④。又如光和中年,杨彪到任之前,"黄门令王甫使门生于郡界辜榷官财物七千余万,彪发其奸,言之司隶。司隶校尉阳球因此奏诛甫,天下莫不惬心"⑤。还有一位太守虞延担任洛阳令时,外戚"阴氏客马成,常为奸盗,延收考之"。阴氏虽然谗之于帝,但虞延还是设法使马成"后数日伏诛",此事在京师引起震动⑥,打击了京师贵戚仗势犯罪的嚣张气焰,使得"外戚敛手,莫敢干法"。还有陈球做繁阳令时,"魏郡太守讽县求纳货贿,球不与之,太守怒而挞督邮,欲令逐球"⑦。上举杜诗、杨彪、虞延、陈球诸人之所以能出任南阳太守,原因固然很多,但他们刚正不阿的品质

---

① 《后汉书》卷76《循吏列传》。
②③ 《后汉书》卷56《王畅传》。
④⑦ 《后汉书》第56《陈球传》。
⑤ 《后汉书》卷54《杨震传》。
⑥ 《后汉书》卷33《虞延传》。

和直面豪强的胆略,无疑是重要原因之一。到南阳后,他们的这一优点得到进一步的发扬。(详后)

第四,更换频繁。南阳太守的挑选是严格的,更换却颇为频繁,东汉王朝一百多年,载于史籍的太守就有四十多位(实际上的数字要比这大)。南阳太守之被更换,一是升迁,二是贬谪,出路虽异,根源却相同:都是因为南阳郡的特殊政治地位。南阳太守只要在任上尽职尽责,几年后便可征为中央的官吏,甚至位至公卿。如虞延由于做南阳太守时,显宗以延为明,"三年,征代赵熹为太尉;八年,代范迁为司徒"①。又如韩棱任南阳太守时,"政号严平,数岁,征入为太仆"②。还有杨彪,继南阳太守后,"复拜待中,三迁永乐少府、太仆、卫尉"③。可以说,南阳太守的经历为他们的升迁提供了政治资本。另一方面,由于南阳多皇亲国戚,能直面豪强的南阳太守必然招至报复,例如陈球"纠正豪右,为势家所谤,征诣迁尉抵罪"④。南阳太守来来去去,真可谓成也南阳,败也南阳。

二、南阳太守的主要政绩

出身世家、饱读经书、经过朝廷严格挑选且能面对豪强的南阳太守们,在其职位上大多能履践儒家"先富民而后教之"的政纲,劝民农桑,教民礼仪,举荐人才,惩治强暴,做出了不凡的业绩,使南阳始终保持着在东汉王朝的经济、文化中心的地位。

第一,劝民农桑。东汉初年,社会经济处于凋敝状态。这一时期的南阳太守便劝民农桑,发展经济,最为典型的是杜诗。《后汉

---

① 《后汉书》卷33《虞延传》。
② 《后汉书》卷45《韩棱传》。
③ 《后汉书》卷54《杨震传》。
④ 《后汉书》卷56《陈球传》。

书·杜诗传》中记载：

> 造作水排，铸为农器，用力少，见功多，百姓便之。又修治陂池，广拓土田，郡内比室殷足。

杜诗因为兴修水利，发展农业而深受百姓爱戴，"时人方于召信臣，谓前有召父，后有杜母。"①正是因为南阳历任太守注重发展农业，发展经济，再加上南阳"好商贾"，"宛周齐鲁，商遍天下，富冠海内"②，南阳才能成为经济较为发达的郡，从而为南阳文化和教育的发展打下了经济基础。

第二，教民礼仪。精通儒学的南阳太守们都注重文化和教育，如明帝时期的太守鲍德，因"郡学久废"，乃"修起横舍，备俎豆冕，行礼奏乐。又尊乡国老，宴会诸儒"，使得"百姓观者，莫不劝服"③，还有桓帝时的太守刘宽，"每行县止息亭传，辄引学官祭酒及处士、诸生执经对讲，见父老慰以农里之言，少年勉以孝悌之训"，结果"人感德兴行，日有所化。"④还有太守杨俊"宣德教，立学校，吏民称之。"⑤南阳太守们重视文化和教育，多年来营造出一种文化氛围。南阳郡文人学士辈出，如朱晖、宗资、岑晊等。甚至到东汉末年，南阳仍保有一个举足轻重的人才集团。南阳郡能成为东汉的文化中心之一，与历任太守教民礼仪有着直接的关系。

第三，举荐贤才。发现才能之士而推荐给中央叫做"察举"，或者任为自己的属吏称为"辟除"或"辟召"，这是东汉官吏选拔的重要渠道，南阳太守在这方面也做出不小的成绩。据《后汉书》记载，

---

① 《后汉书》卷31《杜诗传》。
② 《盐铁论·力耕》篇。
③ 《后汉书》卷29《鲍永传》。
④ 《后汉书》卷25《刘宽传》。
⑤ 《三国志·魏书》卷23《杨俊传》。

杜诗"雅好推贤,数进知名士清河齐统及鲁阳长董崇等"①。"司徒桓虞为南阳太守,召晖子骈为吏"②。还有成瑨,发现岑晊很有才能,选为自己的功曹,委以重任,时人有"南阳太守岑公孝,弘农成瑨但坐啸"③的说法,可以看出成瑨对岑晊的信任与推重。南阳是人才辈出之地,通过太守的发现与推荐,南阳的人才方能崭露头角。

第四,惩治强暴。南阳太守的"直面豪强"已如前述,这一特征表现在他们的政绩上就是与不法权贵做不屈不挠的斗争。几乎所有南阳太守的传记中都有这类记载:如杜诗"诛暴立威"④,羊续使"吏民良猾……莫不震慑"⑤,陈球"迁南阳太守,纠举豪右"⑥。最典型的是成瑨和王畅。成瑨"迁南阳太守,时桓帝乳母、中官贵人外亲张子禁怙恃贵执,不畏法纲,与功曹岑晊劝使捕子禁付宛狱,笞杀之"⑦。王畅同样威名远扬,他"下车奋厉威猛,其豪党有污秽者,莫不纠发,会赦,事得散。畅深追恨之,更为设法,诸受赃二千万以上不自省实者,尽入财物,若其隐伏,使吏发屋伐树,堙井夷笼,豪右大震"。王畅被称为"居郡治豪强为光武以来最"⑧。顺帝时的南阳太守赵戒,"迁南阳太守,纠豪杰,恤吏人,奏免中官贵戚子弟为令长贪浊者"⑨。南阳太守韩棱,"发擿奸盗,郡中震悚,政号严平"⑩。还有乐崧、桓虞等也是如此。几乎所有的南阳太守们

―――――

① ④ 《后汉书》卷31《杜诗传》。
② 《后汉书》卷43《朱晖传》。
③ 《后汉书》卷67《党锢列传》。
⑤ 《后汉书》卷31《羊续传》。
⑥ 《后汉书》卷56《陈球传》。
⑦ 《后汉书》卷67《党锢列传》注引谢承书。
⑧ 《后汉书》卷56《王畅传》。
⑨ 《后汉书》卷63《李固传》注引谢承书。
⑩ 《后汉书》卷45《韩棱传》。

都与外戚、宦官势力进行过斗争。南阳太守的惩治强暴,在一定程度上减轻了对人民的压迫,缓和了当时的社会矛盾。到了桓灵时期,社会政治日趋黑暗的时候,南阳太守惩治强暴的斗争常常给自己带来杀身之祸,如成瑨被投狱而死。但他们的正直,他们对强暴的愤然一击却永远为后人所称道。

第五,领兵治乱。南阳郡内常有武装反抗发生,故维持地方治安便成了南阳太守的重要职责之一。由于南阳郡拥有私人部曲的豪强地主较多,同时阶级矛盾相对较为尖锐,农民起义也时有发生。作为封建官吏的南阳太守就要镇压这些反抗和起义。例如东汉初年就有"堵乡人董诉反宛城",结果南阳太守刘顺被杀。而东汉末年,南阳是黄巾起义的中心之一,东汉政府与黄巾军在南阳反复较量,南阳黄巾军首领是张曼成,据《后汉书·灵帝纪》记载,中平元年,张曼成率领起义军杀了南阳太守诸贡,继任的南阳太守秦颉则杀害了张曼成。"中平三年,赵慈反,杀秦颉",然后羊续被任命为南阳太守,他"与荆州刺史共发兵破慈,斩之"[1]。由此可知,东汉末年的南阳太守为了维护社会治安,已经可以亲自领兵打仗了。

三、南阳太守与东汉政局

上一节谈到南阳太守"领兵治乱",但严格说来,"领兵"并非太守的职权。《后汉书·百官志》:

> 凡郡国皆掌治民,进贤劝功,决讼检奸。常以春行所主县。劝农桑,振救乏绝。秋冬遣无害吏,案讯诸囚,平其罪法,论课殿最。岁尽遣吏上计。并举孝廉。郡口二十万举一人。

可见郡守的职权之中并无"领兵"一项。然而,实际情况并非

---

[1] 《后汉书》卷31《羊续传》。

如此。据《后汉书》卷61《杜诗传》,杜诗给皇帝上疏曰:

> 臣闻兵者,国之凶器,圣人所慎。旧制发兵,皆以虎符,其余征调,竹使而已。符第合会,取为大信,所以明著国命,敛持威重也。间者发兵,但用玺书,或以诏令,如有奸人诈伪,无由知觉。愚以为军旅尚兴,贼虏未殄,征兵郡国,宜有重慎,可立虎符,以绝奸端。昔魏之公子威倾邻国,犹假兵符,以解赵围。若无如姬之仇,则其功不显。事有烦而不可省,费而不可得已,盖为此也。

读这段话可知,东汉南阳太守不仅可以领兵发兵,甚至可不再要中央的虎符。南阳太守之执掌兵权,对东汉的政局产生了重大影响。

自秦朝设郡以来,郡的主要长官是郡守和都尉。郡守以治政为主,也兼领军事。都尉是太守的副职,"掌佐太守,典武职甲卒"①,主要任务是治军。守、尉互掌军事,职责各有不同。郡守掌发兵权,都尉掌领兵权。故郡守的军权要受种种限制,郡守必须领有天子的虎符才能发兵。文帝二年,"与郡守为铜虎符,行使符"。师古云:"与郡国守为符者,谓各分其半,右留京师,左以为之。"②郡守如果擅自发兵,就要受到"乏军兴法"的制裁。而都尉虽有领兵权,但受郡守的节制,一旦领兵任务结束,就得交出兵权。这种发兵权和领兵权的分离,有利于防止因郡守、都尉军权过大而出现武装割据的局面。

时至东汉,守、尉共掌兵权的情况发生了变化。东汉初年,经济凋敝,光武帝采取积极政策恢复经济,其中一项就是精兵简政,"百姓遭难,户口耗少,而县官吏职,所置尚繁",于是在地方"并省四百余县,吏职减损,十置其一",并且在建武六年,下诏"省诸郡都

---

① 《汉书》卷19上《百官公卿表》。
② 《汉官仪》。

尉,并职太守"①。这一系列政策的出发点,在于紧缩开支,减少调役,以此恢复经济、安定社会。但刘秀没想到,并都尉于太守的后果,是使地方郡守的权力过大。

刘秀建武六年实行的都尉并职太守的措施,就是取消都尉,只设郡守,把都尉的职务合并于太守身上,都尉只能在有特殊任务(比如镇压农民起义或征伐少数民族)时才临时设置,任务结束即罢免,所谓"每有剧贼,郡临时置都尉,事讫罢之"②,这样,在东汉地方制度上又发生了一个变化,原来郡守主政,而现在军政集于一身,郡守原来要有虎符才能发兵、领兵的制度也被破坏。因此,杜诗才上疏呼吁。其实《后汉书》中太守领兵打仗的例子随处可见,南阳太守也是如此。如:

(因)州兵朱盖等反,与桂阳贼胡兰数万人转攻零陵,(陈球)乃悉内吏人老弱,与共城守。弦大木为弓,羽矛为矢,引机发之远射千余步,多所杀伤。③

扬州黄巾贼攻舒,焚烧城郭,(羊)续发县中男子二十以上,皆持兵勒阵……并执力战,大破之,郡界平……拜为南阳太守……乃发兵与荆州刺史王敏共击慈,斩之,获首五千余级。④

东汉末年,为了镇压黄巾起义,太守领兵的现象更多了。尤为严重的是,州郡长官不但募兵领兵,而且所领之兵,逐渐变成私人部曲,父子相袭或兄弟相袭,世有其兵。如东汉末年汝南大族出身的袁术任南阳太守时,已经是拥兵自重的军阀了。不久,袁术凭借自己的军事实力称帝。可见汉末群雄割据同太守职权的扩大有着

---

① 《后汉书》卷1《光武本纪》。
② 《后汉书》志第24《百官志》。
③ 《后汉书》卷56《陈球传》。
④ 《后汉书》第31《羊续传》。

直接的关系。正是由于一些太守集政、军、民、财大权于一身,雄霸一方,形成割据之势,才使得风雨飘摇中的东汉王朝更加软弱无力,直至最后汉献帝被废,魏、蜀、吴三国鼎立。之后除了两晋短暂的几十年的统一,魏晋南北朝三百多年一直处于分裂之中。这种分裂局面的造成,与太守权力扩大和地方政治军事实力过强有着密切关系。太守权力扩大,还表现在太守与其故吏的结盟。东汉郡守有辟召属吏和察举孝廉的权力,那些被选中被推荐的人就成为郡守的故吏。郡守与故吏之间形成一种特殊的私恩关系:故吏忠于太守,太守荫庇故吏。故吏依附于太守,常常随同太守出征、调转。太守与他亲自辟召的属吏形同君臣。《后汉书》中有很多这样的记载,如南阳太守成瑨"委功曹岑晊",汝南太守宗资"委功曹范滂"。韩棱做颍川功曹时,"太守葛兴中风,不能从政",韩棱"阴代兴视事,出入二年",等等。① 太守所拥有的门生故吏的数量是十分惊人的。《隶续》中载有刘宽的门生、故吏所立碑各一块。故吏碑残破不全,所列故吏人数估计在百人左右。这不可能包括尽刘宽的门生故吏,但仅就碑文所载的情况,已经颇为可观。还有一些累世公卿的大族如杨氏、袁氏等,其门生故吏更是遍于天下。

　　太守需要的是忠心耿耿、惟命是从的属吏,因此他在辟召属吏时必然会任人唯亲,正如《后汉书·樊宏传》记载,樊鯈"上言郡国举孝廉,率取年少能报恩者,耆宿大贤多见废弃"。《风俗通·过誉篇》亦载,南阳五世公转南阳太守,"与东莱太守蔡伯起同岁,欲举其子。伯起自乞子瓒尚弱,而弟琰幸以成人。是岁举琰,明年复举瓒。瓒年十四,未可见众,常称病,遗诣生交,到十八,乃始出治剧平春长。上书:'臣甫弱冠,未任宰御,乞留宿卫。'尚书劾奏'增年受选,减年避剧',请免瓒官。诏收左迁武当左右尉。"五世公选举舞弊,非但不受惩罚,被误举的蔡瓒也只是降职使用而已。对这一

---

①　《后汉书》卷45《韩棱传》。

选举丑闻,应劭虽认为有些过分,然而却以为"何有同岁相临而可拱默者哉"。这说明太守察举时互相荐举,营私舞弊,已是寻常之事。

如前所述,南阳太守多出身世家大族,且精通经学,在政治、经济、文化上都具有很大的优势。他们与自己的故吏拟"君臣之义"而结成政治集团,而各个不同的政治集团的存在,就成为东汉政治形势的一个重要特点。东汉时期官僚阶层的斗争,已不是个人与个人之争,而成为政治集团之间的斗争。故吏与恩主,常常是一荣俱荣,一损俱损。《后汉书·羊续传》称"羊续以忠臣子拜郎中,去官中,辟大将军窦武府。及武败,坐党事,禁锢十余年,幽居宁静"。说的就是这种情况。这些政治集团一旦形成,便会利用一切机会发展自己的势力,并乘皇权衰微之机,膨胀成割据一方的强力集团。如袁绍、袁术兄弟就是利用与故吏的主从关系而独霸一方的。《后汉书·袁绍传》:"袁氏树恩四世,门生故吏遍于天下,若收豪杰以聚徒众,英雄因之而起,则山东非公之有也。"可见,太守与故吏结成的政治集团是酿成东汉末年分割局面的重要原因。

洛阳金谷园新莽墓壁画释读

贺西林

金谷园新莽壁画墓发现于1978年,1985年发表了由徐治亚执笔的发掘简报①。简报中对壁画的图像进行了考证,另外,苏健②、黄明兰与郭引强③在相关论文和著述中亦涉及该墓壁画的图像。除此之外,该壁画墓多年来再未有学者关注,也没有一项个案研究成果发表。近来,笔者重新检视了这座壁画墓,在肯定上述学者相关见解之基础上,充分运用早期文献,对该墓壁画的图像及其象征意义进行了释读,从而提出了自己的一些看法。

金谷园新莽壁画墓是一座空心砖和小砖混筑墓,由甬道、前堂、侧室(棺室)、东耳室、甬道耳室组成。前室面西,为穹隆顶结构;侧室面南,为仿木结构的脊顶斜坡式墓室。壁画分布于甬道、前室和侧室。

侧室壁画绘于脊顶平棋凹入处、柱斗以及斗子之间的壁眼部

---

① 洛阳博物馆:《洛阳金谷园新莽时期壁画墓》,《文物参考资料丛刊》九,1985年,第163—173页。
② 苏健:《汉画中的神怪御蛇和龙璧图考》,《中原文物》,1985年第4期,第81—88页。
③ 黄明兰、郭引强:《洛阳汉墓壁画》,北京:文物出版社,1996年,第105—107页。

位,平棋凹入处和壁眼部位均为一砖一画。除柱斗上绘兽面外,其他图像则为日、月和五方神灵。

脊顶平棋凹入处嵌有四幅画面,从北(内)向南(外)依次为月象、神灵穿璧、二龙穿璧、日象。日中有金乌,月中有蟾蜍、桂树,日、月分居南北两端,代表阴、阳两极。中间近日的一砖,画面上下左右各绘一谷纹玉璧,上璧好中填朱。画面两侧各绘一蟠蜿巨龙,龙躯穿于左右两璧好中,龙首相对,口衔上璧。两龙形象有别,一有角,一无角,无角者亦称螭或虬,疑为异性龙。两龙均以墨线绘体,勾鳞,鳞上点朱,龙腿、口、眼部涂朱彩,腿部朱彩上又描出黑色斑纹。周围绘红色流云,画面极富流动、升腾的气势。近月一砖的画面上下左右同样绘四璧,其间穿梭、缠绕着青龙、朱雀、白虎、蛇及怪兽,右边浮雕彩绘一人躯蛇尾的神灵,神灵手操青龙①。从两画面所在日、月间的特殊位置看,其中的神祇当为中央大神,近日画面中的两尾巨龙应是黄龙,近月画面中手握青龙之神应为后土,四壁则代表天地四方。因此,日月中间的图像象征着中央黄帝及其佐臣后土对天地四方的治辖。正如《淮南子·天文训》所说:"中央土也,其帝黄帝,其佐后土,执绳而制四方,其神为镇星,其兽黄龙。"②雌雄两龙穿璧,蕴含阴阳交合、生命化育之意。后土,为中央神祇,同时也是社神,《礼记·月令》:"季夏之月,……中央土,其日戊己,其帝黄帝,其神后土。"③《淮南子·时则训》:"中央之极,自昆仑东绝两恒山,日月之所道,江、汉之所出,众民之野,五谷之

---

① 此幅壁画已毁,根据摹本和简报文字描述推测,画面中的动物可能为四方神灵。
② 高诱注《淮南子》,第 37 页,《诸子集成》(第七册),北京:中华书局,1954年。
③ 孔颖达:《礼记正义》,《十三经注疏》,北京:中华书局,1980 年,第 1370—1372 页。

所宜,龙门、河、济相贯,以息壤堙洪水之州,东至于碣石,黄帝、后土之所司者,万二千里。"①后土制四方则有平土治水、五谷丰登的寓意。

大家都认识到脊顶中间两画面表现的是中央神祇,并基本认定近月一砖的图像为后土制四方,但对二龙穿璧一砖的图像却产生了不同的看法。原报告称其为"太乙图",还有学者考其为"龙璧太一图"或"太一阴阳图"②。太一既为星名,又为天神之最尊贵者,从该墓中的二龙穿璧图像看,把上部好中涂朱的璧看作太一星,根据不充分,带有极大的臆测性。若把其看成天神太一,那么他和中央神黄帝又是什么关系?事实上,在汉代诸神谱系中,太一虽作为一位重要天神,但其往往不被纳入五行系统内,而这座墓的阴阳五行图式又非常明确,因此释其为太一,于整座墓的图像系统不协调。

东、西、北三壁壁眼处各嵌四块壁画砖,共12块,其图像均为四方神灵。东壁南段两砖,分别绘句芒、蓐收,两神隔柱相对。句芒人面鸟身,戴冠,昂首展翅,立于云中。其形象以墨线勾绘,然后施朱、绿两主色。句芒为东方太皞帝之佐臣,也为东方主春之木神。《墨子·明鬼下》:"昔者郑穆公,当昼日中处乎庙。有神入门而左,鸟身,素服三绝,面状正方。郑穆公见之,乃恐惧奔。神曰:'无惧,帝享女明德,使予赐女寿十年有九;使若国家繁昌,子孙茂,

---

① 高诱注《淮南子》,第84页,《诸子集成》(第七册),北京:中华书局,1954年。
② 洛阳博物馆:《洛阳金谷园新莽时期壁画墓》,《文物参考资料丛刊》九,1985年,第163—173页。
苏健:《汉画中的神怪御蛇和龙璧图考》,《中原文物》,1985年第4期,第81—88页。
黄明兰、郭引强:《洛阳汉墓壁画》,北京:文物出版社,1996年,第105—107页。

毋失郑。'穆公再拜稽首曰：'敢问神名？'曰：'予为句芒。'"①《山海经·海外东经》："东方句芒，鸟身人面，乘两龙。"郭璞注："木神也，方面素服。"②《楚辞·远游》："撰余辔而正策兮，吾将过乎句芒。"王逸注："就少阳神于东方也。"③《礼记·月令》："孟春之月……其帝大皞，其神句芒。"郑玄注："此苍精之君，木官之臣。……句芒，少皞氏之子，曰重，为木官"④。《吕氏春秋·孟春》："孟春之月……其帝太皞，其神句芒。"高诱注："句芒，少皞氏之裔子曰重，佐木德之帝，死为木官之神。"⑤《淮南子·天文训》："东方木也，其帝太皞，其佐句芒，执规而治春。"⑥

蓐收人面虎身，戴冠，蓄须，浓眉朱唇，面似老者，身生双翼，四肢粗壮，长尾上扬，疾行于彩云间。其形象也是以墨线勾体，背、尾、翼填朱彩，并点黑色斑纹。蓐收为西方少皞帝之佐臣，也为西方主秋之金神。《国语·晋语》云："虢公梦在庙，有神人面白毛虎爪，执钺立于西阿。……觉，召史嚚占之，对曰：'如君之言，则蓐收也，天之刑神也。'"⑦《左传·昭公二十九年》："金正曰蓐收……对曰：'少皞氏有四叔，曰重，曰该，曰修，曰熙，实能金、木及水。使重

---

① 孙诒让：《墨子间诂》，第141－142页，《诸子集成》（第四册），北京：中华书局，1954年。
② 袁珂：《山海经校注》，上海：上海古籍出版社，1980年，第265－266页。
③ 王逸注，洪兴祖补注：《楚辞章句补注》，长春：吉林人民出版社，1999年，第165页。
④ 孔颖达：《礼记正义》，《十三经注疏》，北京：中华书局，1980年，第1352－1353页。
⑤ 高诱注《吕氏春秋》，第1页，《诸子集成》（第六册），北京：中华书局，1954年。
⑥ 高诱注《淮南子》，第37页，《诸子集成》（第七册），北京：中华书局，1954年。
⑦ 《四部备要·史部·国语》，北京：中华书局，1936年，第58－59页。

为句芒,该为蓐收,修及熙为玄冥。'"①《礼记·月令》:"孟秋之月,……其帝少皞,其神蓐收。"郑玄注:"此白精之君,金官之臣。……蓐收,少皞氏之子,曰该,为金官。"②《山海经·海外西经》:"西方蓐收,左耳有蛇,乘两龙。"郭璞注:"金神也;人面、虎爪、白毛,执钺。"③《吕氏春秋·孟秋》:"孟秋之月,……其帝少皞,其神蓐收。"高诱注:"少皞氏裔子曰该,皆有金德,死托祀为金神。"④《淮南子·天文训》:"西方金也,其帝少昊,其佐蓐收,执矩而治秋。"⑤

　　东壁北段两砖各绘一朱鸟,两朱鸟隔桩相望。朱鸟短躯、修颈、长尾,一为雁首,一为雀首,似雌雄之别。朱鸟墨勾朱绘,周饰红色流云,两幅画面均为红色基调。朱鸟亦名朱雀,为南宫七宿。《史记·天官书》云:"南宫朱鸟"。司马贞索引引《文耀钩》曰:"南宫赤帝,其精为朱鸟。"⑥。朱,赤也,象火,为南方主夏神灵。《淮南子·天文训》:"南方火也,其帝炎帝,……其兽朱鸟。"⑦张衡《思玄赋》:"前祝融使举麾兮,纚朱鸟以承旗。"⑧

　　西壁南段相对两砖,其中一砖上绘一昂首翘尾,奔走于云间的猛虎。虎背上骑一人,人面模糊不清。此人头戴红帽,着白衣红裤,腰系红带,双手执辔,作驾虎状。相对的另一砖上绘一昂首、扭躯、翘尾的巨龙。龙身披鳞甲,升腾于彩云中。龙背立一朱目鸟

---

① 杜预:《春秋经传集解》,上海:上海古籍出版社,1988年,第1576页。
② 孔颖达:《礼记正义》,《十三经注疏》,北京:中华书局,1980年,第1372页。
③ 袁珂:《山海经校注》,上海:上海古籍出版社,1980年,第227页。
④ 高诱注《吕氏春秋》,第65页,《诸子集成》(第六册),北京:中华书局,1954年。
⑤⑦ 高诱注《淮南子》,第37页,《诸子集成》(第七册),北京:中华书局,1954年。
⑥ 《史记》卷27《天官书》,北京:中华书局,1982年,第1299页。
⑧ 费振刚等辑校《全汉赋》,北京:北京大学出版社,1993年,第395页。

翼、长发后飘、形象怪异的人。此人裸上身,下穿白色短裤,束红腰带,双手执辔,作御龙状。原报告和一些研究者认为虎背上者为太白星神,定其图像为"太白星和白虎像";苍龙背上者是岁星神,定其图像为"岁星和青龙像"①。笔者认为该墓所有图像中只表现了五方之佐和五方之兽,既没有表现五方之帝,也没有描绘五方之星神,原报告和某些学者的阐释过于玄妙,超出了图像本身的蕴涵。另外,画面中骑虎、乘龙的怪异之人与浅井头脊顶和烧沟墓隔梁花砖上乘龙之羽人完全一样。由此看来,骑虎、乘龙者并非所谓星神,而是羽人。羽人为天堂仙界的使者,驾虎、御龙的目的自然是为了引导墓主之魂升天。因此把以上两图分别定名为"仙人驾白虎"和"仙人御青龙"也许更为妥帖。

　　西壁北段隔柱相对的两砖各绘一龙。南侧一龙,头似虎,躯尾似豹,肩生双翼,奔走于红云间,体态矫健灵动。龙身勾鳞甲,颈、躯、尾、前肢局部涂朱、点黑,身上还有红色斑点。北侧画面上的龙与南侧龙相似,但双肩无翼。龙身挂鳞,带红色斑点,腿根涂朱,周围饰红色流云。龙背上立一鸟首人身、肩生双翼的怪异之人。此人赤目,裸上体,下穿红裤,腰系绿带,弓步,一足踏于龙背,面向龙首,作戏龙状。原报告和某些学者称南侧图像为"飞廉像"或"箕星飞廉图",称北侧的为"荧惑、轩辕二星像"或"荧惑黄龙图"②。笔者认为图像本身并未体现出如此复杂的内涵,描绘的显然是两尾巨龙,其中一龙上所乘之怪人,当然是羽人。羽人戏龙同样具有引魂升天的象征意义。

　　北(后)壁东端砖上绘祝融。祝融人面虎身,肩生双翼,回首、

----

①② 　洛阳博物馆:《洛阳金谷园新莽时期壁画墓》,《文物参考资料丛刊》九,1985年,第163—173页。
　　黄明兰、郭引强:《洛阳汉墓壁画》,北京:文物出版社,1996年,第105—107页。

甩尾、举翼,作奔走状。祝融面目已模糊不清,翼、背、尾涂朱,腹、足部绘黑斑红点。祝融,一作朱明,炎帝之佐,南方主夏火神。《礼记·月令》:"孟夏之月……其帝炎帝,其神祝融。"郑玄注:"此赤精之君,火官之臣……祝融,颛顼氏之子,曰黎,为火官。"①《吕氏春秋·孟夏》也有:"孟夏之月……其帝炎帝,其神祝融。"高诱注云:"祝融,颛顼氏后,老童之子吴回也,为高辛氏火正,死为火官之神。"②《左传·昭公二十九年》:"火正曰祝融。"杜预集解:"祝融,明貌,其祀犁焉。"③《淮南子·天文训》:"南方火也,其帝炎帝,其佐朱明,执衡而治夏。"④《淮南子·时则训》又说:"南方之极,自北户孙之外,贯颛顼之国,南至委火炎风之野,赤帝祝融之所司者,万二千里。"⑤《白虎通·五行》:"时为夏,夏之言大也。位在南方,其色赤……其帝炎帝,炎帝者,太阳也。其神祝融,属续也,其精朱鸟,离为鸾故。"⑥《山海经·海外南经》曰:"南方祝融,兽身人面。"郭璞注:"火神也。"⑦图像与文献记载完全吻合。

北壁西端砖上绘一马、一人。马居左,形象较大,人在右,形象略小。马生双角,弓背,低头,举蹄作行走状。马以墨线勾画,内施

---

① 孔颖达:《礼记正义》,《十三经注疏》,北京:中华书局,1980年,第1364页。
② 高诱注《吕氏春秋》,第34页,《诸子集成》(第六册),北京:中华书局,1954年。
③ 杜预:《春秋经传集解》,上海:上海古籍出版社,1988年,第1576—1579页。
④ 高诱注《淮南子》,第37页,《诸子集成》(第七册),北京:中华书局,1954年。
⑤ 高诱注《淮南子》,第84页,《诸子集成》(第七册),北京:中华书局,1954年。
⑥ 陈立:《白虎通疏证》,北京:中华书局,1994年,第177页。
⑦ 袁珂:《山海经校注》,上海:上海古籍出版社,1980年,第206页。

白、紫两色。其腹部绘圆圈纹,臀部描出稀疏的细毛。人赤目,大耳出颠,身生毛羽,长发后飘,穿绿裤,立于马旁,手援马角。原报告和有些学者考其图像为"辰星、天马"①。画面中的马位于红色云端,称其为天马看来不成问题。《汉书·礼乐志》录《天马歌》云:"太一况,天马下,……籋浮云,晻上驰。"还说:"天马徠,开远门,竦予身,逝昆仑。天马徠,龙之媒,游阊阖,观玉台。"②传说中有角的马亦称乘黄,又名飞黄、腾黄,可能也是一种天界灵瑞。《山海经·海外西经》:"白民之国在龙鱼北,……有乘黄,其状如狐,其背上有角,乘之寿两千岁。"③《淮南子·览冥训》:"青龙进驾,飞黄伏皂。"高诱注:"飞黄,乘黄也。出西方,状如狐,背上有角,寿千岁。"④《苻瑞图》云:"腾黄者,神马也。其色黄,一名乘黄,……其状如狐,背上有两角。出白氏之国,乘之寿三千岁。"⑤看来天马是西方的一种瑞兽。但把天马旁的人释为辰星,似乎缺乏根据。此形象与汉代艺术中屡屡出现的羽人非常相似,因此笔者认为这一形象绝不是什么辰星,肯定是羽人。这幅图像应称之为"羽人戏天马",其寓意自然与祥瑞和引魂升天有关。

北壁中部两砖分别绘北方神灵玄冥和玄武。玄冥人面、兽身、鸟翼,举翅翘尾,作飞奔状。其面似老者,乌发、朱唇、长颈。颈背、翼、胸局部涂朱、点墨,腹部为黑底白斑,后腿部则绘墨绿色斑纹,

---

① 洛阳博物馆:《洛阳金谷园新莽时期壁画墓》,《文物参考资料丛刊》九,1985年,第163—173页。
  黄明兰,郭引强:《洛阳汉墓壁画》,北京:文物出版社,1996年,第105—107页。
② 《汉书》卷22《礼乐志》,北京:中华书局,1962年,第1060—1061页。
③ 袁珂:《山海经校注》,上海:上海古籍出版社,1980年,第225页。
④ 高诱注《淮南子》,第95页,《诸子集成》(第七册),北京:中华书局,1954年。
⑤ 李昉等:《太平御览》,北京:中华书局,1960年,第3978页。

足爪部描出黑毛。玄冥,颛顼之佐,为北方主冬之水神。《礼记·月令》:"孟冬之月,……其帝颛顼,其神玄冥。"郑玄注:"此黑精之君,水官之臣,……玄冥,少皞氏之子,曰修,曰熙,为水官。"①《吕氏春秋·孟冬》也说:"孟冬之月,……其帝颛顼,其神玄冥。"高诱注:"玄冥,官也,少昊氏之子,曰循,为玄冥师,死祀为水神。"②《左传·昭公二十九年》:"水正曰玄冥"。杜预集解曰:"水阴而幽冥,其祀修及熙焉。"③《淮南子·天文训》:"北方水也,其帝颛顼,其佐玄冥,执权而治冬。"④《淮南子·时则训》还说:"北方之极,自九泽穷夏晦之极,北至令正之谷,有冻寒积冰、雪雹霜霰、漂润群水之群,颛顼、玄冥之所司者,万二千里。"⑤

画面中玄武龟蛇合体,龟仰首前行,蛇回首绕于龟身。龟、蛇均以墨线勾勒,再施彩绘。画面漫漶,色彩难辨,惟红色流云依然醒目。玄武为北方水神,《淮南子·天文训》:"北方水也,其帝颛顼,其佐玄冥,执权而治冬,其神为辰星,其兽玄武"⑥。《楚辞·远游》:"时暧曃其曭莽兮,召玄武而奔属。"王逸注:"呼太阴神使承卫也。"洪兴祖补注:"《礼记》曰:'行前朱鸟,而后玄武。二十八宿,北方为玄武。'说者曰:'玄武,谓龟蛇。位在北方,故曰玄;身有鳞甲,故曰武。'蔡邕曰:'北方玄武,介虫之长。'《文选》注云:'龟与蛇交,

---

① 孔颖达:《礼记正义》,《十三经注疏》,北京:中华书局,1980 年,第 1380 页。
② 高诱注《吕氏春秋》,第 94 页,《诸子集成》(第六册),北京,中华书局,1954 年。
③ 杜预:《春秋经传集解》,上海:上海古籍出版社,1988 年,第 1576、1579 页。
④ 高诱注《淮南子》,第 37 页,《诸子集成》(第七册),北京:中华书局,1954 年。
⑤⑥ 高诱注:《淮南子》,第 85 页,第 37 页,《诸子集成》(第七册),北京:中华书局,1954 年。

谓玄武。'"①《后汉书·王梁传》:"'王梁主卫作玄武'……玄武,水神之名。"李贤注:"玄武,北方之神,龟蛇合体。"②

前堂四壁及室顶均有壁画,四壁绘仿木结构的立柱、檐枋和栏额,以象征木结构之居室。室顶绘角梁和藻井,藻井内尚可见日、月形象,藻井周围的穹隆顶上绘华丽的彩云,云中点缀仙鹤、神禽。

甬道壁画脱落严重,左壁约略可见一人,作挥剑状,上题"门奴名□"四字。右壁图像已无可辨识。

从以上分析考证可以看出,这座壁画墓的图像以日、月标识阴、阳,以后土、句芒、祝融、蓐收、玄冥五方之佐和黄龙、青龙、朱雀、白虎、玄武五方之兽来体现五行,并配以仙人驾虎、仙人御龙、仙人戏天马等图像来象征升天和祥瑞。其图像系统非常完善、清晰,集中而鲜明地体现了流行于汉代的阴阳五行、天人相应思想以及引魂升天观念。

---

① 王逸注,洪兴祖补注:《楚辞章句补注》,长春:吉林人民出版社,1999年,第166页。
② 范晔:《后汉书》卷22《王梁传》,北京:中华书局,1965年,第774页。

从典型个案看
方法在汉画研究中的重要性

陈江风

目前,汉画像研究引起社会广泛的注意。汉画已经成为一门专门的学问。从历史、考古、文学、艺术、体育、宗教,到建筑、地理、农艺、冶金,各界人士纷纷参与,真所谓云蒸霞蔚,盛况空前。然而,由此暴露出来的方法论问题与知识准备不足的问题,应该引起学术界的注意,以期通过大家的共同努力,提高汉画研究的水平与质量。

偶翻《汉画研究》杂志,一篇题为《敦煌民俗学与汉代画像石》的文章吸引了我的注意。① 因为,把敦煌文学、艺术中的民俗现象和汉画像做比较的题目并不多见。而且唐代文化以佛教文化为时代特征,汉代文化以中国本土文化为时代特征,在思路上往往不容易把二者在民俗方面联系起来。其实,能将二者联系起来研究,不仅很有创意,而且很有道理。因为,民俗文化是一种传承现象,是历史的伴随物,古今民俗在稳定的传承中缓慢地变异演化。而中国是一个文明古国,我们在进行文化研究的时候,绝不应该把她的悠久的民俗文化渊源割裂。从这个角度看问题,此类题目的确应该引起我们的重视。

平心而论,该文章选取了一个好题目、好角度。然而,阅读全

---

① 《汉画研究》,1992年第2期。

文以后,不禁使人对汉画研究的现状产生一些联想与思考:好题目如何写出好文章?在方法上应该注意哪些问题?我们觉得,这是当前汉画研究中值得很好研究与关注的问题。

一

为了支持上述的观点,我们在这里做一个案例分析。

首先,《敦煌民俗学与汉代画像石》一文的学术思想是十分正确的。研究民俗不能割断历史,将古代和后代的民俗现象进行比较,参之以民俗演进的稳定性与变异性规律,其结论会有更强的科学性和说服力。而且,正如文章所说,:"敦煌唐人的民间习俗记载,有许多要在汉代画像石中,才能找到它的源头以及形象的画面"。正是在这种正确的判断指导下,作者以民俗为纽带,选取时间、空间悬殊的两种艺术形式进行比较,显现出其独到的学术见识。

其次,《敦煌民俗学与汉代画像石》一文的研究方法与论证过程又是值得商榷的。这种研究方法和论证方法,又极大影响了文章结论的可靠性。这第二点与第一点所造成的反差,应该引起我们的注意。比如文章重点论证的"蹴鞠"民俗就很具有代表性。文章说:"南阳汉画中已发现有著名的《蹴鞠图》,它的最明显的特征,是踢球与舞蹈相结合。一个头挽高髻,舞动着长袖的显然是女子,她在一边踢球,一边舞蹈,叮谓是'蹴鞠舞'(图1)。另有两位长袖舞动的男子,则在一边击鼓,而脚下又在玩着四个球,则可谓是'击鼓蹴鞠舞'(图2)。另有两位男子将球踢在鼓上反弹过来,一人踢一面鼓,又在舞蹈,则可谓是'踢鼓舞'(图3)。还有两男子用棒击鼓又盘球,并配合舞蹈,则可谓是'击鼓盘球舞'(图4)。"

文中图4附拓片两幅。可见文章关于汉代与唐代蹴鞠运动的比较,共举证了5幅汉画像拓片(图4分为图4-1和图4-2)。

其中图1把汉代的"七盘舞"误释为"蹴鞠舞"。其中3幅则误把"建鼓登仙舞"认为是"踢鼓舞"或"击鼓盘球舞"。之所以出现这样的问题,主要是对汉代的风俗习惯、观念信念不熟悉,研究采用以画面猜画面的方式,而没有把汉代民俗、汉代文献融会贯通。类似的研究时有发现,有必要进行深入分析。

二

在《敦》文所举证的后4幅汉画像中,有3幅都是"建鼓舞"(图3、图4-1、图4-2),一幅是"鞞舞"(图2)。

大家知道,汉画中的"建鼓舞"图像是汉代祭祀活动中的一种常见民俗活动,是一种凝聚了汉代人升仙思想表现祈求与喜庆心理的文化符号。汉画像中的"建鼓舞"大多表现升仙仪式、升仙观念,带有鲜明的汉代文化特色。以原古察终的态度看问题,中国人的升仙观念由来已久。早在新石器时期濮阳西水坡的原始墓葬中就有号称"中华第一龙"的骑龙、骑鹿升仙贝壳摆塑图像。长沙子弹库一号墓出土的帛画人物御龙升天图,反映的是战国时期的升仙观念与升仙风俗(图5)。汉人承袭这一传统,以其独特的方式在汉画砖石、漆画以及其他器物上淋漓尽致地表现了这一古远的观念。长沙马王堆一号汉墓帛画记载着汉代早期骑龙升天的民俗观念。汉代中、后期表现升仙的观念不断泛化,具有象征意义的文化符号也有所拓展,考古文物遍及全国各地。

古人追求升仙的观念基础是什么呢?首先,华夏先民虔敬上天,敬奉天命有其亘古以来的传统。其次,华夏先民认为,君主是上天之子,死后要归回上天。夏朝天子在世称王,死后升天才追谥为帝。周朝天子升天以后,诚如《大雅·文王》所述:"文天在上,於昭于天。""文王陟降,在帝左右。"这种观念在后代泛化成俗,变成了人死之后灵魂升天的俗信。其三,在古人那里,升天的具体理论和升天方式并不复杂。根据中国古代的阴阳五行哲学理论,古人认为,生命是阴阳二气相结合的造化物。人死则阴阳两气进入分离阶段。当人死后,属于阳性的灵魂和属于阴性的体魄各有自己的归宿。灵魂的归宿是升天,体魄的归宿是入地。汉人认为,在灵魄升天的路上,随时可能碰到魑魅魍魉的阻挠,为了保证灵魂能够安然升上天国,就要有一系列的仪式和保护措施:朱雀开道、枭羊飞腾、车驾送行、骑龙升天都是升天的具体措施。而建鼓升仙仪式则是汉代风俗中逐渐普及的一种沟通天地的重要渠道。

《汉书·王莽传》记载了这一仪式的场面与功能:"或言黄帝时建华盖以登(升)仙,(王)莽乃造华盖九重,高八丈一尺,金瑵羽葆,载以秘机四轮车,驾六马,力士三百人,黄衣帻,车上人击鼓,挽者皆呼登仙。"一般认为,汉画像石墓兴盛于西汉末,衰落于东汉末,王莽时期正是该风俗红火热闹的时代。这段史料记载了汉代皇家组织的登仙场面和主要仪式内容。这些场面和各地数以千计的金瑵羽葆,有华盖、无华盖的建鼓升仙画像砖、石场面恰正吻合。据服虔为《王莽传》做的注记载,这种金瑵羽葆的华盖,可以上下抽动组合,以便形成高大与升天的感觉,这种记载在山东建鼓升仙仪式画像石中多有表现。为了显现其通天,画面反映天上人间往往分几层表现。而同金瑵羽葆的华盖分别连接几层画面,以表达其直接通天的功能。(图6)王莽时代的唐河人郁平大尹冯君孺人墓内竟两处刻有建鼓升仙的场面,可见此风在民间流行之炽热。

根据当地风俗,建鼓舞除设有可以上下抽动的华盖金瑵羽葆,还要在建鼓上下设数面铜锣或铜鼓(图7、图8)旁边有一定数量奏鼓吹乐曲的艺人伴奏助兴。因此,建鼓升仙仪式上有舞有乐而没有球,当然也就没有蹴鞠运动。被文章称为"击球"的球,不是球,而是锣或铜鼓类乐器。边击边敲,形成有节奏的音乐。此传统一直保持到今天,民乐合奏艺术形式中铜锣类乐器仍然占有相当的位置。

图2被文章称为"两位长袖舞动的男子,在一边击鼓,而脚下又在玩着四个球"的"击鼓蹴鞠舞"。这种解释不符合汉代习俗的实际。据《隋书·乐志》记载:"牛弘请存鞞、铎、巾、拂等四舞,与新伎并存,因称四舞。按汉魏以来,并施于宴飨。"《古今乐录》、《宋书·乐志》、《文献通考·乐考》等书都有关于汉魏乐舞的记载。根据这些史料,鞞、铎、巾、拂为当时四大乐舞。而图2所示应是其中的"鞞舞"。据《古今乐录》,东汉时鞞舞共有五种乐曲,魏晋时略有改动,但都是宴飨时的娱乐形式。

鞞舞的演出特征是表演者持小鼓导引,踩大鼓击节。据《说文》段注,当时的小鼓叫鞉,又叫鼗,"如鼓而小,有柄,两耳,持其柄摇之,则旁耳还自击,"这是一种有柄的小鼓,如近世的货郎鼓,在舞蹈中起导引作用。《释名》释"鞉",的意义为"导也,以导乐作也"。(图9)鞞舞中的大鼓称为"鼙",张衡《东京赋》咏鞞舞时说"鼙鼓路鼗,树羽幢幢。"傅毅《舞赋》称其"蹑节鼓陈,舒意自广。"李善注道:"言舞人蹑鼓以为节。"跳舞的人在鞞舞中踏鼓,既是舞容、舞姿,又可增强舞蹈节奏。鞞鼓有曲、有辞,有唱、可舞,有乐队,有执节歌唱者。此图是鞞舞的一个局部,而不是盘球蹴鞠运动。

这篇文章本来是可以做好的,因为,被称为"蹴鞠"的体育运动在我国起源很早,由于它和古代的练兵有一定的联系受到历代统治者的提倡。汉人刘向的《别录》说:"蹴鞠者,传言黄帝所作;或曰起战国之时。"又说:"蹋鞠,兵势尔,所以练武士,知有材也。皆因嬉戏而讲练之。"①《汉书·艺文志》颜师古注曰:"鞠以韦(熟皮)为之,实以物,蹴蹋之以为戏也。蹴鞠,陈力之事,故附于兵法焉。"这里指出蹴鞠运动保持和流传的重要原因。《战国策·齐策》描写齐国都城繁华景象时说:"临淄之中七万户……甚富而实。其民无不吹竽鼓瑟,击筑弹琴,斗鸡走犬。六博蹋鞠。临淄之途,车毂击,人

---

① 《史记》卷69《苏秦列传》,《史记集解》注引刘向语。

肩摩,连衽成帷,举袂成幕,挥汗如雨。家敦而富,志高而扬。"根据《中国古代体育史》,这其中的"蹋鞠"就是"蹴鞠",是古代的足球运动①。看来,我国的蹴鞠运动的源头古远,至少在战国时期已经流行。文章试图在汉代画像石中去找源头。其实,汉代的蹴鞠只是该运动的"流",而不是它的"源"。

被称为"蹴鞠舞"的图一,表现的是汉代民间流行的"七盘舞"。据研究,"七盘舞"又称盘鼓舞,是汉代著名的舞蹈形式。它是将盘子与鼓置于地上作为道具,舞者在面对鼓与盘的表演中,或环绕鼓、盘之侧,或直接蹈盘踏鼓进行各种动作的表演。这种舞蹈,大概以表演时使用七只盘子的为多,因此七盘成为这种舞蹈形式的名称。在汉魏时期的文学作品中,记录了不少七盘舞的演出形象,对我们正确认识当时的这一民俗现象具有很高的参考价值。如王粲《七释》咏道:"七盘陈于广庭,畴人俨其齐俟。揄皓袖以振策,竦并足而轩跱。邪睨鼓下,伉音赴节。安翘足以徐击,驭顿身而倾折。"另一位当时的作家卞兰《许昌宫赋》写道:"振华足以却蹈,若净绝而复连。鼓震动而不乱,足相续而不并。婉转鼓侧,蝼蛇丹庭,与七盘其递奏,观轻捷之翾翾。"稍晚于此时的陆机《日出东南隅行》也惊叹道:"丹唇含九秋,妍迹陵七盘。赴曲迅惊鸿,蹈节促集鸾。"各位作家的记叙不仅形神兼备,神采飞扬,而且大多记录了七盘舞中盘与鼓的关系:七个盘子覆于表演场上,舞者手不触盘,而以轻捷灵巧的动作,翩翩徘徊于七盘之间。或如鸾鸟竦立,或如惊鸿起飞,时迟时速,踏来踏去,且歌且舞,而且舞蹈时都要踢鼓为节。图一中女子头挽高髻,身姿婀娜,长袖飘舞。其一脚踩盘,一脚踏鼓,与伴舞者四目传情,互相呼应,出神入化地表现了高超的技艺与和谐的氛围,正是汉魏作家傅毅《舞赋》"眄般(盘)鼓则腾清

---

① 毕世明:《中国古代体育史》,北京体育学院出版社,1990年版,第102—103页。

眸,吐哇咬则发皓齿"的传神写照①,是一幅标准的盘鼓舞画面。因此将这样一幅汉画像认定为女子边舞边踢球"蹴鞠"图是没有根据的。

三

通过上面两段的分析,我们认为,这个案例的分析研究是有积极意义的。因为,这种分析的主要目的不是针对哪一篇文章、哪一个人而作的。一个时期以来,汉画像研究搞得轰轰烈烈,但如何深入研究的问题却没有解决。汉画像研究在取得了可喜成果的基础上,有一些问题值得注意。首先一个问题就是对汉画像内容和涵义的准确理解问题,需要形成端正学风、潜心研究的共识。下大工夫结束简单的、猜谜式的研究。其次是重视拓宽研究范围,注重理论升华,以使汉画像最终成为一门学术价值很高的专门学问。也就是说,近代以来,国内国外的汉画研究都已经搞了百余年,从黄易开始算则搞了几百年,积累了大量的经验。从现在起,应该认真考虑建立汉画学学科体系的问题了。就目前情况看,汉画学学科体系的建立;要依托高等学校和科研机构。这里人才密集,学科齐全,结构合理,利用研究资料的条件也相对优越。经过数年建设,在全国四大汉画区域,形成一批汉画学硕士点乃至博士点,那时,我们的学科建设和理论建设将出现日出江花红胜火的局面。其三是关于注重综合研究问题。我们对于一个石祠、一个墓葬甚或一个地区的研究取得了不少成绩。但是缺少全方位的研究,缺少融会贯通的比较研究,而这些方面正期待着突破,呼唤着大家的产生。要实现研究的突破,一是要重视理论;二是重视方法,根据当前研究现状,本文特别想强调的是方法问题。

---

① 此段所引文均见唐人李善注昭明《文选》卷17。

在我们目前的研究实践中,较为普遍地存在着一种就画面猜画面,然后做结论的研究方法。这种方法所做出的结论具有或然性和相当的风险性,极大地影响到我们整个汉画研究队伍的研究水平和质量。而且从目前情况看,研究队伍越来越大,研究范围越来越广,此风就可能越来越盛,这一点需要引起我们的高度重视。做好研究理论、研究方法的推广工作和优良的研究传统的培育工作。当然,研究的方法可以是多种多样,宏观的、中观的、微观的、综合的等等都可以产生好的学术成果,但是以画面猜画面的方法的确不应该再进行下去了。

我们的案例分析,试图说明这一点:如果方法不正确,一个有意义的选题会带来什么样的后果。同时,我们想指出的是,研究汉画像不要离开它的文化背景和实际功用,汉画研究的文化背景靠汉代的民俗知识的典籍的正确运用来支撑。汉画的实际功用或是充当汉墓、石祠的建筑装饰材料,或是做随葬器皿的饰品。它反映了汉人天国理想的追求,是广施教化思想与价值观的表现,以及生前死后业绩的炫耀与生活的安排。而这些,最主要的又是汉人丧葬观念的具体显现。根据学者的总结,这后一点在汉画研究中既具有纲举目张的意义,又具有一定的理论指导意义。

据此,我们的研究应该回到汉代民俗的实际中去找证据,学会综合地、系统地分析汉画问题,再不能沿用以画面猜画面,简单下结论的研究方法去进行。否则,我们会陷自己于学术的随意性之中,而且,一个有意义的好题目也可能得出错误的结论。

(图附文后)

图 1

图 2

图 3

图 4-1

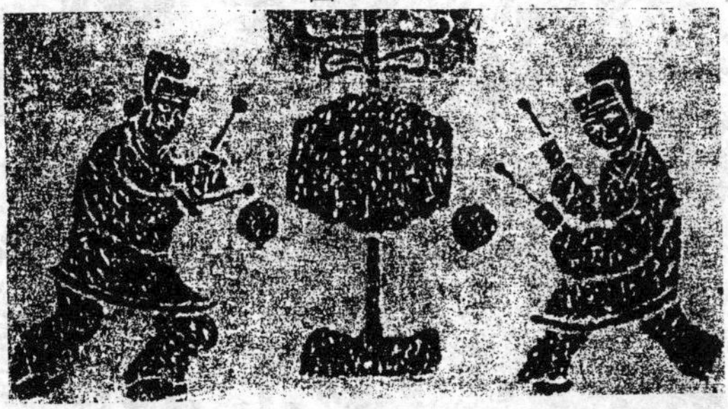

图 4-2

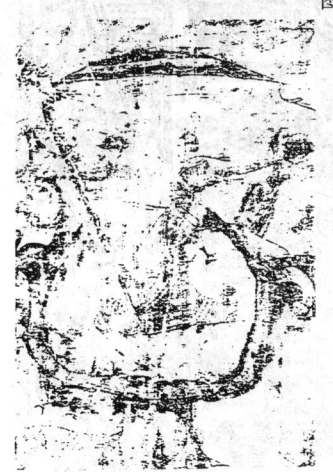

图 5 御龙升天
湖南长沙子弹库楚墓帛画

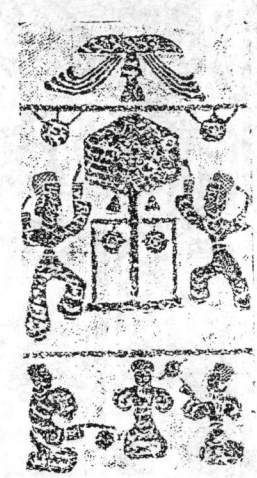

图 7 建鼓铜锣
河南方城东关汉墓

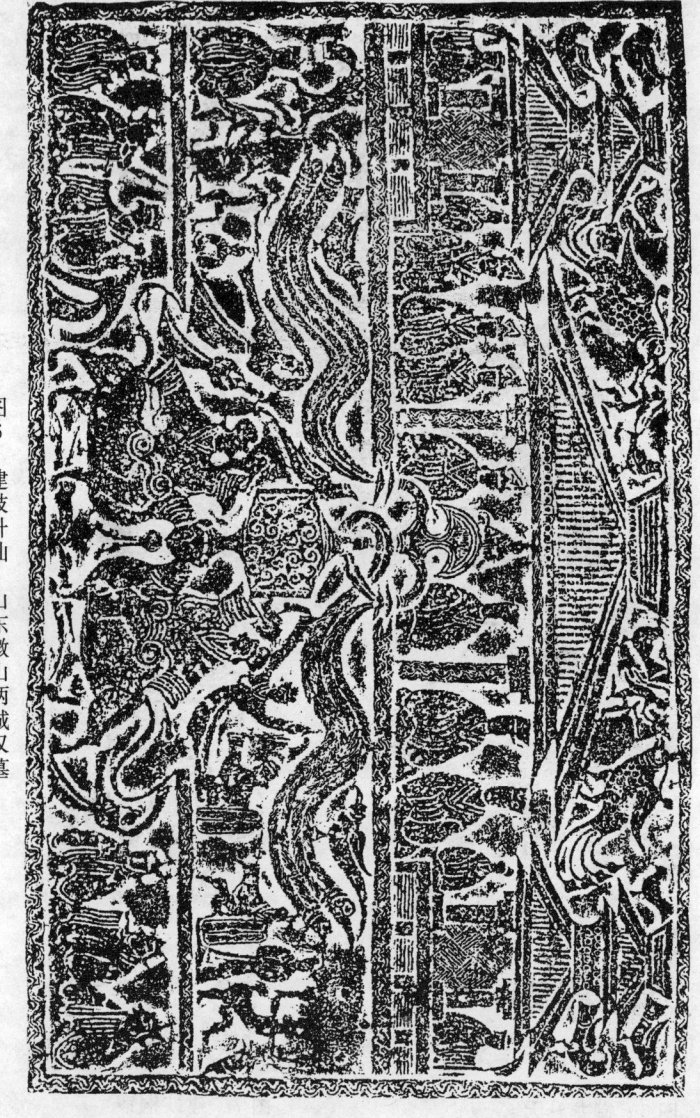

图6 建鼓升仙 山东微山两城汉墓

图8 建鼓升仙 山东滕县西户口汉墓

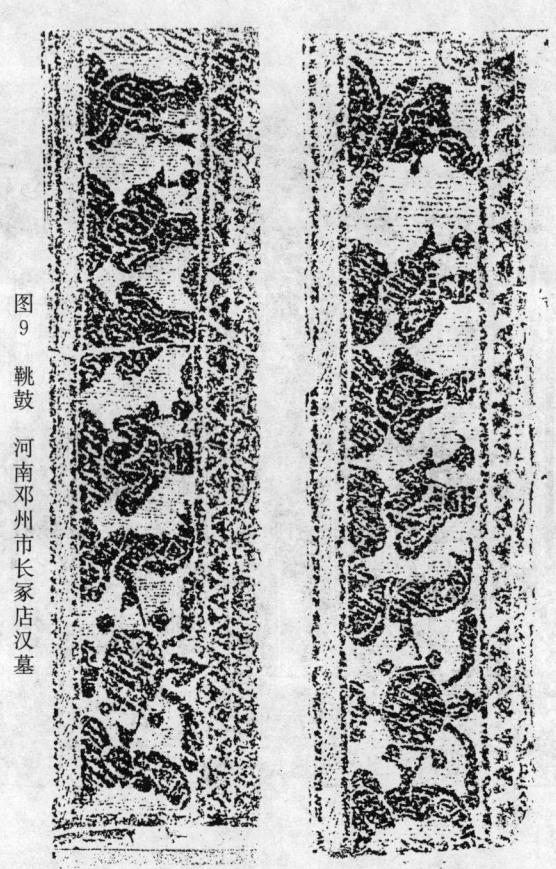

图9 鞞鼓 河南邓州市长冢店汉墓

汉代画像石研究综述

刘太祥

汉代画像石的研究最早是从古代对图像的著录开始的,随着金石学的兴起,南宋洪适在《隶续》中首开摹录汉墓画像的先例,清代乾隆以后著录之风更盛。民国时期,汉代画像石的搜集与著录在清代的基础上,得到了进一步的发展,出现了一批研究文章和著录。中华人民共和国成立以后,随着汉画像石墓的科学发掘,画像石数量不断增加,迄今为止,已发现和发掘汉画像石墓超过200座,汉画像石总数已超过10000块。汉代画像石的研究成果丰硕,据不完全统计,自清代至今发表汉代画像石研究方面的发掘报告、论述、考释文章近一千篇,出版画像图录五十多册。出版研究画像石的专著五十多部。主要的著作有:瞿中溶的《汉代武梁祠画像考》[1],关百益的《南阳汉画像集》、孙文青的《南阳汉画像汇存》[2],容庚的《汉武梁祠画像石考释》[3],傅惜华的《汉代画像全集(初

---

[1] 瞿中溶:《汉代武梁祠画像考》,北京:文物出版社,1982.
[2] 关百益:《南阳汉画像集》,北京:中华书局,1930. 孙文青:《南阳汉画像汇存》,南京:金陵大学文学研究所,1937.
[3] 容庚:《汉武梁祠画像考释》,燕京大学考古社,1932.

编)》①、《汉代画像全集(二编)》②,常任侠的《汉代绘画选集》③、王子云的《中国古代石刻画选集》④,山东省博物馆等的《山东汉画像石选集》⑤,徐州博物馆的《徐州汉画像石》⑥,南阳汉代画像石编辑委员会的《南阳汉代画像石》⑦,阎根齐等的《商丘汉画像石》⑧,山西省博物馆的《山西石雕艺术》⑨,陕西省博物馆的《陕北东汉画像石》⑩,高文的《四川汉代画像石》⑪,顾森的《中国汉画图典》⑫,韩玉祥、李陈广的《南阳汉代画像石墓》⑬,中国画像石全集编辑委员会的《山东画像石》(第1—3卷)、《江苏汉画像石》(第4卷)、《陕北山西汉画像石》(第5卷)、《河南汉画像石》(第6卷)、《四川汉画像石》(第7卷)、《石刻线画》(第8卷)⑭,常任侠的《汉

----

① 傅惜华:《汉代画像全集(初编)》,巴黎大学北京汉学研究所,1950.
② 傅惜华:《汉代画像全集(二编)》,巴黎大学北京汉学研究所,1951.
③ 常任侠:《汉代绘画选集》,朝花美术出版社,1955.
④ 王子云:《中国古代石刻画选集》,中国古典艺术出版社,1957.
⑤ 山东省博物馆等:《山东汉画像石选集》,济南:齐鲁书社,1982.
⑥ 徐州博物馆:《徐州汉画像石》,南京:江苏美术出版社,1985.
⑦ 南阳汉代画像石编辑委员会:《南阳汉代画像石》,北京:文物出版社,1985.
⑧ 阎根齐等:《商丘汉画像石》,郑州:河南美术出版社,1992.
⑨ 山西省博物馆:《山西石雕艺术》,朝华美术出版社,1993.
⑩ 陕西省博物馆:《陕北东汉画像石》,西安:陕西人民美术出版社,1985.
⑪ 高文:《四川汉代画像石》,成都:巴蜀书社,1987.
⑫ 顾森:《中国汉画图典》,杭州:浙江摄影出版社,1997.
⑬ 韩玉祥、李陈广:《南阳汉代画像石墓》,郑州:河南美术出版社,1998.
⑭ 中国画像石全集编辑委员会:《山东汉画像石》(第1—3卷)、《江苏汉画像石》(第4卷)、《陕北山西汉画像石》(第5卷)、《河南汉画像石》(第6卷)、《四川汉画像石》(第7卷)、《石刻线画》(第8卷).河南美术出版社、山东美术出版社,2000.

画艺术研究》①、吴曾德的《汉代画像石》②、萧亢达的《汉代乐舞百戏艺术研究》③,信立祥的《汉代画像石综合研究》④、王建中的《汉代画像石通论》⑤,蒋英炬、杨爱国的《汉代画像石和画像砖》⑥,长广敏雄的《汉代画像の研究》⑦和《南阳の画像石》⑧,土居淑子的《古代中国の画像石》⑨等。汉代画像石作为研究汉代历史和中国古代美术史的第一手资料越来越为学界所珍重,王玉金、孙宗文⑩和黎明剑⑪等人都发表了研究汉画像石史料价值的论文。王玉金认为南阳汉画为研究汉代历史提供了宝贵的资料,在政治方面既反映了汉代贵族阶层的奢侈生活,又反映了汉代奴婢的生活情况,还反映了汉代的等级制度;经济上有表现汉代生产的耕耘图、牵牛图、捕鱼图、狩猎图、武库图等,还有大量表现汉代田庄经济的画像;思想方面反映了汉代的儒家思想、阴阳观念、神仙思想、谶纬迷信思想等;文化艺术方面反映了汉代舞蹈、音乐、杂技的繁盛情况;科技方面表现了汉代天文学、建筑学等的发达情况⑫。著名历史学家翦伯赞先生说:"我以为除了古人的遗物以外,再没有一种史

---

① 常任侠:《汉画艺术研究》,上海:上海出版公司,1955.
② 吴曾德:《汉代画像石》,北京:文物出版社,1984.
③ 萧亢达:《汉代乐舞百戏艺术研究》,北京:文物出版社,1991.
④ 信立祥:《汉代画像石综合研究》,北京:文物出版社,2000.
⑤ 王建中:《汉代画像石通论》,北京:紫禁城出版社,2001.
⑥ 蒋英炬,杨爱国:《汉代画像石和画像砖》,北京:文物出版社,2001.
⑦ (日)长广敏雄:《汉代画像の研究》,中央公论美术出版社,1965.
⑧ (日)长广敏雄:《南阳の画像石》,京都大学人文科学研究所研究报告,1974.
⑨ 土居淑子:《古代中国の画像石》,同朋舍出版,1986.
⑩ 孙宗文:《略谈汉代画像石及其史料价值》,《历史教学》,1957(12).
⑪ 黎明剑:《两汉石刻史料之应用》,《大陆杂志(台)》,(1985)70卷第6期.
⑫ 王玉金:《南阳汉画与历史研究》,《南都学坛》,1999(1).

料比绘画雕刻更能反映出历史上的社会之具体的形象。"他认为汉代石刻画像"几乎可以成为一部绣像的汉代史","当然是一种最具体、最真确的史料"①。应用画像石资料,结合历史文献记载研究汉代历史的著作主要有岳庆平、尚峥的《中国秦汉艺术史》②,岳庆平的《中国秦汉习俗史》③,孙机的《汉代物质文化资料图说》④,刘敦桢的《中国古代建筑史》⑤,夏亨廉、林正同的《汉代农业画像砖石》⑥,王克芬的《中国古代舞蹈发展史》⑦,刘秉果的《中国古代体育史话》⑧,大村西崖的《支那美术史雕塑篇》⑨,王子云的《中国雕塑艺术史》⑩等。然而,对汉代画像石研究情况介绍的论著却为数不多,主要有深圳博物馆的《中国汉代画像石画像砖文献目录》⑪,沈颂今的《汉画像石研究概况》⑫,李发林的《山东汉画像石概述》⑬,周到的《河南汉画像石考古四十年概述》⑭,李陈广、金康的《南阳汉画像石研究述评》⑮,杨爱国的《山东汉画像石研究的历史

---

① 翦伯赞:《秦汉史》,北京:北京大学出版社,1983.
② 岳庆平,尚峥:《中国秦汉艺术史》,北京:人民出版社,1994.
③ 岳庆平:《中国秦汉风俗史》,北京:人民出版社,1994.
④ 孙机:《汉代物质文化资料图说》,北京:文物出版社,1991.
⑤ 刘敦桢:《中国古代建筑史》,北京:中国建筑工业出版社,1980.
⑥ 夏亨廉,林正同:《汉代农业画像砖石》,北京:中国农业出版社,1996.
⑦ 王克芬:《中国古代舞蹈发展史》,上海:上海人民出版社,1989.
⑧ 刘秉果:《中国古代体育史话》,北京:文物出版社,1987.
⑨ (日)大村西崖:《支那美术史雕塑篇》,东京印刷株式会社,1916.
⑩ 王子云:《中国雕塑艺术史》,上海:上海人民美术出版社,1988.
⑪ 深圳博物馆:《中国汉代画像石画像砖文献目录》,北京:文物出版社.
⑫ 沈颂今:《汉画像石研究概述》,《中国史研究动态》,1993(1).
⑬ 李发林:《山东汉画像石概述》,《文史哲》,1981(2).
⑭ 周到:《河南汉画像石考古四十年概述》,《中原文物》,1989(3).
⑮ 李陈广,金康:《南阳汉画像石研究述评》,《南都学坛》,1990(5).

回顾》①,武利华的《徐州汉画像石研究综述》②,吴曾德、闪修山、肖湄燕的《汉代画像石的发现与研究》③,周到、王晓的《汉画——河南汉代画像研究》④等,大多是对地域性的汉画像石研究情况介绍,即使是全国性的汉画像研究情况介绍也比较简略。本文试图对汉代画像石的分区、分期和分类,艺术特色,天文学,舞乐百戏,民风民俗,政治经济,思想观念,建筑学等方面的研究情况做一较为全面和深入的综合论述。

一、汉代画像石的分区、分期和分类研究

汉代画像石的分布相当广泛,据不完全统计,北京、天津、河南、湖北、山东、江苏、安徽、陕西、山西、四川、贵州、云南、甘肃、浙江等14个省市、数十个县市都出土有汉代画像石刻。王建中在《汉代画像石通论》中分为河南南阳鄂西北区,山东、苏北、皖北、豫东区,陕北、晋西北区,四川、重庆区,河南郑州、洛阳区,各个区内的画像石分布又划若干小区⑤。信立祥在《汉代画像石综合研究》一书中把汉代画像石的分布划为五个区域:一是山东全境、江苏省中北部、安徽省北部、河南省东部和河北省东南部;二是以南阳市为中心的河南省西南部和湖北省北部;三是陕西省北部和山西省西部;四是四川省和云南北部;五是河南省洛阳市区周围⑥。米如

---

① 杨爱国:《山东汉画像石研究的历史问题》,《山东大学学报》,1992(3).
② 武利华:《徐州汉画像石研究综述》,《汉画研究》,1992(2).
③ 吴曾德,闪修山,肖湄燕:《汉代画像石的发现与研究》,《中原文物》,1996(增刊).
④ 周到、王晓:《汉画——河南汉代画像研究》,郑州:中州古籍出版社,1996.
⑤ 王建中:《汉代画像石通论》,北京:紫禁城出版社,2001,第38—45页.
⑥ 信立祥:《汉代画像石综合研究》,北京:文物出版社,2000.

田则将山东和苏北分作两个区域①。蒋英炬、吴文祺认为山东汉画像石主要分布在鲁南及其以北的鲁中地区②。

两汉长达四百余年的历史,出土的汉代画像石墓达百座之多,为了把同一时期的汉代画像石加以排列组合,以利于对比和分析研究,必须对汉代画像石进行分期。王建中在《汉代画像石通论》中将汉代画像的分期分为西汉早期、西汉中期、西汉晚期、新朝时期、东汉早期、东汉中期、东汉晚期,并对每个时期画像石的产生和特征做了详细的论述(P52—57)③。信立祥在《汉代画像石综合研究》一书中将地下汉代画像石墓室的画像石分为两期,"滥觞期的画像石墓及其画像"、"成熟期的墓室画像石",对两期的墓室形式和画像石的配置规律做了深入的探讨(P190—288)④。还有不少对区域汉代画像石分期进行研究的论文,周到、吕品在《中原文物》1982年第2期发表的《南阳汉画像石简论》一文认为,早期为西汉晚期至新莽、中期为东汉早期、晚期为东汉末期。萧亢达在《汉代南阳郡与南阳汉画像石墓》一文中认为早期为西汉昭宣至新莽,中期为东汉建立到安帝,晚期为安顺以后⑤。赵成甫在《南阳汉画像石分期管见》一文中认为,汉画像石分为四型十四式。王恺在《苏鲁豫皖交界地区汉画像石墓分期》一文中将画像石墓分为三期:西汉晚期至王莽时期、东汉初期至东汉中期(安帝)、东汉晚期(安帝以后至献帝初平四年)⑥。杨伯达对山东汉代画像石分为三期:西

---

① 米如田:《汉画像石墓分区初探》,《中原文物》,1988(2).
② 蒋英炬,吴文祺:《试论山东汉画像石的分布、刻法与分期》,《考古与文物》,1980(4).
③ 王建中:《汉代画像石通论》,北京:紫禁城出版社,2001.
④ 信立祥:《汉代画像石综合研究》,北京:文物出版社,2000.
⑤ 南阳汉代画像石学术讨论会办公室编:《汉代画像石研究》,北京:文物出版社,1987.
⑥ 王恺:《苏鲁豫皖交界地区汉画像石墓分期》,《中原文物》,1990(1).

汉中后期至两汉之际为前期，两汉之际至东汉中叶为中期，东汉中叶至魏为后期①。

　　汉代画像石的题材、内容极其丰富，几乎涉及当时社会生活的各个领域。李发林在《山东汉画像石研究》一书中将汉代画像石的内容分为四类：1.反映社会现实生活的图像；2.描绘历史人物故事的图像；3.表现祥瑞和神话故事的图像；4.刻画自然风景的图像(p25)②。蒋英炬和吴文祺把汉代画像石内容分为描绘社会生产、表现社会生活、描写历史故事、表现神话传说和鬼神信仰四类(p4－5)③。日本土居淑子将汉代画像石内容分为：(1)具有故事情节画像；(2)关于祭祀礼仪的画像；(3)关于天象及自然现象的画像；(4)关于仙人及神怪的画像；(5)关于日常生活和社会生活的画像；(6)描绘怪兽等空想动物的画像；(7)各种装饰图案④。俞伟超、信立祥在《中国大百科全书·考古学》的汉画像石条中将汉代画像石分为八类：1.生产活动；2.墓主仕宦经历及身份；3.墓主生活；4.历史故事；5.神话故事；6.祥瑞；7.天象；8.图案花纹⑤。信立祥在《汉画像石的分区与分期研究》一文中认为汉代画像石的内容可分为九类⑥。王建中在《汉代画像石通论》中将汉代画像石的内容分为人间和冥间两部分，生产、生活、故事、神话、天文、符瑞、图案七大类(p386)⑦。信立祥在《汉代画像石综合研究》一书中将汉画像石内容分为天上世界的内容、仙人世界的内容、人间现实世界的

---

① 杨伯达：《论山东画像石的刻法》，故宫博物院院刊，1987(4).
② 李发林：《山东汉画像石研究》，济南：齐鲁书社，1982.
③ 蒋英炬，吴文祺：《山东汉画像石选集》，济南：齐鲁书社，1982.
④ 土居淑子：《古代中国の画像石》，同朋舍出版，1986.
⑤ 俞伟超，信立祥：《中国大百科全书·考古学.汉画像石墓》，北京：中国大百科全书出版社，1981.
⑥ 常任侠：《汉画艺术研究》，上海：上海出版公司，1955.
⑦ 王建中：《汉代画像石通论》，北京：紫禁城出版社，2001.

内容、地下鬼魂世界的内容四大类①(P62)。

二、汉代画像石的艺术风格研究

汉代画像石吸纳了商周青铜器造型、纹饰以及战国绘画之长,用绘画和雕刻相结合的手法,创造了一种不是绘画,而似绘画,不是雕塑、而似雕塑,即拟绘画、拟浮雕的石刻艺术品,可以说在美术史上具有独特的艺术风格。这种艺术风格是由构图的方式、造型的手段、雕刻的技法以及彩绘的特点的统一来体现的。

对汉代画像石的艺术风格的研究论著较多。常任侠在《汉画艺术研究》一书中认为:就汉画的技法说,它比之先秦时代确有飞跃的发展。到了汉代,绘画的方法与基础才算确立,不再局限于图案的成就。石刻画像更从汉代开始,为后世做了很好的典范②。刘铁华认为,汉画像石的造型艺术简洁质朴、深厚雄健、纯而不琐碎,有一定概括力;结构处理也很巧妙,在同一画面上可以把许多不同的内容、情节处理在一起;各地画像石刻的雕刻技法各有特色,但有一共同之处,就是其线条呈现出一种弹力性,给人们一种律动的感觉③。王良启认为,汉代画像石的艺术成就主要表现在以线刻为主的雕刻技法、巧妙合理的构图、开写实艺术之先河、浪漫幻想的王国、传形与传神的统一④。董旭认为汉代画像石的形式表现在三个方面:一是汉代画像中"线"的规律运用;二是汉画像的形体块石;三是永恒性的创作观念⑤。他还认为汉画像石的艺

---

① 信立祥:《汉代画像石综合研究》,北京:文物出版社,2000.
② 常任侠:《汉画艺术研究》,上海:上海出版公司,1955.
③ 刘铁华:《两汉时代画像石的艺术特点》,《中原文物》,1983(特刊).
④ 王良启:《试论汉画像石的艺术成就》,《中原文物》,1986(4).
⑤ 董旭:《汉代画像形式初探》,《河南大学学报》,1987(2).

术风格从纵向分析是支气纹的运用,多而大胆,激情多变,既增加了画面层次、动感与旋律,又协调构图,走一条追求写实的道路;从横向看汉画像石的艺术风格可分为粗犷型、古朴型、稚拙型、装饰型等类型①。沈颂今认为,汉画像石艺术不仅继承和发展了西周以来造型艺术的优良传统,而且开启了魏晋时期雕刻、绘画艺术的发展道路,是研究佛教雕刻艺术传入中国之前,中国雕刻绘画艺术的惟一实物资料②。王建中在《汉代画像石通论》中论述汉代画像石艺术风格时说:"汉代画像石的构图主要继承了传统的以平面的散点和分层布局的法则;汉代画像石的造型,具有线描表达和摄影观察的特点;汉代画像石的雕刻有'拟绘画'、'拟浮雕'多种技法;汉代画像石的彩绘,则强调了轮廓与形象的修饰功能。汉代画像石构图、造型、雕刻与彩绘的统一,本质地反映了汉代、汉民族、汉文化、汉艺术家的思想观念与审美意识等内在特性的外部印证,从而形成独特的艺术风格。"(P494)③1989年,中国学者巫鸿在美国用英文发表了《武梁祠研究——中国早期的绘画艺术观念》,对汉代画像石的绘画艺术做了全面的研究④。顾森⑤、谢昌一⑥、吴曾德⑦、廖国柱⑧等人也对汉代画像石的艺术风格进行了专题研究。

对汉代画像石雕刻技术最早进行分析和研究的是日本学者关

---

① 董旭:《汉代画像风格纵横谈》,《河南大学学报》,1988(5)。
② 沈颂今:《汉画像石研究概述》,《中国史研究动态》,1993(1)。
③ 王建中:《汉代画像石通论》,北京:紫禁城出版社,2001。
④ Wu Hong. The wu liang shrine, The Ideology of Early Chinese Pictorial Art Stanford University Press 1989.
⑤ 顾森:《汉画艺术探源》,《中原文物》,1991(3)。
⑥ 谢昌一:《汉代画像石艺术的历史地位》,《故宫文物月刊(台)》(1992).10卷5期。谢昌一:《汉画像石的艺术特征》,《美术耕耘》,1988(2)。
⑦ 吴曾德:《汉代画像石的艺术探源》,《汉画研究》(1991)创刊号。
⑧ 廖国柱:《试论汉画的艺术特征》,《西北师院学报》,1983(1)。

野贞①。滕固在1937年就把雕刻技法提到了研究汉代画像石的首位,认为这是汉代画像石的决定因素,他把汉代画像石的雕刻技法分为"拟绘画的"(孝堂山和武梁祠的刻像)和"拟浮雕的"(南阳石刻画像)两大类②。《南阳汉代画像石》一书认为,南阳画像石的雕刻技术主要有平面阴线刻、剔地凹面阴线刻、剔地浅浮雕、浅浮雕兼阴线刻四种③。李发林《略谈汉画像石的雕刻技法及其分期》一文,把汉画像石雕刻技法分为阴线刻、平面浅浮雕、弧面浅浮雕、凹入平面雕、凹入雕、高浮雕、透雕、阳线雕等八种④。阎文儒⑤,蒋英炬、吴文祺,杨伯达⑥都把山东汉画像石的雕刻技法分为六类。蒋英炬、吴文祺将汉画像石刻分为线刻、凹面线刻、凸面线刻、浅浮雕、高浮雕和透雕等六种⑦。信立祥在《汉代画像石综合研究》一书中把汉代画像石雕刻技法分为两大类:一是线刻类:阴线刻、凹面线刻、凸面线刻,表现重点是物象轮廓;二是浮雕类:浅浮雕、高浮雕、透雕,表现的重点是物象的质感(P27—39)⑧。信立祥还认为汉代画像石的构图方式主要有两种:一是等距离散点透视构图法,二是焦点透视构图法(P39—59)⑨。

由于各地区的民俗、生活、传统观念和情感等各种因素的不

---

① (日)关野贞:《支那山东省りれける汉代坟墓の表饰》,东京帝国大学工科大学纪要.第八册一号,1916.
② 腾固:《南阳汉画像石刻之历史的及风格的考察》,《张菊声先生七十生日纪念论文集》,商务印书馆,1937.
③ 南阳汉代画像石编辑委员会:《南阳汉代画像石》,北京:文物出版社,1985.
④ 李发达:《略谈汉画像石的雕刻技法及其分期》,《考古》,1965(4).
⑤ 中国科学院考古研究所:《考古学基础》,科学出版社,1958.170.
⑥ 杨伯达:《试论山东画像的刻法》,《故宫博物院院刊》,1987(4).
⑦ 蒋英炬,吴文祺:《山东地区汉画像石艺术》,《美术丛刊》,1982(12).
⑧⑨ 信立祥:《汉代画像石综合研究》,北京:文物出版社,2000.

同,各地区的汉代画像石也各具独特的艺术风格。闪修山、王儒林、王良启、曹东坡、王今栋①、李宏②、一平③等人对南阳汉代画像石的艺术风格进行了探讨。闪修山、王儒林认为南阳汉画像石画面单纯饱满,主题突出,每幅画面只有一个内容,与山东等地的构图绵密相比,为我国后来独幅绘画的构图形式开辟了道路④。王良启认为,南阳汉代画像石蕴藏着原始活力的浪漫与幻想的内容很多。在透视处理上为了表现空间采用了人们的"视觉感知"和"心理印象"为基础的"散点透视",也就是许多视点的组合和象征性的手法,符合人们的审美需要⑤。曹东坡认为南阳汉代画像石刻具有深沉雄大、粗犷劲挺、古朴稚拙、单纯厚重、简洁明豁等独特的艺术风格,显现出它今天特有的艺术魅力和无法替代的现代价值⑥。谢昌一⑦、何正璜⑧、高文、范小平⑨分别对山东、陕北和四川汉画像石的艺术风格进行了研究。中国画像石全集编辑委员会对山东、江苏、陕西和山西、河南、四川的汉代画像石的艺术风格进

---

① 王今栋:《南阳汉画像石研究》,《美术》,1984(3).
② 李宏:《略谈南阳汉画像石刻的艺术构图》,《南都学坛》,1987(3).
③ 一平:《南阳汉画像石的藏与变》,《中原文物》,1983(特).
④ 闪修山、王儒林等:《南阳汉画像石》,河南美术出版社,1989.
⑤ 王良启:《试论汉画像石的艺术成就》,《中原文物》,1986(4).
⑥ 曹东坡:《南阳汉代画像石刻艺术初探》,《南阳师专学报》,1996(1).曹东坡:《浅析南阳汉画像石刻艺术的现代魅力》,《南都学坛》,1987(4).
⑦ 谢昌一:《山东两城汉画像石的表现模式》,《美术》,1989(7).
⑧ 何正璜:《陕北东汉画像石概述》,陕西省博物馆等编:《陕北东汉画像石刻选集》,文物出版社,1959.
⑨ 高文、范小平:《四川汉代画像石棺艺术研究》,《中原文物》,1991(3).

行了全面的论述,代表了当今各地画像石研究的水平①。宋广伟对南阳和山东和汉画像石的艺术风格进行了比较研究②。

三、汉代画像石的思想观念研究

汉代画像石反映了汉代人的思想观念和社会意识。赵成甫在《汉画中儒道佛思想初探》一文中认为,儒道佛思想是汉画表现的主要题材和基本内容,儒家思想表现在汉画的讲经图、忠孝和祥瑞图,道家思想表现在汉画的升仙和辟鬼图,佛教内容表现在大象的图像③。乔宝同、苏磊在《汉画像石中太阳的形象及其所反映的社会意义》一文中认为,汉画像不仅表现太阳形象的形式多种多样,也体现了当时所盛行的阴阳五行、谶纬迷信思想和升天、成仙长生不老等社会意识④。赵建中认为,那虚无缥缈、漫无际涯的幻想中的龙凤、飞廉、虎车、鹿车等都是墓主人生前迷信思想的反映⑤。赵超认为汉代画像石在汉墓中的布局是有规律的,就是表现生活与经史故事的内容在前、中、后室及耳室,描写神话、天象和祥瑞的内容在墓室顶部和墓门,这反映了汉代人们的宇宙观和人生观,是汉人企图在墓室中重视天地宇宙与社会人生模式的体现⑥。日本学者林巳奈夫的《汉代的鬼神世界》,第一次对汉代画像石中的鬼

---

① 中国画像石全集编辑委员会:《山东汉画像石》(第1—3卷)、《江苏汉画像石》(第4卷)、《陕北山西汉画像石》(第5卷)、《河南汉画像石》(第6卷)、《四川汉画像石》(第7卷)、《石刻线画》(第8卷).河南美术出版社、山东美术出版社,2000.
② 宋广伟:《南阳与山东汉画像石艺术风格》,《南都学坛》,1994(5).
③④ 《中原文物》,1996(增刊).
⑤ 赵建中:《南阳汉代画像石主要动物题材刍议》,《中原文物》,1988(4).
⑥ 赵超:《汉代画像石墓中的画像布局及其意义》,《中原文物》,1991(3).

神信仰内容做了系统的考察①。李宏认为,从汉代丧葬中画像砖石的内容来看,多着重祈福禳灾,着重于死之归宿(升仙)和生之安宁(打鬼),依照孙作云先生之观点,汉代画像石的宗教内容可一言以蔽之就是打鬼升仙。对疫鬼的祛袚和对天界神祇的向往,几乎囊括了当时民间信仰的全部。《沂南古画像石墓发掘报告》认为该墓四组画像表现了墓主人生前的"伟大功绩",安富尊荣的生活,死后丧祭之仪的隆重,并希望墓主人长眠墓室,有山神、海灵的护持,千年永固②。孙作云在《评"沂南古画像石墓发掘报告"——兼论汉人的迷信思想》一文中认为,沂南汉画像石中羽人、傩戏、乐舞百戏等图像都和汉人主要迷信思想有关,反映了汉人的升仙思想及与此相关的打鬼辟邪思想③。而曾昭燏认为,在汉代上层社会里的主导思想是阴阳五行家学说④。陈江风认为,汉画所表现的世界,反映了墓主所追求的死后生活以及他们的思想观念。汉代人把死人当活人对待,以为活人需要的死人也需要。这种思维方法正是"集中表象"的反映。但汉画像对死亡者阴间生活的假设与表现囿于人类认识与思维规律的局限,其理想图景的创造只能以现实生活为蓝本。围绕亡灵这一主题,构成了汉画像"神鬼世界"的三个子系统:灵魂升天及天界诸神形象系统、死者躯体身后生活形象系统、冥界鬼魅形象系统。夸张、象征等重要表现手段的应用,均与汉画创作者的思维观念、思维形式有些许联系⑤。日本学者曾布川宽对汉画像石中升仙内容图像的由来、产生、发展做了系统

① (日)林巳奈夫:《汉代鬼神の世界》,《东方学报(京都版)》第46册。1974.
② 南京博物馆等:《沂南古画像石墓发掘报告》,文化部文物管理局,1956.
③ 孙作云:《评"沂南古画像石墓发掘报告"——兼论汉人的迷信思想,《考古通讯》,1957(6).
④ 曾昭燏:《关于河南画像石墓中画像的题材和意义》,《考古》,1959(5).
⑤ 陈江风:《汉画像"神鬼世界"的思维形态及其艺术》,《中原文物》,1991(3).

而全面的研究①。朱国炤在《汉代画像中所见牛、鹿、羊车及其反映的社会意识》一文中认为,汉画像石中的鹿车、牛车、羊车图像与当时人们崇信神仙方术有关②。孙重恩《浅论升仙汉画》③、顾森《汉画中的"西王母"的图像研究》④,李陈广的《南阳汉画像的河伯图试析》⑤、李晓松《汉代人与神话画像》⑥、吴曾德、周到的《南阳汉画像石中的神话与天文》⑦等文章都研究了汉画像石中的神话内容,认为龙、西王母、虎车、鹿车、河伯等神仙画像都反映了汉代的升天成仙的道家思想。李卫星《略谈儒家思想对山东汉画像石的影响》⑧、孙怡村《从南阳汉画看汉代崇尚名节之风》⑨、杨爱国的《汉代的忠孝观念及其对汉画艺术的影响》⑩等文章论述了汉画像石反映的儒家思想。罗松晨、王春玲在《从汉画看汉代的吉祥文化》中认为汉代画像石中以神灵祈求兆示吉祥、以动物寓意吉祥、以植物象征吉祥、以文字直接表达吉祥、以图符暗示吉祥、以田园生活反映吉祥⑪。王玉金认为,南阳汉画像石从神仙思想、祥瑞思想和辟邪思想三个方面表现了汉代的谶纬迷信思想;他还认为汉画像石中大量熊的形象反映了汉代的辟邪和吉祥思想⑫。陈江风

---

① (日)曾布川宽:《昆仑山与升仙图》,《东方学报(京都版)》第 5 册,1979;《向昆仑山的升仙》,中央公论社,1981;《汉代画像石中的升仙图谱系》,《东方学报(京都版)》第 65 册,1993.
②③ 南阳汉代画像石学术讨论会办公室:《汉代画像石研究》,文物出版社,1987.
④ 《中原文物》,1996(增刊).
⑤ 李陈广:《南阳汉画像的河伯图试析》,《中原文物》,1986(1).
⑥⑧⑨⑪ 韩玉祥:《汉画学术文集》,河南美术出版社,1996.
⑦ 吴曾德,周到:《南阳汉画像石中的神话与天文》,《郑州大学学报》,1978(4).
⑩ 杨爱国:《汉代的忠孝观念及其对汉画艺术的影响》,《中原文物》,1993(2).
⑫ 王玉金:《从南阳汉画看汉代的等级制度》,《南都学坛》,1993(1).

认为汉画像石的"羲和捧日、常羲捧月"画像应更名为"伏羲捧日,女娲捧月",它不仅含有"天下大明"的吉祥意义,更重要的是表现汉人的阴阳意识①。胡新立的《鲁南地区汉画像中的佛教图像考》②,俞伟超的《东汉佛教图像考》、曾宪波的《浅析汉画中的佛教图像》③等文章认为,汉画像石中有大量的佛教图像,佛教已影响到了汉代的葬制葬俗。刘绍明、王春玲的《从汉画看两汉时期的生殖信仰》④、张德水的《远古图腾的遗绪——汉画像所反映的图腾生育信仰》⑤等文章认为汉画像石受到两汉民间生殖信仰的深刻影响,反映了民间生殖信仰的内容。

四、汉代画像石的民风民俗研究

汉代画像石反映了汉代的礼俗、节俗、饮食、丧葬、辟邪祈福、祈雨、祭祀、婚姻等习俗。岳庆平在《中国秦汉习俗史》一节中用了大量的汉代画像石的资料论述了汉代的服饰、饮食、居住、交通、婚姻、丧葬等民风民俗⑥。王清建、王玉金在《河南南阳画像石中的民俗初探》一文中对南阳汉画像石中反映的民俗进行了全面的研究,认为南阳汉画反映了汉代拥彗和拜谒等礼俗,门户上画神荼、郁垒以辟邪的节日风俗,宴宾陈伎的饮宴习俗,墓室画像布局原则、送葬墓祀的葬制葬俗,大傩、门上饰铺首衔环、画虎、熊等的辟

---

① 陈江风:《"羲和捧日,常羲捧月"画像石质疑》,《中原文物》,1988(2).
②⑤ 韩玉祥:《汉画学术文集》,河南美术出版社,1996.
③ 俞伟超:《东汉佛教图像考》,《文物》,1980(5).曾宪波:《浅析汉画中的佛教图像》,《汉画研究》,1993(3).
④ 《中原文物》,1996(增刊).
⑥ 岳庆平:《中国秦汉风俗史》,北京:人民出版社,1994.

邪祈福习俗、风雨、雷神、河伯等祈雨风俗①。杨爱国②、牛天伟、李真玉③、魏仁华④等人论述了汉代画像石中的饮食风俗。牛天伟、李真玉认为，汉代画像石中反映汉代饮酒风俗的画像主要有酿酒、酤酒、饮酒等，出现在画像石中常用的酒具有壶、樽、勺、耳杯等，酒令有投壶、六博、猜拳等种，酒的用途主要有自娱、待客、祭祖祀神、逐疫驱鬼等数种。魏仁华、韩玉祥认为，汉代画像石刻中画有形象生动的庖厨图，反映了汉代丰富多彩的饮食生活。从食品构成上看，主食仍是五谷杂粮，肉食有牛、猪、羊、狗、鸡、鸭、鹅、鱼鳖等山珍海味，瓜果蔬菜俱全，在原料加工、饮食模式、烹饪技艺上等方面已形成了中国传统饮食文化的独特的民族风格。在山东诸城出土了一幅目前见到的最完整最全面关于汉代人庖厨活动的画像石，有宰牲、炊爨、酿造等组。厨房中人数最多的、最忙碌的，就是烧烤羊肉串⑤。黄宛峰的《儒家丧葬观与汉代葬俗之关系》一文认为画像石墓与厚葬并无直接关系⑥。曾宪波在《从汉画试析汉代的丧葬礼俗》一文中认为，汉代画像石中的丧葬出行汉画像、殡车出行画像、墓地坟丘图、墓祠上冢图、伏羲女娲和日月合璧画像、墓门神画像、二龙交尾画像反映了汉代的葬制葬俗⑦。康兰英的《画像石所反映的上郡与狩猎活动》⑧和艾延丁、李陈广《试论南阳汉代画像中的田猎活动》⑨对汉画像石中的游猎习俗进行了研究。

---

① 王玉金：《河南南阳画像石中的民俗初探》，《南都学坛》，2001(1).
② 杨爱国：《汉画像石中的庖厨图》，《考古》，1991(11).
③ 牛天伟、李真玉：《浅析汉画中的酒文化》，《南都学坛》，2000(3).
④ 魏仁华等：《试论汉画中的饮食文化》，《南都学坛》，1997(5).
⑤ 任日新：《山东诸城汉画像石墓》，《文物》，1981(10).
⑥⑦ 韩玉祥：《汉画学术文集》，河南美术出版社，1996.
⑧ 康兰英：《汉画像石中的田猎风俗》，《文博》.1986(3).
⑨ 南阳汉代画像石学术讨论会办公室：《汉代画像石研究》，文物出版社，1987.

信立祥在《东南文化》1999年第1期发表的《汉代画像中的车马出行图考》一文对画像石的车骑出行图进行了研究。李建、金桂莲在《从汉画看汉代祈雨风俗》一文中认为，汉代画像石的女魃、雨师、龙、虹、河伯、雷神等画像都反映了汉代的祈雨风俗。周汛、王强①等人论述了汉代画像石中汉代人的冠、衣裳、袍服等服饰和头饰习俗，认为不同等级的人服饰是不一样的。牛天伟在《试论汉画中的北斗星画像》一文中认为，北斗星画像反映了汉代崇拜和祭祀北斗神的社会风俗②。程健君《南阳汉画中的"伏羲女娲"考》认为，人首蛇身的伏羲女娲被普遍刻画在南阳汉墓中，既表现了汉代人意识中对自己以蛇为"图腾"的祖先崇拜与敬仰，也反映了汉代人崇敬人类始祖，希望后世人丁兴旺和百代昌荣的祈子风俗；同时伏羲女娲"图像也渗进了汉人儒家正统的非兄妹婚观念，由此产生了婚配有'神人'作媒、遮羞之物等婚姻习俗"③。陈长山在《高禖画像小考》一文中也论述汉代画像石中的婚俗④。吕品《河南汉画所见图腾遗俗考》认为，河南汉代画像石不少神话故事可追溯到远古的图腾，图腾崇拜在岁月的流逝中逐渐演化为祖先神、吉祥神、保护神或宗教仪式及风俗习惯而保留下来⑤。

五、汉代画像石的乐舞百戏研究

汉代画像石刻绘了许多宴饮时观赏的音乐舞蹈和角抵百戏的

---

① 周汛等：《中国古代服饰习俗》，陕西人民出版社，1988. 王强：《从汉画看汉代服饰》，《南都学坛》，1999(5).
② 韩玉祥：《汉画学术文集》，河南美术出版社，1996.
③ 程健君：《南阳汉画中的"伏羲女娲图"考》，《南都学坛》，1988(2).
④ 陈长山：《高禖画像小考》，《考古与文物》，1987(5).
⑤ 吕品：《河南汉画所见图腾遗俗考》，《中原文物》，1991(3).

图像,给我们研究汉代的音乐、舞蹈、杂技、戏剧、体育等提供了有价值的实物资料。萧亢达①,周到②,刘云峰③,岳庆平、尚峥④,对汉代画像石的舞乐百戏进行了综合性研究。周到考证了河南汉代汉画像中反映乐舞百戏的主要内容:打击乐器有建鼓、鼗鼓、铙和石磬等,吹奏乐器有埙、笛、竽、排箫,还有手指拨弦的瑟;舞蹈有建鼓舞、踏鼓舞、长袖舞、七盘舞;百戏有杂技、角抵、游戏等。李荣友⑤,李真玉、李幼馨⑥等人考证了汉代画像石中的乐器的种类。李荣友对汉画像石中的音乐资料兼及乐舞百戏做了全面的辑录、整理和解释,从音乐史学和音乐文化学的角度做了宏观的整体把握和分析,阐释了汉代音乐文化的若干特征和规律。李真玉在《浅淡汉画中的乐器》一文中分析了汉代画像石反映的乐器的民族特征和地方特色⑦。李幼馨认为汉代画像石的乐队可分为吹打型乐队、管弦乐队、混合型乐队、特殊的小型乐队。苏磊、秦青、赫玉建⑧,陈峰⑨,周到⑩等人考证了汉代画像石的舞蹈的种类和特征。赫玉建等人在《试论汉画中舞蹈的形式美》一文中,认为汉画像石的舞蹈的形式美表现在观念的程式、独特的风格、超绝的技

---

① 萧亢达:《汉代乐舞百戏艺术研究》,北京:文物出版社,1991.
② 周到:《试析河南汉画像石中的乐舞百戏图像》,《中原文物》,1981(特刊).
③ 刘云峰:《从南阳石刻画像看汉代的乐舞百戏》,《河南戏剧》,1983(4).
④ 岳庆平,尚峥:《中国秦汉艺术史》,北京:人民出版社,1994.
⑤ 李荣友:《汉画像的音乐学研究》,北京:京华出版社,2001.
⑥ 李幼馨:《南阳汉代画像石刻中的音乐艺术》,《南都学坛》,1992(4).
⑦⑧ 韩玉祥:《汉画学术文集》,河南美术出版社,1996.
⑨ 陈峰:《南阳汉画中的楚舞蹈艺术》,《南都学坛》,1987(6).
⑩ 周到:《漫谈南阳汉画像中的舞蹈》,《舞蹈》,1978(6).

巧、妙肖的摹态四个方面①。赵建中②、吴曾德、周到③、魏仁华④、孙世文⑤、孙景琛⑥等人对角抵戏进行了论述,认为它是继承前代的技击、和手搏而形成的武术。赵建中认为,汉画中角抵可分为人与人斗、人与兽斗、兽与兽斗三种形式,它奠定了中国武术套路的基础,开创了蓄兽、斗兽、驯兽等人类征服自然的事业。吴曾德、周到认为南阳汉代画像石中的人与人斗、人与兽斗、兽与兽斗的角抵场面,已有剧名、情节、角色、戏词、表演动作等条件,它是中国戏剧的鼻祖。魏仁华认为,南阳汉代画像石中的手搏图和技击图,既没有化妆,也没有音乐伴奏,而是纯粹的武术对打,其动作和长拳类中的少林拳非常相仿,为研究我国长拳的渊源以及少林武术的历史提供了极其珍贵的资料。论述汉代画像石中的杂技艺术的有吕品、周到⑦、傅天正⑧等人,他们认为汉画中的杂技艺术包括杂技、马戏、车戏、幻术四类:杂技类有倒立、弄壶、耍杖、冲狭、飞剑、跳丸等;马戏是马术表演;车戏是汉代盛行、后世绝迹的大型杂技节目;幻术即魔术;俳优是表演中的滑稽演员。杂技的表演技艺高超,惊险动人。庄申在《汉代的马戏》⑨、永明在《略谈南阳汉画像石中的

---

① 韩玉祥:《汉画学术文集》,河南美术出版社,1996.
② 赵建中:《南阳汉画中角抵戏新探》,《中原文物》,1983(特刊).
③ 吴曾德,周到:《漫谈南阳汉画像石中的角抵戏》,《郑州大学学报》,1979(2).
④ 魏仁华:《南阳汉画像中搏击图浅析》,《中原文物》,1983(特刊).
⑤ 孙世文:《汉代角抵戏初探——对汉画像石中的角抵戏的考察》,《东北师大学报》,1984(4).
⑥ 孙景琛:《汉代的角抵百戏》,《文史知识》,1985(5).
⑦ 吕品,周到:《河南汉画中杂技艺术》,《中原文物》,1984(2).
⑧ 傅天正:《汉代杂技的表演和艺术内容》,《中国文化研究集刊》(1986)三集.
⑨ 庄申:《汉代的马戏》,《中央时事(台)》,1956(11).

俳优》①、廖奔在《论汉画百戏》②中分别论述了汉代画像石中的马戏、俳优和百戏表演艺术。论述汉代画像石的体育的论文主要有王玉金《试论汉画中的体育运动》③，刘秉果《汉画像石在体育史研究中的价值》④，李陈广、韩玉祥、王仲伟《河南汉代体育活动》⑤等。李陈广等人认为汉代画像石中的体育活动有以下几种：一是武术；二是摔跤；三是斗兽；四是射箭；五是蹴鞠（足球）；六是马术；七是杂技。汉代的武术是中国武术的主要渊源,汉代的蹴鞠是古代足球的先奏。张清华⑥和周到⑦论述了汉代画像石对我国戏曲艺术的影响。张清华认为,汉代画像上的乐舞百戏图有歌有舞,有说有唱,有表演队伍,又有乐器伴奏,已经具备了戏曲有唱、念、做、打、舞、伴唱的基本雏形,说明汉代已经产生了戏曲艺术。

六、汉代画像石的政治经济研究

汉代画像石中反映汉代政治情况的图像较少,研究的文章也比较少。王玉金研究了汉代画像石中反映的汉代等级制度,他认为汉画中的冠饰,车骑出行画像,拜谒场面,持节、执笏、执金吾、执钺、持剑、执盾、执刀、拥彗、端灯侍女、捧奁侍女、执扇箐、阙等具体画像反映了汉代的等级制度,是研究汉代阶级关系的重要文物资

---

① 永明：《略谈南阳汉画像石中的俳优》,《河南文博通讯》,1979(4).
② 南阳汉代画像石学术讨论会办公室：《汉代画像石研究》,文物出版社,1987.
③ 王玉金：《试论汉画中的体育运动》,《汉画研究》,1991(创刊号).
④ 刘秉果：《汉画像石在体育史研究中的价值》,《汉画研究》,1992(2).
⑤ 李陈广等：《河南汉代体育活动》,《南都学坛》,1998(4).
⑥ 张清华：《从汉画像看我国戏曲艺术的产生》,《中原文物》,1983(特).
⑦ 周到：《汉画与戏曲文物》,郑州：中州古籍出版社,1992.

料①。尤振尧《江苏泗洪曹庙东汉画像石》一文认为,画九下格的县令及僚属图,皆有榜题,应是县令的僚属。刻有游徼一人在县署门口,而文献记载游徼是乡官,不是县的属官,是研究汉代官制的重要资料②。蒋英炬《汉画执棒小考》一文,考定汉画像石中的执棒图为执金吾③。而黄运甫认为,汉画中的执棒形具有圆柱体和扁圆体之分,扁圆体的棒可用作兵器,圆柱体的棒多用作刑具和仪仗④。罗伟先⑤,瞿益锴⑥、林木⑦、孙忠家⑧、山下志保(日)⑨等人对汉代画像石中反映的汉代政治情况做了不同侧面的探讨。

汉代画像石的经济研究,主要是对画像石中反映的汉代农业和工业的研究,表明了中国汉代科学技术水平的鲜明特色和高超技艺。对汉代画像石农业经济研究的专著有中国农业博物馆的《汉代农业画像砖石》⑩,陈文华的《中国农业考古图录》⑪,夏亨

---

① 王玉金:《从南阳汉画看汉代的等级制度》,《南都学坛》,1993(1).
② 尤振尧:《江苏泗洪曹庙东汉画像石》,《文物》,1986(4).
③ 蒋英炬:《汉画执棒小考》,《文物》,1980(3).
④ 黄运甫:《略谈南阳汉画像中的棒形具——兼谈执棒者的身份》,《中原文物》,1983(特刊).
⑤ 罗伟先:《汉墓石刻画像与墓主身份等级研究》,《四川文物》,1992(2).
⑥ 瞿益锴:《汉代画像中之政治组织》,华北编译馆馆刊(1943)2卷4期.
⑦ 林木:《汉代地主收租图与地租剥削》,《中原文物》,1986(4).
⑧ 孙忠家:《从汉墓画像石和出土明器看东汉豪强地主的发展》,《沈阳师范学院学报》,1989(4).
⑨ 山下志保著.夏梦陵节译:《画像石墓与东汉时代的社会》,《中原文物》,1993(4).
⑩ 中国农业博物馆:《汉代农业画像砖石》,中国农业出版社,1996.
⑪ 陈文华:《中国农业考古图录》,江西科学技术出版社,1994.

廉、林正同的《汉代农业画像砖石》①等。王玉金②、包明军③、姚振英④、蒋英炬、尤振尧⑤等人对汉画像石中反映的农业经济的各个方面进行了研究。王玉金根据从四川、山东和陕西出土的农业画像石的图像的区别,分析了三个地区农业的发展状况。作者认为,四川出土的多为水上耕作图和收获图,是以种植水上农作物为主;山东出土大量的牛耕图和纺织图,是以旱地农作物为主;陕北出土的牛耕图、放牧图、狩猎图,反映了以农业、畜牧业、狩猎并存,农业落后于山东和四川地区。他还对汉画像石反映的渔业生产进行了探讨,认为汉画中反映的汉代渔业生产,捕鱼有徒手捕鱼、网捕鱼、叉鱼、钓鱼、罩捕鱼、鱼鹰捕鱼、水獭捕鱼等多种方法,从中可以看出汉代渔业生产有生产范围广、技术先进、鱼种较多等特点。显示出了汉代社会生产力的发展和人类文明的进步。包明军在《从汉画看我国精耕细作农业的初步形成》一文中认为汉画像石中反映的农业精耕细作技术主要表现在牛耕图、播种图、耧播图、薅秧耕作图、薅种收获图、中耕锄草图、收获选种图等图像上。姚振英《试论汉画牛耕图》一文,以陕西米脂县、山东滕县和陕西绥德出土的汉代农业画像石的牛耕图像为资料,分析了汉代牛耕技术的改进,反映了汉代农业的发达水平和取得的重大成就。

汉画像石反映的汉代工业经济主要表现在纺织、冶铁和酿酒等手工业。吴文祺对山东出土的反映汉代手工业的图像进行了研究,主要从纺织手工业、冶铁手工业、酿酒业、制车业四个方面详述

---

① 夏亨廉,林正同:《汉代农业画像砖石》,北京:中国农业出版社,1996.
② 王玉金:《从汉画像看四川、山东、陕北的汉代农业》,《南都学坛》,1990(5).《汉画所见汉代渔业生产初探》,《南都学坛》,1998(1).
③ 韩玉祥:《汉画学术文集》,河南美术出版社,1996.
④ 《中原文物》,1996(增刊).
⑤ 蒋英炬:《略论山东画像石的农耕画像》,《农业考古》,1981(2).尤振尧:《从〈农耕图〉谈东汉徐淮地区农业生产状况》,《中国农史》,1984(2).

了汉代手工业的发展水平①。宋伯胤、黎忠文②、尤振尧③,王黎琳、武利华④、高汉玉⑤等人对汉代画像石的织机图进行了研究。余德章对四川汉代画像石的酿酒图进行了研究,认为成都曾家包酿酒图,新都酒舍图,彭县酒肆图,成都宴饮图,彭县、新都、德阳的宴饮图,成都宴饮观舞图,成都庖厨宴饮和舞乐百戏图,郫县宴饮舞乐百戏图等都说明了四川酿酒手工业的发达⑥。李伟男、王伟、叶照涵⑦、山东省博物馆⑧等对汉代画像石的冶铸手工业进行了探讨。李伟男、王伟认为汉代画像石有大量的冶铁和铁器的图像,反映的铁器有六大类99种,发现有冶铁鼓风炉画像,主要代表有山东滕县宏道院、黄家岭出土的东汉冶铁、锻铁的画像石⑨。谭旦冏在《汉代制盐浮雕》⑩、木子在《豆腐的起源与豆腐制作图》⑪中分别对汉代画像石的制盐业和制豆腐手工业进行了探讨。

七、汉代画像石的天文学研究

天文图像是汉代画像石的重要内容之一,研究的主要著作有

---

① 吴文祺:《从山东汉画像石图像看汉代手工业》,《中原文物》,1991(3).
② 宋伯胤、黎忠文:《从汉画像石探索汉代织机构造》,《文物》,1962(3).
③ 尤振尧:《江苏泗洪曹庙东汉画像石》,《文物》,1986(4).
④ 王黎琳、武利华:《江苏铜山县青山泉的纺织画像石》,《文物》,1980(2).
⑤ 高汉玉:《汉画像石上的纺织图释》,《丝绸史研究》,1986(2).
⑥ 南阳汉代画像石学术讨论会办公室:《汉代画像石研究》,《文物》,1987.
⑦ 叶照涵:《汉代石刻冶铁鼓风炉图》,《文物参考资料》,1959(1).
⑧ 山东省博物馆:《汉画像冶铁图说明》,《文物》1959(1).
⑨ 《中原文物》,1996(增刊).
⑩ 谭旦冏:《汉代制盐浮雕》,《大陆杂志》(台).1952(5卷).
⑪ 木子:《豆腐的起源与豆腐制作图》,《中国文物报》,1992-11-05.

陈江风的《天文与人文》①,韩玉祥主编的《南阳汉代天文画像石研究》②等。《南阳汉代天文画像石研究》收集了有关汉代画像石的天文学研究方面的论文23篇,从不同的角度,结合文献记载,对考古发掘的实物天文画像石图像进行了历史地、全面地、深入地研究,代表了当代汉画像石天文学研究的水平。王玉金的《浅论南阳汉画像石在天文学研究中的价值》、李建的《从汉画看汉代天文学成就》、曾宪波的《由汉画试析先民对太阳黑子、日月食及彗星的认识》③等论文,都充分肯定了汉画像石的天文学成就,主要表现在彗星图、日月合璧图、三足乌图、苍龙星座和白虎星座图、北斗星图、牛郎织女图等图像。韩连武的《星象探微》,魏仁华的《唐河针织厂汉画像石墓中的天象图》,李真玉的《浅谈汉画中天文图像的人文特色》,陈江风的《南阳天文画像石考释》、《关于唐河针织厂汉画像石墓的两个问题》、《"羲和捧日、常羲捧月"的画像石质疑》、《嫦娥奔月画像考释——兼与史国强同志商榷》④等论文研究了天文画像石的人文科学价值,反映了汉代人的科学水平、文化信仰、民风民俗和思想观念。韩连武认为星象图是当时的占星图,反映了汉代人的占星习俗。他通过对星象图的结构、日月运行规律及其位置的分析和对天象图的考释,肯定了这些星象图不是装饰的图案画,而是含有一定意义的占星图,有重要人文价值。而且这些星象图不都是虚饰性的吉祥图示,而是实际的天象记录,当然也可能包括历史的天象材料。魏仁华认为,唐河针织厂画像石墓南北二主室的天象图与西汉后期盛行的谶纬迷信、天人感应和阴阳五行思想有关。墓北主室顶部刻太阳、白虎、长虹等,为白昼之象,应是葬男墓主人的位置;南主室顶部绘月亮和星辰,为夜晚之象,应为女墓主人的所在。阴阳相和,孳生万代,反映了当时的阴阳思

---

① 陈江风:《天文与人文》,国际文化出版社,1988.
②③④ 韩玉祥:《南阳汉代天文画像石研究》,民族出版社,1995.

想。李真玉认为汉代画像石具有神话的日月观、阴阳化的天象观、天人感应的星宿观等人文特征。陈江风用人文科学研究汉代画像石的天文图像,揭示了古代以天象象征人事的许多事实,有重要的人文价值。他认为,月亮和尾宿相处画像石之中,尾宿是代表女性的星座,其在天为女性的保护神,在朝喻后妃,在野指主妇,因而常与表示阴性的月亮同时出现。女宿主布帛、裁制和嫁娶,在汉墓画像石上常在月亮旁边,含有保佑后代婚姻嫁娶、繁衍昌盛的精神寄托。日月合璧图像象征生存世界万物和谐,阴间的夫妻关系和睦,以理想化的方式,建成一个天地人三位一体的和谐实体。其他研究汉代天文画像石的文章还有:吴曾德、周到的《南阳汉画像石中的神话与天文》,周到的《南阳汉画像石中的几幅天象图》,张维华的《南阳汉画像石中的蚩尤旗》,韩玉祥、牛天伟的《麒麟岗汉画像石墓前室墓顶画像考释》,长山、仁华《试论王寨汉墓中的彗星图》,《南阳王庄汉画像石墓墓顶画像考释》①等论文也提出了不少新的见解。

八、汉代画像石的建筑学研究

对汉代画像石建筑图像研究的主要著作有刘敦桢的《中国古代建筑史》②、刘致平的《中国建筑类型及结构》③等。梁玉坡的《从汉画看汉代建筑》④,赤银中、王卫国的《南阳汉画像石砖中所体现的汉代建筑形象》⑤,杨爱国的《汉代墓室建筑装饰的发现与演变》⑥,杨焕成、吕品的《河南汉画像中的建筑图像》、陈明达《关

---

① 韩玉祥:《南阳汉代天文画像石研究》,民族出版社,1995.
② 刘敦桢:《中国古代建筑史》,北京:中国建筑工业出版社,1980.
③ 刘致平:《中国建筑类型及结构》,中国建筑工业出版社,1987.
④⑤⑥ 《中原文物》,1996(增刊).

于汉代建筑的几个重要发现》①,蒋英炬、吴文祺《武氏祠画像石建筑配置考》②,李锦山《汉画像中的桥梁建筑》③,徐建国《从两汉徐州画像石看两汉建筑》④,雷建金、万立新等《四川内江汉画民居干栏及大苍》⑤等论文都从不同角度研究了汉代画像石的建筑艺术。梁玉坡认为汉画像石的建筑图像可分为住宅、阙、仓房及武库、桥梁、城市、作坊等六种类型,反映了汉代建筑的基本面貌,表现了汉代建筑的高超技艺和水平。赤银中、王卫国认为,南阳汉代画像石中住宅建筑的形象有单檐四阿式、重檐四阿式、高层建筑、干阑式建筑、平民住宅等,还有园林建筑、桥梁建筑及其他附属性设施,在一定程度上代表着南阳两汉时期的建筑水平。杨爱国从装饰形式和内容布局两个方面对汉墓建筑装饰进行了探讨。杨焕成、吕品认为,河南汉代画像石的建筑图像已有四阿、四角攒尖等建筑形式,有一斗三升的拱,有柱和柱础,有基台,有阙,有观等,显示了丰富多彩的建筑风格。

九、汉代画像石的文学、美学等方面的研究

李宏对汉代画像石的文学和美学进行了研究。他认为汉赋和汉画像石共同兴盛和衰落于西汉末年和东汉末年,是同时代环境中的文化现象,呈现的是不同切面的结构或整体,分别代表了汉文化的一代文学、一代美术。他对二者及其相互关系做了深入的探

---

① 杨焕成,吕品:《河南汉画像中的建筑图像》,《中原文物》,1983(特刊).陈明达:《关于汉代建筑的几个重要发现》,《文物参考资料》,1954(9).
② 蒋英炬、吴文祺:《武氏祠画像石建筑配置考》,《考古学报》,1981(2).
③ 李锦山:《汉画像中的桥梁建筑》,《考古与文物》,1986(2).
④ 徐建国:《从两汉徐州画像石看两汉建筑》,《汉画研究》,1992(2).
⑤ 雷建金、万立新等:《四川内江汉画民居干栏及大苍》,《中原文物》,1991(3).

讨。他还认为,南阳汉代画像石重视点、线、面的有机结合,形成了一个从多变中求得均衡、对称的优美构图,是抒情意味的形式和包罗万象内容的成功结构,有着十分重要的美学价值①。温革新在《从汉画看汉代妇女对汉文化的贡献》中认为,从汉代画像石可以看出:汉代妇女为汉文化的发展创造了特殊的物质条件,汉代妇女为我国杂技舞蹈艺术的发展做出了突出的贡献②。徐颖在《从南阳汉画看汉代民族关系》中认为,南阳汉代乐舞百戏、瑞兽和人物形象的画像石从民族融合和民族矛盾两个方面反映了汉代的民族关系③。李真玉、温革新《浅谈汉画中的民族文化融合》④,高现印《浅论南阳汉画中"胡人"特征及相关问题》也对汉代画像石反映的民族关系进行了研究⑤。刘敦愿《汉画像石上的针灸图》一文,结合历史文献对画像石上的针灸图进行研究,他认为画像石上的针灸图可定名为《扁鹊针灸行医图》,考定图中的行医者为扁鹊,为正确认识汉画像石上的针灸图提供了依据⑥。

十、对进一步深入研究汉代画像石的几点想法

综上所述,汉代画像石的研究取得了一定的成果,但要进一步认识汉代画像石的真正面目,正确评价它的历史地位,还需要改进研究方法,开拓研究领域,从研究的深度和广度上下功夫。周保平在中国汉画学会第七届年会上提交了《对汉画像石研究的几点看

---

① 李宏:《南阳汉代画像石刻美学风格初探》,《中原文物》,1983(特刊).《汉赋与汉代画像石刻》,《中原文物》,1987(2).
②③ 韩玉祥:《汉画学术文集》,河南美术出版社,1996.
④⑤ 《中原文物》,1996(增刊).
⑥ 刘敦愿:《汉画像石上的针灸图》,《文物》,1972(6).

法》,蒋英炬的《将汉画像石考古学研究再推进一步》①,王继如的《汉画研究前瞻》②,刘道广的《汉画学刍议》③等论文都对汉代画像石的研究方法和研究前景提出了独到的见解。我们认为要进一步深入地研究汉代画像石,首先是要改进研究方法。不但从正史中找解释汉画像石的文字,更要从当时或去汉不远的方志、小说、笔记、诗赋中找释文,这样才能全面地认识汉画像石反映的民风民俗。还要正确认识画像石的艺术性,它不是墓主人的生前的"生活写照",而是对死后的企盼,这就要求我们研究汉代画像石一定要紧密结合汉代的葬制和葬俗进行研究,忽视了画像石是墓葬的材料,就不能进行科学的研究。在做好考释画像研究的基础上,广泛地吸收先进的方法,如比较研究法、系统论的方法等,新的理论和方法的应用,将有助于提高汉画像石的研究水平。其次就是要开拓汉代画像石的研究领域,全方位地探讨汉画像石在中华民族文化中的地位和价值。对待汉画像石实物资料要开展认真的鉴别工作,透过现象抓住本质,推进汉代画像石的考古基础研究和系统的建立。要尽快建立汉画学,编写出《汉画学概论》、《汉画美学》、《汉画文献学》、《汉画史》、《汉画美术学》、《汉画乐舞学》、《汉画民俗学》、《汉画伦理学》、《汉画经济学》、《汉画建筑史》、《汉画科技史》等专题性研究著作,多角度地认识汉代画像石。要总结探索汉画像石在中外美术上的历史地位。还要在研究汉代画像石普遍规律的同时,注重研究汉代画像石的区域特征及形成原因,从文化、艺术、审美等多方面总结其个性特征。

总之,我们期望文物考古界、史学界、美术界、美学界、文学界等各个方面的学者都加入汉代画像石的研究队伍,使汉代画像石的研究结出更加丰硕的果实。

---

①③ 韩玉祥:《汉画学术文集》,河南美术出版社,1996.
② 王继如:《汉画研究前瞻》,《汉画研究》,1992(2).

浪漫与现实交相辉映

——徐州汉画像石艺术研究

唐 军

汉代是中华文化的定型期,这一时期形成的社会制度和文化精神奠定了中国文化的基础,长期支配着中国历史的发展方向。汉代艺术辉煌灿烂,为后世留下了丰富多彩的瑰宝,其中汉画像石是最具有特色的一种艺术形式,它那古朴浑厚的拙,雕刻艺术的美,现实与幻想并存的浪漫主义气息,都浸透着远古的永恒魅力。

现已出土的汉画像石区域主要分布在山东、河南、陕西、四川、江苏等地,其中江苏徐州是中国汉画像石分布最为集中的地区之一。徐州古称彭城,是汉高祖刘邦的故里,乃龙潜之地,两汉时期一直为封建王朝所重视。两汉四百年间,众多皇亲国戚、豪门大户聚居于此,共有楚王、彭城王十八代,其他公子王孙、京师贵戚、郡县豪家不计其数。豪门世家生前尽享人间之快乐,死后则以"厚葬为德,薄终为鄙",因此,汉代厚葬之风盛行。由于"信鬼神,重淫祀"和神仙思想的影响,故而把自己生前的奢华生活和幻想中的神仙世界在墓中雕刻成画像,炫耀其生前荣华富贵,以求死后能成仙继续富贵享乐。不仅豪门世家如此,中小地主也竞相效仿。由此,众多的画像石墓便在徐州一带盛行起来,形成了汉代这一独特的艺术形式——汉画像石雕刻艺术。

纵观徐州汉画石刻,其题材内容十分广泛丰富。从石刻所反映的内容看,多以现实主义和浪漫主义题材为主,两种题材并存更是徐州汉画像石艺术的一大特征。

一

汉画像石中的现实生活题材,多是反映豪门贵族生前奢华享乐的生活场景,是汉代现实生活的真实写照。这类题材主要有车马出行、游射田猎、门博对弈、宴饮庖厨、乐舞百戏、角力争胜等生活场面。从中我们可以看到一个已经消失了的一千八百年前的汉代现实社会,一幅幅画面犹如一部远古时期生活的无声电影一幕幕展现在我们面前。

睢宁九女墩出土的汉画像石"车骑过桥图",表现的是墓主人生前郊游的场面。在郊游的路途中经过一座石砌的巨大拱桥,郊游的车马队列占据了整个桥面,桥下渔民正忙碌着下网捕鱼,而桥上却是车水马龙,沸沸扬扬,浩浩荡荡,再现了墓主人生前郊游的真实生活场景。

铜山洪楼出土的汉画像石"迎宾宴饮图",真实地再现了汉代贵族阶级在自己庄园内迎宾及宴请宾客的活动场面。画面分两格,下格为迎宾情节,左半面刻有子母双阙一对,阙内有两个持戟卫士肃立两旁,中间主人正在拱手迎宾待客。门前有宾客正在缓行步入大门,稍远处刻有一轺车和一篷车由远而近驶至门前,暗示着宾客的络绎不绝。上格为宴饮场面,宾客已陆续就座。男女宾客分席而坐,左为男宾,右为女宾,他们举斛饮酒,相互畅谈,是汉代豪门之家钟鸣鼎食享乐生活情景的真实写照。

六博是汉代人最喜爱的一种游戏,所以在汉画像石艺术中多有表现。如沛县古泗水出土的汉画像石"车马、六博、乐舞图",中间一格为六博游戏图,雕刻者抓住了对博的二人瞬间动作加以表现,一人抛骰神飞色动,一人手扶博案,若有所思,把二人博棋时的心理状态刻画得惟妙惟肖,出神入化。贵族生活中乐舞杂技是必不可少的，上格所刻画的就是乐舞杂技场面，其中二人弹奏着悠扬的乐曲，随着优美的乐曲声，一人在几上倒立作杂技表演，另一人在表演长袖舞，婀娜多姿，长袖飞舞，动作谐调优美。

徐州自古乃为兵家必争之地，由于经常征战，人们需要有强壮的体魄，所以，就有了习武健身的民俗民风。如铜山苗山汉墓出土的"比武图"画像石，画中心刻有二人比武，其中一人双手持戟刺向对方，另一人一手用钩镶挡架，一手持剑向对方头部刺去，动作生动、优美而矫健。伴随比武的动作，左右两旁有击鼓弹琴奏乐助兴的，有抱剑凝神观看的，生动而真实地再现了当时比武活动的场面。我们仿佛已听到从远古的汉代传来了悠扬的古曲伴随着剑戟兵器的碰撞声。

画像石是墓主人生前的生活写照，劳动者的生产劳动是墓主人生前财富的来源。所以，墓主人为了显示其富有，在汉画像石墓中也刻有反映劳动者生产劳动的场面，这些汉画像石对于我们研究汉代普通百姓的生活、生产劳动有着重要的史料价值。如铜山洪楼出土的汉画像石《纺织图》，所反映的就是劳动者和庄园主之间的真实生活场景。在庄园院落的一角，艺人们正在表演乐舞杂技，庄园主及其家人悠闲自得地观看着，侍者立于两旁侍候，而与这种悠闲享乐场面形成鲜明对比的是，在另一房间里，劳动者却从事着纺织生产，有的络纱，有的摇纬，有的织布，忙忙碌碌不可间歇。庄园主悠闲享乐与劳动者紧张的劳作情景正像古诗中所描写的"鸡鸣入机织，夜夜不得息。三日断五匹，大人故嫌迟"，此诗一定是触景生情之作，是作者对这种生活情景发自内心的感叹。

二

除现实主义题材以外，富于浪漫情趣是徐州汉画像石艺术的又一特色。战国初期，"楚东侵，广地至泗上"，古彭城则成为楚国的中心地。随着楚国东侵,楚文化也随之注入这一地区,并产生了极大的影响。楚地有远古浪漫主义传统,奔放不羁的联想、热烈喷发的情感、执着追求的个性是楚文化绚丽灿烂的风格。"楚人信鬼神,重淫祀"的思想,在汉代影响上自达官贵人,下至黎民百姓。在这种思想意识支配下,人们向往着能升仙长生不老,向往着更美好的生活,于是便出现了人们理想中的神仙世界和神奇怪诞的珍禽异兽,形成了汉代人思想意识中的幻想与浪漫主义思想。

幻想与浪漫题材多依托于古代神话故事内容,并充分发挥人们丰富的想像力,使人们理想中的天上神仙世界、珍禽异兽及人间的美好愿望在汉画像石中得以充分体现。如沛县栖山汉墓出土的《拜见西王母图》画像石,西王母头戴胜饰端坐楼上,楼下有青鸟为其衔食,楼外有二仙人在捣药,另有一列诸神和佩剑长者拜见西王母求长生不死之药。汉代不管是平民百姓,还是达官贵人,长生不死是他们的一种美好心愿,所以,拜神仙求仙药之风盛行。传说西王母居住昆仑山,藏有长生不死之药,《拜见西王母图》这类题材就是人们借助画像石刻这种艺术形式来表达心中的宿愿,希望能长生不死,成为神仙步入天国之仙境。

汉代,人们把成仙升入天堂作为自己精神世界的最高追求,人们幻想着天上的神仙世界是如何如何地美好快乐。实际上,这些浪漫主义的幻想,是建立在现实生活中最美好的情景之上的幻想,是汉代人们美好现实生活的升华,如现实生活中贵族最喜爱的车马出游、六博游戏等等,这些在浪漫主义的幻想题材中都有所表现。铜山洪楼出土的汉画像石《神仙出游图》即是一例,这幅画像石表现的是神仙出游的场景,画面中间刻一神仙凭几坐于榻上,上罩华盖,左有长着翅膀的仙人捧物进奉,右有仙人乘鹿车和骑鹿飞驰,车轮为龙蛇作回旋状。这幅画像石,虽然表现的是神仙世界,但内容却是借助于汉代贵族现实生活中的车马出游,这里的坐骑与奔跑拉车的骏马已被人们幻想中天上的仙鹿所代替,车轮已变成回旋飞速的龙蛇,而侍者却长上了翅膀成为仙人,这就是人们幻想中神仙世界出游的欢乐场面。

徐州画像石中,还刻有许多珍禽异兽,如"守四方,辟不祥"的方位神青龙、白虎、朱雀、玄武,"见则天下安宁"的麒麟、凤凰,吉祥福寿的羊、蝙蝠等等。这些珍禽异兽都是人们幻想中的神兽,人们乞求着这些神兽能给自己的生活带来幸福、平安、如意。

徐州画像石中,最为精彩的是仙境幻想与人间现实并存、天上神仙地上人间的画面,体现出人们"天人合一"的浪漫主义思想。如睢宁县双沟出土的《牛耕图》画像石,画面共分三格,中格为画像石表现的中心,是墓主人生前迎宾拜谒场景,图中那位宽袖长袍的尊者为主人,旁有持节者及侍童。拜谒者捧笏躬身拜见,表明自己的谦卑和对主人的尊敬。下格是农忙场面,画面中农夫右手扶犁,左手持鞭驱赶二牛耕地,一儿童提篮随后播种,前边有一人锄禾,远处有一老农挑担送饭到田园,一辆装有肥料的大车停在田边,车旁卧一犬。上格内容是墓主人幻想中的神仙世界,墓主人驾鹿车在羽人和神兽护驾下出游仙境,描绘了墓主人成仙后升入天国的仙境生活。《牛耕图》表现了墓主人在人间现实生活中,有着自己的庄园与土地,并有为之生产的劳动者,过着享乐富有的贵族生活,同时又幻想着成为神仙升天之后美好的仙境生活。还有许多画像石在构图谋篇中把天上神仙、凡人与动物置于同一空间,使人与神、人与兽、兽与兽和谐共处,体现出人与自然万物的和谐统一,散发出豪放豁达、融合天人的宏大气魄。这些编织出来的天上人间的美好生活图景,充满了浪漫主义色彩。

徐州汉画像石艺术中对现实生活的描述,如实地反映了汉代大地主、贵族生前的情景,展示了他们富贵奢华、享乐逍遥的生活;对神话仙境的描述表现出达官贵人对现实享乐无限依恋,幻想进入神仙世界,从而长生不死,永生享乐的愿望。通过这种现实与幻想的描述,从一个侧面展示了汉代社会的精神与思想,反映出现实与幻想、地上人间天上仙境的浪漫情怀，营造出徐州汉画像石刻艺术现实与浪漫交相辉映的完美意境。

天人感应　拙笔妙彩

——洛阳汉墓壁画艺术大观

杜少虎

洛阳在两汉时期曾为陪都和都城，当时宫室光明，阙庭神丽，正如班固《东都赋》所言："增周旧，修洛邑，扇巍巍，显翼翼；恍汉京于诸夏，惚八方而为之极。"洛阳已成为当时政治、经济、文化的中心。

汉代是我国封建制度的巩固和发展时期，其时海内安谧，经济昌盛，民生充裕，加之班超出使西域及佛教东渐，使汉代艺术得到空前发展，尤其是"罢黜百家，独尊儒术"文化政策的推行，使儒学取得了"定于一尊"的显赫地位。董仲舒在著名的经学著作《春秋繁露》中，淋漓尽致地阐述了"天人感应"等学说，从而建构起天人一统图式，对中国传统思想文化产生了至为重要的影响。陈师曾言："汉代文运之盛，绘画随其步武而日新。汉以前史迹多朦胧不明确，自汉以来乃有事物可考。"

我国壁画，开始于周，盛于两汉晋唐之间。据古籍所载，当时壁画盛况空前，但可惜年代久远，加之天灾人祸，已无迹可考。然而，洛阳出土的大量汉墓壁画遗迹，保存完好，色彩鲜艳，洋洋大观，虽未必尽出于名家手笔，但从那动感十足的线条、气势古拙的笔意、简约适度的造型、浓淡相宜的墨色中，同样可以感受到当时的社会风貌及充满原始活力、粗豪而浪漫的汉代艺术之魂。

洛阳汉代壁画墓迄今发现有11座，加上被盗出国的"八里台"

西汉壁画墓,总计有12座。年代以卜千秋墓为最早,约在西汉昭帝～宣帝之间(公元前86～前49年);最晚为朱村壁画墓,当为东汉晚期至曹魏时期。在这些琳琅满目的汉墓壁画中,我们不仅看到了两汉时期墓室的建造技巧和壁画发展的脉络及特点,而且还深刻地感受到了汉代人们的思想、情感、意趣、观念。这里有伏羲女娲的人首蛇身,这里有西王母、东王公的传说和形象,这是一个人神杂处、奇异怪诞的世界,这是一个现实图景与神话幻想同时并陈、儒教和谶纬迷信共置一处的浪漫天地。

汉代厚葬之风盛行,所谓"崇饰丧祀以言孝,盛饷宾客以求名"的风气四处弥漫,上至皇室,下至豪门世族、殷富大户,皆崇尚厚葬,追求灵魂不灭,成仙为神,这种从凡俗升华到天国的热切情怀,对未来生活的憧憬与对物质财富的强烈占有欲,在汉墓壁画中得到了充分的体现。

汉阳汉墓壁画所涉及内容大致可分为五类:1.神话故事类。主要有东王公、西王母、伏羲、女娲一类仙人和表现天上世界的仙禽神兽,及在天人感应论影响下产生的祥瑞图。最具代表性的是卜千秋墓的"升仙图",此墓墓顶平脊上绘一幅完美的卜千秋夫妇升仙图,长4.51米,宽0.31米,图中在十三块砖上从前至后依次绘女娲、月亮、持节方士、二青龙、双枭羊、朱雀、白虎、仙女、奔兔、猎犬、蟾蜍、卜千秋夫妇(男乘龙蛇,女乘三头凤)、伏羲、太阳、黄蛇等。这幅图可以说是长沙马王堆汉墓帛画升仙图的展开形式,长长的升仙队伍,显得气势雄大而壮观,完全是一个"飞龙乘云,腾蛇游雾"的逍遥世界。2.天象神祇类,如日、月、星宿、云气和象征四方星座的四神(青龙、白虎、朱雀、玄武)等。洛阳烧沟61号壁画墓的日月星云图,是我国发现最早的天象图之一。在这座墓室顶部平脊十二块砖上,从前至后绘出一幅长3.5米,宽0.55米的日月星云图,依次为太阳、北斗、五帝座、贯索、毕宿、心宿、鬼宿、月亮、虚宿、危宿、河鼓、右旗、织女、柳宿、参星。3.历史故事类。"以古为镜,可知兴替",重视历史借鉴,在汉时甚为风行,并以壁画形式引导帝王臣民酌古而鉴今。宣扬儒家伦理道德、强调人身依附关系的经史故事,多在壁画中出现,比如孔子、周公一类的古代圣贤及猛将义士等。洛阳烧沟61号西汉壁画墓中发现了这样的画面:在墓室前堂隔梁正面,绘一幅长卷,高0.25米,长2.06米,图中共绘十三个大小不同的人物,左端有三座蓝紫色的小山峦,山右绘三武士,他们情态各异,或拔剑、或扶剑……这幅画所表现的内容,右边八人很显然是"二桃杀三士图",左边五人或说"周公辅成王图"或说"孔子师项橐图"。又如后壁一幅壁画,孙作云先生定名为"傩戏飨食图",郭沫若先生认为是"鸿门宴"。4. 表现墓主享乐生活的燕居、庖厨、宴饮、歌舞、迎宾拜谒等。比如偃师辛村新莽墓壁画,此墓壁画共有八幅,其中以《庖厨图》等最为著名,其画中人物众多,形态生动传神,真实地反映了汉代中原地区人们的饮食习俗和浮华奢侈的社会生活场景。另在"八里台"壁画墓中可见迎宾场景,这幅长2.41米、宽0.35米的人物画,右部绘十人,均宽衣博带,表情不一,有的持物顾盼,有的搭讪对语。右部绘十四人,或拱手谒拜,或恭而舒袖,或提剑执戟,或下跪施礼。5. 表现墓主仕宦经历和身份的车骑出行。例如偃师杏园村东汉墓壁画和朱村东汉曹魏墓壁画,其中杏园村"车马出行图"色彩深沉厚重,人物栩栩如生,画幅长达12米,共绘出九乘安车,七十余个人物,五十余匹奔马,在当时可谓宏篇巨制。这幅图气势雄壮,车骑队伍浩浩荡荡,描绘出一派车辚辚、马萧萧的威赫场面。

洛阳汉墓壁画的形制,多为砖石结构,西汉用空心砖,东汉用砖卷,墓主多为豪强和高官显贵,作画者大都是民间画工,他们师徒相传,父子相继,为生活所迫,终日伏于墓中,在晃动的油灯下,一笔一画地描绘。壁画一般都画在顶脊,或者山墙上或者室中的两边壁上,概括起来有三种作画方式:1.绘前在空心砖上涂一层白灰泥,然后用墨线勾勒,再施色彩。2.涂抹一层白灰膏于小砖上,再绘壁画。3.用白灰水刷底,绘在墓壁和顶部的砖上,笔画粗犷。从绘画技法上看,当时主要以毛笔为作画工具,用墨色勾线,用化学性质稳定的朱、绿、黄、橙、紫等矿物质材料为主要颜色。前期壁画笔法稚拙,造型夸张,墨色鲜艳,人物情态惟妙惟肖,画面充满神秘感和运动感。后期壁画造型严谨,向写实方向发展,线条紧劲绵密,繁简有致,动静有序,注重细部刻画,墨色丰富,含蓄深沉。在创作方法上,则继承了春秋晚期以来的现实主义传统,平列所有形象,填充性构图,特别注重人物关系的经营和情节气氛的烘托,布局疏密合适,善于造势,并善于把不同情节表现在同一画面上,发挥了散点透视的作用。

从技法上看,洛阳汉墓壁画继承和发展了战国至西汉帛画中墨线勾勒轮廓,再平涂施色的手法,前期绘画技法单一,到东汉晚期则出现了大笔涂刷的写意法,施色而不勾轮廓的没骨法和单色勾线的白描法,线条勾勒同汉隶一样流利自如,仪态万千,简拙质朴,奔放活泼。在掌握对比调和的色调、清淡浓重的效果,以及渲染平涂的技法等方面,都出现较高的成就。这些成就,为中国绘画艺术,特别是汉民族绘画风格的形成奠定了坚实的基础。

综观洛阳汉画,我们大致可看到两汉壁画发展的脉络,从招魂升天到车骑出行,从日月星象到宴乐歌舞,从宗教迷信到封建礼仪,汉代艺术逐渐从神鬼世界走向人的现实生活,稚拙古朴,天真浪漫。洛阳汉墓壁画以其独特的艺术面貌,深沉雄大的气魄充分显示了博大精深的汉民族绘画艺术,为中国绘画的发展写下了辉煌的篇章。

从汉画看汉代的纺织业

崔 华 牛 耕

汉画被誉为"汉代的百科全书",内容可谓丰富多彩,不仅有大量表现上层贵族奢侈生活的画像,也有一些反映下层平民生产劳作的场面,诸如农耕、造酒、庖厨、冶铁以及纺织等。本文仅就其中的"纺织画像"略做论述,以求对汉代的纺织业发展状况有一个较形象的认识。

我国是世界上桑蚕生产和纺织业发展最早的国家,植桑养蚕、缫丝纺织的历史甚为久远,据古代传说,黄帝之妻嫘祖首先发明了养蚕纺织技术,因此被后世奉之为蚕神。此传说虽不可信,但在距今四五千年前的原始文化遗存中发现的丝织物足以证明我国纺织历史的确悠久,如在西安半坡遗址中发现了一些陶器上残留有丝织品的印痕;在浙江吴兴钱山漾遗址中也曾发现有蚕丝和丝织品。及至商代,已在甲骨文中出现了"蚕"、"桑"、"丝"、"帛"等文字符号。我国最早的一部诗歌总集《诗经》中更有多处描写采桑蚕织的诗篇,如《豳风·七月》:"春日载阳,有鸣仓庚。女执懿筐,遵彼微行,爰求柔桑。"春秋战国时代,不仅有关于桑蚕和丝织的文字记载,更有不少丝织文物从墓葬中被发掘出来。降及两汉时代,我国的桑蚕丝织业在汉朝政府的倡导和大力扶持下更得到了长足的发展,不仅民间的私营和家庭纺织业生产普及全国各地,就连官府也拥有规模庞大的丝织手工业作坊,如设在都城长安的有"东织室"

和"西纺室",还有设在陈留郡襄邑(今河南睢县)和齐郡临淄(今山东临淄)的地方"三服宫"都各拥有织工数千人,专门织作供宫廷使用的精美丝织品。因纺织所需的主要原料为蚕丝,所以两汉的各级统治者均极重视桑蚕生产。在不少皇帝下的诏书中往往将蚕桑与农耕相提并论,如汉昭帝元平元年诏曰:"天下以农桑为本。"汉章帝建初元年也诏曰:"二千石勉劝农桑。"可见种桑养蚕在汉代农业经济中是与农耕生产具有同等重要的地位。皇帝每年还要祭蚕神和举行皇后"亲桑"或"亲蚕"的仪式,如《后汉书·礼仪志上》云:"(永平二年三月)是月,皇后帅公卿诸侯夫人蚕。祠先蚕(嫘祖)礼以少牢。"《汉书·景帝纪》:"后二年夏四月诏朕亲耕,后亲桑,以奉宗庙粢盛祭服,为天下先;俗天下务农桑,素有蓄积,以备灾害。"

除了以上关于桑蚕生产和丝织手工业的文字记载外,各地的汉墓中更出土了大量能够反映汉代纺织业生产盛况的文物。这种文物主要包括两大类,其一是丝织品文物,其二是刻有纺织生产图像的汉画像石。各地汉墓出土的丝织品不仅数量相当大,而且品类繁多,主要有绢、纱、罗、绮、绣、锦等诸多品种①。这些丝织品是我们研究汉代纺织技术水平及科技成就的重要实物依据。而汉墓(或祠堂)中刻画的"纺织"图像则使我们能够更加直观地了解汉代的纺织机具及其纺织生产操作的全过程。为我们研究汉代纺织机械的结构及其织造程序提供了弥足珍贵的形象资料,"纺织"图像在我国的山东、江苏、四川以及安徽等的画像石中均有发现,目前所能见到的纺织画像主要有山东嘉祥武氏祠、山东肥城孝堂山郭氏祠、山东济宁晋阳山慈云寺、山东滕县龙阳店(两幅)、山东滕县宏道院、山东滕县后台村、山东滕县桑村西户口、山东滕县黄家岭、山东滕县龙泉塔下、江苏铜山洪楼、江苏铜山青山泉、江苏沛县留

---

① 中国社会科学院考古研究所编:《新中国的考古发现与研究》,文物出版社,1984年5月,第468—473页。

城、江苏邳县、江苏泗洪县曹庄、安徽宿县褚兰、四川成都市郊曾家包汉墓等地的纺织图共计近二十幅。

从已发现的这些"纺织"画像看,汉代的纺织机具包括三大件:织机、络车和纬车。每幅纺织图中都刻画有织机,织机是纺织手工业中最重要的工具,且构造最为复杂。汉画中的织机一般是由机座(台)和机架(身)两大部分组成。机架斜置于机座的后部,机架为一长方形的框,框上端有"滕子"(或叫"织胜"),下端有"卷轴",中部两个"立颊",上端安装有"马头"。机架上多可见到底经和面经。机台是用来放置机身的底座,机台后部置机身,前端为操作者的坐位,机台下边又有一长一短两个脚踏板,通过两根绳子与机架相连。这种织机的经面和水平机座一般都成五六十度的倾角,因此又被称为"斜织机",它是由竖机向平机发展的过渡形式。这种倾斜设置的经面,可让织工及时发现织布时经面出现的各种情况,并得到及时处理;另外,这种织机采用杠杆原理,用脚踩机下的踏板来完成提沉综框开口的动作,从而将织工的双手从提综中解脱出来,可专门从事投纬和打纬,极大地提高了生产效率。因此,这种斜织机是我国纺织机械发展史上的一项重大的发明。

络车是用来专门调丝(络丝)的纺织工具,它又叫"络笃"。山东龙阳店和宏道院,江苏洪楼以及安徽褚兰等地的纺织画像中均有这种络车之形象。宋应星在《天工开物》一书中介绍"调丝"操作方法是在"透光檐端宇下,以木架铺地,植竹四根于上,名曰络笃,丝匡竹上。其傍倚柱高八尺处钉具斜安小竹偃刀挂钩,悬搭丝于钩内,手中执籰旋缠,以俟牵经织纬之用"。《说文》释"籰"为"收丝者也"。汉画中的络丝工具和操作情况基本与《天工开物》的记载相同,惟一区别的是汉画中络车上植的竹子不是四根而是三根。

纬车是摇纬的工具。山东黄家岭、龙阳店、后台村、西户口及宏道院,江苏邳县、留城、洪楼及青山泉,安徽褚兰等纺织图中有纬车的形象。汉画纬车的结构大略为:一边置一大纺轮,另一边是在一个小木座上安装两根小竖柱,竖柱中间横夹一个竹管,织工将缠好丝的"籰子"一个(或两个)置于地上,籰上的丝通过挂钩或横杆之后再被缠绕于纬车的竹管之上,操作者一手持丝线,另一手摇动纺轮。当竹管上的丝缠满后再取下竹管纳入杼(梭)中以待纬纬之用。汉画中的纬车形状与我国近现代农村中仍在使用的纺棉车十分相似。

山东龙阳店和宏道院,江苏铜山洪楼,安徽褚兰等地的纺织图中均是三种纺织机具齐全,它们完整地再现了汉代纺织业生产的全过程。这些纺织画像除了武氏祠和郭氏祠等少数反映历史故事和民间传说外,大多数画像反映的是汉代民间私营纺织业生产的情形。山东龙阳店和四川曾家包两幅纺织图中均刻画两台织机,不少纺织画像与其他诸如亭台楼阁、歌舞杂技、车骑宴饮等内容共同构成一幅画像,纺织生产仅是整幅画像的一小部分,还有的在纺织者身旁可见执物监工者。这类纺织画像反映的应是地主官僚经营的私营手工业作坊。在青山泉、后台村及留城等地的纺织画像中,坐在织机上的女子正转身回头去接机后另一人送过来的小孩,家庭生活情趣极浓厚。显然这类画像则是最为普遍的家庭手工业作坊的真实写照。

从纺织画像石被发现的地域来看,既有北方黄河流域的,又有南方长江流域的。它表明了汉代桑蚕纺织业生产在全国广大范围内得到了普及发展。但在普及的同时又呈现出相对集中的特点。纺织画像发现最多且最集中的地域则是在山东的西南部及其南郊江苏徐州地区,在近二十幅纺织画像中,山东省就占了半数以上,其中仅山东滕县一地就发现八幅之多。而这一现象也正与历史事实相符合。山东自古以来就是我国桑蚕纺织业的重要地区。周代时,山东为齐鲁两国的封地,春秋战国时,有不少齐鲁的历史故事与蚕桑相关。《战国策》中就有"强弩之末势而不能穿鲁缟"的著名句子,齐又有"冠带衣履天下"的美誉。"齐纨鲁缟"则是当时最为名贵的丝织品。山东一带地理条件优越,气候温和,土地肥沃,适宜种植桑麻。《史记·货殖列传》云："齐带山海,膏壤千里,宜桑麻,人民多文彩布帛鱼盐。"《汉书·食货志》也云："齐鲁千亩桑麻"。麻也是纺织的原料之一。又据史书记载,秦朝宫廷所用的丝织品也是产于山东东阿一带的"阿缟"。汉朝时又在山东临淄设置了"服官",来监制供应宫廷使用的丝织品。由此可见,秦汉时代山东一带仍是全国重要的蚕桑纺织业生产基地。春秋战国时,徐州地区产的玄纤、缟等纺织品也很闻名,且徐州与山东西南部相毗邻,自然条件相近,因此,徐州在汉代纺织业也很发达。

四川盆地是长江流域桑蚕纺织业最发达的地区,在四川成都也曾发现有"纺织"画像石一幅①。另外,四川一带还出土过"桑园野合图"画像砖,据史料记载,成都平原很早就已是我国纺织业发达的地区之一,传说第一代蜀王蚕丛氏最早开始带领那里的人民植桑养蚕。四川民间又流传着蚕神马头娘的神话。至今四川盐亭县金鸡镇尚保存有蚕神——嫘祖的巨型石像,蚕神左塑马头,右塑一硕大的蚕子②。西汉文学家扬雄的《蜀都赋》赞美成都产的蜀锦为"自造奇锦,纨、绡、缣、绌(均为蜀锦的名称)……绵茧成衽,阿丽纤靡"。成都产的蜀锦闻名全国,所以古时成都又美名为"锦官城"。晋左思的《蜀都赋》仍描写成都是"机杼之声彼此相闻"。由此可知,秦汉至魏晋,四川成都一带的织锦业是相当繁荣的,画像与文献相互印证,更证明了汉代四川成都平原一带也是我国纺织业生产最昌盛的地区之一。

综上所述,汉画中的"纺织"图像具体生动地再现了汉代纺织业生产的盛况,这与文献史料相互结合,进一步证明了汉代是我国纺织业发展的一个高峰期,汉代的纺织技术达到了空前的水平并对后代的纺织业产生了深远影响。

---

① 高文:《四川汉代画像石》,巴蜀书社,1987年2月,第94页。
② 向熹:《嫘祖杂说》,《文史杂志》,2001年第1期。

试论汉画中的鱼及其文化内涵

牛天伟

鱼是一种最为常见的水生动物,它不仅是人类饮食生活中餐桌上的美味佳肴,而且被人们视为祥瑞之物并赋予其诸多美好的象征寓意。汉画中也经常可以见到鱼的形象,这些鱼与其他画像的不同组合,构成了丰富多彩的鱼文化现象。本文仅就汉画中与鱼相关的典型画像作粗浅的论述,以探求鱼在汉代社会生活中的作用及其所蕴藏的文化内涵。

一、渔业生产中的鱼

鱼作为一种食物用于果腹充饥,最早可追溯到人类之初的原始时代。原始社会,男子渔猎,女子采集,捕鱼便成为原始农业之前的主要生活手段之一。我国不少旧石器时代晚期遗址中都出土了石镞(箭头)这种原始的渔猎工具,并在一些遗址中发现有多种鱼类化石。由此可知,早在旧石器时代,我们的祖先就开始了捕鱼活动,但捕鱼活动最普及的还是新石器时代。目前,我们已在全国各地的新石器时代文化遗址中发现有许多镞、矛、网坠、鱼叉(镖)、鱼钩等捕鱼工具。如在陕西西安半坡遗址中就出土有骨角质的鱼叉21件,骨鱼钩9件,石网坠三百多件①;另外,还有半坡、宝鸡北首岭遗址中发现了绘有鱼和鱼网纹饰的彩陶盆和舟形陶壶等器物。这些出土的渔具和鱼纹饰足以证明,鱼是原始人类赖以生存的重要食物资源之一,人类已掌握了叉鱼、射鱼、钓鱼和网捕鱼等多种捕鱼方法。但原始社会人们主要还是以捕捉野生鱼类为主。随着捕鱼技术的提高,获取鱼类数量的增多,逐渐出现了人工饲养的家鱼。商代甲骨卜辞中就有"贞其雨,在圃渔"的文字。表明了当时已出现了池塘人工养鱼的渔业生产活动。春秋末,还出现了我国最早的养鱼专著——《养鱼经》②。降及两汉时代,不仅文献中有许多关于渔业生产活动的记载,而且在此时期的文化遗址和墓葬出土的器物上随处可见鱼的形象。而最能具体反映汉代渔业生产空前发展状况的就是汉代墓葬的建筑材料画像石(砖)上刻画的众多捕鱼及养鱼画像。

捕鱼画像在山东、四川、江苏徐州及河南南阳、商丘等地均发现过不少,而其中尤以山东汉画为最多,最具有代表性。下面仅举数列典型画像加以介绍:

图一,在一座水榭建筑物之下,有二人乘一小船,有一人徒手抓一条大鱼。又有一人站在承托水榭的斗拱上,手持一长柄器物似镖叉,向一条大鱼刺去,还有一人执罩站在水中捉鱼③。

图二,水榭之下,有一人坐于斗拱之上,双手执一镖刺向一鱼。水中有一只小船,船尾一人执桨划船,船头一渔夫跪在船板上,正弯腰伸手用力将一装满鱼的网拉出水面。还有一人站在水中用罩

---

① 中国社会科学院考古研究所:《新中国的考古发现和研究》,文物出版社,1984年5月,第59页。
② 申世放:《鱼文化初论》,《四川文物》1994年第2期。
③ 山东省博物馆、山东省文物考古研究所:《山东汉画像石选集》,齐鲁书社,1982年8月,图8、39、40、230、407。

捉鱼。水中亦有数条鱼在游动①。

图三,水榭之下,二渔夫各执一罩捕鱼,一人徒手抓一鱼,二水鸟(鱼鹰)各啄一鱼。水中还有数条鱼及鳖、蛇等水生动物在游动②。

图四,水中有三只小船,每船乘坐三人,船头和船中各一人手持鱼竿垂钓,船尾一人执桨划船,每只船上还装载一只已收获的大鱼。船下水中又有鱼群游动③。

图五,图中一桥,桥上有车马队伍正从桥上通过;桥下有一只小船,船上乘二人执桨划船。船左边一人执一长柄棍,棍前端用两根绳索系一器物似"箕",也应是一种捞鱼工具。船右二人,其中一人置罩捉鱼,另一人弯腰徒手按住一条大鱼,其身后还有一条大鱼④。

这些画像形象地说明了渔业生产在汉代山东地区的农业经济生活中占有着极为突出的地位。同时,我们还可以从中了解到汉代那形式多样的捕鱼工具。仅从画像看,汉代捕鱼方法大致可分三大类:徒手抓鱼,使用器具捉鱼和役使驯化之水鸟帮助捕鱼。具体画像主要有:手抓、镖刺、钩钓、网捕、罩捉、箕捞、鸟啄等数种⑤捕鱼场所主要可见有两类:桥下河水中和水榭下面的池塘里。在桥下所捕之鱼就是河中的野生鱼。而在水榭下所捕之鱼大多则是人工放养的家鱼。

除了以上所举的捕鱼画像外,汉画中还有一种"池塘养鱼"画像,这种画像在四川一带最为常见⑥,如图:画中刻一水塘,水中有

---

①②③④　山东省博物馆、山东省文物考古研究所:《山东汉画像石选集》,齐鲁书社,1982年8月,图8、39、40、230、407。

⑤　王仁湘:《钓者静之,罩者抑之——画像石所见汉代捕鱼方法》,《文物天地》1993年第3期。

⑥　高文:《四川汉代画像砖》,上海人民美术出版社,1987年2月。

荷叶、鱼、水鸭等,又有一只小船在塘中行驶①。在四川地区的汉墓中还曾出土有"养鱼池塘"模型陶质明器。《华阳国志·蜀志》中就有多处记载养鱼之事,如"(汉安县)有盐井、鱼池以百数,家家有焉"。在四川的画像石、砖、画像石棺及崖墓中,鱼是极为常见的一种画像。文献与画像互为印证,足以窥见四川一带在汉代时养鱼业的普及程度。

《汉书·地理志》云:"民食鱼稻,以渔猎山伐为业。"汉画中如此众多的捕鱼和池塘养鱼画像正是两汉时代渔业生产发展盛况的生动再现。

二、庖厨、宴祭中的鱼

随着汉代渔业生产的不断发展,收获鱼类的数量日益增多,鱼也就成了贵族阶层日常生活中常吃的肉食类食物。对此汉画庖厨图中有较多的反映,如山东诸城凉台村汉画像石墓中出土的庖厨图②。图最上边横拉一条绳子,绳子挂满了各种各样的肉类食品,有猪头、猪腿、猪肝、几条大鱼和成串的小鱼,另有兔、龟、鸟等野味。图右上方还有一人席地而坐,其前放置一长方形的几案,此人一手将一条鱼按在几案上,另一手握短棍形工具正在刮剥鱼鳞。几案下面放一盆,盆内放一条等待加工处理的鱼,几案前面又置一圆案,内置一条处理好待烹煮的鱼。在加工鱼的人物身后还有一人正用圆案端两条鱼送来。另外,在此画像中还有椎牛、宰羊、屠猪、烤肉串、打水、切菜、劈柴、烧火、酿酒者等众多人物。整个庖厨图呈现出一派忙碌的景象。在山东、江苏徐州等地的庖厨图中一

---

① 高文:《四川汉代画像石》,巴蜀书社,1987年2月,第95页。
② 山东省博物馆、山东省文物考古研究所:《山东汉画像石选集》,齐鲁书社,1982年8月,图549、550。

般都可见到鱼类食物。另一类反映食用鱼的画像是舞乐宴饮图。如南阳汉画像石中有一幅"鼓舞宴飨图"①画上部为建鼓舞形象，下部是一长方形餐桌（案），桌上放置一大圆盘，盘内放一条大鱼，鱼的头尾都伸出了盘外。桌上还有三只肥鸭、肉串等烧制好的其他食物及两只喝酒用的耳杯。除了汉画像石上的庖厨、宴饮图中有鱼外，汉墓中常出土的随葬品陶灶上也多刻画有鱼的图像②。这种陶灶上的鱼画像也应属汉代饮食文化的范畴。

　　从这些庖厨、宴饮画像石及陶制画像灶上出现的大量鱼形象来看，鱼已成为汉代贵族阶层餐桌上不可缺少的肉类食品。庖厨画像中那些被宰杀、烹煮的鱼，一部分是供应活人食用的，而另一部分则是给死者或鬼神食用的。舞乐宴饮画像一方面是对墓主人生前侈奢生活的刻画；另一方面也是为祭祖祀神而设置的。我国古代很早就有用鱼来祭祀祖先神灵的习俗。如《周礼》中就有将鱼作为祭品的记载，《山海经》中也有用鱼祭山神的，汉代亦沿袭以鱼祭神祀祖的习俗，《艺文》引《三辅故事》云："武帝作昆明池，学水战法，帝崩，昭帝小，不能征讨，于池中养鱼，以给诸陵祠，余给长安市，市鱼乃贱。"山东汉画中有一幅"祭品"画像，画像仅刻两盘和两只耳杯，盘中各放一只煮好的鸡，耳杯中各放一条鱼③。南阳新店出土的一块画像石，中间刻一方框状物，上置二鸭，两侧各放一鱼④。徐州汉画亦有一画像，画刻一长方形祭案，案上绘有十字穿

---

① 南阳汉代画像石编辑委员会：《南阳汉代画像石》，文物出版社，1985年10月，图222。
② 丁鹏：《浅谈汉代画像（陶）灶》，《汉代画像石砖研究》，《中原文物》1996年增刊。
③ 山东省博物馆、山东省文物考古研究所：《山东汉画像石选集》，齐鲁书社，1982年8月，图62和143。
④ 张新强、李陈广：《南阳汉画早期拓片选集》，中州古籍出版社，1993年4月，图79。

环图案,案中置三盘,每盘内放一条鱼,鱼的首尾均伸出盘外①。这三幅画像中的鱼、鸡、鸭等食物都是用以祭祀祖先神灵而特意放置的祭品。汉董仲舒的《春秋繁露·求雨篇》中还有用鱼祭祀雨神的记载,如"祭之以生鱼八","祭之以桐木鱼九"。而且山东汉画中就有用鱼祭神求雨的画像②:画上部中间刻一蟾蜍,其四周环绕五面小圆鼓,鼓之间用一鱼相间隔(画像残缺一鱼一鼓),其下有三云神和一雷神,三云神共牵一条云带,雷神为力士之状,人身兽头,一手执雷锤,一手上举一条龙。这种雷神与龙、云、鼓、蟾蜍、鱼相结合的画像应与汉代祭神祈雨的风俗有关。

总之,鱼不仅是汉代饮食中常见的肉食品,而且还是鬼神文化中的祭品。

三、神话传说中的"鱼"

鱼不仅是人类和鬼神共同喜爱的食物,而且还曾经是受到人类崇拜的神灵。鱼崇拜的观念起源甚早,原始社会时期,许多氏族以鱼为其氏族的保护神,视鱼为图腾物。摩尔根收集的氏族名称中就有鲤氏族、鲶氏族、梭鱼氏族等③。以鱼为氏族之名也就是视鱼为氏族图腾神。陕西半坡遗址出土的彩陶盆上绘有人面口衔鱼和耳部各饰一鱼的图案很可能就是原始社会鱼图腾的徽记。产生于原始社会的鱼图腾神后来进一步演变为各种"鱼神"。《山海经》中就记载有大量的神怪之鱼,如马首鱼、人鱼(陵鱼)、牛鱼、龙鱼、

---

① 徐州市博物馆:《徐州汉画像石》,江苏美术出版社,1985年6月,图165。
② 山东省博物馆、山东省文物考古研究所:《山东汉画像石选集》,齐鲁书社,1982年8月,图62和143。
③ 王珍:《〈山海经〉与原始社会史研究》,《中原文物》1983年特刊,第190页。

丹鱼、文鱼、玄鱼、冉遗鱼、何罗鱼、薄鱼、箴鱼等数十种之多。这些鱼均外形怪异,功能神奇。汉画中同样也可见到一些神怪之鱼的形象。如山东汉画中有一画像①:画中为一月轮,月内有蟾蜍,月之四周是各种神禽异兽,有二龙交颈、凤鸟、翼虎、羽人等,其中在画像左下角有二位人头鱼身的"神鱼"形象。再如山东另一幅画像②:画像所绘皆为神怪异兽形象,其中有三位头戴前低后高冠的人头鱼身形象。另外,徐州汉画中,还有"四足怪鱼"③。据神话传说,黄河水神河伯就是一位"人面鱼身"的形象。《山海经》中记载的人鱼(陵鱼)也是"人面人手鱼身"。

在山东、河南南阳、江苏徐州及陕北等地的汉画像石中都发现有一种鱼车画像。南阳出土过一面汉代画像镜,其上亦有鱼车画像,且有铭文"何(即河)伯"二字④。因此,大多数学者都将乘坐这种鱼车的神人释为"河伯"。汉画中的河伯虽然不再是人头鱼身的形象,但其所乘的车是用鱼牵引的,且左右前后的随从人员也多骑鱼,或车后尾随几条鱼。更有个别画像中的河伯头戴鱼形冠⑤。诸如此类的画像说明:虽然汉代的河伯已完全演变为人形神的模样,但仍显示出河伯与鱼之间的亲缘关系。据文献载,河伯是黄河水神,理应出现在河中,但汉画中的河伯大都被刻画在墓顶或祠堂墙壁上部,且多与天上的雷公、风伯、雨师为伍,由此可见,汉代又视河伯为雨水神或水旱之神。《山海经》中一些神怪之鱼见则或"天下大旱",或"其邑大水",这也证明了鱼具有预测水旱灾情的功能,晋葛洪《抱朴子·对俗》云:"鱼伯识水旱之气。"晋崔豹《古今

---

①② 山东省博物馆、山东省文物考古研究所编:《山东汉画像石选集》,齐鲁书社,1982年8月,图130、146。
③⑤ 徐州市博物馆:《徐州汉画像石》,江苏美术出版社,1985年6月,图18、84、85。
④ 李陈广:《南阳汉画像河伯图试析》,《中原文物》1986年第1期。

注》卷中又云:"水君,一名鱼伯",鱼为水旱之神显而易见。汉画中牵引河伯车的鱼和跟随河伯车的鱼、神人骑乘的鱼,都应是一种会飞的神鱼。《山海经·海外西经》云:"龙鱼陵居在其北,状如貍(即'鲤'),一曰鱼鰕,即有神圣乘此以行九野。"晋郭璞烛龙赞曰:"龙鱼一角,似鲤居陵,候时而出,神灵攸乘,飞骛九域,乘云上升"。山东苍山县城前村画像石墓中有元嘉元年的题纪,其中就有"驾鲤鱼"、"白虎、青龙车"、"雷公君"、"羊车"等文字①。正巧,汉画中不仅有河伯所乘的鱼车及随行的骑鲤之神人,而且也常有雷神(雷公君)所乘坐的虎车或龙车。画像与题刻文字得到了相互的印证。

另外,山东武氏祠汉画石中亦有神人乘鱼车的画像,有人将其释为海神,此画像中还有神鱼持武器的形象。陕北汉画像石中也有神人乘龙车、鱼车、鸟车、兽车出行的场面。

《神话传说词典》"孟津大鱼"条引《水经注》云:"孟津见大鱼,并建河平侯祠,祭之。"②我国的白族渔民禁捕五六尺以上的大鱼,若捕到时要焚香祷告,立即将鱼放回河中,以为不然灾祸将至,民间还将鱼神、海螺神与洱河灵帝或海神等一起设庙供祭③。由此足见,古人并非将所有的鱼类都当作神灵来对待,而是以较大的鱼为神鱼,有的地方还建庙祭祀。

长沙马王堆汉墓出土的"T"字形帛画上还有支撑大地的地府冥神也是两条鱼的形象。我国满族神话中就有"地震鱼"的传说:大地四周及下边是一片浩瀚的大海,大地是由三条鱼在下面驮负

---

① 山东省博物馆、山东省文物考古研究所编:《山东汉画像石选集》,齐鲁书社,1982年8月,图403。
② 袁珂:《中国神话传说词典》,上海辞书出版社,1985年6月。
③ 郑传寅、张健主编:《中国民俗辞典》,湖北辞书出版社,1987年2月,第451页。

着才能漂浮在水面上。当鱼翻动身体的时候,大地就会发生地震①。在这里,鱼又成了负载大地的神灵之物。

南阳汉画中常见一种龙鱼组合的画像:一条翼龙腾空飞行,其后尾随一鱼②。过去,一般多将这种画像视为祥瑞图而已,但我们认为此类画像应含有较为具体的寓意,而非一般意义上的祥瑞图。《说文》云:"龙,鱼满三千六百岁,蛟为之长,率鱼而飞去。"《公孙弘答东方朔书》也云:"譬犹龙之未升,与鱼鳖为伍,及其升天,鳞不可视。"《艺文》引《三秦记》云:"河津,一名龙门,大鱼集龙门下数千,不得上,上者为龙,不上者,故云曝鳃龙门。"此即我国古代著名的"鲤鱼跳龙门"神话。从这些文字记载可以看出,在我国古代的神话传说中,鱼与龙同属鳞虫一类,鱼生长到一定的年龄,便可随龙而飞天。或者有足够力量跃过龙门的大鲤鱼就可以变为龙。南阳汉画中的龙鱼图又常被刻画在墓门上面的门额石上,汉代人将墓门视为"天门"之象征。从画像内容和画像在墓中的位置来看,这种画像应是"龙率鱼而飞"或"鲤鱼跳龙门"神话的形象化反映。汉代人将这种画像刻于墓中的意图无非是希望墓主人能像一条大鱼一样变成神龙或跟随神龙飞升天国而成仙。如南阳汉画中一幅画像③,画中为一翼龙,龙前二鱼,龙后一羽人拉住龙尾。其意当是墓主人夫妻二人像两条鱼一样在羽人的导引下,能随龙而升仙。《吴地记》中就记载有琴高(战国时代赵国人)乘神鲤鱼登仙的神话故事。

---

① 乌丙安:《满族神话探索(之一)——天地层、地震鱼、世界树》,中国神话学会主办,袁珂主编:《中国神话》(第一集),中国民间文艺出版社,1987年6月。
② 南阳汉代画像石编辑委员会:《南阳汉代画像石》,文物出版社,1985年10月,图87。
③ 王建中、闪修山:《南阳两汉画像石》,文物出版社,1990年6月,图244。

总之,汉画中的神鱼画像,源于原始社会的鱼图腾神,而其神性和功能在汉代盛行的求仙氛围中得到了进一步的延伸。神鱼成了汉人升仙的重要交通工具之一。

四、生殖崇拜中的"鱼"

我国古代还把鱼视为女性的象征物,且赋予其特定的生殖繁衍的文化内涵。汉画中大量出现的"鸟啄鱼"画像正是这种生殖崇拜观念的形象化反映。

在前文中我们已经提到过鸟啄鱼的画像,那是汉代渔业生产中一种真实的捕鱼方法,一般是与其他捕鱼活动同时出现在一个画面上。而在此要讲的则是另外一种具有社会属性的"鸟啄鱼"画像,这种画像的意义与那种纯粹自然属性的"鸟捕鱼"画像截然不同,它是将鸟啄鱼这一自然现象升华到一种文化的高度,是古代鱼文化的一种具体表现形式。下面我们选取几例典型画像加以分析:

(一)画上部二神人,人首蛇身,共举一圆轮,二人中间又端坐一人。二神之尾卷曲下垂相交在一起;画像下部有三鸟各啄一鱼。[1]

(二)画刻一高大威猛之巨鸟,颈上伸,口衔一鱼;其下为玉兔捣药。[2]

(三)画像共分两层,其上层左有一虎三龙,右为双鹤交颈,且各口衔一鱼。[3]

---

[1][2][3] 山东省博物馆、山东省文物考古研究所:《山东汉画像石选集》,齐鲁书社,1982年8月,图69、166、409。

（四）画像刻一捧奁侍女，女子上方一鸟口叼一鱼①。

（五）画像中刻有交颈鸟，鸟啄鱼，二兽相吻，二熊接吻牵手而舞，二羽人共乘一麒麟，一大兽戏一小兽等②。

（六）画左为玄武（龟蛇交体），右是一鸟啄一鱼③。

从以上的举例可以看出，这些鸟啄鱼画像要么是单独成画，要么是与玉兔、龙、虎、玄武、熊、麒麟等神禽瑞兽相组合，显然不应将这类画像归入渔业生产中。我们认为这类画像应具有一种特殊的象征寓意。

鱼在我国古代的文学作品和民俗语言中，常作为配偶的隐语，多指代女性。这种文化现象至少在周代就已存在了。《易》中就有以鱼指代后宫嫔妃的记载。降及春秋战国乃至两汉时代，这种习俗沿袭不衰。《汉乐府·白头吟》云："愿得一心人，白头不相离。竹竿何袅袅，鱼尾何簁簁。"此诗中的鱼即指代女子，而"钓鱼"之行为则是男子求偶的隐语。那么，为何要以鱼象征女性呢？鱼多籽，以鱼代表女性，是因鱼具有旺盛的繁殖能力，人类希望女子的生育能力也像鱼一样强盛不衰，多子多孙，绵延不断。再者，女子的阴部又与鱼的形状相似；另外，在我国古代阴阳哲学体系中，男为阳、女为阴、水为阴，鱼乃水生动物，鱼也自然属阴类之物，鱼与女子同属一类。因此，多以鱼指代女性。

除了常见的以鱼象征女性外，一些地方，还有把鱼比做男性，而把莲花和水比做女性的民间习俗。如用"鱼戏莲花"，"如鱼得

---

① 南阳汉画馆编著：《南阳汉代画像石墓》，河南美术出版社，1998年12月，第181页，图10。

② 山东省博物馆、山东省文物考古研究所：《山东汉画像石选集》，齐鲁书社，1982年8月，图166、409、148。

③ 赵成甫、柴中庆等：《南阳汉代画像砖》，文物出版社，1990年5月，图83。

水"等来隐喻男女之间的性行为①。

　　与以鱼指代女性相对应,鸟则常常成为男性的象征,《诗经》中就有"关关雎鸠,在河之洲,窈窕淑女,君子好逑"的诗句。诗中就是将求偶的男性与鸠鸟相对应,即以鸟象征男性。为何男性的象征物会是鸟类呢？首先是因为鸟头与男性的生殖器形态相似。其次,鸟为天空之飞禽类,天为阳、地为阴,根据古代阴阳哲学观念,天、鸟和男性同属阳性类。所以,古代常以鸟指代求偶中的男性。这种以鸟借代男性及其生殖器的隐语习俗一直在民间沿袭至今。

　　鸟与鱼相对应以暗示阴阳相配的生殖观念还常以潜在的形式融化在人们的饮食习惯中②,如在古代的宴席上一般都要鸡鱼齐备。

　　古人将"食"和"性"看做人类的两大本能,饮食与性交为人类自身生命延续和繁衍后代的两大活动。在人类生存与发展的最终目的上,二者具有异曲同工的作用。《释名》云:"食,殖也,所以自生殖也。"因此,古人常用食(吃)来隐喻男女合欢的性行为。如《诗·陈风》云:"岂其食鱼,必河之鲤,岂其取妻,必宋之子。"这里就是以鱼指代女性,以"食鱼"来象征婚配之事。

　　鱼除了是人类的食物之外,还有一些鸟类也常以鱼为食,水鸟啄鱼便成为大自然中极为常见的一种现象。人类观察到这种现象之后,首先想到的是把这些具有入水啄鱼本领的鸟类进行驯化,使其成为帮助人们捕鱼的工具。被驯服后的水鸟便成为人类渔业活动中的得力助手,并受到人们的喜爱,于是便将其形象描绘在一些生活器具上。早在原始社会新石器时代的陶器上人们将这种鸟啄鱼的自然现象变成了艺术品。如宝鸡北首岭出土的大头细颈壶上

---

①②　辛立:《男女·夫妻·家国》,国际文化出版公司,1989年12月,第22页。

绘的"水鸟衔鱼图"①,河南临汝县阎村出土的"鹳鱼石斧图"彩绘陶缸等②。这种图像在战国的漆器、秦汉印章及汉代的铜器上时有发现,而出现数量最多的则是在汉代画像石和画像砖上。鸟啄鱼成为汉画中常见的捕鱼手段。

  随着人类文明的不断发展,鸟啄鱼画像已由原来单纯对自然现象的直观描绘,进一步融入了特定的文化内涵,汉画中许多"鸟啄鱼"画像就蕴含着两性交合和生殖崇拜的象征性意义。如上边所举的鸟啄鱼画像(一),画上部二神人蛇尾相交,是汉画中常见的阴阳相合、男女交媾之图像,一般都释为"伏羲女娲交尾"。画像下部的"鸟啄鱼"形象与伏羲女娲交尾像组合为一幅画像,很显然二者具有共同的象征寓意。再如举例画像(六),画左的玄武为龟蛇交体形。《说文》云:"龟,天地之性,广无雄。鱼鳖之类,以它(蛇)为雄"。而且汉画中还有伏羲女娲交尾缠绕于龟体上的画像③,由此可见,这类玄武之像也与性交、生殖相关。那么,画右的鸟啄鱼画像亦应与玄武有着一致的主题思想——两性交合,生殖崇拜。另外,举例画像(五)的交颈鸟、鸟啄鱼、相吻兽等均是两性交欢的形象,整幅画像仍然是突出反映了生殖崇拜的思想观念。总之,我们认为鸟啄鱼画像具有"男女交合,生殖崇拜"的象征性文化涵义。有学者认为此类鱼鸟图的深层涵义是男女合欢,而表层意义却是长生观念,是"汉代人们祈求长寿的一种吉祥图案",是"房中术"的一种表现形式④。而我们认为此观点有不妥之处,因为我国自古

---

① 中国社会科学院考古研究所宝鸡发掘队:《陕西宝鸡新石器时代遗址发掘纪要》,《考古》1959年第5期,图2,3。
② 临汝县文化馆:《临汝阎村新石器时代遗址调查》,《中原文物》1981年第1期。
③ 赵成甫、柴中庆等:《南阳汉代画像砖》,文物出版社,1990年5月。
④ 刘弘:《汉代鱼鸟图小考》,《民俗研究》1989年第3期;《四川文物》1991第1期。

以来是一个重生殖的国家,多子多福的观念根深蒂固,且影响至今,"不孝有三,无后为大"。在儒家思想占主要统治地位的整个封建社会,人们一直把繁衍后代作为两性交合的主要目的,甚至是惟一的目的。因此,我们认为汉画中的鸟啄鱼图应是一种男女交合的象征性图像,其深层寓意就是对子孙繁盛不衰的美好祝愿,是生殖崇拜思想的图像化。

除了鸟啄鱼画像外,汉画中还可见到龙食鱼或龙戏鱼的画像。如南阳画像石中一幅画像,画中二龙回首相向,长尾相交,二龙口之间刻一鱼,二龙正张口欲食①。再如山东一画像石:二巨龙身子相交缠在一起,口前各一鱼,龙张口食鱼,画像下边框又以鱼鸟为装饰图案,中间二鸟相向互啄(接吻),其左右鸟尾后各排列一行五条鱼②。两画的双龙相交,首先具有了两性交合之意。我国古代就有崇龙尾借以祈求人类子孙繁昌兴旺的风俗。如《公羊传》云:"尾有雌雄,常不离散。"《白虎通义》又云:"子孙繁衍,于尾,明当后盛也。"汉画中不仅有大量的二龙交尾图案,更有生动形象的伏羲女娲交尾画像。

我国古代把鱼作为女子的象征之物,把鸟作为男性的物象与之相对应外,还有视龙为男性之象的习俗。如古代传说中的黄帝、炎帝都是其母与龙交媾而生的,汉高祖刘邦也认为自己是神龙与其母交合而生的"真龙天子"。龙蛇同类,其形与男性的生殖器亦有相似之处。这恐怕就是龙蛇为男子之象的重要原因吧。鉴于此,汉画中的"龙食鱼"画像也应是两性交合之象。"二龙交尾"与"龙食鱼"合而为一的画像,其生殖主题更加鲜明、突出。

---

① 南阳汉代画像石编辑委员会:《南阳汉代画像石》,文物出版社,1985年10月,图352。

② 山东省博物馆、山东省文物考古研究所编《山东汉画像石选集》,齐鲁书社,1982年8月,图352。

五、舞乐百戏中的"鱼"

舞乐百戏是汉代综合性表演艺术的总称。它的内容庞杂、阵容宏大,包容了汉代的音乐、舞蹈、杂耍、竞技以及幻术等项目,而其中有一种由人装扮成各种动物进行表演的艺术形式。《汉书·礼仪志》中记载的汉乐府之"象人"应就是这种假形表演的艺人。孟康作注曰:"象人,今戏虾鱼狮子者也。"现代的学者或称这种表演形式叫象人舞(拟兽舞)或假形舞蹈。张衡《西京赋》对这种"象人"表演节目进行了生动的描述,其文曰:"总会仙倡,戏豹舞罴,白虎鼓瑟,苍龙吹篪。……巨兽百寻,是为蔓延。……熊虎升而拿攫,猿狖起而高援。怪兽陆梁,大雀踆踆。白象行孕,垂鼻辚囷。海鳞变而成龙,状蜿蜿以蝹蝹。"这种假形表演之戏在汉画中也有反映。如山东沂南汉画像石墓出土的一幅大型百戏图①:图中就有由人扮演的龙、鱼、豹、凤等假形动物形象。其中的"龙"背上安装一圆形柱座,一伎人立在柱顶,双手持一前端饰流苏的长竿,似在做平衡动作表演。"龙"前后各有一人,均一手举鼗鼓,一手持剑或短棍,面向"龙"作嬉戏状。"龙"身后尾随一条巨"鱼",鱼身上部露出二人上身,均右手执鼗鼓。鱼身之下又一人,单腿跪地,一手执鼗,以肩扛着巨"鱼"。此百戏图中的"龙、鱼"表演形象应是汉代百戏中的"鱼龙曼衍"之戏。刘昭《礼仪志》注引蔡质《汉仪》云:"正月旦,天子幸德阳殿,……舍利从西方来,戏于庭极毕,化为比目鱼,又化成黄龙。……变毕作鱼龙曼衍。""鱼龙曼衍"是鱼龙之戏和曼衍之戏的合称,曼衍是一种巨兽,它和鱼、龙一样都是由人扮演的。文献中亦有对这种表演形式的具体描述。《汉书·西域赞》"漫衍鱼龙"颜师古注云:"漫衍者,即张衡《西京赋》所云'巨兽百

---

① 张万夫编:《汉画选》,天津人民美术出版社,1982年3月,图61、77。

寻',是为漫延者也。鱼龙者,为舍利之兽,先戏于庭极,毕,乃入殿前激水,化为比目鱼,跳跃漱水,作雾障日,毕,化为黄龙八丈,出水敖戏于廷,炫耀日光。"一条大鱼摇身一变,立即成了一条游龙,由此可知,这种表演也是一种出神入化的奇妙幻术,类似于今天的魔术表演。沂南汉画中的"鱼龙之戏"没有表现出鱼龙变化的过程,而是用鱼龙并出的形式加以刻画的。

山东安丘董家庄汉画像石墓中也出土有一幅百戏画像[1],画刻舞蹈、奏乐、六博、橦戏、跳丸、倒立等形象,其中也有"鱼龙之戏"。其表演形式与沂南汉画中的"鱼龙并出"有所不同,而是"龙衔鱼"。该画像的左下角刻画出两条龙,各衔一鱼作奔走状,另有一羽人曳着后边之龙的尾巴作嬉戏状。虽然此画像中的龙鱼看不出像沂南汉画中龙鱼的那种十分明显的假形之象,但它被刻画在舞乐百戏画像之中,显然也应是一种假形表演节目——鱼龙之戏。

汉代盛行的这种鱼龙变化之戏,作为一种表演艺术应是源于我国古代的鱼变龙神话。鱼由原来的受人崇拜的神话形象变成了被人欣赏的舞台艺术形象,鱼的文化价值也就在汉代的表演艺术领域内得到了进一步的扩展。

六、祥瑞、装饰中的"鱼"

以上我们就一些较特殊的"鱼"画像进行了论述,其实,汉画中还有大量的鱼形象,它们并未有什么特定的寓意,仅是作为一种祥瑞之物,或者是一种装饰图案而已,这些画像是我国古代吉祥文化观念的具体反映。

汉画中有许多动物都被视为一种吉祥物,如龙、凤、龟、麟、虎、

---

[1] 安丘县文化局、安丘县博物馆:《安丘董家庄汉画像石墓》,济南出版社,1992年10月,图版31。

羊、大螺、鱼、猴等,它们大都蕴含着相同的辟凶趋吉的文化涵义。如汉画中的"龙、鱼、虎图"①这三种动物的组合画像,看不出有什么具体的含义,只能作为一种祥瑞画像来对待。我国古代很早就视鱼为一种祥瑞之物,如《史记·周本纪》中就记载着"周有鸟、鱼之瑞",《艺文》引《诗》曰:"南有嘉鱼",《艺文》引《三秦记》载有汉武帝梦鱼得珠的故事。在各种鱼类中,尤以鲤鱼为最贵,"鲤"又与"利"谐音。因此,古文献中多以鲤鱼为祥瑞。如《太平御览》引《河图》:"黄帝游于洛,见鲤鱼长三尺,青身无鳞,赤文成字。"《风俗通义》云:"伯鱼之生,适有馈孔子鱼者,嘉以为瑞,故名鲤,字伯鱼。"《艺文》引《魏志》:"文帝欲受禅,赤鱼(即红色的鲤鱼)游于露。"而汉画中的鱼也大都为鲤鱼之象。古人又多视"比目鱼"为祥瑞之兆,《艺文》引《瑞应图》曰:"比目鱼者,王者明德则见。"《尚书》载齐桓公欲封泰山,管仲谏曰:"昔者圣王成功道格,符瑞出乃封泰山,今比目鱼不至,凤麟不臻,未可封也。"汉画中常见有成对出现的鱼,一般由两鱼身体并列而行。《尔雅·释地》云:"东方有比目鱼焉,不比不行,其名谓之鲽。"山东武氏祠有一幅"二鱼并行"画像,其旁有榜题文字:"比目鱼,王者惠广明,无不通则至矣。"②因此,我们认为汉画中那成对并列的鱼就是古文献上所谓的比目鱼形象。

"鱼"与"余"二字谐音。因此,古人又赋予鱼一种"连年有余"之寓意。《诗经》云:"大人占之,众维鱼矣,实维丰年。"鱼的出现就预示着丰年的来临,也是一种祥瑞之兆。在山东邹县、肥城、莒南和山西离石等地的汉画中有一种"三鱼争头"的画像③。这种极为特殊的鱼画像也是一种祥瑞画,其寓意为"三世争余"或"三世有

---

① 王建中、闪修山:《南阳两汉画像石》,文物出版社,1990年6月,图242。
② 朱锡禄:《武氏祠汉画像石》,山东美术出版社,1986年12月,图64。
③ 谢昌一:《三鱼争头》,《文物天地》1993年第3期。

余"。至今我国山东、江苏等地的民间剪纸和版画艺术中仍然可见到这种图案。

汉画中反映吉祥文化的鱼画像还有许多。如山东汉画中有"凤、虎、龙、龟、蟾与鱼"相组合的画像①。再如"羊、鱼"画像②：画中刻一羊头，左右对称各一鱼。汉代"羊"与"祥"通，汉代文物上常有将"大吉祥"写成"大吉羊"的铭文。羊与鱼相组合，显而易见是一种祥瑞画像。

鱼作为一种祥瑞之物备受人们的喜爱，所以，自古以来，鱼便成了人类日常生活中随处可见的一种装饰图案。汉画中亦有用鱼作为装饰的例子。如在建筑物上装饰鱼的。山东汉画中就可见到房顶上（屋脊）平躺着一条大鱼③和房门铺首上刻饰对鱼的画像④。在我国古代建筑装饰艺术中，房脊两端的吻兽常见是一条鱼尾高翘的动物，房脊九兽中的老七也是一个被称作"牙鱼"的鱼身动物⑤。再如汉画中以鱼作为画像的边框装饰图案：山东汉画中有一画像⑥，画中间仅刻一巨大的羊头。其背景陪衬图案为：上层是由棱形、波纹形、弧形等组合成的几何图案，下层则用二鸟、三龙、二鱼组成一行动物图案。山东还有一画像⑦：主题画像是建筑、人物、车马等，画像下边框用四鱼作为装饰图案。总之，作为装饰图案的鱼，不是画像的主体，仅作为主体画像的陪衬物像，虽然仍包含有祥瑞之意，而突出表现的却是它的装饰艺术作用。

两汉时代，尤其是东汉，董仲舒的"天人感应"、"天人合一"的神学思想逐渐形成了一种谶纬迷信思潮，祥瑞、灾异之说泛滥成

---

①② 山东省博物馆、山东省文物考古研究所：《山东汉画像石选集》，齐鲁书社，1982年8月，图536、519。
③④⑥⑦ 山东省博物馆、山东省文物考古研究所：《山东汉画像石选集》，齐鲁书社，1982年8月，图52、78、516、28。
⑤ 申世放：《鱼文化初论》，《四川文物》1994年第2期。

灾。在这种特殊的时代背景下,鱼作为祥瑞动物之一,便大量出现在汉画之中。

综上所述,汉画中的鱼画像具有丰富多样的文化内涵,它涉及了汉代的渔业经济、饮食文化、祭祀习俗、鬼神信仰、生殖崇拜理念、百戏表演艺术以及招祥求吉心理意识等诸多方面。通过对这些鱼画像的分析,可使我们从一个侧面更进一步加深对汉文化的理解。

有意味的形式

——试谈汉画中的"菱形连(穿)环图案"

孙怡村

在汉画中,有不少几何形图案,其中数量较多、频繁出现的是菱形与圆环的多种组合形式。如:菱形连环、菱形穿(套)环、菱形套连、二方连续、四方连续等纹饰图案。那么在这些看似只是美观、装饰性而并无具体内容的抽象几何纹样的背后是否隐含着一些对现代人来说是模糊的、未知的、并附着着汉代人某些内心情感的意义呢?笔者就此问题提出一些不成熟的看法,以就正于学者、专家。

一

德国哲学家卡西尔提出:"人应定义为符号的动物。"[1]人生活在由自己所创造的"符号宇宙"中,即"人类文化的世界"中。而"符号最根本的特点就是间接性,它能直接诉诸知觉,代表的却是隐藏于背后的意义"[2]。由此可以说,汉画中那些表面上看起来是那么随意自在、简单美观的菱形与连(穿)环图案,必然也蕴含着某些原

---

[1] 卡西尔:《人论》,上海译文出版社1985年版,第34页。
[2] 朱存明:《十字穿环:汉代人宇宙观的符号象征》,《汉文化研究论丛》,徐州师院文化研究所,中国社会科学出版社1993年版,第141页。

始的情感观念。

早在先秦时期,圆环就已包含有超越自身形式的符号意义。在古人的心目中,环可以周转贯通,立于环中,可达到空灵超脱的境界。庄子认为,天地万物的变化是循环往复的,没有止境。万物都可生长出新的事物,并以不同的形式新陈代谢,事物的变化首尾相接,如环一样,无先无后,是找不到其中次序的,均平如一①。《淮南子·精神训》也推崇"以死生为一化,以万物为一方","存而若亡,生而若死,出入无间,役使鬼神。沦于不测,入于无间,以不同形相嬗也,终始若环,莫得其伦。此精神之所以能登假于道也"。由此,在黄老思想盛行的汉代,人们视圆环为永恒无尽的象征,它循环往复,无始无终,天地万物的发展变化如圆环一样,没有终结。道家这种观念符合了汉代人渴望长生、追求生命永恒的心理状态。他们希望自己将逝的生命也如圆环一样循环往复,没有止境,并能通过变化为新的形式在冥界中、在仙界里继续生存。由此,这种象征着理想人生轨迹的图案——圆环成为汉代人装饰墓室(即将生活于其中的另一个新世界)的理想图案,并希望借助这种图案的寓意来帮助自己实现人生理想。

另一方面,由于地域不同,各地对菱形连(穿)环图案的称呼也各不相同。在南阳,因组合形式不同而被分别称为"连环"、"穿(套)环";在四川,则被统称为"联璧纹"。《尔雅·释器》曰:"肉倍好,谓之璧。好倍肉,谓之瑗。肉孔若一,谓之环。"由此,图一、二、三、四中的"环"或"璧"其实都应称为"瑗",只是各地约定俗成,叫法不一罢了。真正形如其名的"联璧纹"应如四川长宁三号石棺上

---

① 第一句出自《庄子·齐物论》:"枢始得其环中,以应无穷。"第二句出自《庄子·寓言》:"万物皆种也,也不同形相禅,始卒若环,莫得其伦,是谓天均。"曹础基:《庄子浅注》,中华书局1982年版,第421页。

的图案①。

环与璧同是古代重要的礼器,都是玉器。古人视玉为一种神灵之物,它能超脱自然,同神灵、祖灵相通,并能驱灾辟邪、益寿养生。在古代,不同的祭祀、朝拜活动,就用不同形状的玉器。古人常"以苍璧礼天",希望以此惊动鬼神,祭神徼福;古人也常用玉器装饰死者,在死者的面部覆盖"缀玉面幕"或"缀玉衣服",以防止恶鬼的侵入;或在陪葬的帛画上绘制"龙凤衔璧图",璧中之圆孔代表了通向天国的道路,而逝者就在仙禽瑞兽的带领下徐徐升往仙界。由此,汉代人把充满着神异灵性的玉璧(环)图案大量地刻绘于汉画墓室中,就是希望能借助这种图案辟邪、通灵的寓意实现自己平安升仙的愿望。

所以说,不管是圆环所寓示的生命永恒的人生状态,还是玉璧充满灵性、辟邪的神奇功能,环或璧形图案在汉代人眼中都是一种吉庆、祥瑞的象征。

二

那么,为什么汉画中的环(璧)在多数情况下被连成或穿成连续菱形图案;或与菱形相套组成二方连续菱形套环(或穿璧)图案,而很少组成其他形状的几何图案或与别的几何图案相连(套)呢?汉画中的菱形图案是否包含着一些更深层的、对我们现代人而言更为模糊、神秘的含义呢?

几何形图案作为一种装饰图案,是古代艺术发展的产物,"是古人某种意识形态的产物,它和当时人们的民族、历史、生产、生活

---

① 高文:《四川汉代石棺画像集》,人民美术出版社1997年版,图版二九。

都有密切的联系"①。自远古以来,龙图腾崇拜的观念源远流长,影响深远,其艺术形象丰富多样、形态各异。"商周青铜器龙(蛇)图案身上经常刻菱纹……","妇好墓玉人身上蛇的花纹也是菱形,……台湾高山族文身图案中也有象征蛇皮花纹的菱形纹"②。在出土的商周玉器中,有一件商代"玉龙"③蟠曲形,身上也饰着菱形纹。可以说,这些龙(蛇)身上的菱形纹都是蛇身花纹的图案化。那么在龙(蛇)图腾崇拜思想随处可见、且表现手法丰富的汉画中,在充满蛇尾缠绕相交形象的汉墓中,菱形纹饰是否也同样模拟象征着蛇身呢?在南阳唐河白庄汉墓中出土有两块门楣石④。一块是墓门门楣石,其正面雕刻着"二龙穿璧",两条龙尾相交于璧,其中间构图与菱形套环图案毫无二致。另一块是主室北门楣石,其正面雕刻着"龙、菱形套环图",右侧龙尾蜿蜒蟠曲,缠绕穿环,并在环中弯曲变形为菱形。这幅图形象地向我们演示了蛇身演化为菱形图案的符号化过程。可以说,这幅图中的菱形图案模拟象征了缠绕蟠曲的龙(蛇)身,而菱形穿环图案实际上就是龙(蛇)尾穿璧图案,这与出现在汉画墓室中的其他二龙穿璧图像有异曲同工之妙。而从中我们也了解到了符号化的动物形象发展演变为抽象几何纹饰的积淀、浓缩过程(蛇——蛇身菱形花纹——菱形套连图案)。这也是古人的审美意识从写实到写意再到象征的艺术思想发展过程。

另一方面,我们来看一下菱形套环图案在墓室中所处的位置。

---

①② 陈文华:《几何印纹陶与古越族的蛇图腾崇拜》,《考古与文物》,1981.2,第47页。
③ 汤淑君:《商周玉器中的龙》,《中原文物》,2000.2,第61页。
④ 韩玉祥、李陈广:《南阳汉代画像石墓》,郑州,河南美术出版社1998年版,第82页。

以唐河针织厂汉墓为例,这是一座夫妻合葬墓①。北主室墓顶刻绘有阳乌、白虎;南主室墓顶刻绘有蟾蜍、星辰,象征了阴阳之分、夫妇之位。而在墓门中柱、南北两主室和两侧室的门楣正面、两主室相邻立柱的南北两面雕刻的图案都是"二方连续菱形套环图案"。也就是说,在两主室的相邻之处,装饰的都是含有连接、交叉、叠压、对称等特性的几何纹饰,也就是经过了艺术的抽象化和简单化而形成的"二龙穿璧"造型,它们暗含了阴阳交融、夫妇相合之义。即是说,这些似乎是"纯"的几何纹饰,实际上包含着远古已有的龙图腾崇拜的思想观念,体现着汉代人浓厚而炽烈的图腾生育信仰感情,而在汉画墓室中成为"有意味的形式"。

所以说,大量出现在汉画墓室中的"二方连续菱形套环图案"在汉代人的感受中远不只是均衡对称的形式快感,而是具有复杂的观念、想像的意义在内,它们是以汉代人龙图腾崇拜观念的标志而存在的,是"二龙穿璧"图像逐渐简化、抽象成为纯形式的几何图案(符号)的产物。

三

由于圆环、玉璧、菱形所具有的丰富内涵,可以推论汉画中大量的菱形连环图案(或联璧纹)是汉代人希望通过玉璧这种神灵之物把自己的愿望传达于天界,感应于神灵以实现夫妇相和、人丁兴旺的吉祥图像。此外在四川出土的汉代画像砖中,有一些字砖,是在菱形连环图案中刻着"一些吉祥文字"②,有"利后子孙"、"子孙

---

① 韩玉祥、李陈广:《南阳汉代画像石墓》,河南美术出版社1998年版,第63页。
② 高文:《四川汉代画像砖》,上海人民美术出版社,1987年版,图版二四五、二四六、二〇〇、二七七、二八五、二八七。

高千"、"富贵"等文字。还有一种"联璧纹"砖,是与五铢钱币纹一起组成的图案①;或由钱币组成的"联币纹"②,如钱范一样。这些雕有吉祥文字、钱币纹的联璧图案更直观形象地表达了墓主人希望后代子孙富贵安康、财源广进的良好愿望。

另一方面,由于玉璧(环)和菱形所象征的龙形象都具有辟除不祥、驱魔逐疫的神奇力量,所以菱形连(穿)环和菱形套连图案又成为汉画墓中镇守墓室、驱逐邪恶的"辟邪图符"。

我们再来看一下这些几何图案在墓室中所处的位置:多数出现在墓门处,有的分布在墓室顶部或主室门楣和立柱上。在早期的南阳汉画像石墓中,墓门画像多是只刻一些简单的楼阁图案和几何图案。如南阳赵寨汉画墓的八扇门扉均刻画楼阁和四方连续菱形连环图案,五个门柱皆刻门阙、菱形图案,并有彩绘痕迹③。唐河湖阳汉墓墓门的门楣、门柱和门扉上都是菱形图案④。随着墓葬形制的发展,墓门画像内容更为丰富,但菱形连(穿)环和菱形套连图案仍然经常与其他辟邪祥瑞之兽一起出现。如唐河针织厂2号汉墓⑤,墓门门楣是由一块长石凿成,画面皆朱涂,分上下两部分,上为逐疫辟邪,下为菱形穿环和菱形套连图案。通常,汉画墓的墓主人为了平安羽化升仙,防止阴间鬼蜮作祟,常常会在墓门处雕刻白虎、朱雀、铺首、怪兽等,以御凶辟邪、求祥升仙。那么,与这些祥禽瑞兽一起出现的菱形和连(穿)环图案,即符号化的蛇身形象和玉璧(环)也同样应具有镇守墓门、逐疫辟邪的功能。

---

①② 高文:《四川汉代画像砖》,上海人民美术出版社,1987年版,图版二四五、二四六、二〇〇、二七七、二八五、二八七。
③④⑤ 韩玉祥、李陈广:《南阳汉代画像石墓》,河南美术出版社1998年版,第41页、第42页、第118页。

四

然而,"随着岁月的流逝、时代的变迁,这种原来是'有意味的形式'却因其重复的仿制而日益沦为失去这意味的形式,变为规范化的一般形式美。从而这种特定的审美感情也逐渐变而为一般的形式感。于是,这些几何纹饰又确乎成了各种装饰美、形式美的样板和标本了。"①

也许在两汉、甚至更早的时期,菱形连(穿)环和菱形套连图案的原始图腾含义就已经逐渐隐秘、晦暗了,只剩下一些模糊、混沌的东西在隐隐地影响着汉代人的感受。在内心深处,他们朦胧地意识到了这种几何造型所包含着的深刻寓意,并根据自己的想像、要求、愿望又赋予了几何图案新的内容,使之成为"吉祥辟邪"的符号标记,从而在墓室中大量频繁地使用这种装饰图案。并且由于表现出对称、连续、重叠、统一、变化等等灵活多变、朴实大方的特点,这种几何图案在审美效果上也成为汉代人装饰墓室的理想纹饰。

所谓"美在形式而不仅是形式"②,汉画中的菱形连(穿)环和菱形套连图案所表现出的不是一般的形式美,而是有意味的形式,是积淀、浓缩了汉代社会思想和汉代人炽烈情感的社会化形式。

---

① 李泽厚:《美的历程》,广西师范大学出版社2000年版,第39页。
② 李泽厚:《美的历程》,广西师范大学出版社2000年版,第38页。

试析南阳汉画中的祥瑞图像

曾宪波　郭瑞华

在南阳汉代画像石、画像砖等汉代文物中有许多反映祥瑞内容的画像,笔者结合文献,对汉画中的祥瑞图像进行分析探究。错漏之处恳请专家学者予以指正。

一

南阳汉画中的朱雀、龙、白虎、麒麟、鹤、羊、鹿、鱼、龟、不死树等画像都寄托着汉代人的祥瑞思想。何为祥瑞?祥:吉祥,《说文》曰:"祥,福也。一云善也。"段玉裁注:"凡统言则灾亦谓之不祥,析言则善者谓之祥。"征兆有时也可谓之祥。瑞,《说文》曰:"瑞,以玉为信也。"段玉裁注云:"典瑞,掌瑞,玉器之藏。"又注云:"瑞,符信也。"瑞为圭璋琮璧之总称,引申为祥瑞者,亦谓感召若符节也。《论衡·指瑞》载曰:"异物见则谓之瑞。"古代人认为,如果帝王修德,时代清平,上天就会降下祥瑞来感应。从殷商的甲骨卜辞到春秋战国时期成书的《礼记》、《山海经》,再到汉代的《春秋繁露》、《淮南子》、《史记》、《汉书》、《后汉书》等书都有关于祥瑞的记述。如《礼记》载云:"国之将兴,必有祯祥。""天降甘露,地出醴泉,山出器车,河出马图,凤凰麒麟,皆在郊薮;龟龙在宫诏。"这一"必有祯祥"与"天下和"的瑞应吉祥意识到西汉武帝时被儒学大师董仲舒纳入

"儒术"之中,成为"天人感应"思想的组成部分,在汉代的意识形态领域中居于重要地位。汉朝大臣中有一些人也以祥瑞灾异作为谏阻暴虐,议论朝政得失,奉迎取宠的手段。如董仲舒在《春秋繁露·王道》篇中讲道:"王正则元气和顺,风雨时,景星见,黄龙下。王不正则上变天,贼气并见。""三皇五帝之治时,天为之下甘露,朱草生,醴泉出,风雨时,嘉禾兴,凤凰麒麟游于郊。""桀纣之时,日为之食,星陨如雨,雨螽沙鹿崩,夏大雨水,冬大雨雪,陨石于宋五,六鹢退飞。"可见,吉祥的就是瑞应,不祥的就是灾异。

从西汉后期到东汉末年,谶纬迷信思想盛行。当时的人们祈福禳灾,规避邪祟,追求祥瑞。这一时期正是汉代画像石墓、画像砖墓兴盛的时期,南阳是汉代画像石、砖的主要发现地区之一,所以在南阳出土的汉画像石、砖上有不少表现祥瑞思想的图像。

二、南阳汉画中常见的祥瑞画

(一)凤凰,又称朱雀或鸾鸟,是南阳汉画中较为多见的祥瑞之物。汉画中的凤凰,有的展翅欲飞,有的亭亭玉立,有的静栖阁顶,有的引颈长鸣,它们被汉代工匠们刻画得既雍容华贵又伟岸英武,给人以洒脱俊逸,卓尔不凡之感。凤凰在古代被尊为鸟中之王,它在自然界的原型是孔雀。《山海经·南山经》载曰:"丹穴之山,其上多金玉,丹水出焉,而南流注入渤海。有鸟焉,其状如鸡,五采而文,名曰凤凰,首文曰德,翼文曰义,背文曰礼,膺文曰仁,腹文曰信,是鸟也,饮食自然,自歌自舞,见则天下安宁。"屈原在《楚辞》中说:"独不鸾鸟,不高翔,大皇之野,循四极而周徊,见盛德而后下。"这更印证了凤凰的祥瑞功用。《汉书》、《后汉书》多次记载郡国上报发现凤凰。汉昭帝、汉宣帝以见凤凰而改元为"五凤"、"元凤"。南阳汉画中还有众多的多头凤,其中有三头凤、五头凤,甚至七头凤,它们是图腾遗痕尤为鲜明的祥瑞凤凰。

（二）鹤，为祥瑞仙物，是西王母飞翔到霞烟之际的理想坐骑。南阳汉画中"双鹤"图刻画了两只对称引颈交啄，展翅飞翔的仙鹤①。还有的汉画图像把鹤刻于建筑物顶的左右上方。鹤象征吉祥与长寿。人们把天然生成的白石，随形巧取其名为"石鹤"，以寄托对仙鹤降世的期待。汉朝及后世人们讲到"鹤年"、"鹤发"，认定鹤为长寿的象征。人们把伴鹤而归，或与白鹤生活在一起，视为人生的一大乐趣与享受。可见，在汉代人的心目中，鹤是一种长寿吉祥的飞禽，是吉祥之物。

（三）龙，南阳汉画中龙的图像很多，据不完全统计，汉画像石中刻画的龙有一百多幅，汉画像砖中有十多幅。汉画中的龙形态各异，动感较强，或二龙穿璧，或龙虎相戏，或仙人骑龙饵龙。不同形象的龙可概括为祥瑞类、升仙类、神话类等。许慎在《说文解字》中说"龙，麟虫之长，能幽能明，能短能长，春分而登天，秋分而潜渊。"

青龙被汉代人看做守护东方的神灵。《论衡》云："宅中主神十二焉，青龙白虎列十二位，龙虎猛神，天之正鬼也。"青龙常出现在南阳汉画像石墓的墓门之上，驱邪逐恶，辟除不祥，以求吉祥。南阳汉画中有些龙②，根据其头部和口部牙齿的特征，我们推测这些龙的这些部位很可能就是鳄鱼的前半身。

（四）麒麟，是我国古代含仁怀义的祥瑞神兽，为中央土神。其雄者为麒，雌者为麟。南阳汉画中刻画的麒麟较少③。《诗疏》描述道："（麒麟）瑞兽也，麋身牛尾，马足圆蹄，一角，角端有肉。"

---

① 闪修山、王儒林、李陈广：《南阳汉画像石》，河南美术出版社，1989年版，191页。
② 王建中、闪修山：《南阳两汉画像石》，文物出版社，1990年版。图238、239、240。
③ 《南阳汉代画像石》，文物出版社，1985年版，图版11。

《薄端翟樊辩物篇》云:"(麟)麇身一角,圆顶牛尾。含仁怀义,音中律吕,行步中规,折还中矩,择土而践,位平然后处,不群居,不旅行,纷前其有质文也,幽闲则循循如也,动则有容仪。"由汉画结合古文献记载可知,麒麟是由多种动物的局部结合而成的瑞兽。汉代人认为麒麟与龙、凤、龟为"四灵",而且推崇麒麟为"兽之仁者圣者",是中国绝无仅有的吉祥神兽,常伴随明主圣王和太平盛世而出现。

（五）虎,在南阳汉画中出现很多。有的虎与铺首衔环同刻于汉墓墓门扉石上,意寓辟邪食鬼。汉代人把白虎列为十二主神之一。《后汉书·礼仪》载道:"画虎于门,当食鬼也。"

（六）鹿,在汉代为长寿的仙兽。《抱朴子》曰:"鹿寿千岁,满五百岁则其色白。"《述异记》云:"鹿一千年为苍鹿,又五百年化为白鹿,又五百年化为玄鹿。"南阳汉画"鹿车升仙图"①内容为:图中刻一车,车下有云气承托,车舆内乘一尊者,一驭者。尊者持节,驭者挽缰扬鞭,车前有二只仙鹿曳车、车后有一只仙鹿追随,二羽人持芝草并行,其间云雾缭绕,仙鹿穿云破雾。在汉代铜镜中,鹿有时与寿星等组成画面,鹿与"禄"谐音,表达了福气和俸禄的寓意,体现了汉代人祝寿祈福的吉祥观念。

（七）羊,在南阳汉代画像石、画像砖中多有其画像。刘熙《释名·释羊》云:"羊,祥也,祥兽也。"羊在古代寓意吉祥,古时吉祥多写为吉羊。

（八）鱼,在古代是人们的一种主要食物。由古代文物铭文中"年年有余(鱼)",可知鱼也是一种吉祥之物。在南阳汉画像石中,鱼的形象多与其他动物在一起,有的甚至离开了鱼赖以游弋的水,既有鱼与龙虎在一起,又有拉河伯车出行之鱼。

---

① 王建中,闪修山:《南阳两汉画像石》,文物出版社,1990年版,图179、184。

（九）玄武，在南阳汉画中多表现为龟蛇交体，为古代四神之一，主宰北方。《后汉书·王梁传》云："玄武，水神之名。"李贤注："玄武，北方之神，龟蛇合体。"瑞应书以龟为祥瑞，据说，尧时龟曾负书授尧，黄帝时亦有玄龟衔符出水置坛而去。古人认为神龟来自天上，知凶吉灾异，为人与神沟通的媒介，所以商朝时人们以龟甲占卜，并留给后世甲骨文。

（十）大螺，也是汉画祥瑞之物。"大螺·应龙·仙人"汉画像石出土于南阳市东关魁星楼附近。其内容为：左刻一大螺，螺体旋作三匝，螺首与应龙相吸，右刻一仙人。《拾遗名山记》载云："有大螺……明王出世则浮于海际焉。"

（十一）不死树，南阳汉画中多见长青树。这不是一般的长青的松柏，而是一种祥瑞植物。《山海经·海内南经》云："有员丘山，上有不死树，食之乃寿；亦有赤泉，饮之不老。"不死树，又名甘木，寿木。《吕氏春秋·木味》云："菜之美者，昆仑之苹，寿木之华。"高诱注："寿木，昆仑山上之木也；华，实也；食其实不死，故曰寿木。"这些文献记载指的都是不死树。

（十二）灵芝，是一种瑞草，南阳汉画中多由羽人或仙人手持，服之据说有使人容颜不老和起死回生的作用。《论衡》云："芝草延年，仙草所食。"芝草在汉画中的多次出现，表达了墓主人向往升入仙界的愿望。

（十三）祥云，南阳汉画像石的天文神话和祥瑞升仙类汉画像石之上，常刻祥云装饰。汉代人视祥云为祥瑞之物，以云的气状表示吉祥。《汉书·天文志》云："若烟非烟，若云非云，郁郁纷纷，萧索轮囷，是谓庆云，喜气也。"《瑞应图》曰："景云者，太平之应也，一曰庆云。"景云、庆云即是祥云。

三

通过以上对南阳汉画中众多祥瑞图像的探析可知,祥瑞思想是汉代思想领域的一个组成部分,汉代先民希望借此来辟邪祈福,其吉祥意识相当浓厚。探析汉画中的祥瑞画,对于我们研究汉代的吉祥文化,继承和弘扬民族传统吉祥文化大有帮助。

汉代四灵图像的构图分析

黄佩贤

前　　言

　　从字面意思去解释,四灵(sìlíng)一词指"四种神圣的生物",即一套四个以动物形态出现的神明。在中国,从新石器时代开始,动物的形态和图像已被广泛地运用于祭祀、生活和艺术表现等各方面。动物的图案经常被用作墓穴的装饰,因为中国人认为所有动物的自然状态皆拥有影响物界和灵界的超自然能量,所以能较易与另一世界接触,并在已死者的灵魂通往新棲息处的危险路途时为它们提供帮助①。

　　四灵的组合有两个不同的版本。其中一组来自《礼记》。《礼记·礼运》云:"四灵以为畜,故饮食有由也。何谓四灵？麟凤龟龙。"这组四灵一直被视为祥瑞的动物。另一组四灵,即青龙或苍龙代表东方,白虎代表西方,朱雀、朱鸟或赤鸟代表南方,玄武代表北方。《淮南子·天文训》(c. 140－139B. C.)和《史记·天官书》

---

① Paludan 柏鲁顿,*The Chinese Spirit Road* 中国的神道,*the Classical Tradition of Stone Statuary* 传统石雕,New Haven:Yale University Press 耶鲁大学出版社,1991年,9页。

(c. 90 B. C.)都清楚明述这组四灵是它们东西南北四个主要方位的代表。这篇论文中研究的四灵是第二类。汉朝以来,这一套四个动物神明便不断地出现在不同用途、不同形式、不同大小的器物上,这些器物包括礼制性建筑或墓葬建筑构件、生活用物和殉葬用的"明器"。当设计者把这一套四个动物图像配置在器物上时,它们的方位意义是最重要的考虑因素;但设计者也会因应各种器物的形制和构图的要求而稍为改动四灵的图像的编排。

(1) 平面上的四灵图像

(i) 墓穴装饰的平面例子

四灵是墓穴建筑装饰中很常见的图案。它们会被绘画、模印或雕刻在墓表面的不同位置,例如门和墓顶天花。有趣的是,当四灵出现在墓穴的天花上时,各种的天体和星象的图案也会一同出现;当四灵被置于门的位置时,它们会依照特定的规则排列以配合门中央的铺首含环。

陕西西安的交通大学壁画墓于西汉晚年兴建,拱形墓顶彩绘有四灵跟其他天上瑞兽、灵鸟和星象图案,包括鲜红的太阳与乌鸦、白色的月亮与野兔、飞鹤与飞鸟及很多彩色的云霞(图1.1,1.2)①。四灵被置于墓顶的四面以表示方位的意义,它们与其他灵兽和星象图案同时显示出这拱形的墓顶已被转化成整个宇宙系统的缩影。河南唐河纺织厂画像墓北主室和南主室共十二块盖顶石板上,都刻了丰富的图案(图2.1)。四灵按其方位分置于北主室顶六块石板中其中一块的四边,而它们也是这块石板上的惟一纹饰(图2.2)②。北主室顶其余的五块石板分别刻有多幅连环图

---

① 《考古》1990年4期,57—63页,封面图版3.1—3.4;陕西省考古研究所、西安交通大学编:《西安交通大学西汉壁画墓》,西安:西安交通大学出版社,1991年。

② 《文物》1973年6期,26—40页。

案、老虎与日中金乌、连璧图案、河神出行和龙图像。南主室顶的六块石板则分别刻有月中蟾蜍、北斗七星、翼星等天象体图案。明显可见,宇宙星象是这墓顶刻石的主题。河南省南阳麒麟岗汉画像石墓前室顶上有一幅由九块长方形石板砌成的图画(图3)。四灵依其所属方位分别刻在这图画的四边,围着一个正面坐着的人像,研究者认为他就是太乙①。右方青龙旁是伏羲手托太阳和北斗七星的图案,左方白虎旁是女娲手托月亮和南斗六星。四灵及其他天上神明和星座显示出整幅图画所表现的是宇宙星空的情景。中央坐像四周的四灵图像反映了他们在天空中的方位意义。

墓门基本上是由门楣、两门柱和一对门扇组成的。在门扇的中央,常常会配置或描绘有铺首含环的图像。设计者把四灵的图案编排到墓门上时,需要配合墓门这个特别的形制。

河南汤阴县宜沟乡出土了一套三块长方形画像石,它们应该是一个汉代画像石墓的墓门楣和两门扇(图4)②。门楣的中央,有一对正在对峙的青龙和白虎图像。右边门扇铺首含环上有朱雀,而左边门扇铺首含环上的图像则看不清楚,像是被刻意刮除。这被除去的图像应该是另一种适宜放在左上门扇的朱雀。在陕北一带,发现大量彩绘画像石墓门③。在这些陕北墓门上,四灵中只有朱雀被刻绘于门扇的上方(图5.1,5.2,5.3)。爬行的玄武代表北方,属阴,比较适合放在门扇下方或门柱的底部,与上方代表南

---

① 《中国文物报》1992年9月6日。
② 《考古》1994年4期,379—381页。
③ 参考陕西省博物馆、陕西省文管会编:《陕北东汉画像石刻选集》,北京:文物出版社,1958年,图版15&16,34&35,38&39,54,57&58,62—65,68&69。

方并且属阳的朱雀相对(图 5.3)①。四灵中惟一不曾出现在墓门上方的便是玄武。在这些陕北墓门上,青龙和白虎的图像通常会分别刻绘于两门扇的中部或下部,例如两门扇中央的两铺首含环的环里(图 5.1)、或两铺首含环之下即门扇的最下方(图 5.2,5.3)。但在其它地方出土的墓门上,青龙和白虎的所处位置的选择有较大弹性。但可以注意的是,青龙和白虎分属东与西、阳与阴,大多数是同时出现,但被置于两个有关但相反的位置。例如在之前述及汤阴县宜沟乡的例子上,它们一起出现于门楣上,但分列左右两方,呈对峙姿态;又例如,在安徽省亳县董园村二号墓中,龙与虎的图像被分别刻于左右石门扇的边柱上②。

总括来说,为了要配合墓门特别的形制和要求,墓门上的四灵图像也需要经过特别的编排。墓门扇通常都会分为三部分:中央的位置留给铺首含环,顶部和底部会刻录各种的图案。惯常的造法是在一对门扇的上方放一对朱雀,而门扇下方则是动物或人物的图像。玄武从不会被放在墓门的上方,只会在门扇或门柱的下方出现。青龙和白虎一般以左右一对的形式出现在墓门的不同位置。

出土于汉武帝(公元前 140－87 年在位)茂陵瓦碴沟的青玉铺首上,四灵被刻置于中央巨型兽面图像的周围(图 6)③。从观者的角度看,玉铺首的右边完全被蜿蜒的青龙图像占据,而左边的白虎的图像相对短小,只占据了左边长约三分之二的位置。兽面的

---

① 见前注,也可参考《文物》1973 年 6 期,30 页,中华五千年文物集刊编辑委员会:《中华五千年文物集刊－汉画像传》,台北:1980 年,89 页;《考古》1986 年 1 期,82－84 页;1987 年 11 期,997－1001 页,1990 年 2 期,176－179 页。
② 《文物》1978 年 8 期,35－36 页。
③ 《文物》1976 年 7 期,51－55 页。

右门楣上刻了一只朱雀,左下角是玄武,以龟代表,龟的口里含着一条蛇。就图像位置的分配而言,细小的玄武图案最适宜放在白虎的左下方,而且罕有地以一口中含着蛇的龟来表现玄武形象是为了构图上的平衡。又由于面部雕像的左面部分被青龙的尾巴占据,于是设计者特意把蛇放在兽面的右方,以求构图上的左右平衡。青龙和白虎图像如常地分置东西两方,虽然朱雀和玄武没有被放置于上下方的正中央的南北位置,不过他们仍是分置上下,并且斜斜相对:朱雀在门楣的右上方而玄武在门楣的左上方。我认为由于四神纹玉铺首中央部分的上下方位空间不足,加上中央的兽面雕像才是器物的主题,朱雀和玄武因此没有被放置于正南北的方位;但值得注意的是,四灵位置的编排虽然因应构图的需要做出了相应的调整,朱雀和玄武斜斜相对,仍然保留和反映了南北两个相反方向的方位意义。

(ii) 平面的器物

上海博物馆的收藏品之中,有一块细小的四灵玉牌饰,其上透雕了简练精巧的四灵图案(图 7)①。玉牌饰的中央部分雕成一鱼形平台,把器物表面分成上下两部分:刻于上方的是双翼伸展的朱雀;下方是玄武,它是以一被蛇缠绕着的龟形象出现的。右边的青龙和左边的白虎垂直地刻在较短的两边,而两根直立的柱子把它们和朱雀、玄武分开。玉牌饰是双面的,两面的图案完全一样,两面的柱子上也有相同的题字:"延寿万年长宜子孙"。四灵是这块玉牌饰的主题图案,他们所代表的方向亦能清晰地表达。鱼形平台的作用是把朱雀和玄武的图案分隔开来,而那两个题了字的直柱可帮助定下青龙和白虎在两边的位置。这个例子中的四灵图像方位清晰,构图简洁平衡,具有高度的艺术成就。如果我们拿这个玉牌饰跟汉武帝茂陵瓦碴沟出土的大型玉铺首做比较,便会发现:

---

① 卢兆荫:《中国玉器全集 4:秦汉—南北朝》,河北,1993 年,233 页。

玉铺首的主题是中央的兽面纹,所以图像位置编排上要以兽面图案为先,四灵只是陪衬,所以当空间不足时,位置上需要做出适当的调整;而这块细小的玉牌饰的主题就是四灵,位置编排要以四灵四个动物图像为先,为了要准确交待四灵的方位,更利用了一鱼形平台和两柱子。玉牌饰上精致的题字也反映出:在汉朝的时候,四灵除了表达方向之外,也可能有长寿的意思。

在三个非常相似的青铜带钩上,出现了四灵围绕着一个武士的镂空图像(图 8.1,8.2,8.3)①。在一块出自四川巫山淀粉厂东汉墓的方形铜牌饰上,也同样铸有四灵围绕着一个武士的镂空图像(图 9)②。这些在中央的武士图像很可能是保护和指引墓穴和墓穴主人的力量强大的神。

(2) 立体的四灵图像

(i) 墓穴装饰和地面建设的立体例子

立体的四灵图像可以在墓穴中个别的支柱上找到。山东沂南北寨村东汉画像石墓中,发现了两组在立体建筑构建上的完整四灵图像。其中一组围绕在前室的半球形柱基上(图 10.1,10.2)。四灵依他们代表的方向,精致地刻在半球形的表面;方形底座的四边也刻有螺肇形的云彩图案③。另一组刻在中室近门口的一条石柱的其中三面(图 10.3)。朱雀和玄武同时刻在柱子的正面,朱雀在上、玄武在下。朱雀面向前,它美丽的羽冠由三扇长羽毛组成;玄武的形象特别,龟身被一长而有鳞的蛇缠绕着,像人般站立着。

---

① 这三件青铜带钩,其中一件出土于河北石家庄市东岗头村(图 8.1),见《考古》1960 年 12 期,656 页;另一件来自出版资料(图 8.2),见京都:The Toho Gakuho 东方学报,46 期,223—306 页;还有一件收藏于英国伦敦大英博物馆(图 8)。

② 《四川文物》1990 年 6 期,3—11 页及图版 3。

③ 曾昭燏等编:《沂南古画像石墓发掘报告》,北京:文物出版社,1956 年,拓片图版 27—30。

它们中间还有一站立的武装半人兽动物。长蛇般的青龙和白虎图案则分别刻在柱子的东西两面①。

石阙上四灵图案的例子大部分来自四川。在四川渠县新民乡沈家湾的一双保存完整并刻有题字的石阙上,发现了青龙、白虎和朱雀图案。青龙和白虎分别刻于西阙的内侧和东阙的外侧,它们的形象和姿态都很相像:蛇般的身躯从其上的玉璧垂吊下来(图11.1)。两双拥有长长羽冠和羽尾的朱雀分别刻于东西两阙楼正面上方,互相对望(图11.2)②。这是四川渠县石阙上四灵图案的典型布置、形象和风格。四灵之中,玄武较少在石阙上出现。不过,在渠县新兴乡赵家村第一石阙(图12)和第二石阙(图13)上出现的龟蛇合体玄武图像③,显示了玄武的位置应是在石阙的正下方。这样的组合,跟上面提及过的山东沂南北寨村画像石墓中石柱上的四灵图像的配置是完全一致的。

(ii) 立体的器物

汉武帝茂陵瓦碴沟出土了一对青铜铜炉(图14.1),炉身上方铸有镂空的连续四灵纹饰(图14.2)。近似的四灵铜炉除了出土于陕西西安④、马泉⑤、富平⑥、山西太原尖草坪⑦、浑源毕村⑧和

---

① 曾昭燏等编:《沂南古画像石墓发掘报告》,北京:文物出版社,1956年,拓片图版12—14。
② 闻宥:《四川汉代画像选集》,上海,1955年,图版1—4;徐文彬等编:《四川汉代石阙》,北京,1992年,128—133页。
③ 徐文彬等编:《四川汉代石阙》,128—133页,142—147。
④ 《文博》1991年4期,3—18页;《考古与文物》1997年6期,封面。
⑤ 《考古》1979年2期,125—135页及图5.7。
⑥ 《文物天地》1996年2期,25页。
⑦ 《考古》1985年6期,527—529页及图6。
⑧ 《文物》1980年6期,42—51页及图版1。

平朔①等地外,更收藏于多个中国及海外的博物馆中②。如前所述,当四灵的图案一同显示在一件或一组艺术品上时,由于空间与方向的限制及平衡构图的需要,个别的图案可能需要特别的编排和改动。我认为这批青铜铜炉上四灵图像及其位置最能够帮助我们去了解这个现象。

铜炉上显示了鸟瞰的玄武图案。玄武头部微微弯曲躺在自己的壳上,脚从甲壳伸展出来。它的背壳是圆形的,整个表面也有回转的长方形图案点缀。铜炉上也有蛇的图像,但它并不是与龟结合成玄武,而是在铜炉另一边,独立地出现于白虎和朱雀中间。玄武的左边是白虎。它以侧面的形象出现,前脚放在一起,头和身体左向。它的身体上有条纹的图案,尾巴向上,指向头部的相反方向。白虎的左边是朱雀。刻于白虎和朱雀的中央的蛇图案头向右方,对着白虎的尾巴。它长长的身体从长方形的中上方伸展至左下方,然后再弯向上,一直伸展到朱雀处。朱雀也是以侧面的形象出现,脸、眼睛和口部的线条简单明快。它的头和身体向左边,头部向后弯,头向外望向观者,羽尾与蛇的尾部重叠。它可爱的模样,弯曲的头部,聚合的双脚,小心翼翼的站姿,使图案本身传递出一种稚拙美。朱雀的左边是青龙。青龙像与隔壁的朱雀像和对面的白虎像一样,以侧面形象出现,也同时都是头向左边。青龙有圆形的眼睛和三角形的耳朵,头顶上有平衡线条做点缀。它张着口,提高了右前腿,强健又令人印象深刻。青龙的翅膀刻有几何的图

---

① 《文物天地》1996 年 2 期,25 页。
② 相似的四灵铜炉收藏于中国及海外的多个博物馆中,包括上海博物馆、台北国立故宫博物院、伦敦大英博物馆、巴黎圣努奇美术馆、芝加哥美术学院、纽约大都会美术馆、纽约布克林美术馆、东京艺术大学、东京市立美术馆、大阪府和泉市久保纪念美术馆等,据笔者初步统计,这种存世的四灵铜炉不少于三十件。

案,平衡线中饰满垂直的圆点。它的尾巴及地,翅膀伸展出两个螺旋形的图案。

朱雀的形象一般以豪华的羽冠和长长的羽尾为标记,但是为了配合铜炉长椭圆形的器形,铜炉一方的朱雀图案被刻意挤成正方形。由于空间的限制,铜炉上朱雀的尾巴被缩短,因此其形象与普通的雀鸟无异。它被认为是代表南方的朱雀只是因为它与四灵中的其他三个图像一起出现。由此可见图像的形态会因应器物的空间和形制做出适度的调整。龟和蛇分开也是为整体的构图着想。蛇图案的出现,除了因为它是玄武的一部分之外,无法令人联想到其他特别的意义。玄武图像跟朱雀图像一样,被安排于长椭圆形铜炉较短一方的正方形平面上。朱雀图案已因空间不足舍弃了较长的羽尾标记,而玄武所处的小小的正方形位置大部分被龟身的图形霸占,没有多余的空间,于是设计师考虑把蛇图案分拆出来往铜炉上的另一个位置放。与较复杂的长体有翼青龙图案比较,对面相对简单的白虎图案旁有剩余空间,最适合放置分拆出来的蛇图案。

出土于江苏扬州胡场第十四号汉墓的西汉四灵漆面罩是另一个值得讨论的立体四灵例子(图 15.1,15.2)①。那盒状的面罩由四块漆绘木板嵌成,用以覆盖死者的整个头部。四灵和云彩的图案依据他们代表的方向绘于四块板的内部:青龙在右,白虎在左,朱雀在上,玄武在下。这样编排四灵的位置,既能清楚交待它们的方位意义②,又能配合器形左、右、上、下四块嵌板的独特结构,可算非常成功。四灵与云彩的设计也使人联想到漆面罩的内部已被转化成天空宇宙的缩影,而四灵的作用是从四方保护死者的身体和灵魂。

---

① 《中国文物报》1997 年 11 月 23 日。
② 《礼记·曲礼》:"前朱雀而后玄武,左青龙而右白虎。"

四川出土的大量东汉石棺上,四灵图案十分常见,他们并且通常被置于石棺的四边。例如,简阳县鬼头山的石棺便刻有构图复杂的四灵与其他传说中的神明瑞兽、建筑、动物和植物图像①。四灵的图像被编排在鬼头山石棺的四面,朱雀是前档上惟一的纹饰,玄武、青龙和白虎图案按所属方位与其他图案分别刻于石棺的三面(图16.1,16.2,16.3)。最值得注意的是,这个石棺上包括四灵在内的十五组图案旁边都刻有题字,用以清楚注明每组图案的名称②。

泸州洞宾亭出土的一个石棺上的四灵图案的编排是与别处不同的。石棺的左墙有青龙,右墙有白虎、两只鸟和一条鱼(图17.1)③,但朱雀和玄武并不是分别置于前档或后档,而是与玉璧图案、一对鸟、一双石阙、西王母和一个可能是东王公(图17.2)的图像一起被置于前档。在石棺前档上,朱雀在上方、玄武在下、西王母和那个可能是东王公的图像分置左右两方,这个独特的安排,令东、西、南、北四个主要方位得以在前档平面上同时显示。又,从整体角度而言,石棺左墙的青龙、右墙的白虎、前档上下方的朱雀和玄武也可清楚显示四个主要方位,这跟上面曾述及的山东沂南北寨村画像石墓中石柱和四川渠县石阙的四灵图像的编排方法很相似。

在几个四川的东汉石棺上,只刻画了四灵中三个动物图像,欠缺朱雀或玄武。例如,乐山县九峰乡出土的一个石棺上,只有青龙、白虎和朱雀的图像,没有玄武④;而在富顺县出土的一个石棺与芦山县沫东乡出土的王晖石棺上,则只有青龙、白虎和玄武图

---

①② 《四川文物》1990年6期,3—11页及图版。
③ 《四川文物》1988年3期,18页。
④ 高文、高成刚著:《中国画像石棺艺术》,山西人民出版社,1997年,87—88页。

像,没有朱雀①。尽管欠缺了朱雀或玄武,这些石棺上的三灵,还是依照他们所属的方位被安排于石棺的三个档面上。

结　　论

　　设计者把四灵的图案编排到一个平面或一件立体物件上时,为配合器物的特别形制,四灵图像也需要经过特别的编排。在平面的例子上,空间限制较大,为了清楚表示四灵的方位意义,它总是被置于平面上的四边或四个角落。平面上四灵的图案多数会是围绕着一个或一组中心主题,但有时它们也会是作品的惟一图案。在立体的例子上,四灵图案的编排有更广阔的空间位置可供选择。不过,在立体器物上编排四灵图像的位置时,还是有一定原则的:首先,四灵的方位意义是最主要的考虑因素;再者,四灵图像的配置,需要考虑到观赏器物者的角度,并且要与所处器物的作用、形制和器物上的其他图案纹饰等各方面配合。

(附图见插页)

---

① 高文、高成刚著:《中国画像石棺艺术》,山西人民出版社,1997年,40—41页。

简析汉画像石刻的视觉构成

孙保瑞

每当我们见到汉画像石刻,就会被它那深沉雄大、粗犷豪迈的绘画风格所吸引。与同时期的其他画种相比,如帛画、漆画和青铜器上的雕刻,汉画像石刻造型简练,概括力极强,以独特的视觉效果发挥着审美效应,震撼着人们。它不仅在内容上主题突出、易懂。而且制作形式成功地运用了凸凹不平的点、线、面构成,并和色彩有机组合。这种组合在光线的照耀下,呈现出强烈的体积感和明暗调子。可以说,汉画像石刻以它特有的表现语言,进行完美的视觉构成表达。下面从三个方面进行简析。

一、明暗调子对汉画像石刻的影响

明暗调子有白、灰、明暗交界线、反光、投影等五个层次组成。它是西方在文艺复兴时期完成的绘画体系。其特点是在平面上对物体的光与影所进行的表现,使物体在平面上出现三度空间。完成的作品具有立体感和空间深度。

汉画像石刻的构成要素是多方面的,在它绘画、雕刻、施彩的同时,画师们成功地借用光线,使画面产生了雄壮质朴的浑厚效果,使一幅幅生动的形象跃出画面。这种效果的出现,实质上就是明暗调子所产生的作用。

汉画像石神秘之处是它并没有停留在单纯的线刻造型上。汉代画师们发现了光影对物体所产生的立体效果，但他们并没有在平面上描绘形体的明暗关系，而是采取了在石面上凿去画面以外的空白，留出形体，借用光线，客观地使画面形成深浅不同明暗调子，在视觉上产生立体效果。完成的石刻作品会因光线角度的移动而发生不同变化。若放在直射光线、特别是医用无影灯的直射下，汉画像石刻会显得苍白无力，分辨不清形体。这是由于无影灯把石刻原本属于暗部的深凹结构及石刻中浮起的点、线、面形体的侧面都照亮了，画面就苍白无力，也就失去了明暗调子，造成视觉模糊。若采用上侧射光线，接近自然光源，画面会显得生动活泼、自然，视觉效果最好。若把光线放在石刻下面向上射，会使人产生阴森、恐慌、恐怖可怕的感觉，从而使人们对汉画像石刻感到神秘莫测。

如果说西方绘画体系中的明暗调子是在平面上表现形体的光影，那么汉画像石刻的制作体系则是通过凸凹形体结构利用光影进行表现。他们的表现过程尽管不同，但他们最终的目的都是让画面出现立体感、产生厚重逼真的效果，满足人们的视觉需求。

汉画像石刻这种独特的表现语言，是与汉代哲学思想和文化背景有着必然联系的。

在汉代，"阴"、"阳"两个基本哲学范畴，受到较高的推崇。汉代思想家扬雄著《太玄经》第九篇称："日动而东，天动而西，天日错行，阴阳更巡，生死相樛，万物乃缠。"就是通过大自然的明暗变化这种对立统一的辩证关系，揭示世界万物运动变化过程。从光的角度讲，"阳"具有"明"的含义，"阴"具有"暗"的含义，阴阳一词和明暗一词意义相同，只是一个是哲学名词，一个是绘画名词。并且在内容上有不同的延伸。

既然把阴阳一词推向哲学高度，说明汉代人对明暗光影也是有深入研究的。汉代著名科学家、画家张衡所著的《冢赋》描述了建冢墓的过程。其中"直之以绳,正之以日",说明以墨线垂直墙体,用日光影子纠正方位。另外,光影用于时间、天文、地理、建筑等诸方面的资料较多。在这样背景下产生的汉画像石刻绘制形式,在运用光影方面,无疑是积极、主动的。特别在"日动而东,天动而西"的光线变化下,汉画像石刻画面会出现一日多变的效果。

汉画像石刻的绘图特点,主要是由点、线、面及色彩组合而成。汉画像石刻的线分凸面线和凹面线,线的起止过程苍劲有力,概括性极强。它以石为底,以刀代笔,大胆地展示线的魄力,"寓刚健于婀娜之中,行劲遒于婉媚之内"。以南阳方城东关汉墓墓门上的朱雀画像石刻为例,最长的线条从朱雀的嘴部起笔至尾部结束,线的长度将近一米,没有断迹,干脆利落,一气呵成,创作技术之高令人惊叹。南阳市麒麟岗汉墓发掘出汉画像石刻155幅,画幅之多,为南阳区汉画像石刻之首。此墓葬营造规格较高,画像石刻的水平也很高,《南阳汉代画像石墓》里面的图35、图36、图37、图38画幅都是全身人物肖像特写,画中运用阴线条,人体比例准确,头、肩、腰和各关节结构到位。每个动态自然生动,形象逼真。特别是线在人体结构和衣纹表现上,笔笔到位,用线疏密聚散,错落有致,各关节处衣纹的起伏翻转,尽在章法,极尽表现。这些章法在现代绘画教学中,也经常使用。几幅画明显出自一人之手,这位画师在当时肯定是很有名气,可惜没有留下姓名。这些石刻有力地说明汉代绘画的高超水平,也从另一方面说明,地位较高的墓主人请技术较高的画师装饰墓室,在汉代雕刻工匠群体中,也分高低层次的。

汉画像石刻的面是通过挖凿形体周边而衬托出的浅浮和高浮平面。面在传统绘画中最难表现,面是绘画过程中体现大的体积部分,结构线对它穿插较少。特别是汉画像石刻,它的特点是简练、概括,大面积的块面经常出现,更容易造成画面的"空洞"、"平淡"、"死板"。汉代画师在这一问题上成功地运用肌理,画面布满了凿迹。这些凿迹的目的性很强,既解决了"空洞"、"平淡"、"死板"问题,又增强、烘托了画面效果,为表现画面主题,突出气氛,极尽渲染。在南阳沙岗店汉墓出土的投壶图石刻,画中刻一壶、壶旁放一酒杯,上置一勺;左右各坐一人,手中执矢,全神贯注地准备将矢投入壶中;左侧一人身体胖大,低头呈醉状,旁边有一侍者搀扶。投壶是汉代饮酒活动之一,为了烘托醉酒场面,画面中把醉酒者头部形象夸大,形成头沉脚轻之感,同时充分运用肌理手法,大胆地将醉酒者的面部、身体等凸出的块面上雕凿出斑斑竖纹,增强醉酒人昏昏沉沉的视觉效果。

　　汉画像石刻的点是画中的一点小形体,如星象、杂技用的跳丸,还有被凸凹线分割开的形体局部。这些局部包括人物的头、手、脚甚至眼、鼻、嘴等,还有各种道具和挂件和其他结构。这些结构因过小而无法细刻,形成圆点。点与画面中"线"与"面"形成有机的组合,在石刻的局部中,疏密合理,错落有致。还有雕凿留下的各种纹路、斑点,它们使画面层次丰富,增强了画面的凝重感。

二、部分石刻充当汉画像石刻彩绘过程中的"制底"

　　制底也叫衬底,是在绘画过程中,在涂色前对画面底子所作的肌理处理工作。制底使用的材料和方法有很多种,其目的是丰富画面层次,完成一些绘画语言表现不出的效果。

　　虽然我们见到汉画像石刻的画面中充满了雕凿痕迹。但是,汉代人把石刻称之为"画",画是汉代人对彩绘汉画像石刻制作过程的总称。在山东省苍山县汉墓石刻题记中就用了"薄疏樗内,画观后当"和"其中画,像宗亲"。把墓室的石刻直接称为"画"。今天我们看到的石刻,并非是汉代人所表现的完整作品。在发掘出的一些汉画像石刻上面就有施彩。着色的方法主要以下几种:

(一)满幅平涂。河南唐河针织厂二号墓,墓门有一块长条石刻画,内容是逐疫升仙,凿成后,形象、背景全涂朱色。

　　(二)分层着色。南阳石桥汉墓斗兽图,两兽通体黄色,并在通体黄色的兽身上面用墨线画出豹纹。人物上衣施紫红,领口、衣襟、袖口饰一宽一窄黑线条装饰。

　　(三)色彩勾线。南阳唐河电厂汉墓,墓门西门两扇门均刻有白虎铺首衔环图。虎的耳、目、口、躯体、尾及铺首均用朱红勾画边线。

　　(四)雕、画并置。重庆合川沙坪汉画石墓,墓室左门柱刻朱雀铺首环画像,朱雀仅刻头和足少部分,其余以朱红表示。

　　这些彩绘石刻说明汉代画师是把彩绘作为石刻工序之后的最后程序。它是把石刻作为骨架,把画面升华出色彩斑斓、瑰丽堂皇的豪华效果。虽然在彩绘中多用平涂手法,但是它是在凸凹不平的形体结构和多变的肌理上进行施彩的,这些色彩依附在凸凹的石刻画上,在光线的照射下,仍然呈现出丰富的色彩关系,使画面更生动,形体结构更清楚。今天看到的彩绘在汉画像石刻总数中比例不多,是由以下原因造成的。

　　(一)颜料的合成。颜料一般分植物颜料和矿物质颜料,它们受时间、光线、气候土壤成分等影响,保存时间长短不一。

　　(二)汉画像石刻的石质不同,其颜料的附着力不同。

　　(三)人为因素。

　　以上诸方面亦说明,作为完整的彩绘汉画像石刻,今天所见到的素像石刻,近似是彩绘汉画绘制过程中所做的基础制底工作。其实"制底"在很多画种中普遍使用,其中油画中使用最多。西方著名画家伦勃朗的代表作品《戴头盔的武士像》就把人物的头部用材料堆积很厚,从侧面看很像浮雕,上面施油彩,是一幅典型的制底油画作品。我国油画家罗中立的代表作品《父亲》在涂色前,也采用画面制底技法,将人物头像的额头制底很厚,并粘有沙粒,面部也做了肌理处理。所画出的"父亲"形象,忠厚朴实,勤劳善良,历经沧桑。画面十分逼真、写实,给人们留下了深刻印象。另外,在一些水彩画、水粉画、工艺作品中,都有制底现象。

从汉代文献看,汉代人视死如生,把死亡看做是摆脱世尘、得道升仙的过程,是一种值得欢呼雀跃的解脱。张衡《冢赋》中描述:"幽墓既美,鬼神既宁,降之以福,于以之平。如春之卉,如日之升。"意思是说:幽美的墓地已经修好,鬼神已经在这里安居,幸福就要降临,来到此处就好像进入了和平之境;犹如那春天的花草,又像那初升的太阳,充满了无限的生机和活力。文章中看不到死亡的恐惧,而是充满了朝气蓬勃、无往不胜的浪漫情怀。从这点分析,只有彩色画像石刻,才能较好地体现这种华丽的气氛。

三、汉画像石刻拓片形成的错觉

长期以来,我们习惯用拓片保存书法。自汉画像石刻被发现后,也用拓片作为传载媒体。书法作为抽象的单色造型,用拓片保存,无可非议,而汉画像石刻总体上是作为画出现的,画具有具象的、丰富多彩的造型特性,拓片就无法反映出它的全貌。我们所看到的拓片,就像在看黑白胶卷的底片一样。石刻中那些深凿下去的结构在视觉上形成的暗部调子,因拓不到,在拓片中形成空白;而那些凸出结构,因受光而成为亮面的调子,在拓片中则呈暗色。它最大的不足就是无法反映汉代画师们的苦心经营,无法表达汉画像石刻的丰富的调子,拓片也就无法产生体积感,无法像汉画像石刻那样震撼人心。而这些,正是汉画像石刻的灵魂。另一方面,由于单色拓片无法反映斑斓绚丽的色彩原貌,白底黑色面,再联想到它来自墓穴,会给广大观众带来视觉和心理上的压抑。长期以来,人们把汉画像拓片与汉画像石刻效果等同起来,为此,汉画像石刻艺术失去了大量的普通观众及欣赏群体。当然,单色汉画画像石刻拓片在记录汉画像石刻的内容题材方面,起到了方便、快捷的作用,在汉代文化研究的诸多领域,起着勿容置疑的作用。

  现在我们已看不到原本意义上的汉画像石刻全貌,但从同时期的漆画、帛画、及石刻上残存的颜色中,我们仍然能够联想到汉画像石刻作为汉墓建筑的主要构件,以自己特有的视觉构成体系,曾发出绚丽的光芒,体现着汉代文化博大的思想。触摸历史,感受先人的构思、创造,寻求汉画像石刻的原貌,还需要走很长的路。

略论南阳汉画像石中的人物形象

徐丽娟

在中国美术史上,人物画是发展最早的一个画种。中国人物画历经几千年的发展演变,经过历代艺术家艰辛的劳动,从艺术思想到表现形式逐步形成了"以线为骨架,意象造型"的独特民族艺术风格。

从新石器时代仰韶文化的彩陶上的人物图案纹饰到战国时期楚墓帛画的《龙凤人物图》、《人物驭龙图》,人物画艺术家们创造了无数的艺术珍品,积累了丰富的创作经验。两汉时代的人物绘画继承了前代的优良传统,有了迅速的发展。无论是人物形象的塑造、构图的处理及用线用色等方面,其朴拙、浑厚、宏大的风格气势都具有鲜明的时代特征,呈现出我国民族绘画的特色,奠定了隋唐两宋及后世高度成熟的中国人物画的基础,对于今天的人物画创作和研究也有极大的启示。

汉画像石作为保存较为完整,内容最为丰富的汉代绘画艺术形式,为我们研究汉代的中国人物画,提供了很好的资料。迥异于出土于自春秋晚期以来作为社会正统观念的儒家学说和日渐流行的道教的发生地的齐鲁之地的山东汉画像石和出土于巴蜀之地的四川汉画像石,南阳作为河南汉画像石最大的出土地区,由于其所处的地理位置和特殊的历史文化条件而综合南北风格形成了自己独特的具有楚汉风范的汉画艺术风格。

"汉文化就是楚文化……是主宰两汉艺术的美学思潮……表现在具体形象、图景和意境上,则是力量、运动和速度,它们构成汉代艺术的气势与古拙的基本美学风貌"①。南阳汉画像石作为楚文化的产物,其中大量的人物形象,以简练的点线面的语言、夸张的动态和比例、简洁的形式美奠定了传统中国人物画的审美原则和造型方式,深远地影响了魏晋及其后中国人物画的发展。这种静态的、凝固的画面,用瞬间的凝固不动的形象表现出丰富的内涵,给人以无穷的回味。这些在尺幅的石板上雕凿出来的人物形象以其独特的造型所具有的无限张力引发出观者无尽的想像。汉代的民间艺术家对人物形象的理解、观察与表现在各个方面均有独到之处,至今仍给现代人物画的继承与创新以极大的启示。

一、表现内容广泛,带有明显的华夏民族审美心理特征

中国古代的人物画,在造型上经历了从求形似到求神似的变化。两汉时期是中国人物画初步形成的时期,也是封建经济日益巩固和发展的时期,统治阶级趋于正视现实,用真实的形象来表达思想。现实生活成了艺术的中心题材,写实的手法成了基本的表现方法。在内容及题材上围绕着人的社会现实生活为主,不但中国固有的事物从中再现,外来的新事物如胡乐、胡舞、杂技、幻术及宗教神话都出现了。而且写实的手法不仅施之于现实中的一切物象,就是一切神仙灵异、荒诞诡怪的东西也无不取材于现实。如:出土于唐河的汉郁平大尹冯君孺人墓[约天凤5年(187年)]中的执笏、执盾者及谒拜等画面,出土于南阳军帐营画像石墓的舞乐百戏,以及出土于南阳市七孔桥的车骑出行和唐河湖阳镇汉墓出土

---

① 李泽厚:《美的历程》,天津社会科学院出版,2001年3月版。

的《朱雀、力士、铺首衔环》中的力士形象,以及其他诸如"宴饮"、"拜谒"、"田猎"等等的画面,都如实地反映了汉代南阳地区的社会生活及思想意识,是现实主义的艺术风格和艺术追求。

史书中称"昔夏之方有德也,远方图物,贡金九牧,铸鼎象物,百物而为之备,使民知神奸"①——《左传·宣公三年》。起初人物画无疑担任着"成教化,助人伦"的社会重任。

由于历史条件的制约使古代中国人物画家对人体结构的认识相当有限,因而早期艺术作品中的人物形象在"求似"的原则上有朴拙的变形意趣,以现实存在为依据,通过概括提炼加以幻想的色彩,是南阳汉画像石的一大特色,也是中国传统人物画的现实主义与浪漫主义自然融合的这种独特的艺术创作手法的完美体现。除了大量的再现汉代社会生活的现实主义倾向的画面如:车骑出行、田猎、宴乐、投壶、六博、丧葬、肖像(许阿瞿像)、执矛、执盾、持节、佩剑、杂技等画面外,和长于表现现实社会的历史典故的山东汉画像石与长于表现社会生产劳动生活的四川汉画像石相比,南阳汉画像石更擅长于表现大量的带有浪漫主义想像色彩的表现理想倾向的形象,如:伏羲女娲、东王公西王母、女魃、神荼郁垒、雷公河伯、后羿、嫦娥、盘古、羲和常羲、黄帝蚩尤、象人斗咒、羽人飞廉等人物形象。这既与汉代统治阶级不满足于人世的奢侈享乐,祈求长生不老和升入神仙世界,因而社会上盛行的"神仙方士、黄老之说"及谶纬迷信有关,也和南阳所处的特殊地理位置有关。春秋战国四百年间,南阳大部分处在楚国的版图之内,南阳在思想文化、风俗习惯等基本方面都具有楚文化的特征,楚风和楚俗对南阳汉画像石中人物形象及其风格的形成有较大的影响。《周礼·夏官》方相氏条:"方相氏,掌蒙熊皮,玄衣朱裳,执戈扬盾,率百隶而时

---

① 周积寅:《中国画论辑要》,江苏美术出版社,1985年8月版,九牧,九州。"铸鼎象物"指以现实生活中所具有的形象为蓝本进行艺术塑造。

傩,以索室驱疫,大丧,先柩及墓,入圹,以戈击四隅,驱方良。"①汉代每岁终,宫廷中都要举行大傩,驱邪辟疫。方相氏原是逐疫的职官,在履行职能时的一个重要特征是蒙熊皮,南阳汉画像石中出现的诸多此类人物形象都是在楚风楚俗的影响下创造出来的。这种独特的风格使它全然不同于山东、江苏及四川等地的汉画像石,而带有更深的华夏民族的审美烙印。

抒情的浪漫主义风格是传统绘画审美心理的根源,儒道释相糅的哲学思想也深远地影响着这种文化传统,南阳汉画像石中人物形象的艺术风格也正是这审美心理的表现。晋代顾恺之的"迁想妙得"更进一步阐明了创作中发挥画家主观想象的重要性。正是在这种写意传神的审美心理的要求下,中国传统人物画形成了迥异于西方造型艺术的独特的艺术形式与艺术风格。

二、多角度的刻画,善于突破时空局限,拓展意象空间,从不同角度表现人物的气质和内心情感

中国人物画的构图处理脱胎于自然,却不受自然的束缚,而能从自然规律的局限中解放出来,取得意象表现的自由。南阳汉画像石中的人物画场面已普遍使用这种手法。

由于东汉的政权相对稳定,经济的发展使豪门贵族生活更加奢侈。《三国志·吴书·士燮传》称:"雄长一郡,偏在万里,威尊无上,出入鸣钟磬,备具威仪,笳箫鼓吹,车骑满道……妻妾乘辎骈,

---

① 王玉金:《试析楚文化对南阳汉画的影响》。韩玉祥主编:《汉画学术文集》,河南美术出版社,1996年11月版,204页。

子弟从兵骑。"①大量的车骑出行场面的画像石的出现,反映了南阳豪门贵族"连车列骑,骖贰辐骈"和"家人有容,尚有倡优奇变之乐"的豪华生活。其构图及各种人物形象的处理,真实生动地展现了中国人物画所特有的画面空间及整体气氛。比较以下两幅车骑出行的画面:

出土于唐河针织厂汉墓,现藏于南阳汉画馆的"车骑出行"汉画像石:画面中右侧两辆轺车,其上皆乘两人。车前有两导骑,并持弓弩。狭长形的构图中,人物和车马之间留有较大的空间,并且在画面的上方和下方都留出不小的空白,加长了马的小腿,这样使四匹行进中的马显得更轻盈矫健,衬托出一派闲逸安乐,悠游自在的轻快气氛。

画面中四匹马的动态极为接近——姿态和体格近于重复,画者通过马背上人物的动态变化活跃了画面的气氛。左侧第一人骑于马上,肩负一副弓弩,手勒马缰,马稍稍颔首,举步前行;第二人似没握紧马缰,马轻仰首,举蹄快走,马背上的人抓住手中的弓弩;画面中的主体人物——戴高冠者稳坐于车中;前面有一车夫驾车,车前的马根据身形来看是一匹年轻的马,它正伸脖向前,似在奋蹄直追前面二骑。此组车马后面紧跟一组车马,由于和前面的车距较近,最后这匹马的车夫似微微收紧了马缰,稍稍拉开车距,车中人物仍是一形体较大,另一形体较小。从这幅画中可以发现一个有趣的现象,作者根据人物的动态和形体的大小表现出地位的尊卑:戴高冠者稳坐,形体采用较为方正的长方形,重心垂直,体积也较大;导骑体积次之,但是动态感很强,甚至出现了较为滑稽和不

---

① 潘运告:《汉魏六朝书画论》,湖南美术出版社,1997年4月版,299页:"第五品……刘顼:用意绵密,画体纤细,而笔迹困弱,形制单省。其于所长,妇人为最。但纤细过度,翻更失真。然观察详审,甚得姿态。"313页:"第六品……丁光:虽擅名蝉雀,而笔迹轻羸,非不精谨,乏于生气。"

雅的动态；马车夫的身形最小，在这幅画面中的身份也最卑微。

这种表现方法在此后的中国人物画中经常出现，最为典型的例子就是唐代阎立本的《步辇图》，画面中根据地位和身份的不同采用不同的身体大小比例和动态，使图中尊卑分明，主次突出，并具有一定的戏剧性。在南阳汉画像石的《车骑出行》中，作者仅是通过简约的轮廓和历经千年以后已显得漫漶不清的简略的轮廓结构线及匠心独运的空间的安排，巧妙地呈现给观众一幅声情并茂的车骑出行画面。乍一看去，四匹身形和动态接近得近于重复的马，马背上和车上简直有点图案化的简单造型的人，近于重复的车，都好像没有什么奇特之处，而稍一仔细分析，马的神态，人的神态都极为合乎情理，这不能不令人惊叹。石面上，马蹄轻扬，骑马驾车人的悠游自在，衬托出石面上空白部分是广袤的城郊旷野，在尺幅之间营造出了"咫尺有万里之势"①的无限开阔的空间来。

同样的另一幅《车骑出行》（出土于南阳市七孔桥，现藏于南阳汉画馆）则表现出全然不同的另一种空间感和气氛来。此图的前部（从左至右），是一段舞乐百戏的场面，起首处是二人击鼓，边鼓边舞，第一人身体扭曲成 S 形，第二人一臂举过头顶，一臂持槌击鼓，两腿上下雀跃，脸部扭向左肩，似沉浸在酣畅淋漓的大悲大喜之中。这样的形态被安排在狭长形构图的前端，画面上下之间留的空白很小，又有粗重的边框框起，让人感到有一种压抑中的激情。

击鼓者身后是连续的四个乐师，或吹或弹或击不同的乐器，动态变化不大，轮廓都近似三角形。再向右侧是长袖舞、杂技和倒立的场面，紧跟着是两个造型近似的蹲坐者，似为乐师或是杂技教练，均为稳稳的三角形外轮廓，上方垂下来的帷幕加强了画面的紧

---

① 闪修山、王儒林、李陈广编：《南阳汉画像石》，河南美术出版社，1989 年 6 月版，此处是指东汉末年士燮的出行场面。

凑感。依次向右是大队的出行人马,先是并排的三导骑倾斜着平行叠加成纵深的一排,导骑后面是坐在同样倾斜叠加的三匹马拉的舆车中的二人。再向后从马首看只有三匹马,但马蹄逐渐杂踏,失去了前面导骑和驾马马匹的秩序感,马背上的人有的纵马向前,有的用力拉马,有的回身疾射——短兵相接的激战场面逐渐拉开了序幕。

再向后,应该是敌兵队伍了。从外形上看,最右边的一组骑手没有戴帽,从发际线的卷曲形状看,应该是当时的少数民族队伍。骑手身形较官兵瘦小,着装也显得简单原始,队伍和兵器也不够整齐。最有意思的是最靠右的一批坐骑只露出了马身的一半,似在意犹未尽地说明后面还有千军万马。

全面地观看整个画面,从开始时鼓乐升平的出征军队送行仪式到导骑出征及至剑拔弩张的激战场面,这种叙述上的过渡似乎反差太大,但从画面上下的整体安排上看,人物空间紧凑,画面上下端锋利的三角形齿状轮廓线(帷幕)和粗糙的直轮廓线(画面边框)加强了画面的紧张和压抑感,使得一开始的歌舞升平本身就具有强烈的压抑和悲壮气氛,这种气氛使歌舞场面通过有秩序的安定而平稳的导骑和画面的另一主体部分——战争场面和谐而合乎情理地结合成为一幅完整的画面。同时,整幅画面上各个情节的循序推进使人犹如看电影一般感觉到一种时间感,从而使这样一幅有限的画面传达出无尽的令人想象和回味的时间和空间。

老子说:"五色令人目盲,知其白,守其黑。"[1]画面以单纯的黑白空间和简练的造型笔墨表现出较为具体化、个性化的世俗生活,这也是南阳汉画像石中人物形象的主要特色。"画家以流盼的眼光绸缪于身所盘桓的形形色色。所看的不是一个透视的焦点,所

---

[1] "五色令人目盲,知其白,守其黑"——老子。周积寅:《中国画论辑要》,江苏美术出版社,10页。

采的不是一个固定的立场,所画出来的是具有音乐的节奏与和谐的境界。"①

出土于南阳市东关,现藏于南阳汉画馆的汉画像石《讲经》,也是一适合墓石造型的长方形构图,图中高台上坐一老者,伸手作讲解状,其面前站立一侍者,一手执便面,怀抱一梃②。从右至左依次是七人皆跽坐,双手捧牍听讲。此画面的疏密布局更为巧妙,侍者和七位听讲的学生之间的空间较小,讲经者独处在画面右方,作者有意根据各人物之间不同的空间安排分清画面中九个人的不同的身份地位,同时,为了避免构图松散和主次不明确的问题,作者在刻画人物时,根据七个学生的膝盖朝向指明了聚散关系,并且加强了双腿之间的动态线(用一凹曲线表示)强调这种动态。人物的面部和上半身均为正面,持梃者虽为站姿,但身体的整个动势随同其余七人一样,上半身微向左倾,在节奏上仍和听讲学生形成一致,讲经者则采用近乎长方形的外轮廓,形成一种庄重、肃穆之感,和听讲的学生"S"形曲线的外轮廓形成一静一动,一严肃一活泼的对比,这种对比又通过空间间隔和趋前的动态线所造成的动势很好地谐调成了一幅完整又生动的画面。

三、在表现上,造型技法别出心机

南阳汉画像石中的人物形象的刻画,除少量的平面阴线刻外,

---

① 宗白华:《意境》,北京大学出版社,1986年6月版,171页;"王船山又说'……右丞妙手能使在远者近,抟虚成实,则心自旁灵,形自当位'。……这正是大画家大诗人王维的创造意境的手法,代表着中国人于空虚中创现生活的流行,氤氲的气韵。"——《中国艺术之意境的诞生》。

② 宗白华:《意境》,北京大学出版社,1986年6月版,216页。《中国诗画中所表现的空间意识》。

大多是以浅浮雕的形式来表现,分别用平底或横斜纹衬底两种。线条作为其主要的表现方式,并不着力于局部结构和细节的刻画,而是强调突出画面的整体神韵和气势。简练的雕凿表现出来简练夸张的艺术效果。

(一)简练夸张的造型手法

夸张是南阳汉画像石的一个突出特色,南阳汉代的艺术工匠们在写实的基础上大胆采用精简夸张的手法从而增强了造型的艺术效果。构图及人物形象整体画面线条流畅,极富运动感和韵律美。尽管受到材料和工具的限制,南阳汉画像石却能寓刚健于婀娜之内。较好地摆脱了线条的呆滞古板。如"舞乐百戏"就是一幅以线条造型借形传神的佳构。画面上部横垂帷幔,中置建鼓,两侧各有一人在执桴跃足,且鼓且舞,右边三人做杂技表演,其中一女伎一手按樽,一手托物,做倒立之状,左边三人为伴奏者。画面轮廓清晰,造型优美流畅,充分表现出杂技表演的气氛。汉代的艺术工匠们利用简约的轮廓和加长的衣袖,手臂和双腿的夸张动态,营造出生动活泼又极为和谐的杂耍场面。刘勰云:"以少总多。"司空图说:"不着一字,尽得风流。"南阳汉画像石这种舍繁求简的表现手法,恰恰是它永恒之美的关键所在,也是中国传统艺术中虚拟手法的代表性范例。正如霍去病墓石雕一样,体现出"行迹欲简而笔意愈深,笔愈少而情愈真"的特点。比较顾恺之《女史箴图》中的"冯媛挡熊"一段和清代画家王玉樵的同一题材的作品,后者的人物形象细致周全,背景充实精到,但缺乏深度,仅表现了故事的情节。而顾的作品却言简意赅,令人回味无穷,具有象有尽而意无穷的气概。

夸张是通过对自然物象的强化和延伸,使艺术形象比自然原形更突出,更有神采。如出土于南阳县,现藏于南阳汉画馆的《拳勇》中,在山峦和云气之间,三勇士进行徒手搏击。中一人弓步亮掌迎战左右敌人,左边一人跨步出击。画面通过三位搏击者身体比例的夸张——当中一人虽为侧面,但夸大的眼睛表现出此人紧张警惕着左右两侧来犯的搏击对手,缩细的腰身和加长的手臂及双腿表现出健儿的矫健轻灵,夸张了的双臂伸直程度和双腿弯曲度出神入化地加强了画面的紧张和生动气氛——给人以深刻的印象。

(二)程式化的造型手法简练概括,古拙粗朴

以现实存在为依据,通过提炼概括,加以幻想的色彩是南阳汉画艺术家进行创作的大特色。南阳汉画像石的作者们已经认识到,并开始有意识地追求艺术形象的内在气质和整体美感。为了使艺术形象更有形式美感,更理想化,他们采用了舍繁求简的程式化的方法。所谓程式化是指抓住某一类物象的基本特征,结合作者的审美追求,运用规范的艺术语言对人物结构加以强化夸张,概括提高造成形式感较强的艺术形象①。体现在南阳汉画像石中就是人物形象的团块造型把人物的全身各部分加以概括,以头、颈、躯干、上肢、下肢各自为一个整体,组合成一个整体简练的人物形象,仍以《拳勇》为例,图中的各个人物形象都是由帽、头部、脖子、躯干和双臂,手、腰、带、围裙、双腿这几大块组合而成,团块造型的手法非常明显。这种团块的造型特点逐渐发展演变为中国传统造型艺术中的一大程式特色。在清代的《芥子园画传》中的人物造型技法就是用团块造型法。但这种团块造型更进一步具体到面部,分为额颌等团块,手部分为手指、手掌等团块。同时,造型又决不能和毫无艺术感染力的公式化、概念化混为一谈。它既具有经过规范化了的形式美,又不失内在的精神表达。如:"投壶"中的醉者被夸张了的头部的团块和躯干的比例,显得头重脚轻,醉态酣然,生动有趣。如果用写实的手法,一个个去刻画不同人物的性格神情、不同的外形和动态特征,那画面中或宁静从容,或剑拔弩张的

---

① 顾生岳:《工笔人物画》,天津人民美术出版社,1994年3月版。

紧张气氛和运动的气势及装饰风格必将被大大弱化。在南阳汉画像石中这种团块化造型不仅利于表现人物常态的特征，更能抓住一些瞬间即逝的动态，并加以概括，构成富有装饰趣味而真实可信的程式化形象。汉代南阳的艺术工匠们利用这种团块的程式化造型，又渗入自己对角色的理解，自出机杼，达到既传神又张扬了艺术的个性，是后世中国传统艺术程式化造型的渊源。

（三）平面化的造型手法

南阳汉画像石的雕刻方法有多种，主要采用平面阴线刻，即将石料表面剔平磨光，在平整的表面用阴线勾勒图像，与绘画用线的效果基本相同。或阳线刻在平面上将画像部分剔成凹面，形成画像内陷的效果，并用阴线刻画细部，在画像的空白部分，剔有横、竖纹的衬底。剔底浅浮雕，在平整的画面上用线勾勒图像轮廓，剔去以外的空间，使画像高出底面，形成浅浮雕，然后用阳线勾勒细部，或用横竖线衬托浅浮雕。是在石面上雕出画像的轮廓，并用阳线刻画细部，皆采用横纹或竖纹衬托。这些方法的共同点就是用线条造型，这种以线条为主的造型手段必然导致造型的平面化。如果采用立体造型，线条就无法立足，或者只能成为体面的附庸，充作边缘的面，以致无法施展线的特性。只有在南阳汉画像石的平面和空白上，线条才能随着艺术工匠的情思自由地流畅驰骋，造成优美的节奏，体现其无穷的生命力。这种方式和同期出土的龙凤人物帛画的表现方法相同，是传统的中国人物画的技法特点。传统人物画采用平面造型，用平面的色块组合，这种以线为骨的平面造型又促进了人物画的装饰风格，成为中国人物画无穷的生命力的根源。中国传统艺术重视意象表现，认为物象的明暗、立体、三度空间等一些外观因素都是次要的，重要的是传神与抒情，于是其画法乃能笔笔灵活，不滞于物，而又笔笔写实，为物传神。线条造型也正有助于达到这个审美要求，所以平面的装饰观念成为中国传统绘画的一个基本特点。

（四）注重形象记忆——瞬间的凝固

在出土的盘鼓舞中一梳双鬟女伎两袖飘举，正纵身从一鼓跳向一盘，看其右脚，应是脚尖先落在盘上，画像生动地表现了《盘鼓舞》"肌健体轻"的特点和舞伎"身轻若燕"的功夫。从形式特征上讲，作者惟有选取舞伎绷脚以脚尖落盘的一瞬间，才有这样的艺术效果。作者不但善于选取典型的动作，抓住这表演中最精彩的一瞬，使稍纵即逝的生动舞姿重现于石面之上。这种对人物面部表情不作过细的描绘，而主要通过人物的动作姿态来刻画其个性特征和画面气氛的方法，充分显示了我国古代的能工巧匠不斤斤于复制自然，而是采用形象记忆和默写的方法。古代画论记载着不少有关形象记忆的精辟论述，如苏东坡《传神记》中提到："传神与相道，欲得其人之天，法当于众中阴察之，今乃使人具衣冠坐注视一物，彼剑容自持，岂复见其天乎。"元王绎《写像秘诀》也谈到"彼叫啸谈话间，本真性发见，我则静而求之。默识于心，闭目如在目前，放笔如在笔底"。清沈宗骞《芥舟学画编》说得更具体："观人之神如飞鸟之过目，其去愈速其神愈全。故当瞥见之时神乃全而真，作者能以数笔勾出，脱手而神活现。是笔机与神理凑合，自有及天然之妙也。"《二桃杀三士》的画面紧张生动的气氛就是这种理论的生动体现。

由于在形象记忆的过程中，最先入为主的是客观物象的主要特征，所以比较容易排除非本质的表面细节的干扰，也能较好地体现作者主观感受和情思，对实现不似之似来说十分有利，后代的画家继承了这种表现方法，如南唐顾闳中奉李后主之命至韩熙载家中"窃窥之，目识心记"用默写画了下来。史载，吴道子"画嘉陵江三百余里山水，一日而毕，帝问其状，奏曰：'臣无粉本，并记在心。'"可见其形象记忆能力之强，而南阳汉画像石的艺术巧匠们能细致观察，善于捕捉典型形象和动态，注重在一系列动态中进行选择、记忆，抓住具有代表性的瞬间提炼出来的艺术形象，在外形上已不是历历具呈地和对象毫末不差,似乎已拉开了一段距离,但都比自然物象更神似,更有内涵,更有艺术魅力,具有了全然不同于其他时代的永恒之美。

总之,南阳汉画像石中的人物形象以质朴天趣、天才横溢的想象和创造精神为后世造型艺术的蓬勃发展奠定了基础,研究南阳汉画像石中的人物形象,对于更深入地理解传统的中国人物的造型语言及其艺术渊源,更好地掌握传统人物画的程式化造型和其注重写意的内在精神具有重要意义。对于今天的人物画创作中的造型、用线及空间构图的处理有不可忽视的借鉴和启发意义。

汉画音乐考古及其相关学科

李荣有

对于汉墓出土各类音乐图像的梳理研究,历代均有一些有识之士进行了许多有益的探索,积累了一些宝贵的资料和经验,特别是20世纪80年代以来,随着我国音乐考古学学科地位的确立,汉画音乐考古工作也逐步纳入有计划、有步骤、有主体意识、有学科理念做指导的较为规范的渠道。我们已经完成了几个有关汉画音乐考古的专题科研项目,即按照音乐考古学及音乐图像学的基本理论和方法,对所见汉画音乐文物进行了音乐学的初步探讨研究。然而,随着近年来文化传播渠道的畅通,国外相关学科理论体系及新的研究成果的及时传入,相比之下,我国长期以来形成的学科分类过细、学术研究领域偏窄、学术研究成果单一的弊端,已经十分明显地凸显出来。针对这一问题,中国音乐学界已经采取了积极有效的措施,倡导了融文献学、考古学、乐律学、民族学、文化学、社会学、民俗学等学科为一炉的学术研究思想,从而派生出建立音乐文献学、音乐文化学、音乐民族学等边缘学科的构想和实践。这种全新气象,无疑反映出当前我国学术思想的活跃和学术事业的繁荣,说明各学科门类之间相互交叉、相互渗透、相互借鉴的重要性,已经引起中国学人的全面关注。而站在研究中国艺术发展史及艺术理论体系构建的高度来看,仅有以上种种构想和做法还是远远不够的,而且从单一学科到跨越许多学科的重组,也还具有较大的盲目性;若以相近学科为基础,从本源文化的根基入手进行研究,会更加富有层次感和扎实性。因此,笔者认为,有必要认真总结汉画音乐考古研究领域的经验与教训,及时引入"艺术学"的学科思维方式与方法,将使汉画音乐考古研究工作走上更加宽阔的坦途。

一、汉画音乐考古的一般方法

按照学科总体概念的划分,音乐考古学是一般考古学的一个专门的分支系统,而音乐图像考古则是音乐考古学的又一分支,即音乐图像学。一般考古学"是指从一切角度和运用多种方法来研究与人类历史有关的遗存的各门专业考古学的总和。它可以从社会科学的角度,也可以从自然科学的角度;可以运用物理的、天文的、数学的手段,也可以借助文献的、艺术的甚至逻辑的、思辨的方法;而音乐考古学虽然不排除这些角度、方法和手段,但它主要是从音乐艺术的角度出发,依靠音乐学的方法和手段来研究人类的历史遗存(遗物和遗迹)。从双方研究的对象比较,两者之间也是一种普通的、全面的和特殊的、专业的关系;一般考古学研究的是与人类历史直接相关或间接相关的一切遗存;而音乐考古学研究的是与人类音乐生活有关的遗存"①。从严格意义上讲,音乐图像本身并不能算作文"物",但由于它是依附于一定的"物"而保存下来的"遗迹",有着重要的实物价值,从而被音乐考古学界视为一种珍贵的音乐文物,并由此诞生了音乐图像学的学科体系。

汉墓出土音乐画像有画像石、画像砖、壁画、帛画、漆画、器物饰画和立体的乐舞俑等不同类型,其内容丰富,形式多样,艺术表现生动感人,堪称一部详实罕见的汉代社会音乐文化图史。汉画

---

① 金经言:《维·巴赫曼和他主编的音乐图片史》,《音乐学术情报通讯》,1985.2.

音乐考古的一般方法,常见有直接研究法、比较研究法和交叉研究法等不同方法,它们之间既相对独立,又互为关联,相互作用。

1. 直接研究法:在对汉画音乐文物进行认真细致的收集梳理的基础上,进而对其做音乐类型学、音乐形态学等的考证研究。

音乐类型学研究,即对各类汉画音乐文物进行准确地分类、分期和分域,把握好第一手资料的来龙去脉,对两汉时期共同性音乐文化特征,各个不同时期、不同地域间不同的音乐文化特征等做初步了解。

音乐形态学研究,即在对汉画音乐文物分类研究的基础上,进而对各种乐器的形制、结构、材料、工艺、安置、演奏等,乐队的编制、组合、排列、表现形式、音响效果等,歌唱的姿势姿态、组合规模等,舞蹈与百戏的组合形式、形式规模、表演技巧等,服饰与化妆艺术的基本特点、特征等,表演场所的规格、规模及布景、道具的特色等,做出较为准确的判定与考释。

2. 比较研究法:即运用比较音乐学的方法,从各个不同的层面、不同的角度,对各种不同音乐图像、其他研究对象,如遗存或出土乐器实物、史料文献等进行对比研究,从中找到可靠的理论依据。

比较音乐学是20世纪初期从国外传入的学科理论,运用比较音乐学的方法进行汉画音乐文物的考证研究,既可在同类图像与图像之间进行比较研究,又可在不同类型图像之间进行比较研究,还可跨越时空阻隔做纵向的比较研究,可以有效地开阔视野,在有的放矢的比较中出理念,在纵横交织的各种理念意识比较中获得新的法则。

3. 交叉研究法:即循着近年来提倡的多学科交叉与渗透的思维方法,尽可能地与相关或相近学科之间建立起一种有机的联系,从而达到互相借鉴其研究方法,互相利用其研究成果的目的。

交叉研究法带有较强的开放性和普遍性意义,可以把许多过去相离甚远、互不相干的若干个学科凝结成一个相互依赖、相互促进的有机整体,有利于在思维同步、理念一致、方法共创、成果共享的前提下,形成各学科理论体系与学术研究体系建设同步发展的良性循环。

二、汉画音乐考古的现状剖析

汉画音乐考古属于在国外形成一定规范的音乐图像学的学科研究体系。音乐图像学在国外已经历了百余年的探索实践,1970年在瑞士成立了国际音乐图像学学会,标志着这一学科及其理论体系的确立。20世纪80年代以来,音乐图像学的理论开始在我国广泛传播,并很快形成蓬勃发展之势。然而,纵观我国学人在该领域内不懈探索的历程,可以说,音乐图像学的许多基本方法与途径,在我国学人的探讨研究过程中,也已有过无数次地践履,并取得了许多相关研究成果。如杨荫浏先生的《中国古代音乐史稿》(人民音乐出版社,1964年上册、1981年下册),吴钊、刘东升先生的《中国古代音乐史略》(人民音乐出版社,1983)等音乐史学论著中,均使用了大批出土的古代乐舞艺术图像,这些图像作为一种有形的音乐史料,有效地改变了中国古代音乐史无形、无声的局限。

在资料的收集梳理与研究方面,中国音乐研究所做了大量卓有成效的工作,及时地把来自全国各地的音乐图像分门别类编辑成册,从1954年至1964年,十年间出版《中国音乐史参考图片》九辑,由人民音乐出版社出版。其中除各类音乐图像外,还附有专论和说明文字。事实上,这些文字说明,亦属于图像学研究之专论。至80年代初,中国音乐研究所资料室已收藏图像二万余幅,成为一个丰富多彩的音乐图像的宝库,以至于德国著名音乐图像学家维尔纳·巴赫曼先生1985年参观了中国音研所陈列室后,深有感慨地说:"真没想到,中国古代音乐文化是那么绚丽多彩,你们是巨人,我们欧洲只是侏儒。"①。

90年代以来,国家"七五"重点社科项目、"八五"重点出版项目——《中国音乐文物大系》各卷册陆续隆重出版,可以说,它已经或必将成为中国音乐图像学学科的奠基工程。

近年来,随着多种学术新观念的倡导和推行,汉画音乐文物与遗留乐器实物、典籍史料文献等的交验互证,乃至与其他相近学科、边缘学科相互交叉、相互融合的研究也取得了较大突破。而从总体进展上看,汉画音乐考古研究进展仍较缓慢,与相关学科相比仍存在较大差距,其主要原因约有以下几方面:

其一,由于中国汉代以前音乐的乐谱、乐响等第一手资料没有留存,对于音乐本体的考证研究来说,没有一个绝对标准,往往只能得到一种概念化或意象化的阐释,而不能对其具体形态做出准确的定论。

其二,有关汉代音乐文化的文字史料非常零星,而出土乐舞图像仅记录了音乐表现过程中的一瞬,而不是全部,图像与图像之间又缺乏内在的有机联系,故对汉代音乐文化做宏观上的把握,需要多种资料的互证,难度显而易见。

其三,所见汉画像砖、石等刻画大多手法简练,细节描述不清,如弦乐器的弦数,吹管乐器的音孔,以及有关乐器的放置、演奏方法等均较模糊,对于具体乐器及音乐实践活动的详细考证,也有很大难度。

其四,汉墓画像作为一种艺术创造品,不像出土乐器实物那样具有直观、稳定的性能,易于考证。它在构图布局上会存在一定的局限性,在艺术表现方面难免带有一定的夸张甚或想像成分,如何去伪存真,剔除夸饰成分,对具体问题做出准确的论定,也是一大难题。

---

① 王子初:《音乐考古学的研究对象和相关学科》,《中国音乐学》,2001.1。

其五,在两千年历史演变过程中,随着口口相传的演绎,人们对许多历史遗留问题已形成了多种不同的认知观念,虽然有些问题长期以来已成为学术界关注和争论的焦点,但终因无确凿证据,而不能达成统一的认识,形成了学术研究领域一些千年死结。

其六,数十年来我国政治生活上的极端化倾向,导致学术观念的错位甚至进入误区,使研究工作很难找到有效地切入点和正确的定位,以至于所见研究范围,多限于对某一侧面零星的、具体的一般性考证,较少专题性研究成果。

三、艺术学学科的理论与实践

艺术学是研究艺术实践、艺术现象和艺术规律的专门学问,它是带有理论性和学术性,成为有系统知识的人文学科。它不是一个单一的艺术学科,而是涵盖了音乐、美术、舞蹈、曲艺、电影、电视等文化艺术类二级学科的一级学科。"艺术学"的学科理念最早由蔡元培先生所倡导,他根据中华文化教育的历史和现实情况,高瞻远瞩,提倡美育,在北京大学成立文学、音乐、绘画、书法等研究会,以补大学"偏者学理"之不足。遗憾的是由于种种原因,在后来的数十年间,艺术学未被列入学科规划之中,1976年后,著名艺术理论家张道一先生才重新提起,并率先在东南大学建立起全国第一个艺术学系。"艺术学"专业以艺术理论教学和研究为重点,从而填补了我国高等教育学科设置中的一个空白,也为艺术学学科建设、理论建设、队伍建设等,奠定了坚实的基础。

回顾历史不难看到,长期以来我国艺术理论一直落后于艺术实践,使得这种艺术实践始终处在一种盲目的无序的状态,而我国已经进行的艺术理论的研究,也一直仅限于分类地进行研究,缺乏各学科之间整体的宏构,这是不全面的。因为艺术类各学科在从母体到个体,从一元到多元的发展过程中,既形成了各自独立的不同特点，又存在着千丝万缕扯不开斩不断的渊源关系，研究艺术的发展史和艺术的理论，是不能把它们割裂开来的，否则将得不到全面的深刻的认识。正如张道一先生所言："作为艺术局部的研究，如绘画的历史与理论，音乐的历史与理论，以及戏曲、电影等，有些研究已达到很高的程度，就像石油钻探一样，个别的井口早已喷出了大量的石油，可是，我们所指的是大片的艺术的'油田'，有的还是茫然，严重认识不足，存在着很多空白，在许多方面以致不能解释自己。"[1]诚然，目前各学科立足于自身本体文化内涵的研究是必要的，但这种研究又必须深植于各艺术学科孕育、生成和发展的根源之中，方能更多地吸收我国传统文化的艺术精髓、内涵和理性思维，因为在一些遗存的文物中，保留着许多本源文化的特征，从相近学科的不同角度、不同侧面进行理性的研究和互证，将为我们的研究带来意想不到的收获，甚至升华出一些赖以遵循的理论法则。

就目前世界文化发展的总趋势来看，自20世纪初叶美国著名哲学家、教育家杜威首次提出"多元文化"的观点以来，经过近百年的酝酿切磋，这一思想理念已逐步演变成一股强大的国际性浪潮，使伴随着西方中心主义而产生并兴盛一时的"一元文化"论不再成为主流学说，在文化教育、音乐文化教育乃至学术研究领域，"多元文化"论越来越受到广泛的关注，成为新世纪最具前沿性的教育与学术研究的新内容和新视点。据美国《2020视野："豪斯赖特未来音乐教育研讨会"报告》中称："几个世纪以来，庞大的移民已经把美国变成所有工业化国家中多元文化程度最高的国家。"美国著名音乐教育哲学家雷默也说："美国是一个多元音乐文化的国家。"[2]

---

[1] 张道一：《应该建立艺术学》，艺术学研究发刊辞，1995.1.
[2] （美）T. M. VOLK：《多元文化音乐教育及其基本概念》，田林译，音乐教育，2001.1.

我国有学者也提出:"世界音乐的多样性是由音乐的民族性质决定的,也就是说,世界民族的多样性决定了世界音乐的多样性。没有不受民族特质约束的文化,也没有绝对脱离民族根基的音乐。"①

然而,虽然我国传统文化乃至传统音乐文化本身就是由多民族文化结晶融合而成的,有着鲜明的多元文化特征,但由于百余年来从"洋为中用"到沿袭、照搬西方近现代音乐教育模式,从文化价值取向和判断标准的错位,到出现嫌弃我国自身本元文化的倾向,其结果将必然导致"对内丢弃本源,对外不被认同"②的局面。今天我们从事学术研究,必须站到一个全新的高度,从宏观到微观全面协调,全面发展,倡导多学科交叉融合的理性思维,路子是正确的,但步子跨得太大也会适得其反。笔者认为,运用"艺术学"的学科理论及其思维方式,先从各文化艺术体系生成与发展的根源入手进行扎实的基础性研究,特别是要在分别研究的基础上进行综合性研究,才能由个性上升到共性,由个别升华到一般。同时,在研究的过程中,既可及时吸收利用相关学科的不同方法与研究成果,又可在这种整体宏构的理念意识支配下,进一步丰富与弥补各学科的先天不足,最终形成集大成的艺术理论体系。在具体的实践中,还应在这个基础上逐步与其它社会科学、自然科学学科交叉融合,构建一些诸如艺术思维学、艺术文化学、艺术社会学、艺术心理学、艺术伦理学、艺术环境学、艺术市场学等与时代的社会文化发展息息相关的新学科。只有采取这种稳妥扎实的做法,才能使学术研究工作纳入一个规范的渠道,避免重蹈"大跃进"的覆辙及其不良影响。

---

① 周新华:《多元文化中的世界音乐》,黄钟,2001.2.
② 修海林:《中国音乐教育跨世纪的选择》,乐府新声,1996.4.

汉画艺术的时代精神

黄雅峰

中国艺术精神植根于中国文化的深壤厚土之中,从远古土著的图腾意识,到楚地奇丽的生命崇拜,再到汉画艺术神秘飞动、博大精深的艺术形式,可以理出一条中国古代艺术特征的发展轨迹。虽然它曾经受到北方青铜饕餮艺术的桎梏,儒家礼教思想的影响,但是技术与艺术相结合的活力冲破各种精神枷锁的滞困,旺盛地发展起来。我们可以清晰地看到这个视觉图形的演变过程:岩画——原始彩陶——楚画——汉画。汉画艺术是中华民族本土艺术精神的典型代表。

溯本求源,在石器时代的岩画艺术阶段,始起的绘画多以动物为题材。远古人在岩洞石壁上按审美要求,涂上色彩,绘制动物形象。内蒙阴山岩画以虎、豹、黑熊、野马、野驴、野猪、驼鹿等动物的各种运动姿态,去追求充沛的生命意识。法国拉斯科山洞、西班牙的阿尔塔米拉山洞的野马和野牛,"是对图画威力的那种普遍信仰所留下的最悠久的古迹"①。它们都表现了史前人类天真童心的古拙稚趣。彩陶时代的陶器纹饰也以动物形象和动物纹样居多。庙底沟、马家窑时期的彩陶,蛙、蜥蜴等动物形象没有恐怖与紧张的表情,而具有活泼、纯朴的曼容。尽管这个时期中国和外国的后

---

① (英)贡布里希:《艺术发展史》,天津人民出版社1986年版,第18页。

期彩陶以曲线、直线、水纹、几何花纹等抽象的纹饰居多,但是它们也是由写实的动物形象而逐渐变成的抽象化符号。在这个变化过程中,不仅中国和其他国家的审美感觉显出差异,中国南北文化的分歧也初见端倪。苏秉琦先生指出:"仰韶文化后期同它南方邻境江汉之间的屈家岭文化的关系,也表现为自南而北的影响要多于自北而南的影响。"①另外在讨论南阳和洛阳两地仰韶文化遗存时苏秉琦先生还指出:"下集遗址中下、中两层相当仰韶文化的两期。……网纹带彩陶、穿孔石、有肩石器等出现,在南阳地区似乎也比在洛阳地区早些。"②这里已经显示出中国南方文化的活跃及其由南向北的影响作用。

三代礼乐文化的影响使北中国逐渐摆脱了远古的浪漫诗情,而远离黄河文化的南楚正"筚路蓝缕",艰难跋涉,尚保留着远古时代的天真与质朴,以图腾崇拜表示对动物的脉脉亲情,以巫术喜好表示对自然的依依厚爱。因此,当北方被孔孟思想桎梏束缚时,南方则以老庄的静虚自然,屈原的奇丽激情把艺术创造和自由生命作为至上追求目标,形成了玄妙奇丽的楚艺术风格,在漆器、丝绸、帛画、青铜器、玉器、木雕等造型艺术中尽情地进行装饰风格的表现,形成了中国艺术的一个重要里程碑。

"是希腊人决定了西方思想走向科学的倾向,使它走上了为自身的利益而无止境地追求真理的道路"③。地中海文明的光辉成果,促进了西方人对自然和动物亲情关系的转移,阿芙洛蒂特雕像的写实魅力显示着西方古典美的传统影响。古希腊科学与求实风格成为西方艺术精神的奠基石。

---

①② 苏秉琦:《关于仰韶文化若干问题》,《考古学报》1965年第1期。
③ (英)I. 比尼恩:《亚洲艺术中人的精神》,辽宁人民出版社1988年版,第4页。

秦依楚风,汉承秦制,"汉文化就是楚文化,楚汉不可分"①,楚汉浪漫主义是主宰汉代艺术的美学思潮,汉人在其连续不断的记忆里保留着原始时期的经验,把早期与动物世界的友善关系从远古到楚地,一直带到文明时代。I.比尼恩:指出:"在和谐处理的生活之上,盘桓着一个神话世界,他们似乎过着半神半人的生活,并通过神话和历史、现实和神、人与兽同台演出的丰富形象画面,极有气魄地展示了一个五彩缤纷、琳琅满目的世界"②。汉代艺术保持着与原始人的联系,以及对于有生命之物的那种慢慢扩大、无所不包的同情,这种艺术把自己的根深深植于大地上,强有力地表现了人对物质世界和自然世界的征服主题。

汉画像砖石是汉代考古存量最丰富的艺术形式。据统计,同时存在汉画像石、汉画像砖两种形式的有南阳区、四川区,只存在汉画像石形式的有苏鲁豫皖区、陕北区,其他区域汉画像零星存在。深沉雄大是汉画像的共同特点,但是在共性之中存在着个性的差异。陕北区、苏鲁豫皖区的北部画像艺术偏于深沉古拙,南阳区、四川区、苏鲁豫皖区南部画像艺术显示雄大隽丽。前者明显受北方青铜艺术和儒学影响,后者则继承了楚画艺术的表现传统。从版图看,南阳区、苏鲁豫皖区南部先秦曾一度为楚的地域,受楚画艺术影响。另外,四川区汉画像砖石墓多集中在江汉流域沿岸,有学者认为,南阳画像风格通过水路传入四川,苏鲁豫皖区南部画像有大量的动物题材,它们的表现手法也接近于南阳区。南阳作为长江、黄河之间的南北文化交接地,与楚画艺术有更为广泛的接触和承继,南阳又为汉中心区域文化大都市。南阳汉画像砖石的神秘意境、线性韵律、生命动感形成雄大博深,空灵飞动的汉画像

---

① 李泽厚:《美的历程》,文物出版社1981年版,第70页。
② (英)I.比尼恩:《亚洲艺术中人的精神》,辽宁人民出版社1988年版,第12页。

的主要艺术风格。

汉墓出土的帛画、壁画丰富多彩。"帛画基本属于长江流域的文化,壁画基本属于黄河流域的文化"①。帛画早于壁画,这两种同为汉墓出土的艺术形式也是由南向北逐渐发展,即南帛北壁的格局。马王堆汉墓帛画以成熟的线条和斑斓的色彩表现了天国的渺茫、神话的悠久、现实的辽阔,洋溢出巫楚文化的隽灵与神秘。临沂金雀山汉墓帛画则用写实的方法缩小了天国的描画范围,扩大了渡海求仙的场景,表现出丰富多彩的人间生活,显示齐鲁礼教文化对南传文化形式的影响。汉代壁画以永城芒砀山柿园墓最为大观。它绘制巨龙长五米许,气魄宏大,表现了巫楚文化影响的生生活力。洛阳卜千秋墓壁画色彩艳丽、线条流畅,以神兽和仙人表现墓室主人的升天意愿,其艺术特点应与马王堆非衣帛画有联系。卜千秋墓之后的洛阳玻璃厂壁画墓以较为准确的造型表现墓室主人的各种生活场面,显然,已经受到了北方世俗思想的影响。

汉代现存的地面雕塑,无疑以霍去病墓石雕最具有汉代风格的代表性,这批多以动物为题材表现的花岗岩雕塑,采用循石造型的概括手法,象征性地表现出深沉雄大的气魄。南阳汉宗资墓的天禄、辟邪石雕躯体团圆浑实、神态挺胸欲起,静止的形体内蕴藏着爆发的力量,可以看到它们与淅川徐家岭九号楚墓出土的镶绿松石怪兽之间的承继关系,洛阳孙旗屯出土的汉天禄、辟邪石雕形体棱角分明,团块粗壮有力,显然是受北方文化思想制约派生出的一个象征物。

汉代是中国古典建筑发展的成年期。屋顶的翼展外形极有特点,雅安汉高颐墓石阙阙顶,由脊部到檐部整齐递落,形成两段屋顶坡面;登封汉太室石阙的阙顶,有檐脊起翘的感觉。虽然汉代木

---

① 刘晓路:《焱焱炎炎,扬光飞文——秦汉绘画概论》,《南都学坛》,2001年第1期。

构建筑荡然无存,但从汉代陶明器建筑和汉砖石画像可以间接看到汉代建筑的翼展外形:美国纽约博物馆收藏的汉代陶楼屋顶坡面由方向变化的两段直线组成,郫县汉石棺双阙阙顶檐部明显地翘起。另外,南阳石灰窑、针织厂墓画像大胆暴露木结构框架,对柱、栌、斗拱、额、梁、檩等大木作构件大胆表现;郫县汉石棺宴客乐舞杂技画像对门、窗、栏杆等小木作构件刻画详细。我们根据南郢楚宫"松30号"台基发掘资料"土墩外沿有宽达3.4米之散木",①可以推知楚建筑的屋顶翼部外展开度,想像其翼展外形的雄姿,以及对汉代建筑屋顶翼展风格的影响与关联。

汉墓江陵出土的漆器及洛阳出土的陶壶上的彩绘画成功地运用了循物造型的图案和鲜艳丰富的色彩,它和楚漆画传统有较大联系。

汉画作为汉代空间艺术的表现形式,它由汉代出土的丰富遗存——汉画像砖石、汉墓壁画帛画、汉代雕塑、汉阙、汉墓的地下墓室和地上祠堂建筑等艺术形式共同构成。通过以上汉画艺术遗存的分析,如果对汉画的艺术渊源进行追溯,可以看到它受到了南北文化的深刻影响,并且感到南方文化在向北方推进的过程中逐渐在中国占据着重要位置,因此,汉画艺术的主流是从楚画艺术发展而来。我们还需要进一步对楚画、汉画的发展轨迹进行理绪:在美术发展史的研究中,奥地利艺术家阿洛伊斯·黑格尔把美术史看做是具有自然法则约束力的不断进化和发展的过程,不同意那种将美术的历史过程以盛衰阶段为标志的观点。的确,美术史发展的曲线与精神热情波动的曲线是相同的,一种新的艺术形式出现必然形成新的艺术语言与艺术影响,成为美术史发展的新的里程碑。根据这个观点,我们对古代艺术特征发展似可这样分段:欧洲

---

① 高介华、刘玉堂:《楚国的城市与建筑》,湖北教育出版社1996年版,第241页。

特征:岩画艺术、彩陶艺术、古埃及艺术、古希腊艺术;中国特征:岩画艺术、彩陶艺术、楚画艺术、汉画艺术。古希腊艺术形成了匀衡凝重、和谐求实的西方风格,汉画艺术造就了神韵飞动、玄秘奇丽的东方风格。在西方特征的发展过程中,古埃及艺术起到转折作用,"所有的雕像、绘画作品和建筑形式仿佛都遵循着一同条法则。"①这种稳定的、质朴而和谐的法则改变了岩画和彩陶对动物灵动性生动表现的亲情关系,同时给予古希腊艺术希腊化时期以影响。由于希腊化时期开始了艺术走向自由的重新觉醒,希腊人冲破了古埃及艺术的禁律,走上了发展之路,从而奠定了西方的艺术精神。中国的艺术发展,青铜艺术的饕餮狰狞面目改变了北中国动物生命与运动的交响曲,又依靠周礼孔教的森严乐章威赫了几个世纪,给中国大地以深远持久的影响。但是,楚画艺术在扬弃的过程中悄悄地发展了起来,最后融合发展为汉画艺术的主流,终于唱响了汉代艺术精神的主旋律。

　　人类最早的艺术认识在于对客观世界的整体把握,老子认为:"有物混成,先天地生。"②天地产生之前就存在原始混沌的整体性。进而发展成为"天地合气、万物自生"的汉代元气自然整体论,其广阔无垠的宇宙意识造就了汉画艺术的整体观。汉代遗存最为丰富的汉墓,其建筑形式、雕塑制品、绘画表现是有机的组合整体,彼此不能分割。画像砖石墓集建材、雕刻、绘画为一体,尤为达到高度的统一。另外,墓室内的一切陪葬物品都是这个统一体的组成单元,它们共同构建了汉画墓室表现艺术的美感式样。墓室上的祠堂和雕塑是墓室地面上的外延部分,它形成了另一个审美层面的整体表现。本来,"从最早的意义上讲,原始的艺术是综合的、

---

① (英)贡布里希:《艺术发展史》,天津人民美术出版社1986年,第34页。
② 《老子》第二十五章。

系统的、实用的"①,人类文化开始出现是一元的,它具有朦胧的整体美。这种本元文化在汉画艺术中比较充分地表现出来,武氏祠画像刻有"良匠卫改,雕文刻画,罗列成行,撼聘技巧,委蛇有章"②的铭文,说明汉代民间的工匠和画师没有严格区分。张衡制造的地动仪有极为优美和谐的造型,史籍也记述其为丹青画师。且已出入宫廷的张衡"少善属文"。"通五经,贯六艺"。"征拜郎中,再为太史令","后迁侍中","出为河间相。"③可见在汉代即使宫廷设计师,画师也是集造型、技艺、绘画、雕刻为一体,获有对事物整体表现的能力与水平。因此创造出了由建筑、雕塑、绘画等形式组成的具有物质文化和精神文化双重性的汉画艺术,它所保持的本元文化特性形成了汉代文化艺术精神的主要特征。

由动物神灵世界表现所萌发的飞动性使汉画艺术充满了生机和活力,它鲜明地出现在汉代不同形式的建筑、雕刻与绘画中:建筑屋顶的"反宇向阳"曲线使中国古典建筑在天地间呈现飞动之姿;宗资墓天禄、辟邪以浑圆的团块与流畅的曲线表现了腾空升天的运动和力量;汉画像所刻画的龙如贯天彩虹,以流线感觉出现在画面中。宗白华先生指出:"在汉代,不但舞蹈、杂技等艺术十分发达,就是绘画、雕刻,也无不呈现一种飞舞的状态。图案画常常用云彩、雷纹和翻腾的龙构成,雕刻也常常是一雄壮的动物,还要加上两个能飞的翅膀,充分反映了汉民族当时的前进活力。"④中国艺术在发展过程中不断进行扬弃,逐渐剔除掉板拙与琐碎的表现方法,克服了一般具象表现的思想影响,进而大胆地刻画精神世界,在汉画表现中以生命和信念的完美结合,形成神游的意境,于

---

① 张道一:《造物的综合之美》,《艺术学研究》第2集。
② 洪适:《隶释》卷六《汉从事武梁碑》,中华书局1985年版,第74—75页。
③ 《后汉书》卷59《张衡传》。
④ 宗白华:《美学散步》,上海人民出版社1980年版,第53页。

是生发出线性韵律的艺术感觉,我们尤在霍去病墓石雕和南阳汉画像砖石图像中看到了这种形式,它已经摆脱开三代器物饰造图案的传统束缚,形成了超越于器物之外的艺术理念,更刻意地表现出气韵生动的汉代社会风貌,产生了浪漫幻想、生气勃勃的汉画艺术。

美感的创造与运用在汉画艺术中表现得淋漓尽致,艺术回归到自觉性发展的良好路径。它不再是青铜艺术伦理道德的附庸,而是积极表现社会上升时期人类创造伟大业绩的思想境界场景,以磅礴的气势与力量表现人类征服外部世界的乐观精神,并把个人的情感欲求放在次要地位,在中国艺术的发展史上,开天辟地形成了对精神理念艺术性自我创造的表现手法。从另一个层面讲,汉画艺术在完成自我审美感觉的同时,对汉代思想产生极大的影响。汉代墓室的地面祠堂应是对外开放的,有些石祠画像刻有"唯观者诸君愿无败伤"的文字,既说明汉画艺术在汉代的普及性,也说明其艺术形式对形成与铸造汉代思想产生的重要作用。汉代儒家经学"成人伦,助教化"的现实功利思想没有能束缚汉画艺术的发展,相反,汉画艺术形式极强的独立性特征,引导生发了社会蓬勃向上的汉代进取精神。

总之,整体灵动、浪漫进取的特点共同构建了汉画艺术的形式美。中国古代艺术的发展过程,经过岩画、彩陶、青铜器与楚画等发展阶段,又经过南北文化的不断磨合、扬弃,至此汉画艺术形成了中国古代艺术的基本特征,并升华为中华民族的本土艺术精神。

在岩画至汉画艺术形成过程中,远古图腾艺术也曾有人与神灵共存的形象,也使用过大胆随意的表现手法。但是汉画艺术在此基础上已完成了质的超越,它不再是要靠神灵主宰和支配,而是人要到天上分享神的欢乐,并把人间愉快、乐观、浪漫、向上的情趣带到天上和神灵共享。它所透射出的东方艺术光辉形成了世界艺术与美学史中一道亮丽的风景线。

"中国从新石器时代以来一直到汉代,这一段长的时间内,的确存在过丰富的美学思想,这些美学思想有着不同于六朝以后的特点。"①笔者认为宗白华先生指出的这个丰富美学思想应由汉画艺术精神所代表。汉代以后,汉画艺术为六朝人文思想的活跃奠定了基础。但是,伴随佛教艺术的不断传入,中国本土艺术精神逐渐发生了质的变化。敦煌早期石窟艺术一部分尚保持一些中华民族本土艺术风格,一部分已为西域艺术风格,另一部分则移植了印度的艺术风格。敦煌后期石窟艺术形成了中华民族本土艺术、西域艺术、印度艺术、西方艺术相结合的表现形式。六朝以后,中国的各种艺术形式也都明显地呈现这些变化:唐代的建筑雕刻臻于完美、细腻;宋代的山水画,追求壮丽、富华;明清的文人画偏于情趣、形式。艺术逐渐分类明确,且以不同路径发展:科学和艺术分开了,设计和绘画分开了,绘画的画师逐渐分为黄门、文人、民间三个层次。分类的细致造成了风格的多样化,但均缺少汉画艺术——中华民族本土文化精神的基本特征。尽管那种整体的飞动气势、那种昂扬的向上精神不时在汉画时代以后的艺术发展过程中有所闪烁出现,但是始终没有一种发展成熟的、具有代表性的中华民族本土艺术精神的形式再度出现。

古希腊求实的艺术风格经过文艺复兴、浪漫主义与古典主义等阶段的发展与思考,似乎20世纪的现代主义从东方艺术传统精神中找到了灵感,并导致在世界范围内掀起了科学和艺术结合、艺术需要重新认识的现代主义表现运动。笔者认为这是以汉画为代表的中华本土艺术精神通过近20个世纪时间的传播与潜移默化影响,经与西方艺术的相互磨合,必然产生的一种思潮。它的积极意义在于:重新认识艺术的本质,重新建立艺术的认识程序。"历

---

① 宗白华:《美学散步》,上海人民出版社1980年版,第27页。

史向前一步的发展,往往是伴随着后退一步的探古穷源。"①

中华民族本土艺术精神将不断地被人类社会所认识,汉画艺术的时代精神也会在不同时期继续得到释放与发扬。

---

① 宗白华:《美学散步》,上海人民出版社1980年版,第58页。

南阳汉画像砖石艺术形象构成的文化内涵

王 蕊

汉画像砖石艺术是汉代墓葬艺术的精华,其形象构成所蕴含的文化意义可视为汉代墓葬文化的具体呈现。从历史上看,汉代南阳郡的大部分原属于楚地,汉承楚风,"汉文化就是楚文化,楚汉不可分"①。因此,楚文化对南阳汉画像砖石艺术的影响是极其深远的。"在汉代艺术和人们的观念中弥留的,恰恰是从远古传留下来的种种神话和故事,它们几乎成了当时不可缺少的主题或题材。"②换言之,在南阳汉画像砖石艺术中,楚文化的积淀是非常深厚的。楚文化是既承袭了中原文化,又有深厚本土基础的多元文化。它在文学艺术和美学上的形象显现——"楚辞文化"同样具有复杂性和丰富性,而其中颇具宗教色彩的巫觋文化与汉代人们崇尚的"生则极养,死乃崇丧"的厚葬观念有着天然的亲和力,楚辞文化中的巫觋文化观念与汉代社会生活现实找到了恰当的相互关联的结合点,所以,楚辞文化中的巫觋文化观念对南阳汉画像砖石艺术形象构成产生了深刻的本质影响。这就使得南阳汉画像砖石艺术形象构成具有了神圣的宗教性含意,呈现出巫觋文化观念的特征。

---

① 李泽厚:《美的历程》,广西师范大学出版社 2000 年版,第 125 页。
② 李泽厚:《美的历程》,广西师范大学出版社 2000 年版,第 125 页。

南阳汉画像砖石艺术属民间艺术的范畴,也可视为宗教美术的一种表现形式。恩格斯指出:"一切宗教都不过是支配着人们日常生活的外部力量在人们头脑中的幻想的反映。在这种反映中,人间的力量采取了超人间的力量形式。"这就从哲学的角度指出了宗教的本质是一种外物在人脑中的虚幻的、歪曲的反映,是人们对精灵、神道、天帝等超自然力和超社会力的信仰。当我们对南阳汉画像砖石艺术和楚文化中巫觋文化这种具有宗教神秘感的文化现象进行对比考察时,就会发现它也是虚无的,然而它又是合目的的。是人们处于困惑的情景下在精神上对自然的超越,这种超越同时具有对自然回归的指向。这是一种希望寄托,也是一种对外界的莫名其妙的解释。

南阳汉画像砖石艺术是一种兼有宗教的冥冥观念和美术的具体可感等特征的视觉样式。构成这一样式的形象的文化内涵,就像这一样式本身有别于其他美术样式一样,具有它的特殊性。从内容题材上来看,南阳汉画像砖石与山东、陕北、四川等地的汉画像砖石所表现的经史教化等儒家文化观念和农耕纺织的田园景色的古典主义和现实主义相比,南阳汉画像砖石则更独特地表现了日月交替、阴阳相接、怪兽神灵、天地神道,气运五行的神秘的理想主义和浪漫主义色彩。即楚文化中巫觋文化观念、宗教观念在其精神层面的蕴含和在其具体形象中的呈现。

对于人类来说,"求生欲"是最基本的,也是最强烈的欲望。巫觋文化的产生和存在的心理基础正是人类的这种"欲望"。根据古人的思维方式,他们认为世界上一切存在物都包蕴着某种神秘的东西——神灵,而且人类的生命与灵魂是相同一的。人死亡后灵魂就会离开,这是人们所不希望的。于是,就要举行仪式,呼唤灵魂归来,乞求神灵的庇护,乞求能够升入"不死仙界"。在这种情况下,巫觋文化观念与汉代盛行的厚葬习俗在精神上找到了结合点,由此产生了南阳汉画像砖石这种艺术形式,并通过这种艺术形象呈现出所要表达的文化观念——巫觋文化观念。可以这样认为,人们通过汉画像石这种艺术形式所营造的正是为死者招回亡魂并希望得到神灵庇护的空间氛围,营造的是升入"不死仙界"的一个通道。这在楚辞中也表现得非常突出。如,屈原在楚辞《招魂》、《大招》中所描述的"外陈四方之恶,内崇楚国之美"[①]的为死者"招魂"的场景:

> 魂兮归来!入修门些。工祝招君,背行先些。……天地四方,多贼奸些。像设君室,静闲安些。……网户朱缀,刻方连些。冬有突厦,夏室寒些。……经堂入奥,朱尘筵些。……红壁沙版,玄玉梁些。仰观刻桷,画龙蛇些。……魂兮归来!何远为些。
> (《楚辞·招魂》)

> 夏屋广大,沙堂秀只。南房小坛,观绝霤只。
> (《楚辞·大招》)

这些生动的描绘,刻画了死者居所(墓室)的富丽堂皇、舒适安逸,人盛物丰,气象殊异的景象。热切呼唤死者的灵魂不要背井离乡,滞留远方,快快返回到舒适安逸的居所,以免遭遇那些恐怖的险恶和不测。在南阳汉画像砖石中所对应表现出的场景则是:男(女)主人身居高大豪华的楼阁之中,凭几端坐,左右两侧或有侍者静候侍奉,或有下人躬身叩拜,或有宾朋上门拜访。阁楼之上有朱雀驻足站立或展翅翱翔。两侧对称刻绘有柏树四季常青。整个画面恬静幽静,安宁祥和,展现了人们期望"灵魂"在另一个世界里同样享受家庭生活的乐趣。

为了招回逝去的亡灵,人们还期待着他们在居所(墓室)中能够像生前那样享受着现实生活中的心神畅悦、安适栖息的乐趣。在楚辞《招魂》、《大招》中均有这样的描述:

> 肴羞未通,女乐罗些。陈钟按鼓,造新歌些。

[①] 王逸:《楚辞章句》。

> 二八齐容,起郑舞些。衽若交竿,抚案下些。竽瑟狂会,填鸣鼓些。
> 酎饮尽欢,乐先故些。魂兮归来,反故居些。
>
> 《楚辞·招魂》
>
> 代秦郑卫,鸣竽张只。优戏《驾辩》,楚《劳商》只。
> 二八接舞,投诗赋只。叩钟调磬,娱人乱只。四上竞气,极声变只。魂乎归来!听歌譔只。
> 腾驾步游,猎春囿只。琼毂错衡,英华假只……魂乎归来!恣志虑只。
>
> 《楚辞·大招》

与这些为了给死者"招魂"而营造的热烈欢乐、栩栩如生的生活场景相应,在南阳汉画像砖石中出现了众多样式刻绘,如,表现起居场所的"亭台楼阁",表现丰盛宴席的"庖厨宴饮",表现歌舞杂耍的"乐舞百戏",表现田猎活动的"骑射田猎",表现繁华闹市的"车骑出行"等等。人们希望通过这些场景的刻绘和保留,招回死者的亡灵,并为亡灵构建一个充满生活情趣的生存空间。这样人们对生的渴求,对神的崇拜,便在一个"真实"的虚幻世界里得到了非实在性的满足。

南阳汉画像砖石虽然是一种可视的艺术形式,但人们创造它的动机绝不是仅仅为这一艺术形式所代表的某一具体的物造像,而是要通过想像创造出一个象征着灵魂生存的空间,并以此作为人们的精神寄托。因此,对于人们来说,最重要的不是这种艺术形式的本身,而是包蕴在这种具体形式中的巫觋文化含意。当人们根据巫觋文化中的某一点揭示或者暗示而做广度的联想与发挥,甚至随心所欲地根据自己的思绪或情感而赋予它特定的观念时南阳汉画像砖石这种艺术形式的价值就是作为巫觋文化观念的载体。由此可见,南阳汉画像石具有浓厚的巫觋文化观念的意义,或者说,它的文化内涵就是巫觋文化观念,只是这种文化观念以汉画像砖石这种视觉艺术形式而存在着。

辩证唯物主义认为:任何事物都是相对的。南阳汉画像砖石艺术的形象也不是一成不变的。一方面它依循传承着巫觋文化观念的内涵,遵守沿袭着逐渐形成并趋于固定的形象规范,另一方面,南阳汉画像砖石艺术与巫觋文化观念从语言(或从其他形式)转换成具体的视觉艺术形式的过程中,经历了"人"的作用。人是历史的,也是现实的。现实中的一切,包括生活实验、社会文化、风俗制度等,都会在人的意识上、情感上留下种种痕迹,会采取或隐或显,或曲折或直接的方式,在他的行动中得到表现。因此,在创作过程中就会不可避免地带上人们的情趣、情感等因素,甚至于直接用现实生活中的场景作为向往中的"不死仙界"在南阳汉画像砖石中也都得以具体的呈现。使"人间生活的兴趣不但没有因向往神仙世界而零落凋谢,相反更为生意盎然,生机蓬勃,使天上也充满人间的乐趣,使这个神的世界也那么的稚气天真。"[①]如"车骑出行"就是繁华闹市上车水马龙景象的写照;"乐舞百戏"中男优女伎分明就是世间男女的装束打扮;"升仙图"中升天成仙的坐骑就是现实生活中人们的运载工具——马车的造型。而那些凭想像臆造出的形象和内容,也都是以现实生活为基础来表现的,或有着现实生活浓重的影子。如"昆仑仙境"被描绘成云气缭绕的奇山异峰,而"戴胜,虎齿,有豹尾,穴处"[②]的西王母,在南阳汉画像砖石中则是一位端坐于"不死树"下抚琴奏乐的妇人。人们还根据阴阳五行的观念,又创造出了一个士大夫形象的"东王公"与之相对应等等。因此,严格地说,人们在创作汉画像砖石艺术的过程中,接受着历史和现实的双重观念的作用,这种双重观念的作用,导致了汉画砖像石艺术的形象构成既表现出相对稳定性,又表现出民族、世俗化

---

① 李泽厚:《美的历程》,广西师范大学出版社,2000年出版,第133页。
② 《山海经·大荒西经》。

的双重特性,即南阳汉画像石艺术形象构成中巫觋文化内涵的相对稳定和具体表现内容、风格的多样和变迁。

"宗教对艺术的冲击在中国更为强烈。"①作为墓葬艺术的南阳汉画像砖石艺术,受宗教观念的冲击也显然更为深刻。楚文化中巫觋文化观念是引导汉代人幻想并创作出南阳汉画像砖石艺术形式的诱因,同时也是导致人们把自己的欲望指向回归到自己所创造的这种艺术形式的动力。由于楚文化中的巫觋文化观念与南阳汉画像砖石艺术形式的产生具有近似的心理基础和社会基础,即满足人们的某种"欲望"的达成和某种社会需求,这就使它们的相互融合与渗透成为可能。在汉代社会发展过程中,由于彼此的需要,二者的结合就变成了现实。可以说,南阳汉画像砖石艺术为巫觋文化观念披上了亲切的外衣,装饰了更美好的境界;巫觋文化观念为南阳汉画像砖石艺术开拓了更广阔的领域,把人们的美好向往从现实的人间带到了虚幻缥缈的"天堂"。同时,巫觋文化观念也演化了南阳汉画像砖石艺术形象构成的文化内涵,使这种独特的艺术形式变得更加深邃。所以,楚文化的巫觋文化观念是南阳汉画像砖石艺术形象构成的文化内涵。

---

① (英)贡布里希:《艺术发展史》,天津人民美术出版社,1991年出版,第78页。

论南阳汉画像石艺术对南北朝南阳雕塑艺术的影响

柳玉东　逯爱英

南阳汉代画像石刻艺术以其发现的画像石数量众多、内容丰富、分布集中而闻名中外。其在题材内容、雕造技法、艺术风格等方面对后世的雕塑、绘画产生了极深的影响。从目前掌握的考古材料来看,南阳汉代画像石产生于西汉中期,至东汉早中期已逐渐掌握了一系列娴熟的画像雕刻技艺,至东汉晚期渐趋衰落。但是,由于材料所限,汉画像石艺术对南阳汉代以后的雕塑、石刻等艺术的影响鲜有人论及。笔者在整理研究南阳早期佛教造像资料时,发现南阳早期佛教造像与同时期其他地区相比,具有明显的地域差异。而这种差异经仔细推敲与南阳汉画石刻艺术有一种艺术上的渊源或继承关系。本文仅以南北朝南阳出土的雕塑文物为例,探讨南阳汉画像石艺术的影响,以求教于专家同仁。

一、南阳发现的南北朝雕塑文物

迄今为止,南阳考古发现的南北朝雕塑艺术品多为佛教造像,因为,南北朝时期是我国佛教造像艺术的繁荣时期。南阳已发现的佛教造像有:镇平中兴寺西魏造像碑,西峡回车水库北齐铜佛造像,襄县北齐造像碑等。此外,邓县彩色画像砖墓出土的彩色画像砖也是这一时期南阳出土的重要雕塑珍品,显示出较高的艺术成就和价值。

镇平中兴寺西魏造像碑刻凿于西魏大统三年(公元537年),现存于镇平县杨营乡贾村西的省级文物保护单位中兴寺(当地又称登禅寺)内。该造像碑为青灰色石灰岩质,通高190厘米,宽84厘米。碑首作圭状。碑阳上部为方形造像佛龛。下部为造像题记。佛龛内减地刻凿一佛二弟子二菩萨。

碑文题记大部分清晰可辨,属魏碑体,书风颇佳,内容主要记述西魏"大统三年岁次戊午四月乙丑朔八日丙申"时任"大魏镇远将军、步兵校尉、前河北太守白双城","为国主大五□史造中兴寺石像"①的经过。

西峡回车水库铜佛造像②,是1956年4月在修筑回车水库时发现,共出土有百余件属于北齐时期的鎏金铜佛造像,现主要收藏于西峡县文管所。其造型有佛、菩萨、金刚力士等,以单体居多,也有成组连体出现,造像通体多有鎏金。

襄县北齐造像碑③,发现于1957年10月,共出土三块,即天保十年(公元559年)一块,天统四年(公元568年)和天统五年(公元569年)各一块。天保十年造像碑高108厘米、宽57厘米、厚8厘米。碑首雕刻四龙,龙身之下为一方形佛龛,内刻观世音菩萨及二胁侍。正中为方形造像龛,下部为尖拱屋形龛,龛中雕造一佛两弟子两菩萨像。碑阴上部刻凿佛教故事"太子逾城出家",下部刻造像题记。

天统四年造像碑,高131厘米,宽65厘米,厚9厘米,整体为

---

① 柳玉东、陈云富:《河南镇平中兴寺西魏造像碑》,《中国文物报》,1998年12月16日。
② 王儒林:《河南西峡水库发现大批鎏金造像》,《文物参考资料》,1956年第4期。
③ 周到:《河南襄县出土的三块北齐造像碑》,《文物》,1963年10月。

方形,碑阳主要为天盖帷幕龛,上部浮雕帷幕飘带,其下雕造二排三层圆楣屋形龛,碑阴刻造像题记。

天统五年造像碑,横长 137 厘米,纵宽 53 厘米,碑阳中间雕造一尖楣屋形龛,龛内雕造一尊交足弥勒和二胁侍。大龛之下又雕凿三个并列小龛,中跪力士,头顶博山炉,两侧二狮。

襄县北齐时为北襄城郡,属北齐时的雍州(今南阳)所辖。

邓县彩画砖墓①,是 1958 年在邓县张村公社学庄村的湍河西岸发现。除墓室券门两侧壁画门卫人物飞仙外,墓壁镶嵌模印彩色画像砖。一砖一图,均为浅浮雕作品,共有 24 种不同的内容,至今保存完好。

二、南阳汉画对南北朝南阳雕塑艺术影响举要

对南北朝南阳雕塑材料进行整理和研究,不难看出其在雕刻技法、人物造型,构图布局等诸方面受到了南阳汉画像石刻艺术的明显影响。

(一)雕造技法的吸收和继承

南阳汉画像石艺术是西汉南阳民间艺术匠师们在吸收前人绘画、雕刻艺术的基础上,运用巧妙的刻凿技术在逐渐盛行的建墓材料——石块上绘制而成的绝代艺术珍品。其雕刻技法大致可总结为阴线刻、凹面刻、浅浮雕和透雕四种类型。这四种技法随着画像石的产生、发展、繁荣,有一个发展过程,但并不割裂和孤立存在,至画像石艺术趋向繁荣时,则往往以一种技法为主其他技法为辅、多种技法并用而丰富了汉画的艺术表现力。

南北朝南阳雕塑艺术的雕造技法也正是吸收和继承汉代画像石艺术雕刻技法的成就,以圆雕和浮雕为主,辅以减地平(凹)面刻

---

① 《邓县彩色画像砖墓》,文物出版社,1958 年。

及阴线刻等多种技法。镇平中兴寺西魏造像碑,整个造像龛刻凿时使用减地凹面刻的技法在造像碑上刻凿成凹入碑面的造像龛。龛中的佛像则用圆雕来表现,主佛的圆形头光和弟子的舟形背光以及龛顶的飞天伎乐则用浮雕来表现,而主佛和菩萨身上的衣纹则以阴线刻表现为主。特别是主佛衣裙下摆的处理,用凹面刻和阴线刻相结合,使垂于佛座前的衣裙呈现出有规则的折叠,且层次分明,极富韵律感。

西峡北齐鎏金铜佛造像铸造精美,反映出高超的雕刻工艺水平。从雕造技法来看,运用阴刻、透雕、线刻等多种技法,使佛像雕造比例适当,形象生动。以鎏金菩萨立像为例,其颈部两侧与帔帛间、帔帛与菩萨两腿间及与莲座间均使用透雕来表现。菩萨胸部的璎珞、腕镯、念珠以及衣褶等均运用浅浮雕来表现。而在两眼睑间则用浅浅的阴线刻表现出安详的眼神,双唇间用浅短的阴线表现出微微的笑意,用弧状阴线表现出台座上莲瓣的轮廓。各种雕刻技术并用且达到了良好的效果,增强了艺术表现力,这与南阳汉画像石艺术高超的雕刻技术的影响是分不开的。尤其值得注意的是,北齐时期的佛教造像艺术中心在山东青州、诸城地区,其明显特征是造像衣衫轻薄透体、隐现肌肤①。而这种特征是用仅刻出佛像身体周围的衣衫轮廓,躯体不刻或少刻衣纹,使身躯各部毕现的技法来表现的。但这种表现技法在同时期的西峡铜佛像则没有得到体现,佛、菩萨衣裙的处理仍采用传统的线刻和浮雕来表现,这种地域的差异,正是受到汉画像石技法深刻影响所致。

(二)人物造型表现艺术

南阳汉画常常用人物的大小比例、形貌动作和环境气氛的变化来区分不同阶层的人物形象,使不同社会地位的人呈现不同的

---

① 见宿白:《青州龙兴寺窖藏所出佛像的几个问题》,《文物》,1999年第10期。

特征。如投壶画像石,两名喝得酩酊大醉的主人的形象肥头大耳,而立在一旁服侍的侍者,用身瘦体弱来表现,且站立的侍者在比例上还不及坐着的主人高,由此表现出主仆之间的不平等关系。同样道理,狩猎图、巡游图、舞乐宴飨图等画面往往把豪强地主置于画面重要位置,且使比例增大形成大腹便便的形象,侍者则身体瘦弱,表情谦恭,在画面上处于次要位置。

而襄县北齐造像碑的人物造型也采用这种表现手法。以天保十年造像碑为例,其碑阳中部为方形尖楣屋形龛,主佛造像位于佛龛正中,结跏趺坐于台座上,身材端庄威严,而两菩萨则侍立座前,两弟子侍立于身后,且其身高均不及主佛。甚至就连佛龛两侧站立的两金刚力士的体魄也未有主佛健壮,而龛下的跪着的力士和比丘的人物形象造型比例显著缩小,仅及主佛和弟子身高的1/3,使整个造像龛主次分明,极富层次。

邓县彩画像砖人物造型表现也深受这种表现方法的影响。如南山四皓和郭巨埋儿画像砖均刻画有山石林木做背景来衬托,但比例很不协调,猛一看给人以"人大于山"的感觉,而实际上则起到一种突出主题的奇妙效果。战马画像砖中的战马身阔体壮、奋蹄长嘶,而两牵马的侍者,则显得身材瘦小,弱不禁风,身高仅及马鞍部位。

(三)构图布局艺术

由于画像石出自画像石墓,又是一种特殊的装饰,所以对画像中各种形象的处理有一种图案化的特征,其构图缺乏空间感,只能靠形象刻画的集中和传神来增强艺术表现力。如荆轲刺秦王,画面集中表现出荆轲正左手抓秦王衣袖,右手持匕首做投刺状;秦王正抽身站起,横剑欲还击;秦舞阳则惶惶然不知所措。又如高祖斩蛇、鸿门宴等图画都具有构图准确、简练明快、形神兼备、情节连贯的特点。使这些过程很复杂的故事,仅用一个画面且无题记的情况就可区分出故事内容。再如阉牛图,集中表现出阉者在牛后腿腾起的瞬间,操刀向阉部疾速扑去的形象,其麻利的动作和眼神的传神,达到了形神完美的统一。

而南北朝南阳雕塑品也极具这种表现集中和传神的艺术效果。襄县北齐天保十年造像碑碑阴额部雕造一幅太子逾城出家的佛传故事,集中刻画了太子骑马腾于密云之中,有五匹扬带飞舞的天马导引疾驰,四大天王左右两边保驾的场面。邓县彩画像砖则更具这种传神的表现效果。画像砖的每个故事都选用最能说明问题的一刻来刻画表达。如郭巨埋儿,集中于郭巨掘地欲埋儿得金的一刻来表现,左刻郭巨,着长衫,束袖,正持一尖首铁刃镢掘地,坑中已掘出一瓮黄金。右刻郭巨之妻着褒衣长袖,衣带飘翻,怀抱小儿的情景。使整个故事前后连贯,内容表达充分和传神。又如老莱子娱亲则抓住老莱子正故作幼儿姿态匐伏于地以娱双亲,其父母倨坐于胡床上皆作鼓掌欢笑的姿态,使图中人物形神皆具,极具艺术感染力。商山四皓画像则集中表现了东园公等四位须眉皓白的"贤者"隐居深山,各作鼓瑟、吹笙、观画与静坐,表现了一种悠闲自得的隐居情调。

同时,南阳汉画匠师为了克服汉画空间和层次表现的不足,在处理不同层次的画面时采用了"散点透视"的原则把不同空间的物象罗列在同一平面中,同时使每一物象自身都具有一定的透视感。车骑出行图中,每一辆车都刻画出正对着人们视线的车轮,两匹马驾车则着力刻画人们视力所及的马匹,另一匹马被遮挡部分则不予刻画,以显示一定的空间层次和物象之间的位置对比关系。雷公图,虽然三只翼虎上、中、下平行排列于画面之上,但正是由于采用了散点透视技法,让人们视力所及的每一只虎的侧面都具有自身的透视效果,使人感受到三只飞驰翼虎呈左、中、右排列驾驭雷公车在天空风驰电掣般奔腾的立体效果。

南北朝南阳雕塑艺术也吸收这种表现手法,镇平中兴寺造像碑、襄县三通北齐造像碑及邓县彩画像砖在表现宏大场面时都明显采用这种散点透视的技法突出空间感。如北齐天保十年造像碑碑阳中部屋形龛上之维摩经变图，在宽仅 50 厘米的平面上，竟然刻画了 11 位姿态各异的人物，而维摩居士、文殊菩萨和九位听法弟子，排列井然有序，层次分明。这种布局陈列所产生的空间效果，正是采用南阳汉画中散点透视的表现技法，使每一位人物都有自身的透视效果，而且结合减地浮雕减地的深浅程度控制，从而达到了空间上人物之间的位置关系使人一目了然的奇效。至于邓县彩画像砖的例子则更多。如贵妇出游图中左侧贵妇和持扇侍女使用侧视的透视效果刻画，右侧两奴婢则用正视的透视效果来刻画，且两奴婢刻画位置稍有上下之分，使贵妇和奴婢之间空间位置关系十分清晰和明朗。

汉画像乐舞百戏中的民俗文化底蕴

冯建志

中国汉画像中的乐舞百戏艺术形象,是汉代劳动人民用高超的艺术形式保存和遗留给炎黄子孙的珍贵的艺术宝典。汉代乐舞百戏艺术是一种物化形态和历史文化遗存。她不仅形象地反映了汉代社会不同时期、不同阶层、不同风格的社会生活情貌,而且生动地再现了汉代民俗文化的艺术形象,沉淀着丰厚的民俗文化底蕴,成为进行汉代民俗文化艺术研究的珍贵文物。

在汉画像艺术总类中,反映汉代社会文化生活的内容最多,其中乐舞百戏的内容占比例较大,既可以看到远古祭祀乐舞(巫舞)的痕迹,又可以看到融先秦雅乐及汉代乐舞百戏多种形式为一体的综合艺术风格特征;既反映了汉代统一的文化背景,又把各地域的传统的民俗文化特色鲜明地表现出来,为我们深入地研究汉画像乐舞百戏艺术形象中的民俗文化底蕴提供了有力的佐证。

一、从民俗文化学角度研究汉画像乐舞百戏

一切文化事物的产生、存在和发展,大都适应着人们的生理上、心理上、社会组织上的各种要求,而现实生活中的人们,本身又各有性别、年龄、身份的差别。因此,他们的文化需求无疑是多方面、多层次的。能适应这种复杂需求的文化产物也必然是千姿百

态的。在意识形态比较发达的汉代社会里,根据人们的需要存在着上、中、下三层社会文化。第一层是统治阶级创造和享用的文化。第二层官吏、富绅、中层阶级流行的文化,第三层是民间文化即下层劳动人民所创造和传承的文化。中下层两种文化属民俗文化。从文化根源上讲,三层文化都发生于没有阶级的原始文化。它们曾是一个统一体,后来逐渐分化了。在封建社会里,上层文化是占统治地位的文化。它要侵入下层文化是必然的。但是,在阶级对立的社会文化中,民俗文化对上层文化的基础作用和影响也是必然的。汉代统治阶级建立"乐府"广招民间艺人,"广采民间讴谣",然后"被管弦,制新曲"①。这便是吸取民俗文化的典型例子。

  任何一种文化艺术的形成都是当时社会文化生活的一种反映。汉画像乐舞图像即从汉代社会文化的上、中、下三层全面地反映了汉代文化生活的情貌,它既有反映王公贵族生活的大型乐舞百戏表演场景(如山东出土汉墓画像)②,又有反映官吏、富绅、豪强文化生活的小型歌舞表演,也有反映下层民间街头巷尾生活的俳优杂技表演。从演出的场所上,既有大厅殿堂(如唐河针织厂《乐舞百戏图》)③,又有厅台楼肆、豪宅雅屋,也有露天的大型广场(如《徐州石》图)④。并且,许多乐舞百戏图像从内容和形式上,把上、中、下三层文化并存一画,相映生辉。这说明,汉代的三层文化并不是水火不相容,而是你中有我,我中存你,相互影响同时共存的。由此可看出,上层文化和民俗文化二者是一个整体的两个方面,二者相互联系,相互渗透,相互纠结形成一个整体的汉代民族文化。

---

① 《汉书》卷30《艺文志》。
② 《山东汉画像石》图125,山东美术出版社。
③ 《南阳汉代画像石》图18,文物出版社,1985.
④ 《徐州汉画像石》图77,江苏美术出版社,1985.

二、汉画乐舞图像中的民俗文化底蕴

汉画像中的乐舞百戏艺术形象,无论从内容到形式,从乐器乐队的编配组合到演唱演奏的方式方法,以及乐舞百戏活动的规模范围等,不仅展示出汉代乐舞文化的风貌风格和形式特征,而且沉淀着丰厚的民俗文化的底蕴。许多艺术形式都直接或间接地表现出民俗民间文化的色彩。

1. 汉代歌唱:史籍和文学史书记载,汉代人歌唱艺术丰富多彩,郊庙祭祀、出行卤簿、振旅献捷、宴飨丧葬等都有专用的歌辞,并且民间歌谣遍及赵代秦楚和周边少数民族地区。汉画像中显示的主要是"相和歌"中的"一人唱三人和"以及"徒歌"、"但曲"等形式的演唱图像(如南阳市军帐营出土的"相和歌"图)①,另外还有不少汉墓出土的歌唱俑。

"相和歌"是汉代的民间歌唱形式。《乐府诗集》卷二十六引《晋书·乐志》说:"凡乐章古辞存者,并汉世街陌讴谣《江南》、《乌生》、《白头吟》之属,其后渐被弦管,即相和诸曲是也。"就是说汉代的民间歌谣原本为徒歌,以后配上弦管乐器伴奏,发展成艺术歌曲。"徒歌"是不用乐器伴奏的古老歌唱形式,它流行于街头巷尾,可以随时随地演唱。在劳动过程中,路途上、休闲时、喜庆宴席上均可通过即席演唱的方式,无拘无束地抒发情怀。从歌辞分析,"相和歌"反映的都是下层劳动人民的生活内容,后来经过民间艺人们的加工提炼,配上乐器伴奏以形成"但曲",配上歌舞则形成了"相和大曲"。可见当时这一歌唱表现形式已经形成较为完善的体系和相对固定的表演模式,成为汉代民间成就较高的艺术精品。

2. 汉代舞蹈:汉画像中的舞蹈艺术形象很多,主要反映的是

---

① 《南阳汉代画像石》图148,文物出版社,1985.

汉代中下层社会的乐舞活动场面。一般都描绘在厅堂、庭院、楼肆、广场及劳作的场地上。尤以小型歌舞活动内容为多。常见有"盘鼓舞"、"建鼓舞"、"长袖折腰舞"、"拂舞"等形式。都属于民间杂舞。《乐府诗集》卷五十三云:"杂舞者,《公莫》《巴渝》《盘舞》、《鞞舞》、《拂舞》《白纻》之类是也。"两汉期间,民间歌舞之风盛行。从画像上看,民间艺人的高超技艺、良好的艺德艺风,将汉代舞蹈艺术水平提高到一个全新的高度。那些广布于民间的乐舞伎人长期活跃在民间,不断吸取社会生产、生活实践中的艺术营养,经过长期的钻研、勤奋的训练,不断地归纳创造,形成了千姿百态的汉代民间舞蹈艺术形式,铸就了宏丽浪漫的汉代舞蹈艺术风格。

3. 汉代器乐:汉画像中表现器乐演奏的图像很多,内容也很广泛。乐队有大有小、规格不一。按乐器乐队类别的构成,有鼓吹乐、横吹乐、丝竹乐、管弦乐。按用途的不同可分为独奏、伴奏、合奏等形式。《唐书·乐志》曰:"散乐者,非部伍之声,俳优歌舞杂奏。"由此可看出汉画像表现器乐的图像多为民间乐队,是汉代民俗文化的重要组成部分。

汉画像器乐文物中,可见到许多不同类型的鼓吹乐形象,有站姿、坐姿、骑马、步行等不同演奏形式。鼓吹乐作为汉代音乐第一大音乐类型。原产生于北方的游牧民族,自汉初进入中原,以其激昂嘹亮的音响,优美动听的音调和灵活方便等特点,受到汉代宫廷贵族和大众的普遍喜爱。最初用于宫廷礼仪,又可用于军乐仪仗;后又用于娱乐宴飨等活动。逐步发展普及到豪族贵戚,官宦吏绅的出行游猎,丧葬嫁娶和民间的祠、射等活动。由此看出,汉代鼓吹乐也和汉代民俗文化有着千丝万缕的联系。

4. 汉代百戏:百戏是杂技、幻术、俳优侏儒戏、角抵、驯兽等节目的总称。《隋书·音乐志》云:"始齐武平中,有鱼龙烂漫、俳优、侏儒、山车、巨象、拔井等,奇怪异端,百有余物,名为百戏。"从汉画像艺术资料所见,百戏表演灵活多样,技艺高超,是广泛流行于汉代社会各阶层的艺术形式。不仅宫廷贵族醉心于百戏艺术表演,就连官吏豪绅以及民间也同样对此沉湎流连。《盐铁论·散不足》谈到民间的娱乐活动时说:"今俗因人之丧以求酒肉,幸而小坐而责办歌舞,俳优连笑伎戏"。《崇礼篇》说:"夫家人有客,尚可倡优奇变之乐。"这说明汉代的百戏表演艺术,已渗透到庶民百姓的丧葬喜事,待客摆阔的宴请活动之中。成为汉代民俗文化的重要组成部分。

5. 汉代民众广场文化

汉画像中有许多将歌、舞、乐、百戏表演等混合一体的表演叫乐舞百戏图(如山东出土汉墓乐舞百戏图)①。这种表演形式,往往在大型广场表演,观看人数众多,是一种典型的民间文化活动。它从多个角度,多个方位,立体全面展示汉代乐舞百戏艺术的精湛技艺,场面雄浑壮观。较全面地反映了汉代民俗文化综合多元、辉煌隆盛的发展面貌。

张衡在《西京赋》中对这种民众广场文化有详细记载:"大驾幸乎平乐之观,张甲乙而袭翠被,攒珍宝之玩好,玢瑰丽以侈靡。临迥望之广场,程角抵之妙戏。乌获扛鼎,都卢寻橦,冲狭燕濯,胸突铦锋。跳丸剑之挥霍,走索上而相逢。华岳峨峨,岗峦参差,神木灵草,朱实离离。总会仙倡,戏豹舞罴,白虎鼓瑟,苍龙吹篪。女娥坐而长歌,声清畅而蜲蛇,洪崖立而指麾,被毛羽之襳襹。度曲未终,云起雪飞,初若飘飘,后遂霏霏。复陆重阁,转面成雷,礔砺激而增响,磅礚像乎天威。巨兽百寻,是为曼延……"本文从演出场地、场景、舞美、音响效果、表演程式等方面全面细致地记述了这种民众广场文化的演出盛况。由此看出,这种民众广场文化参加演出人数之多,其品种之繁杂,内容之丰富,技术之高超,观看人数之众都是史无前例的。这种大型的广场演出是汉代民俗文化的一大

---

① 《山东汉画像石》图125,山东美术出版社。

特色,对汉代民俗文化的发展繁荣起到了巨大的推动作用。

三、汉画像乐舞百戏民俗文化的成因

汉代处于封建社会中央集权制发展的早期阶段。国家的统一、经济的繁荣以及中外交通的发展,促进了国内各地区、各民族间经济、文化的交流,为民俗文化的交流发展创造了有利条件。从我国文化发展的长河来看,汉代处于封建文化发展的第一个高峰。宽松祥和的文化艺术氛围和汉代统治阶级的重视与偏爱,为民俗文化艺术提供了生存和发展的良好空间。

汉代歌舞之风盛行,民间文化受到统治阶级的偏爱。上行下效,上至宫廷贵族,下至官吏富豪、庶民百姓,乐舞百戏艺术已渗入汉代社会的各个阶层。如《汉书·贡禹传》说:"贵戚之家,童以千百数,罗钟磬,舞郑女,作倡优,狗马驰逐。"而一般富豪黎民也往往"蓄歌者至数十人",甚至到了"今俗因人之丧以求酒肉,幸而小坐而责办歌舞,俳优连笑伎戏"的地步(《盐铁论·散不足》)。

自汉武帝始,汉代厚葬之风久盛不衰。在帝王厚葬之风的影响下,贵族官僚、富商地主竞相仿效,厚葬之风弥漫整个社会。东汉人王符在《潜夫论·浮侈》篇中指出:"今京师贵戚,郡县豪家,生不极养,死乃崇丧……良田造茔,黄壤致藏,多埋珍宝、偶人、车马,造起大冢……边远下土亦竞相仿效。工匠雕刻,连累日月。"这就是对汉代厚葬之风和汉代画像石墓盛行的文字记录。在出土的汉墓中,不仅有随葬的贵重用器、部分乐器和乐舞俑,并且墓壁上还刻绘了许多宴乐歌舞百戏的内容,希望墓主人在死后还能享受人间的荣华富贵。这些汉画生动地再现了汉代民俗文化的艺术形象,成为研究汉画像乐舞民俗文化的珍贵史料。

综上所述可见,汉代开明的政治制度,繁荣的经济基础,祥和的文化氛围,长期活跃在民间的艺人和全国盛行的厚葬风俗是产生和形成汉画像乐舞民俗文化的主要成因。多种因素的结合促进了汉代民俗文化的繁荣发展，形成了汉画像乐舞、民俗文化的辉煌成果。

亦守亦退的政治倾向与亦乐亦苦的人生写真

——汉代车骑出行、羽化升仙画像石论略

刘 克

南阳车骑出行和升仙画像石是汉代斑斓璀璨文化中寓意深远的艺术瑰宝,反映了两汉文化中心区域产生的一种独特葬俗,其在文化内涵上有着无与伦比的优势,对全国民间汉画的创作产生着重要影响。它以深沉雄大的特质,集中凝炼地显示着汉代的文化精神,吸引了海内外学者惊羡的目光,受到了学术界广泛的赞誉。在汉代世人心性闭锁和对政治责任疏离的背景中来考察南阳车骑出行羽化升仙画像石的价值,探讨汉画与时代生存状态和个人精神生活的关系,见其文化内涵的深邃性,具有重要的文化学和民俗学方面的意义。这是以往汉画的研究文章所未曾触及的。本文试图从汉代意识形态中道儒二学消长的宏观视角来审视体认车骑出行和羽化升仙画像石,探讨其蕴涵的社会意义,敬祈方家指正。

一

南阳汉画像石刻的鼎盛期,处在新莽至东汉中期前这一阶段。在这个历史阶段中,不仅画像石墓多(全国出土的汉画像石墓有百座之多,而南阳在这一时期更多达四十余座)、单墓画像石多(如唐河针织厂汉墓中一次就出土画像石 74 块,南阳麒麟岗汉墓则多达 110 块等),而且车骑出行和羽化升仙内容也很多,从而构成了迥异于陕西、山东、四川等地画像石墓的独特风采。

由于"南都"、"帝乡"的特殊背景,南阳成为皇亲、国戚、王侯、富商们的汇聚之所,车骑出行画像石大量出现的时期,正是以刘秀为首的统治集团中显赫人物苦心经营南阳的时期。他们凭借雄厚的财力,不仅宅地相望,而且大造地宫,"生不极养,死乃崇丧"①,往往将坟墓建得异常豪华气派。车骑出行画像石便是这一丧葬潮流中涌起的一朵亮丽浪花。这种画像石在南阳的繁盛与此时社会文化转型的背景有着十分密切的关系。因为在汉代"罢黜百家,独尊儒术"的社会政治背景之下,东汉官吏的选拔、察举、征辟等,都要严格遵循儒家的道德标准,以至于仕进的路径趋于单一。同时,西汉后期阶级矛盾和统治阶级内部矛盾交织的历史使东汉统治者怵目惊心,豪强地主的强大势力也是东汉统治者一块久抹不去的心病。在历史教训和现实需求的共同作用下,光武、明、章等帝都致力于中央集权的完备和封建专制统治的加强。东汉初年虽然对众多功臣实施大肆封侯封地,但在政治上却不给以实职实权,并剥夺他们的兵权,而且不许外戚干预政事,不给他们尊贵的地位,不让他们蓄养羽翼。在地方政权方面,光武帝大肆并县及废除内郡地方兵,吏职减去了十分之九。这样,虽然维护了统治,但因此而导致的入仕途径的固定单一及宦海波谲云诡的险恶的冲击波,不能不使士大夫对于仕事产生一些新的认识。虽然进入仕途是他们实现平生治平理想的有效途径,但现实的种种变故却在冷却着他们对社会政治的责任热情,对政治参与的忧惧体验,强烈地刺激并唤醒着他们心中退守自闭的潜在意识。汉画像石中车骑出行和宴饮娱乐内容在某种意义上便是人们对政治失望消极情绪的体现,因为汉代人将死人当活人对待,以为活人需要的死人也需要,对阴间生活的假设与表现囿于认识和思维规律的局限,其理想图景的

---

① 王符:《潜夫论·浮侈》篇。

创造只能以现实生活为蓝本。墓穴是汉代集群实现灵魂和精神自由的主要场所,车骑出行和宴饮田猎,成为阴阳二界人们"愤愤愁思"的稀释剂。邓县长冢店汉墓出土的画像石上,骈马骖驾,前有导骑,后有从卫。车前导骑者,挽辔御马,滚滚向前,而侍从则侧身挽弓,急射追击者。南阳县七里园汉墓出土的画像石上,既有匹马单乘,建鼓乐车,亦有轺车和帲车,且边行边观看着乐舞表演,热闹非凡,气氛十分和谐。车骑出行这种个体性色彩极浓的生活追求,虽然是一种理想,但是表明了世人看待社会政治和参与社会政治角度的转向,他们对无忧无虑生活方式的刻意营求,反映了他们割舍政治前途和轻视功名利禄的人生观念。

对车骑出行闲适自得生活方式的向往,我们还可以从同时期的汉赋中得到印证。张衡在《归田赋》中这样写道:"于是仲春令月,时和气清。原隰郁茂,百草滋荣。王雎鼓翼,仓庚哀鸣;交颈颉颃,关关嘤嘤。于焉逍遥,聊以娱情。尔乃龙吟方泽,虎啸山丘。仰飞纤缴,俯钓长流。……极般游之至乐,虽日夕而忘劬。"而马融在与友人书中也不乏"在竹间放狗逐麋"的憧憬。在军帐营出土的相关画像石上便有一人牵犬而行。这种左车右琴的生活方式,无不体现出东汉士人对于政治参与的困乏感,带有鲜明道家色彩。

汉代的思想文化经历了由西汉重浪漫到东汉重现实的转型。车骑出行和宴饮田猎等适意放达、专注于自我生活情感体验内容,先前那种历史故事、门阀亭阁等反映儒家仁义道德重大题材明显变少了。人们用富于美感的图画表达了自己对政治、社会、生活新的理解,它的自娱色彩,得之于世人此期于政治之外人生意义的寻求,是汉代讲究出处进退人生形态的外射。

二

汉代自董仲舒倡导罢黜百家、独尊儒术之后,作为中国主导精神的两翼之一,道家文化并没因自己的学说受到统治者的排斥打击而油干灯灭,而是在严峻的现实面前悄悄地潜隐到人们理性意识的背后隐蔽起来,处在主流文化的边缘,我行我素,冷眼观看着儒家的所作所为。以前构成时代主导精神的儒家二元,因为一元的陷落而造成社会文化中不与主流文化相沟通的一个死角,所以与其说道家思想是被挤出了主流文化,不如说是被一种无形的巨手给武断地遮蔽了。它的精神灵泉并未干涸,它遁入人的内心,与人的情感为伴,在人的灵魂深处热烈地奔涌着,在不自由的自由之路上,始终为人那强烈而不可压抑的自由渴望唱着鼓励的赞歌。南阳升仙画像石繁盛的时期,社会政治已显露出不可扭转的颓唐之势,经学也日渐僵化,名教不张,敏感的士大夫心间笼罩一股悲凉的情绪,言行脱节,心灵扭曲,退守自闭意识便成了他们普遍的选择。仕运不济已算不得什么,对社会政治亦觉怠倦,"默然独守吾太玄"①,南阳升仙画像石上那种不用炼丹找药就能进入仙境与仙人相遇方式的本身,便可见出对当时皇家寻药炼丹升仙方式的疏离与否定。

升仙汉画像反映了墓主所追求的死后生活以及灵魂不灭的思想观念。围绕亡灵这一主题,形成了灵魂升天、冥界鬼魅、天界诸神等庞杂的鬼神世界。政治疏离、淡化舍弃对功名的追求、讲究人生闲暇等消极情绪的存在,正好为道家学理的蓬勃生长提供了良好的土壤和难得的机遇。道学的精神内核,以道为本源和总则,追求羽化升仙、长生不死。它对个性的张扬、自由的向往,更容易使一大批不被允许以积极的方式参与政治活动的人将道家的仙境当成精神避难所。再加之儒学理论体系中先天存在的不足和缺憾,在哲学中一些重大问题上无法彻底驳倒道学与己相对立的地方,所以世人,包括统治者在内,难以从内心深处完全接受儒家学说,

---

① 《汉书》卷87下《扬雄传》。

至多采取"礼表法里"、"王霸道杂之"的处事权术。武帝祖母窦太后就曾找借口把鼓吹儒学的御史大夫赵绾和郎中令王臧系狱,武帝更是在道家的虚幻之境中几乎失去了判断人生祸福的理智。宣、成二帝颇好神仙。东汉以降,光武帝极好迷信谶纬之术,更把它与当时广为传播的长生不死、羽化成仙的道家思想观念糅合在一起,致使南阳成为"图谶盛行之区"①,弥漫着一股浓重的崇仙尚鬼风习。道家对人生的设计满足了世人的精神需求,人们梦想死后羽化成仙,逃避政教的束缚,摆脱世间的一切不如意,过上无忧无虑的幸福生活。这就是汉画像石题材中早期没有驾兽升仙题材,而到了东汉时期这类题材却蔚为壮观,并得到山东、四川、陕西等地响应的根本原因。

从目前发掘到的汉画资料看,升仙画像石虽然出现在贵族和富商的墓葬中,但从其形成来看,它不是某个具体人的文化追求,而是特定区域中群体的共同意愿和生活习俗。因为,即使是官员,从阶层上划分属于上层文化范畴,但是他们更接近民俗民风,在社会生活中他也要承担一系列的民俗角色,角色的转换要求他遵从相应的民俗。从南阳升仙画像石的内容来看,不论是南阳市出土的"乘龙图"和南阳县军帐营出土的"乘龙升仙图",还是南阳市出土的"仙人乘鹿"和"鹿车画像石",石上羽人都乘坐于龙背或鹿车上,猛兽开道,仙人引路,神情悠闲自得,手持仙草于云气升腾中飞行在升仙的路上。与珠光宝气的帝王陵墓相比,这完全是一种平民立场和朴素的生存心态,反映的是世俗阶层心声。在古人眼中,虎乃御凶食鬼的百兽之王,最能助人升仙,有它在侧,可以扫除升仙路上的羁绊。"驾龙骑虎,周游天下,为神人使"②,在南阳出土的"虎车"石上,三只翼虎并驾一舆车,上乘二羽人,车以云为轮,在

---

① 《后汉书》卷1《光武帝纪》。
② 《焦氏易林》。

三只虎的奋力牵拉中,风驰电掣般向仙境进发。天马为一种长翼神物,据传说就是南阳新野所产,具有行空飞升的功能,骑之即可升仙。南阳县出土的"虎食鬼魅·天马"一石,上刻一疾驰之天马形象,即是把天马当作了升仙的工具。飞廉类龙,有翼,长毛,躯短,是传说中的风神。在古人眼中也是乘驾升仙神兽之一。在南阳出土的相关汉画像石中有着大量的表现。除此之外,凤、仙鹤等充当负载人升仙的祥禽都在汉画像石上有着生动的刻画。在这些仙禽神兽中间,不乏面目狰狞性情凶残体态腌臜不可驾驭的怪丑之物,但人们为了能达到升仙的目的,未曾见画面上表现出相应的恐惧和厌恶,而心悦神怡地与这些怪禽异兽和睦共处。这在罢黜百家、独尊儒术的汉代,面对儒学所宣扬的"子不语怪力乱神","非其所祭而祭之,名曰淫祀。淫祀无福"①教化,不能说其背后没有蕴涵某种深长的意味。墓室主人通过羽化升仙形式,展现了一种人生幸福的文化模式,具有浓郁的民间文化色彩。

  南阳汉代画像石墓主的身份在汉代南阳民间这一特定的区域中,带有一定的普遍意义。在汉代所形成的崇仙尚鬼的文化磁场中,人们身不由己地生发求神拜仙的奇思妙想是可信的。升仙虽然可望而不可即,但对于始终处于怀抱治平扬名立功价值取向和圣主贤臣理想与仕进营求坎坷冲突煎熬中的人们来说,仍要累世以求。他们在儒学上所无法实现的东西希冀在道家那里找到归宿。内道外儒,儒道互补,平时把儒家的学理作为处事的圭臬,私下里却以道家的学理来陶冶自我。画中虽有羽化升仙的快乐,仿佛笔笔有所寄托,但当我们审视汉代羽人升仙的画像石时,不难发现画中形象实际上就是《庄子》、《山海经》中原始情景的再现,人和动物处于飘逸洒脱状态,没有了以前汉画中所包含的自强不息、积极向上的精神。它不是闲散的游戏,更不是风雅的点缀,它昭示着

---

① 《礼记》。

那个时代人们灵魂深处的痛苦,它告诉人们,名利已不再是人生的惟一。

综上所述,车骑出行、宴饮娱乐和羽化升仙等内容在画像石上出现,开辟和扩大了汉画研究的视域,它们对于适意放达自娱生活的关注,与汉画像初期偏重关心社会政治的主题有着很大的不同。早期汉画像题材以历史故事和门阀亭阁居多,目的很显然是宣扬儒家"经夫妇,成孝敬,厚人伦,美教化,移风俗"的仁义道德。汉画后期已经不见了中期那浩浩荡荡的出行图和充满欢悦的升仙图,题材变得更加单调少生气,以铺首、门吏、神物较多见,显现出更加关己的趋势特点。车骑出行和羽化升仙,虽然表现手法有别,但其精神实质是一致的。画中表现的出行和升仙,既是精神苦闷的流露,也是心理扭曲的反映。蔑弃功名,向往闲逸,成为他们共同的心理根源。

汉画与中国戏剧的起源

王忠阁

中国古代戏剧是由文学、音乐、舞蹈、绘画、雕塑等多种艺术样式混合而成的综合艺术。古代戏剧成熟于金、元之际是学术界的共识。但是，在此之前，戏剧因素就已经存在。上古的歌舞、傩仪，秦汉的角抵、百戏，唐代的拨头、大面，宋代的杂戏、傀儡，在之后漫长的岁月中相互交流、相互借鉴，终于孕育了戏剧这一新的综合艺术形态。明人程羽文《盛明杂剧序》中云："曲者，歌之变，乐声也。戏者，舞之变，乐容也。……上古有歌舞而无戏曲。战国、秦汉始创优伶。唐作梨园教坊，王右丞以此得解头，而庄宗自号'李天下'。厥后流风大畅，变歌之五音以成声，变舞之八佾以成数，而曰外、曰末、曰净、曰丑、曰生、曰旦六人者出焉。凡天地间智愚贤否，贵贱寿夭，男女华夷，有一事可传，有一节可录，新陈言于牍中，活死迹于场上，讹真讹假，是夜是年，总不出六人搬弄。"序言道出了中国古代戏剧的演进历程。我们从古代留下的历史文献和考古文献中，尚能看到这一演变的轨迹，汉画即是这些众多的考古文献之一。

一

汉画主要包括少量传世的帛画、墓室壁画和画像石、画像砖，其中画像石与画像砖都鼎盛于东汉时期,只是画像砖后来又延续到十六国和南朝时期,而画像石在东汉之后不再流传。汉画可以说是中国绘画史的开端①,现存汉画多出现在河南、山东、四川、苏北、鄂北、陕西、西南等地,是属于汉代的审美奇观和艺术奇迹,是中国艺术史上的一枝瑰丽的奇葩。

在现存的许多汉画艺术中,有许多具有浓郁戏剧色彩的乐舞画面,其中作于西汉时期的汉画画面,造型意象谲诡奇异,而东汉时的画像虽略事夸张,但构图基本采取写实手法。出土于河南南阳的汉代画像石《六搏乐舞》图,画面分为上、中、下三层。其中上层自左至右四人,一人正襟危坐,一人侧身踞坐,一人举手似摇鼓,一人鼓瑟。中层五人,一人漫漶不清,一人鼓瑟,一人合掌,一女伎作长袖舞,一人似在伴唱。中间置一樽,有舞者,有唱者,有音乐伴奏者。其歌舞场面,据实者多,但舞者之舞姿则极为潇洒飘逸。汉代乐舞之种类,记载颇多,《乐府诗集》中就有《公莫》、《巴渝》、《盘舞》、《鞞舞》、《铎舞》、《拂舞》、《白纻》等,另外还有《长袖舞》、《巾舞》、《剑舞》、《鼓舞》、《干戚舞》等等,这些在现存汉画中都有不同程度的反映。河南南阳鄂城寺出土的汉代画像石上,有一个人施展长袖,翩翩起舞。她扬起一手在上,拖曳一手在下,一脚抬起,似乎在做着倒向的跳跃动作,腰肢轻柔,洒脱豪放。内蒙古和林格尔出土的东汉墓乐舞壁画,呈现对舞长袖的形式,画面上是双人袖舞的形象,一人着长袖追逐飞跑,另外一人与之呼应,这些,均反映出汉代袖舞翘袖折腰的鲜明特色。南阳画像石《鸿门宴》图,是汉代《剑舞》的代表作之一,画面上右侧第一人是项羽,其虽然按剑静坐,但是却暗含杀机。右边第二人是刘邦,他双手拱礼,态度谦和。从右数第三者为项庄,他已拔剑出鞘,右臂扬起,浑身充满杀气,似

---

① 潘天寿:《中国绘画史》(上海人民出版社,1983年)云:"吾国明了之绘画史,可谓开始于炎汉时代。"

乎是即将拔剑夺命。左边第一人似乎在邀请项庄舞剑,以便随时以身保护刘邦。画面上四个人神态各异,形象逼真,把鸿门宴故事表现得惟妙惟肖。汉画有不少在地面上摆放鼓乐而踏节跳舞的画面,这种舞称作"鼓舞",舞者多为男性,其表演具有阳刚之气,舞姿呈多种形态,如骑马蹲裆式,大弓箭步式,踏步跳击式等。山东微山出土的汉代画像石上,有"骑兽击鼓"的形象,所击之鼓正是"建鼓"。河南南阳的一幅"建鼓舞",画面左边置一面建鼓,鼓旁放一酒樽,樽上搁一勺,二人且鼓且舞。右边刻三人,一人吹管,二人吹排箫,摇鼗鼓。现存汉画中还有在汉代极受欢迎的《盘舞》画像,此种舞在表演时有乐队在一边伴奏,有七个舞蹈时用的踏盘,还有"踏鼓",摆放在表演场地上。舞时始而从容不迫,飘忽不定,继而激烈狂舞,有如高空飞翔。其舞姿或耸立向上,或复若倾斜,一切舞蹈动作均合乎节奏,手眼变化均随鼓声而行止。南阳画像石中的《盘舞》图,画面左起有一乐伎跽坐,右手握一管吹奏,左起第二人盘坐,右手摇鼓,左手执排箫吹奏。第三人为一女伎,她正挥袖作盘舞。右侧第二名是一位大汉,他赤裸上身,左手托双系壶,右手掷弄两丸。最右边一伎在樽上做单手倒立表演,给人以极为深刻的印象。

  汉画中借助艺术以表达人类情感的精神和歌舞乐三位一体的特点,既是上古歌舞的继承与发展,又与后来的戏剧一脉相通。戏剧的产生,来自于人们表达情感的需要。明代张琦《衡曲麈谈·情痴寱言》中云:"人,情种也;人而无情,不至于人矣,曷望其至人乎?情之为物也,役耳目。易神理,忘晦明。废饥寒,穷九洲,越八荒,穿金石,率百物,生可以生,死可以死,死可以生,生可以死,死又可以不死,生又可以忘生,远远近近,悠悠漾漾,杳弗知其所之。而处此者之无聊也,借诗书以闲摄之,笔墨罄泻之,歌咏条畅之,按拍纤迟之,率吕镇定之,俾飘飘者返其居,郁沉者达其志,渐而浓郁者几于淡,岂非宅神育性之术欤?……如是以为情,而情至矣,如是之情以为歌咏,而歌咏声音止矣。"歌舞本身也是一种传达意绪、情感的艺术,"人生而有情,思欢怒愁,感于忧微,流乎啸歌,形诸动摇。或一往而尽,或积日而不能自休"①。《尚书·盖稷》中所云"击石拊石,百兽率舞",描述了中国上古时期华夏祖先舞蹈的情景,他表达的实际上是原始部落的人们对各自图腾物的崇拜与信仰。周代的以礼作乐,是用乐的方式,即歌舞合一来形象地弘扬"礼"的精神。从春秋战国到秦代出现的祭祀性舞蹈,主要继承了周代的乐舞,同时也在进行着乐舞从祭祀到娱乐活动的重大转变,乐舞成为表达喜悦的借助形式。汉画中的舞蹈形象同样体现了汉代舞蹈表情达意的精神,这从我们上边所举诸例中可以看得出来。汉张衡《舞赋》中所描述的"于是蹑节鼓陈,舒意志广。游心无垠,远思长想。其始兴也,若俯若仰,若来若往。雍容惆怅,不可为象。其少进也,若翱若行,若竦若倾。兀动赴节,指顾应声。罗衣从风,长袖交横"的形象,传达出舞者表演时心舒意广的心境以及他们高远的志向和适度的心态。从乐舞的表演程式来说,中国的舞蹈一开始就是歌、舞、乐相结合的。从《吕氏春秋·古乐》篇所云的"帝喾乃令人抃,或鼓鼙,击钟磬,吹苓,展管簹,因令凤鸟天翟舞之","昔葛天氏之乐,三人操牛尾,投足以歌八阕",可以看出中国上古乐舞歌、舞、乐结合的早期形态,只是这种乐舞是那样的原始和粗糙。而汉画中舞者的舞姿或轻盈,或飘逸,或奔放,则表明汉代乐舞较之上古已有了相当程度的进步和发展。到了中国古代戏剧成熟期的元代,舞蹈被吸收并融进戏剧情节和人物思想情感的表达之中,成为戏剧不可分割的组成部分。可以说,上古舞蹈是中国古代戏剧的渊源之一。刘师培《原戏》中即云:"戏曲者,导源于古代名舞者也。"王国维《宋元戏曲史》中说:"古之俳优,但以歌舞及戏谑为

---

① 汤显祖:《宜黄县戏神清源师庙记》,《汤显祖诗文集》卷 34,上海古籍出版社,1982。

事。自汉以后,则间演故事。"他把戏剧称做是"合歌舞以演一事者",认为"后世戏剧之源,实自此始"。以此相推,则汉代乐舞应该是上古乐舞到中国戏剧成熟这一漫长发展历程中的一个中间环节,汉画,则是这一中间环节的艺术再现。

二

傩仪画像在汉画中也占有相当重要的位置。

傩是上古初民用来驱鬼除疫的一种禳祭活动,这一活动来源于上古人类对于神秘力量的敬畏和崇拜。"上古人类认为世界上有神秘力量存在于普遍的事物与现象之中,人们如果可以掌握这种神秘力量的法则或密码,人们就可以采取积极的方式(法术)或消极的方式(禁忌)来运用或躲避。这种法则一般是依靠联想而发生效力的。有时是相似——模仿,即通过相似性联想产生神秘力量。"[①]上古人的这种原始思维,使他们常常把神秘的感受表述为神秘的形式,以驱除鬼疫,确保安宁。傩仪就是这样的一种祭祀活动。他的特点就是主祭者头戴一种狰狞可怖的面具,装成凶神猛兽的模样,疾舞狂歌,以使鬼神惧怕,从而达到驱鬼保平安的目的。《周礼·方相氏》记载周代宫廷的傩祭活动时云:"方相氏掌蒙熊皮,黄金四目,玄衣朱裳,执戈扬盾,帅百隶而时难,以索室驱疫。大丧,先柩。及墓,入圹,以戈击四隅,驱方良。"到了汉代,傩仪驱疫的活动仍然存在,尽管在此以前(春秋战国),天、地、人相互贯通的思想以为更多的文化人所接受,神秘主义在追求理智的文化人中渐渐散去,但是,人们在关心天道、世道、和人道的同时,在他们希图解除生活中的困厄的时候,仍把傩仪作为象征的仪式进行祈禳活动。汉代"天人感应"、谶纬之风的存在,使被作为象征仪式的

---

① 丁由译,布留尔著:《原始思维》,商务印书馆,1985。

傩仪仍具有神秘色彩。《后汉书·礼仪志》中记载当时的傩仪形式时云:"其仪,选中黄门子弟年十岁以上,十二以下,百二十人为侲子。皆赤帻皂制,执大鼗。方相氏黄金四目,蒙熊皮,玄衣朱裳,执戈扬盾;十二兽有衣、毛、角。中黄门行之,冗从仆射将之,以驱恶鬼于禁中。"张衡《东京赋》描写当时的驱疫场面:"卒岁大傩,驱除群厉。方相秉钺,巫觋操茢。侲子万童,丹首玄制。桃弧棘矢,所发无臬。飞砾雨散,刚瘅必毙。煌火驰而星流,逐赤疫于四裔。"东汉大傩禳祭仪式在今天保存下来的汉画中得到鲜明的展示。南阳画像石的《大傩》图,右边刻一白虎,白虎上乘一仙人,仙人正张弓射其前边的怪兽,怪兽回首显得惊惶失措。怪兽左侧刻一朱雀,展翅欲飞,并且曲颈回首欲啄一怪兽之尾。画面正中刻一仙人,头戴斗笠,身着短衣,肩生双翼,两手舞动,呈飞行之状。仙人的左侧刻方相氏,嗔目张口,赤身裸体,下蹲作驱魔状。整个画面左侧为一应龙,在云雾中飞腾。应龙右边亦刻一大雀。这是一个除夕日举行的驱除疫厉之鬼的禳祭仪式。图中主领祭祀的是方相氏,他虽然未如过去那样,身披熊皮,但却头戴面具,打扮成凶兽模样,其状鼻有两孔,眼球外凸,巨口两角,狰狞可怕。图中别的形象均以方相氏为中心,组成一个十分宏大的祭祀场面。汉画中表现傩仪的画图有的并未全面表现傩祭仪式本身,而是用一简单的具有驱鬼镇邪作用的怪兽来代替。举行傩祭仪式的目的是驱鬼疫保平安,随着傩祭神秘色彩的淡化,傩祭仪式只不过是驱逐鬼疫活动的象征,因而用更为简单且具驱鬼逐疫象征性意义的画面来代替较为复杂的傩祭仪式,也就是合情合理的事情。汉画中的蹶张画像、执钺门神、郁垒门神,神荼门神画像,狮、白虎、天禄、熊、应龙、朱雀等鸟兽像,以及用怪兽等组成的铺首衔环图案,都被赋予驱鬼逐魔的意义,而成为傩祭禳祭之象征。蹶张的特点是以脚踏弩,使之张开①,这种画像往往被安排在墓室之中,有保护墓主人安全之意。汉画中的蹶张画像多具有狰狞的面孔,南阳画像石中有一蹶张像,画面一人,头戴冠,口衔矢,身着短襦,双脚踏弓,两手奋力张弦,双肩高耸至耳端。铺首衔环,多用于墓门和住室门,南阳画像石中的《铺首衔环》图,画面上刻白虎,昂首弓腰,翘尾呈下山状,立于衔环的铺首之上。铺首为一怪兽像,兽面形象可怖,以寓驱逐魔鬼之意。

　　不难推断,傩祭中使用的各种各样的面具(愈到后来愈成为具有象征性的图案),对后世戏剧脸谱的形成具有巨大的影响作用。刘师培《原戏》即云:"盖舞者殊形诡象(与方相氏熊皮金目类),致睹者生恐怖之心,犹之后世伶官面施朱墨也。"戏剧脸谱是利用某种颜色象征某人的性格特征,并在脸谱局部勾画一个形象图案,作为象征其人的特殊标志。戏剧脸谱多为人面形状,因此,从上古傩祭面具到后世戏剧脸谱,就经历了面具由动物形到神怪形再到世俗人形的演变过程。正因为这一点,后世有人把傩称为中国古代戏剧的起源之一。清人杨静亭《都门记略·词场门亭》中云:"盖以涂面狂歌,借以驱疫,虽非演戏,而戏即肇端于傩与歌斯二者。"董康《曲海总目提要序》云:"戏曲肇自古之乡傩。"马尊彪《戏源》中说:"然则今之戏剧由合歌舞而附以方相氏之职,所以者何? 古者歌舞用于祭享为多,后世民间歌舞辄于农隙及春秋报赛集于社,时傩亦往之社行之,遂浸淫而流为今日之戏剧矣。"而汉画中的傩画,则成为由古之傩祭演变到后来戏剧的艺术见证。

---

① 《汉书·申屠嘉传》云:"申屠嘉,梁人也,以材官蹶张从高祖击项籍","材官之多力,能脚踏强弩张之,故曰蹶张。"

三

汉画中最能直接体现中国戏剧起源的,是其中现存的大量的角抵百戏画像图。

角抵起源于战国时期带有比武游戏性质的娱乐活动"戏乐"。裴骃《史记集解》中引后汉应劭的话说:"战国之时,稍增讲武之礼,以为戏乐,用相夸示,而秦更名曰《角抵》。角者,角材也,抵者,相抵触也。""角抵"的名称最早见于秦代。《史记·李斯传》记载,秦二世在甘泉,"方作觳抵优俳之观","觳抵"即"角抵"。可知"角抵"起于秦汉之间。任昉《述异记》即云:"秦汉间说,蚩尤氏耳鬓如剑戟,头有角,与轩辕斗,以角抵,人人不能向,今冀州有乐名《蚩尤戏》,其民两两三三,头戴牛角相抵,汉造角抵戏,盖其遗制也。"从战国时的"戏乐"到秦代的角抵俳优同演,再到汉代(西汉)出现"角抵"之戏,体现着"角抵"戏十分清晰的发展轨迹。这种角抵戏,将杂技、武术等不同的动作与乐舞结合起来,是一种综合、大型、兼有戏剧成分、歌舞成分、戏谑成分的复合性表演活动。现存汉代建鼓角力图中,击鼓的二人动态之中含有较量之意,其鼓上立一大鼎,二人鼓上比试,各施绝技,正呈角力之势。山东安邱汉墓百戏图,左侧是一幅舞蹈图,除伴奏者外,中间两个正呈角力舞蹈动作。最右侧四人呈伴奏姿势,他们的左侧是跑马、撑杆、爬杆等各种武术动作。这一图画兼歌舞、杂技为一休,场面阔大,气势恢宏。

"角抵"戏的出现,对后来戏剧的武打动作等程式有着重大的影响。元杂剧已运用武术杂技表演。高安道的套曲《疏淡行院》附录记述了一个上座不好的勾栏:"扑红旗裹着惯老,拖白练缠着脑瞅,兔毛大伯难中瞅,踏硗的险不桩的头破,翻跳的争些儿跌的进流,登踏判驱老瘦,调队子全无些骨巧,疙瘩鬼不见些捣搜。"这里的"扑旗"、"白练"、"登踏"等,均是民间武术、杂技的节目或技巧。

明清时期的戏剧大量吸收武术和杂技,运用于与剧情紧密结合的各种开打场面中。明代的焦循在其《剧说》卷一中,对于慎行《谷尘山房笔麈》中"又有鱼龙百戏,齐梁以来,谓之散乐"一段加以按语,云:"今之演剧者,以头委地,用手代足,凭虚而行,或纵或跳,旋起旋侧,其捷如猿,其疾如鸟,令见者目眩心惊,盖即古人掷倒伎也。"可以说,他道出了角抵与中国戏剧的渊源和联系。

"角抵"戏发展到东汉,在演出技巧、规模以及节目种类诸方面,都比西汉有了迅猛的发展,戏剧史上也就出现了"百戏"的名称。"百戏"是多种杂技性乐舞节目的总和。张衡《西京赋》中云及当时"百戏"演唱之盛况:"临迥望之广场,呈角抵之妙戏。"此一时期的"百戏"大演唱,标志着中国的舞蹈发展到了一个新的阶段,那就是舞蹈与杂技、武术的血肉交融以及化妆的歌舞表演和具有特定的故事情节。比较著名的《总会仙唱》,是扮演仙人仙兽的歌舞,其中有化妆歌唱的"女娥",有身扮假形的"戏豹"和舞蹈着的熊罴。《西京赋》李善注云:"仙倡,伪作假形。谓如神仙、罴豹、熊虎,皆为假头也。"南阳画像石有一乐舞百戏图,画面左侧一人鼓瑟,一人吹埙,一人执桴击鼓。画像右侧刻一象人(戴着面具,扮装鸟、兽、虫、鱼之形而舞的表演者),两臂上举,下肢半蹲,状似熊罴,弄杖作戏。这种假面扮演的乐舞,与中国古代戏剧渊源甚深。钱钟书《管锥编》即云:"'华岳峨峨,冈峦参差'云云,又'总会仙倡,戏豹熊罴'云云,按后世搬演戏剧所谓'布景'与'化妆'者,见诸文字始此。"《曼延之戏》是具有群体性质的巨大假形表演,其间不仅有奇形怪兽的舞蹈,而且还加上了"易貌分形"幻术表演。山东沂南的一幅被称为《曼延之戏》的汉画像石上就有人与巨兽同时出现的场面,其形象充满了怪诞、风趣和惊险的意味,正所谓"熊罴升而拿攫,猿狖超而高援。怪兽陆梁,大雀踆踆。白角成孕,垂鼻辚囷……奇幻倏忽,易貌分形"①。特别是《东海黄公》舞剧,代表着汉代百戏艺术的最高成就。它以西汉刘歆《西京杂记》中所记的东海黄公的故事为情节,将杂技、杂耍、乐舞等融合在一起进行表演。山东临沂汉代画像砖有表现东海黄公故事的画图,画面上黄公头戴面具,执刀而立,其对手扮成虎形,黄公徒手抓着虎的后腿,使其欲逃不得,戏剧场面形象生动。南阳画像石中的《搏虎》图,画面右侧为一虎,瞪目张口,逼近象人;象人挥动双臂,跨步向前迎斗猛虎。此画也是取《东海黄公》之意。《西京杂记》在谈到《东海黄公》时云:"三辅人俗用以为戏,汉帝亦取以为角抵之戏焉。"

汉代百戏这种假形扮演,杂技、乐舞混合以及以歌舞表现一定的故事情节的特点,较之以前的歌舞更为复杂,戏剧因素也明显增强,只是它还不像后世戏剧那样有台词、有说唱。但是,它仍被人称为中国戏剧的原始胚胎。王国维在其《戏曲考原》中以其"戏曲者,谓以歌舞演故事也"的理论做根据,认为"古乐府中如《焦仲卿妻诗》、《木兰辞》、《长恨歌》等,虽咏故事而不被之歌舞,非戏曲也。《柘枝》、《菩萨蛮》之队,虽合歌舞而不演故事,亦非戏曲也。唯汉之角抵,于鱼龙百戏外,兼搬演古人物","所搬演之人物,且自歌舞"。不难看出,王国维对角抵、百戏中的十分明显的戏剧因素,是非常重视的。

我们前边说过,戏剧是由文学、音乐、舞蹈、雕塑、武术、杂技等经过长期发展而融合为一的综合性艺术,但是上述诸艺术形式在作为单独的艺术存在的时候,它们分别是戏剧的因素而不能称做是戏剧。现存汉画中的乐舞、傩仪等,就各自是这样单独的戏剧因素,而角抵、百戏则是融合了诸多艺术而形成的具有更强戏剧因素的艺术形式。如果把戏剧的形成作为一个众多艺术发展融合的过程,汉画则反映了这一过程中的一个重要的环节。从这个角度上

---

① 张衡:《西京赋》,《六臣注〈文选〉》卷二,北京:中华书局,1987。

说,汉画的研究,对于研究中国戏剧的形成与发展,无疑有着极其重要的意义。

从汉画看汉代教育的繁荣

曾宪波　姚建东

山东、河南、四川等地出土的汉代画像石和画像砖中有反映汉代讲经学经等与教育有关的图像。汉画讲经图，在一定程度上反映了汉代教育的繁荣。本文试图依据汉画结合古代文献，对汉代教育的繁荣状况进行分析研究。

一、汉画讲经图与汉代郡县学校和私学

南阳汉画馆的社会生活厅内陈列着一块"讲经"汉代画像石，该石出土于宛城区东关，长55厘米，宽40厘米。其内容为：图右刻一经学大师，戴冠着袍，扶几端坐，右手伸出，正在讲经。其旁立一高业弟子，左手握便面（扇子）为大师打扇送风，右手执箠以镇学规，此人相当于现今的"助教"。画左刻七位弟子依次席地而坐，恭听教诲。

山东诸城汉墓的画像石，也有一幅"讲经图"[①]，其内容为：画像正面有一方形高堂，三面回廊，上坐一教师，头戴冠，广袖长衣，招手作讲学状，对面一人双手捧牍，侧耳恭听，堂前还有十三位弟子捧牍环坐，聆听师言。

---

① 任日新：《山东诸城汉墓画像石》，《文物》1981年第10期。

四川省博物馆收藏的"讲经图"汉画像砖①：教师端坐在左边榻上，老师头上设有方格状器物，是用来挡灰的"承尘"；老师的双手拢于衣袖内，神情庄重严肃。下面席上环坐着六位学生，双手捧着竹简，正凝神静听老师讲学。右角的那个弟子腰间挂着书刀，用来削去简册上的错字。此砖出土地不详。

四川省德阳市1955年出土有一块表现"论经"的汉代画像砖，现收藏于四川省博物馆②。其画面内容为：三人皆戴进贤冠，身着宽袖长袍，腰间束带。右一人侧身向右，其颔下有须，左边二人各执书简，三人正在说经，互相问难，讨论经义。汉代博士们有互相诘难的优良学风，这种辩难精神，是研究和发展学术必不可少的。

山东、河南南阳、四川等地出土的这些"讲经"、"论经"汉画像生动地再现了汉代讲经讲学的场面，这些汉画像在一定程度上表明山东、河南、四川等地的地方官办教育和私学在汉代处于全国领先的地位。

汉代地方官办学校创始于汉景帝末年。当时蜀郡文化落后，太守文翁极力推行教育，他一方面选送张叔等十余人到长安，从博士学经受业，一方面在成都设立学校，招收各县子弟入学，学生免除徭役，卒业依其成绩，分派官职，成绩优异者补郡县吏，次者为孝悌力田。文翁平时治事，选高材生在旁观事，出行则带他们传达教令。《汉书·循吏传》这样描述文翁推行教育的效果："县邑吏民，见而荣之。数年，争欲为学官弟子，富人至出钱而求之，由是大化。"有的学者研究推测，四川省博物馆所收藏的"讲经"汉画像砖，系表现蜀郡太守文翁石室授经的讲学场景。四川自文翁兴学之后，学校之盛比于齐鲁、中州。

汉武帝在兴办太学的同时，下令郡国皆立学校，但是郡国普遍

---

①② 高文编：《四川汉代画像石砖》图三三、三二，上海人民美术出版社。1989年2月第1版。

设立官学,是在汉平帝之时。汉平帝元始三年(公元3年),王莽上书,请求设立官学,制定中央和地方的学校系统,中央官学为太学,地方学制为四级,郡国曰"学",县、道、邑、侯国曰"校",乡曰"庠",聚(村)曰"序"。学校置经师一人,庠序置《孝经》师一人。学校大约属于后世中学,庠序可能属于小学。但在二千年前,学校划分不会有如今日明显的区别。从地方官学学制的建立看,当时的学校,已初具体系,为后代学校制度的建立和发展,奠定了初步的基础。王莽为汉代学校教育发展所做的贡献,是应予肯定的。

刘秀定都洛阳,建立东汉王朝后,对地方教育尤为重视。无论在中原地区,还是文化落后地区,都有一批地方官学兴起。兴办学校成为循吏的重要标志之一。如李忠,建武六年,迁丹阳(今安徽宣城)太守,"起学校,习礼容,春秋乡饮,选用明经,郡中向慕之"①。任延,初任九真(今越南中部)太守,就建立学校,导之礼仪②。

汉明帝刘庄即位后,尊师重道,提倡经学,重视地方教育。郡县学校越来越多。正如班固在《东都赋》所云:"四海之内,学校如林,庠序盈门","下舞上歌,蹈德咏仁"。永平二年(公元59年),汉明帝亲率群臣至辟雍,初行大射礼,令郡、县、道,行乡饮酒礼,祀孔子、周公于学校。这是我国古代学校祭孔之始,从此以后直到清末,无论官学还是私立学校,都尊孔子为万世师表,历史上不断改朝换代,孔子的地位从未改变,成为举世闻名的头号圣人,成为我国封建社会意识形态领域的儒教教主。

在尊师重教的同时,地方学校在社会上的地位日益提高。自东汉初,地方学校重建后,经历二百余年,一直没有停顿。如桓帝时,南阳太守刘宽外出巡视,每行至县城,常引学官祭酒、诸生、执

---

① 《后汉书》卷21《李忠传》,中华书局1965年版。
② 《后汉书》卷76《任延传》。

经对讲,勉励年轻人,安慰老人,人们感德而行。南阳太守鲍德修建郡学校舍,宴会诸儒,奏乐行礼,教化大兴。

汉代地方学校的主讲者称为"都讲"。当时的地方官学尚无正规的课程设置,往往因人而设课程,如文翁在蜀办学,既重经学,又教法令。汉代地方官学的主要任务是推广教化,施行儒家的礼乐教育。学校的教学内容,除传授儒家经典外,也宣传和推行儒家礼仪。正因如此,汉代的一些皇帝巡视地方官学,往往兴礼作乐,如永平十年(公元67年),汉明帝巡狩南阳,兴致勃勃召集学校弟子作雅乐,奏《鹿鸣》,皇帝也操乐器和之。这也说明汉代地方官学课程的设置,正处于草创阶段。但是应当肯定,汉代地方官学的普遍设立,课程的初步设置,为后代学校制度的发展奠定了初步的基础。

我们认为汉画像中的"讲经""讲学"图也很有可能是经学大师在自己私立的"精舍"或"精庐"讲学授徒。汉代的私人教学相当普遍,十分发达。到了东汉,无论教师的人数,还是入学学生的人数,均已远远超过官办学校,盛况空前。大凡名儒所在,学生不远千里万里登门求学,门下弟子竟达万人。如陈留(今河南开封市东南)人刘昆、南阳人尹敏、颍川(河南省禹州市)人张兴、河内河阳(今河南孟州市)人张玄、汝南人(今河南省平舆北)周防、蔡玄等开办的私学在东汉时名声都很大。当时全国各地分布着数百或数千精舍,而学校内注籍的学生,常有数千至万人之众,而且讲经的名家也多不胜数,如《后汉书·儒林传》记载洛阳有"解经不穷戴侍中(凭)","说经铿铿杨子行(政)"。

汉代私学兴盛的原因是:官学招收生员人数有限,又缺乏蒙学机构,大多数求学的青少年,不得不就学于私学。加之古文经不能立于官学,一些古文经学者,只好从事私人讲学,以与官学相抗衡,这就使私学在学校数量及入学人数方面大大超过官学。尤其私立蒙学地位更重要。

汉代的私立学校可分为三个阶段：一曰蒙学，入蒙学旨在识字习字；二曰学《论语》、《孝经》，等于接受儒家道德教育；三曰读经，目的在于入仕治民。所以近代学者王国维在《观堂集林·汉魏博士考》中说："以后世之制明之，《小学》诸书者，汉小学之科目。《论语》、《孝经》者，汉中学之科目。而六艺则大学之科目也。"

更值得一提的是东汉出现了妇女讲学授徒。班昭，一名姬，字惠班，今陕西咸阳人，为史学家班彪之女，班固之妹。班昭博学多才，当其兄班固死时，所撰《汉书》八表及《天文志》遗稿散乱，尚未完成。班昭奉命与马续共同续撰。《汉书》初出，读者多不通晓，她又教授马融等诵读。汉和帝时，班昭常出入宫廷，担任皇后和妃嫔的教师。可见班昭不仅是我国古代著名的女史学家，而且是古代教育史上最早的女教育家，班昭因其夫为曹世叔，所以又被称为"曹大家"。东汉末，还有一个著名的女教师就是人们所熟知的蔡琰，字文姬，汉末文学家和书法家蔡邕之女，博学多才，通音律。汉末天下大乱时，居匈奴十二年，曹操念蔡邕无后，以金璧赎归，再嫁董祀。蔡文姬能诵忆书四百余篇，曹操曾派吏十余人就读。因男女之别，文姬不便亲授，将所记忆缮写出来，文无遗误，令官吏就读。蔡文姬虽未开门授徒，然而以笔传授，堪称开后世函授之先声。

汉代名儒开门授徒，而一些读书人千里寻师，负笈单步求学的情形非常普遍。这些儒生离乡别井，矢志求学，累年不归，因而人数多达数千，乃至万余人。汉代私学的学生分为两类，即"著录弟子"和"及门弟子"。前者不必亲来受业，只要把名字录在名师的门下即可，"及门弟子"才是经师亲自教授的学生。汉画讲经图中的弟子皆为及门弟子。

私学中的教学方法，仍以讲说经书为主。当时讲学讲经的场面，在山东、河南、四川等地的汉画像石和汉画像砖中多有反映。汉代私学的教学内容虽然主要是经学，但不只限于今文经，也可传授古文经,还可讲法律、天文、星历、黄老、图纬等。其内容比官办学校更为丰富。汉代百家学说的发展,应该说与私学的传授有很大的关系。

汉代私学教育非常注重伦常之礼,要求学生对师长恭敬尽礼,严格遵守经师的家法。当师长犯罪,学生上书诉冤以至求代死者,大有人在。师长死后,门徒常自动制三年丧服。甚至一些学生,不远千里赴丧。如郑玄死时,门生会葬者千余人,而私学教师对弟子生活也是关怀备至,如东汉赵典任侍中,每次得到赏赐,就资助给贫困学生。武威(今甘肃省武威)太守李恂被免官后,隐居山泽,常与学生织席自给,同甘共苦,在尊师爱生的气氛中,汉代私学中师生关系是比较密切的。总之,汉画讲经图从文物角度为我们研究汉代教学规模和教学形式提供了生动形象的历史论证。

二、汉代的太学、宫邸学、鸿都门学教育

我国是世界上教育发展最早的国家之一。早在四千多年前的夏朝,我国已有类似学校的教学机关,称之谓"校",商代又称为"庠"。西周王畿内的太学称"辟雍",在诸侯国的太学叫"泮宫",教育的内容是礼、乐、射、御、书、数六艺。但当时学校只收贵族子弟,平民奴隶无权接受教育。春秋时期,王室衰微,五霸争雄,"天子失官,学在四夷",开始出现私人讲学授徒,如孔丘在鲁国(今山东省曲阜)聚徒讲习"六艺",弟子三千,七十二贤;邓析在郑国(今河南省新郑)聚徒讲授律和诉讼。到战国时期,聚徒讲学成为一时风尚,大凡著名学者无不讲学授徒。秦始皇统一天下,实行"禁私学,以吏为师"的教育政策,而且焚书坑儒,秦朝专习法家学说,窒息了文化教育的发展。

汉初六、七十年,统治阶级以黄老思想为指导,实行休养生息,轻徭薄赋,经济逐渐恢复繁荣,教育开始提上了议事日程。一些隐

匿民间,逃往山林的学者,开始从秦火的灰烬中,寻找断简残编,致力于先秦文化典籍的辑佚工作。如济南伏生就是这样一位不畏强暴的文化教育志士,《汉书·儒林传》这样记载他:"秦时焚书,伏生壁藏之,……汉定,伏生救其书,亡数十篇,独得二十九篇,即教于齐鲁之间,齐学者由此颇能言《尚书》。"儒家学说卓然复兴,博士开始授徒讲学。

汉武帝建元元年(公元前140年)下令三公、诸侯王等荐举贤良方正、直言极谏之士,来朝廷应试,以网罗人才。儒家大师董仲舒,在廷试中上了著名的《天人三策》,他援引"大一统"之义,鼓吹"罢黜百家,独尊儒术",他主张"诸不在六艺之科,孔子之术者,皆绝其道,勿使并进,邪辟之说灭息,然后统纪可一,而法度可明,民知所从矣"。董仲舒又向武帝建议设立太学,他说:"太学者,贤士之所关也,教化之本源也。……臣愿陛下兴太学,置明师,以养天下之士。"

汉武帝建元五年(公元前136年),置《诗》、《书》、《易》、《礼》、《春秋》五经博士,罢各家博士。元朔五年(前124年),丞相公孙弘向汉武帝建议,奏请为博士置弟子员(太学生),提出设立太学,在长安城(今陕西西安市)南给博士弟子员筑校舍,一所政教分离的官办太学诞生了。虽然太学刚建校时只有50名学生,但这是中国创立正式大学的新纪元,是我国教育史上值得纪念的一件大事。汉成帝一度取消员额限制。扩建校舍,博士弟子猛增至三千人。汉平帝时,王莽辅政,于元始四年(公元4年)造明堂辟雍,为太学筑舍万区,太学规模得到扩大。

光武帝刘秀起兵南阳,中兴汉室,定都洛阳(今河南洛阳市)。建武五年(公元29年),刘秀在洛阳开阳门外,重建太学,起博士舍,学者云集,诸生横巷,教育勃兴。刘秀凡行迹所至,"未及下车,而先访雅儒"。刘秀本人"爱好经术",多次到太学"正坐亲讲",并让"诸儒执经问难于前"。及至刘秀的儿子明帝刘庄,尊师重道,提倡教育。永平二年（公元59年），明帝大会诸儒，亲临太学讲学，儒生提问疑难，万人围观，《后汉书·儒林传》记载当时的盛况为："冠带缙绅之人，圜桥门而观听者，盖亿万计。"当时匈奴也派遣子弟入京求学。洛阳太学不仅是东汉太学生学习知识的场所，而且也成为讨论国家大事的中心。汉代教育进入了鼎盛时期。

公元131年，汉顺帝给太学扩建校舍240栋大房，共有1850个房间，同时又扩大了太学生来源，除太常、郡国官吏继续选送外，增加了公卿子弟及明经下第两种，因此太学生人数猛增。

公元146年，梁太后下诏，令郡国举明经年五十以上、七十以下至太学受业，并命大将军至六百石之官，皆派遣子弟入学受业，为官僚子弟大开方便之门，致使太学生人数达三万余人。

自汉武帝创立官办太学至东汉，前后280年，在太学受教育的人数由50人扩大增加到30000人。如此发达的大学教育事业，在世界教育史上是罕见的。

汉代太学讲授经书，教授学生的教师称"博士"。"博士"一词，始见于战国前期，是对学者的泛称，而不是官名。秦始皇一统天下，仍立博士，为奉常的属官，掌《诗》、《书》和百家言，"通古今"，备咨询，参政议政，为朝廷的文化官吏。任博士者也不限于儒家，也有名家和神仙家等。汉承秦制，依旧设置博士，博士不限于经学。如贾谊是以"通诸子百家之书"，擅长文学而被立为博士；晁错先学刑名之学，后从伏生受《尚书》，因通《尚书》而被立为博士。

公元前136年，汉武帝置"五经博士"，自此，儒家垄断了博士职。及至置博士弟子员后，博士的职责是"作经师"，成了太学的专门教官，以传授经学为业，有时也参加朝廷的议政、制礼、学术讨论等。博士之长，秦时称仆射，东汉时改称祭酒。博士的俸禄初为四百石，宣帝时增加到六百石，东汉时为六百石，相当于县令。但是博士秩卑职尊，容易升迁。内迁可任太傅、侍中，外迁可为郡国守相、诸王的太傅或刺史、州牧。有的博士甚至进入九卿或三公。

汉代博士,初由征召或举荐而来。东汉时对博士选用更加严谨。规定博士要先考试,择优录取。荐举博士要具保状。凡被荐举之人要有一定的道德,广博深厚的学问,是研究某经或某一学派的专家,有丰富的教学经验。一般说来,汉代的博士大都由学有专长的名流学者充当,其中不少人是一代经师硕儒,有家学渊源,或几代为博士。汉代太学博士讲经,必须严守师法或家法。西汉重师法,而东汉重家法。

汉代太学从建立之日起,太学的讲台就被儒家独占。汉太学就是儒家的太学。汉代博士的教学,以说经、互相问难、讨论经义为主要的教学形式。四川省德阳市出土反映"说经"场面的汉代画像砖,就是汉代博士说经论经的生动再现。汉代博士教学互相问难之事,也很频繁,正如《论衡·明云》篇所言:"汉立博士之官,师弟子相呵难;欲极道之深,形是非之理也。"东汉光武帝刘秀命公卿博士名儒相互诘难,按讲通经义来安排座次,刘秀及明帝刘庄亲临太学,令诸儒论难于前。

汉代太学生称"博士弟子",或称"弟子",东汉则称"诸生"或曰"太学生",汉太学学生的入学年龄也不一致,有十二岁的童子郎,也有六十岁老翁。学生的生活费也不太相同,有公费,也有自费求学。公费者由国家给俸禄,自费者食宿自理。学生成分也很复杂,有家累千金的达官显贵子弟,也有家贫如洗的寒门子弟,一边雇工,一边学习。如匡衡"从博士受《诗》。家贫,衡佣作以给食饮。"①西汉翟方进家贫,其母与他一同入长安"织履",供方进读书,后来他勤奋学习,扬名太学。《汉书·翟方进传》载云:"经博士受《春秋》,积十余年,经学明习,徒众日广,诸儒称之。"太学可以走读,也可住校,甚至携家室同住。太学生有寒忙假,每年春秋两季入学受业。太学生中的高材生,也可边学边授徒。

---

① 《汉书》卷81《匡衡传》,中华书局1962年版。

值得借鉴的是,汉代太学允许学生在课余时间自由探讨学问。一些好学之士,不死守章句,博览群书,终成大器。如班固十六岁入洛阳太学,"所学无常师,不为章句,举大义而已"①。班固博览群书,诸子百家之言,无所不读,为当时儒者钦佩,成为汉代著名的经济学家、文学家、史学家。张衡在太学学习,善于独立思考,"通《五经》,贯六艺"②,而且常在课堂上与好友崔瑗等精心研究天文、历算学,后来发明了世界上第一架测量地震方位的科学仪器——地震仪,开创了人类用仪器测量地震的新纪元。汉代太学学生的自由研究学术之风使得汉太学培养出了不少大学问家和科学家,成为古代灿烂的明星。这也促使汉代文化进一步发展。

汉太学偏重于考试,用考试方法来督促学生学习,考查他们的成绩,以成绩高下选拔官吏。汉武帝初置博士弟子员时就明确规定,博士弟子及旁听生每年考一次,即所谓"岁试"。当时考试的方法有射策和对策两种,射策之法,始于汉武帝。《汉书·儒林传赞》云:"自武帝立五经博士,开弟子员,设科射策,劝以官禄。"其方法是:由主考官提出问题,按难易分为甲、乙两种,写在纸帛上密封。学生可随意取出解答,以问题难易而分优劣。此考试办法被称为口试,与近代的抽签考试相类似。考试合格者可补文学掌故,成绩优秀者可做郎官。如果考试成绩低劣,"下材及不能一艺"者,令其退学。汉代许多官吏是通过射策进入仕途的。至于对策,是将问题书之于策,令应试者解答,以文辞定高下。这种办法多用于荐举的人对答皇帝有关政治、经济的策问。

东汉末汉桓帝之时,太学人数猛增至三万人,旧的考试办法已不能适应形势的需要,因而在公元156年,桓帝更定考试办法,实行两年考一次,废止人数限制。

---

① 《后汉书》卷40《班固列传》。
② 《后汉书》卷59《张衡列传》,中华书局1962年版。

汉代不仅太学生入学需考试,就是郡国岁举的孝廉、茂才,诏令特举的贤良文学,到达朝廷后,仍须经过复试;甚至尚书一类的高官,也要通过考试后量才录用。所以考试是汉代,尤其是东汉选官的重要制度。但是由于偏重考试,出现了许多偏向。太学生在考试时,往往发生纠纷争吵,互相攻击,"相更争讼,无复廉耻"。公元175年,甚至发生了用贿赂改兰台漆书经典以合私意的丑闻。因此汉灵帝命蔡邕写定五经文字,刻石碑46块,立于洛阳太学门外,史称"熹平石经"。此事的发生,反映了汉末太学考试流弊之深。

官邸学是东汉时的贵族学校。创设于汉明帝永平九年(公元66年),是以灌输治人思想为主要教育任务的学校。对日益膨胀的外戚势力,汉明帝给予特殊的待遇,在南宫建校舍,专门为外戚樊氏(刘秀舅家)、郭氏(刘秀郭皇后家)、阴氏(阴丽华家)、马氏(明帝马皇后家)等四个大姓子弟创办学校,称为"四姓小侯学",并为学校置《五经》师,聘请名儒讲经。后来,对象扩大,凡贵族子弟,皆可入学受业。官邸学的兴废与执政者的好恶有关,时兴时废。汉安帝时,邓太后临朝,提倡贵族男女均入学受业,注重宫人文化素养,她是汉代皇后群中第一个重视妇女教育的人。

鸿都门学创立于汉灵帝光和元年(公元178年),因校址在洛阳鸿都门,故名。鸿都门学是汉灵帝和宦官为对付太学而创立的专业艺术类大学,所学课程是通俗的辞赋、小说、尺牍、书法,意在用文学艺术对抗经学。

为了扩大鸿都门学的影响,汉灵帝千方百计笼络士子,广招生徒,下令州郡、三公荐举征召学生,众至千人。学校把作赋和写"虫篆"作为取士的标准。凡学生考试成绩及格,即授予高官厚禄,入任尚书、侍中,外任刺史、太守,优秀者可封侯拜爵;就是不及格的也给一小官做。

汉代的名阀大族、名流处士都反对鸿都门学,后世的史学家对鸿都门学也多有非议。但是，值得肯定的是汉灵帝冲破以五经为太学惟一教育内容的传统观念，摆脱了繁琐、迂腐、既无学术效用又无理论价值的谶纬的束缚，创办了一所学习艺术及实用技艺，即培养文学艺术等专门人才的新型大学，实为一大创举，鸿都门学作为一所专业艺术大学，当为世界教育史上同类大学之最早。

鸿都门学的创立，不仅提高了文学艺术家和文艺的社会地位，客观上推动了文学艺术的繁荣。

综上所述，汉代教育的繁荣表现在：

1. 从西汉武帝时起，创立了政教分离的独立太学。乃至东汉后期，太学的规模宏大、学生人数众多，开创了我国教育史的新纪元。

2. 汉代的学校、种类日益健全，既有官办的太学、郡县学校，也有私立的书馆、精舍；既有培养儒家门徒的太学，也有培养贵族子弟的官邸学，又有培养文学艺术人才的鸿都门学。入学者，有男有女，从而为中国教育事业的发展奠定了基础。

3. 私学在汉代得到了极大的发展，它在我国古代学校教育发展史上一直占有重要的地位。私学积累了不少教学方法的经验和关于编纂小学教科书的经验。这些经验经过汉之后各代的继承和发展，有不少已成为具有一定科学价值的教育遗产。

4. 汉代学校教育和私学教育中的一些教学方法和管理方法，如互相讨论、辩论、自由研究、考试、尊师爱生等对我们现在全面推行素质教育，仍有借鉴作用。特别是太学的管理，学生自由研究的良好学风，对我们现在高校的管理，学术研究、科研等都有一定借鉴作用。

三、《孔子见老子》等历史故事类、忠孝类汉画像对儒家思想教化的推广

《孔子见老子》历史故事汉画像多见于山东的汉代画像石上。

其中山东省嘉祥齐山一石上的孔子见老子画像是目前所出土的汉画中最复杂、人物最多的①。孔子和老子稍靠左方,老子手拄一拐杖,他身后有弟子七人。孔子面对老子,袖筒中有两只做见面礼的雁,地上也落有一只雁。孔子和老子之间的小孩为项橐,手推独轮车,仰着脸和孔子说话。孔子身后弟子有20位,其中颜回和子路皆有旁题,子路的姿势和装束特别引人注目,他头戴雄鸡冠,腰拴小野猪,显出其勇武有力。孔子见老子的故事发生在周景王(前544—前500年)在位期间,《家语》载:"孔子谓南宫敬叔曰:'吾闻老聃博古而达今,通礼乐之源,明道德之归,即吾师也。'遂至周,问礼于老聃焉。"刻画像已被选入《中国历史》初中第一册第58页做插图。"孔子见老子"故事宣传了孔子的"三人行,必有吾师","择其善者而从之"和不耻下问等严谨治学精神。

为了推广普及儒家思想,山东、河南等地的汉画中有不少宣传儒家思想的帝王、明君、贤臣、义士、节女、贤妇、孝子等历史故事类和忠孝类画像。其中帝王图像有黄帝、神农、祝融、颛顼、帝喾、唐尧、虞舜、夏禹等;诸侯图像有齐桓公、秦王、吴王、韩王、赵襄子、晋灵公等;圣贤名臣有:孔子、老子、管仲、廉颇、蔺相如、范雎、魏无忌、晏婴、西门豹等人,义士侠客图像有:荆轲、曹沫、聂政、要离、豫让、侯嬴、朱明、程婴、公孙杵臼、义浆羊公等;节女贤妇图像有:京师节女、齐义继母、鲁义妇、曾母、王陵母;反映忠臣义士历史故事的画像有:周公辅成王、西门豹除巫治邺、完璧归赵、荆轲刺秦王、聂政自屠、二桃杀三士等;表现孝子贤妇的故事有:丁兰供木人、老莱子娱亲、邢渠哺父、董永卖身侍父、闵子骞失棰、韩伯榆受笞、曾母投杼等。汉画中这些栩栩如生的以历史故事为题材具有教化作用的画像,对汉王朝普及儒家思想,推行礼教,稳定社会等起到了不可低估的积极作用。

---

① 朱锡禄:《嘉祥汉画像石》,山东美术出版社,1992年版。

由汉画看牛在当时社会生产、生活中的作用

曾 艳　曾庆硕

牛这种动物,自古迄今一直与人类相随为伴,为人类社会的进步做出了巨大的贡献。从原始社会人类将猎获的野牛驯养为家牛之日起,尤其是在汉代铁器被广泛使用和犁耕农业普遍发展之后,牛在人类的生产、生活中的作用日渐显著。牛不仅成为我国古代农业生产中最重要的耕畜,而且还在古代的交通运输、饮食宴飨、文化娱乐、祭祖祀神以及驱鬼逐疫等方面具有重要的用途。本文仅就汉画中与牛相关的典型画像加以论述,以期对牛在汉代社会诸方面的作用及汉代对牛的神化和崇拜意识有一个较直观的了解。

一、农业生产中的牛

农业是我国古代社会经济的基础,自新石器时代出现了原始农业之后,直到春秋战国之际,农业一直处在以木、石耒耜为主要农具的手耕阶段。战国初期,铁工具开始在农业生产中使用,并出现了先进的铁犁农耕工具。《国语》云"宗庙之牺为畎亩之勤",出土文物中又发现了战国时期的铁制犁具,因此可以肯定"大约和使

用铁器同时,也开始用牛耕田"①。虽然春秋战国时代已出现了犁耕农业,但并不普遍。直到两汉时代,铁工具及犁耕才得以普遍使用与推广。据汉代考古资料显示,在我国的陕西、河南、山东、河北、山西、内蒙古、辽宁、江苏、甚至贵州、甘肃、广西、宁夏、新疆等边远地区均出土有汉代的铁犁农具构件(或铸范)②,由此足见,两汉时代,先进的犁耕农业技术在全国范围内得到了普及。这是我国古代农业发展史上的一次飞跃,具有划时代的伟大意义。据史料记载,汉代用于犁耕农业的畜力主要是马和牛两种。一般人都认为"汉代兼用马耕和牛耕,但主要靠用牛"③。但也有人认为汉代"虽有牛耕,但并不普遍,主要靠马耕"④。我们认为汉代使用牛耕比马耕更普遍。首先,从牛和马的自身特性来看,马性暴烈,奔跑速度快;牛性温顺,耐力强。二者相较,很显然牛比马更适宜于农耕。其次,据汉代史料记载,一头耕牛值千余至数千钱,而一匹马低则四千,高则二十万⑤。从牛与马的价格上来看,汉代的马比牛要昂贵得多,买牛耕地要比买马耕地合算。再者,汉画资料中也多为牛耕画像。牛耕画像在山西、江苏、陕西、内蒙、山东等地的汉画中均有发现。如山西平陆枣园村王莽时期壁画墓中的牛耕图;江苏徐州睢宁双沟画像石中的牛耕图;陕西绥德东汉永元十二年王得元墓中的牛耕图;陕西米脂县官庄东汉牛文明墓中的牛耕图;

---

① 翦伯赞主编:《中国史纲要》(第一册),人民出版社,1979 年 3 月版,第 65 页。
② 中国社科院考古研究所编:《新中国的考古发现与研究》,文物出版社,1984 年 5 月版。
③ 《秦汉史》,中国大百科全书出版社,1986 年 8 月,第 19 页。
④ 陈峰,张学增:《从汉画看马在社会诸方面的作用及汉代的马神崇拜》、《汉代画像石砖研究》、《中原文物》1996 年增刊。
⑤ 翦伯赞主编:《中国史纲要》(第一册),人民出版社,1979 年 3 月版,第 119 页。

内蒙和林格尔壁画墓中的牛耕图;山东滕县宏道院出土的牛耕图等①。据目前所掌握的资料,汉画中尚未发现单独用马耕地的画像,仅在山东滕县黄家岭汉画像石中发现了一幅牛马合耕的画像②。汉画中牛耕的主要方式可见有两种:一是"二牛抬杠式",二是"一牛牵犁式"。汉画中除了常见的牛耕画像外,还可见用牛牵引播种、碎土农具的画像。如山西平陆枣园壁画墓中就有用一牛牵引三脚耧车播种的形象。这一画像可与汉代文物中常见的铁耧铧相互印证。山东滕县黄家岭汉画像石中的一幅牛马合耕画像上又可见到一牛牵引耙田碎土工具的形象。总之,从以上列举的这些典型画像可以看出,汉代农业生产中使用牛作为畜力的现象极为普遍。汉代农业的高度发展可以说是由铁器和牛耕推动的。铁犁和牛耕则是汉代先进生产力的代表。它在我国传统农业生产中的影响是深远的,至今我国广大农村的主要耕作方式仍然是牛耕。

二、畜牧业中的牛

牛是汉代农业生产中的主要耕畜,耕牛数量的多少直接影响着农业发展的速度。只有在大量养牛的基础上,农业生产才有所保证。因此,汉代牛耕农业的普遍推广是以大力发展畜牧业为前提的。汉代畜牧业生产在陕北汉画中有所反映,其中有两幅画像很有代表性:其一,画左为狩猎:一人骑射二鹿,一人骑马奔走,一辆马车随后而行;图右为放牧场面:一人站立为放牧者,其前一马

---

① 中国社科院考古研究所编:《新中国的考古发现与研究》,文物出版社,1984年5月版。
② 山东省博物馆、山东省文物考古研究所编:《山东汉画像石选集》,齐鲁书社,1982年8月,图345。

三牛①。其二,画左一人骑马持鞭驱赶一群马,马群左右有猎犬守护;画正中是一座两层的楼房;画右又有一人骑马驱赶着一群牛羊(四牛、六羊),牛羊群的左右两旁亦有猎犬看护②。陕北一带,地广人稀,荒原草坡多,适宜畜牧业的发展。再者,西汉武帝时期,汉王朝经过数次大规模的"胡汉战争",终于战胜了匈奴。为了恢复北部边疆地区的经济,加强北部边境地区的安全与开发,朝廷派军戍守,而且还从内地大规模移民,实行屯田,垦荒耕地。与此同时,中原地区先进的生产工具及耕作技术也随之传播到北部边郡,从而极大地带动了当地的农牧业生产。东汉时,汉王朝也曾数度对匈奴发动战争。同时,为了避免匈奴对边境的侵扰,也曾采取以和为主的政策。章帝时,北匈奴贵族驱赶牛马万余头到武威与汉人"合市",这也从另一个方面促进了汉朝北部边郡畜牧业的发展。陕北汉画中的"放牧图"生动、形象地再现了当地畜牧业生产的盛况。畜牧业的发展不仅为农业生产提供了足够的耕畜,同时也为人们的饮食增加了肉类食品的来源。

三、庖厨饮食中的牛

早在原始社会,人类就已开始猎取野牛作为食物,原始畜牧业出现之后,家养牛最初的主要用途仍然是食用。自从牛被运用到农业生产中作为耕畜之后,人类养牛的主要用途才由食用转为以耕田为主。但牛肉自古迄今一直是人类饮食中的美味佳肴。汉之前,牛除了供贵族阶层宴飨食用之外,主要还是作为祭祀的牺牲。

---

① 陕西省博物馆:《陕北东汉画像石》,陕西人民美术出版社,1985年,图15。
② 陕西省博物馆:《陕北东汉画像石》,陕西人民美术出版社,1985年,图18。

《礼记·王制》云:"诸侯无故不杀牛。"按周礼,天子祭祀时才用牛、羊、猪三牲齐全的"太牢"之礼,而诸侯只能用"少牢"(仅有羊、猪)之礼祭祀。汉人仍沿袭周礼,《汉书·高祖本纪》中就有刘邦经过鲁时曾以太牢之礼祭孔子的记载。再加上汉初经济遭到战乱的严重破坏,耕牛的数量十分有限,因此,平时仅在祭祀或享宴时才宰牛备用。"文景之治"后,汉代社会经济得以恢复和发展,尤其是武帝时,农牧业的发展更加迅速,养牛的数量也随之增加,这时的牛不仅主要用于耕田和祭祀,而且还有一部分牛被宰杀以供贵族富家食用。《史记·货殖列传》中就有"通邑大都""屠牛羊彘千皮"之说。汉画中也可见到不少宰牛的场面,汉代宰牛的方法大都是先用一大锤将牛击倒(称椎牛),然后再用刀宰杀。山东及河南汉画中均发现有宰牛(椎牛)的画像。最典型的当属山东汉画,且数量也最多。如1978年在山东诸城凉台村出土的东汉晚期画像石墓中有一"庖厨图"①:画像上部的肉架上挂满了猪头、猪腿、羊肉、鱼、兔肉等,画中有众多人物在忙碌着:有汲水的、烤肉串的、切菜的、烧火的、劈柴的、酿酒的,更有宰羊、杀猪、牵狗的。在此画中就有椎牛的场景:一牛,鼻子系一绳,牛前一人站立,双手举一大锤,一足踩住系牛之绳,正欲击杀牛。牛后又一人亦用绳子拉住牛尾,牛身旁地上置一盆和一刀。由此画像足见汉代豪强地主饮食之丰盛,肉食类品种齐全,牛、羊、猪、狗、鸡、鸭、鱼、兔等应有尽有。牛肉是汉代贵族阶层饮食生活中主要的肉食品类,对于布衣平民来说是很难享受得到的。

---

① 山东省博物馆,山东省文物考古研究所编:《山东汉画像石选集》,齐鲁书社,1982年8月,图549。

四、交通运输中的牛

牛作为驾车的畜力出现在何时已无从稽考,但据传说黄帝时代就已有牛车。如谯周《古史考》云:"黄帝作车,引重致远,少昊时驾牛,禹时奚仲驾马。"因牛受行走速度较慢等缺点之限制,所以"古之贵者不乘牛车"(《晋书·舆服志》)。汉代贵族阶层的主要交通工具自然是马和马车而不是牛车。但在一些特殊的条件和环境下,一些尊贵者也曾乘坐牛车。如西汉初年,因社会经济遭到战争地严重破坏,马匹极为匮乏,"天子不能具醇驷,而将相或乘牛车"(《汉书·食货志》)。《晋书·舆服志》云:汉武帝时,"诸侯寡弱,贫者至乘牛车,其后稍见贵之"。《后汉书·逸民列传》:桓帝用安车聘请韩康,韩康"辞安车,自乘柴车(拉柴的牛车)……"但牛车在汉代主要是民间的交通运载工具,是身份低贱者或平民百姓乘坐的车辆。如《汉书·蔡义传》云:"(蔡义)家贫,常步行,资礼不逮众门下,好事者相合为义买犊车,令乘之。"《后汉书·宦者列传》又云:"(桓帝时)四侯转横,……皆竞起第宅,楼观壮丽,穷极伎巧。……其仆从皆乘牛车而从列骑。"另外,牛车又是官方和民间运输笨重货物的交通工具。《史记·货殖列传》云:"通邑大都,……其轺车百乘,牛车千两(辆)……"牛车也被贵族富商视为一种财富,随葬于墓中或刻画于墓壁上。汉代墓葬中常出土有陶牛车模型明器。汉画中也常见到牛车的图像。如山东汉画像石中发现十余幅画像中有牛车形象。牛车也是陕北汉画像石中较常见的题材。山东汉画中的牛车大多无棚盖、多为乘人之用,乘坐的人数少则二人,多达五人。而陕北汉画中常见的牛车多为棚车。山东汉画中有一山林狩猎图①:图左、中部为山峦起伏的山岗,山中林木丛茂,山林中

---

① 《山东汉画像石选集》,图 422。

禽兽出没,山中有猎人荷毕牵犬,有猎人射杀野猪;画右一人执戟赶一牛车,车上乘三人,车后部装载数毕。车后又有四人扛毕随行。山东汉画中还有一幅牛拉的棚车画像,且牛车上方刻画有武库,此画中之牛车应是装运武器的辎重车①。而山东汉画中还常见到一种牛车与羊车、马车(或鹿车)同行的画像。这种画像上层多刻有西王母(或东王公)及一些神禽异兽、神仙人物。显然这种牛车非现实生活中的牛车,而应具有一种特殊的宗教涵义。除了山东及陕北汉画中发现牛车较多外,四川汉画砖及画像石中各发现有一幅牛车画像,均为拉运粮食货物的载重牛车。如四川画像石中的一幅酿酒图上有一牛车正向酿酒作坊拉送粮食。南阳汉画砖中也发现一幅牛车画像砖(已残),且画像较特殊:画中一人在车前牵两牛,两牛共驾一车,车上乘二人。各地常见的牛车都是一牛拉车,像这种二牛抬杠驾一车的画像目前在全国汉画中仅见此一幅②。徐州双沟汉画中还有一幅耕耘画像,中有一辆专用于运载农具的耕车③:画左有人持锄耘苗,有人扶犁耕地,有人播种;画右停放一辆牛车,车体极简陋,车辕是用极粗糙未经加工过的树干做成的,车舆为无栏无棚的平板。辽阳三道壕壁画墓中也曾发现有一牛拉的棚车画像。

因汉画为贵族墓葬的装饰艺术,而乘马车或骑马是贵族身份的标志,所以汉画中马车最常见,相比之下,牛车画像比较少,但从各地发现的牛车画像来看,汉代的牛车仍然是一种重要的运输工具,不仅可以乘人,更用于载物,且出现了用于狩猎、农耕等活动中的专用牛车。总之,牛车在汉代社会生活中的用途也是十分广泛

---

① 《山东汉画像石选集》,图548。
② 周到、吕品、汤文兴:《河南汉代画像砖》,上海人民美术出版社,1985年4月,图248。
③ 《徐州汉画像石》,江苏美术出版社,1985年6月,图243。

的。

五、竞技娱乐中的牛

斗兽是汉代常见的娱乐竞技活动,而斗牛就是其中的一种形式。斗牛在汉代极为流行。《盐铁论·散不足》云:"今富者祈名岳,望山川,椎牛击鼓,戏倡舞像。"斗牛是我国传统的娱乐竞技活动,它早在汉代之前就已存在了。它是表现艺人的智慧、力量和勇气的一种娱乐方式,这种表演不仅可以娱人,同时表现出了人们那种积极向上、尚武嗜勇、勇于征服大自然的精神。南阳汉画中的斗牛画像最为生动,在汉墓画像中时有发现。至今在我国的一些少数民族中仍流行着这种斗牛风俗。如侗族还有"斗牛节"、瑶族的"倒稿节"、纳西族的"牧童节"、京族的"哈节"中均举行斗牛活动①。除了人与牛斗外,还有牛与牛相斗的娱乐活动形式。山东及河南汉画中均有这种二牛相抵的画像。这种二牛相斗的活动至今仍在贵州、云南的苗族、彝族、侗族、白族等少数民族中流行着。得胜之牛要披红挂绿。这种斗牛方式可能源于李冰斗蛟的故事。蜀郡守李冰曾化为牛形与化为牛形的蛟相斗。除了真牛相斗以取乐外,民间还流传着一种以人装扮成牛相斗的娱乐游戏活动。南朝梁·任昉《述异记》云:"秦汉间冀州有乐,名蚩尤戏。其民三三两两,头戴牛角而相抵。汉造角抵戏,盖其遗制也。"这种斗牛之戏应是汉代百戏艺术中的一种表演形式。至解放后河南民间的儿童游戏中仍然保留着这种"二牛抵架"的娱乐方式。

---

① 郑传寅,张健主编:《中国民俗辞典》,湖北辞书出版社,1987年2月。

六、田猎活动中的牛

狩猎、采集和捕鱼最早在原始社会就已成为人类早期的主要生产活动内容。在劳动出现分工之后,因狩猎很不可靠,不能经常保证食物的供给,所以采集活动往往是生活的主要来源,尤其是在采集发展为原始种植农业之后,种植农业便成为人类主要的劳动活动和生活来源,于是狩猎便成为生产劳动中可有可无的"点缀品"了。在原始畜牧业和原始农业出现之后,粮食和肉类食品有了充足的保障,狩猎便由原来的维持生计为目的的生产劳动方式变为以娱乐竞技为主要目的的休闲活动。汉代贵族们的田猎活动更是一种纯粹意义上的娱乐活动。南阳汉画中常见到田猎画像,其中有多幅画像为猎捕野牛的场景。如图:右二人,一人赤手空拳,回首呼喊,后一人持棍应声而来,左一野牛仓皇奔逃。山东武氏祠汉画中有一幅力士猎兽、拔树图:一力士肩扛一头猎获的死野牛,另一手与前一人共抬一死虎,还有一人伸手去拉一头牛的尾巴。

七、神话传说中的牛

牛被奉为神且受到崇拜当源于原始社会万物有灵信仰时期的图腾崇拜阶段。后来随着牛在人类生产、生活中的作用越来越明显,尤其是牛被广泛地应用于农耕生产之后,人们更崇拜牛,并视牛为农耕之神,据传说神农氏就曾为"牛首人身"形,而这种"牛首"形象在汉之前的商周青铜器纹饰中就是常见的题材。徐州汉画中就有神农氏炎帝身旁一肩生羽翼的神牛形象。山东汉画石中更有"牛首人身"形象的神仙人物。河南商丘汉画中也常见到有牛神的形象:身似牛,肩生翼。有人认为这种形象就是李冰与之相斗的"蛟龙"之形。由此可知,汉代仍然将牛奉为一种神灵。有时牛还被视为危害人类的精怪,据传说,千年之木精即为青牛之形。古人还认为道家仙人常以青牛作为骑乘的交通工具。山东及商丘汉画中也可见到仙人乘牛的画像。另外,古人还以牛之名来作为天上的星名,如牛郎星、牵牛星,北方玄武中的牛宿。南阳汉画石中就可见到天文神话上的牵牛形象。在这里,牛则成为天文中的星神之一,也是牛被神化的一种具体表现形式。总之,古人曾视牛为农神、木精、江神、仙牛、星神等,均反映出了牛在古人心目中的重要地位。

八、驱鬼升仙中的牛

牛被神化的同时,也就具有了某些神性,其中辟鬼驱邪的神性最为明显。商周时代,人们祭祖祀神时仍使用牛骨占卜和宰杀牛作为牺牲来祭天敬神。同时,商周时用于祭祀的礼器——青铜器上也常见到牛头纹饰,这也就表明了牛已"扮演了沟通人神世界的使者的角色"。在这里牛已具有了神秘的涵义和巫术的宗教意义。汉代时,牛仍然是驱鬼升仙活动中不可缺少的,在驱鬼升仙画像中常见到牛的形象,而且方士手中常持有牛角,这种牛角至今仍然是我国南方巫师在巫术活动中常用的法器之一。河南方城汉墓墓门正面下方有一卧牛形象,也表明牛具有辟鬼之神性。再者山东汉画中常见有牛车、羊车、鹿车(或马车)相组合的画像,往往是牛车在最前边,就是因为牛具有辟鬼之神性,汉人才将牛车作为求仙拜神车队的"导引车"。至今河南民间仍有牛能辟鬼这种风俗观念。总之,从汉画像中可以看出,牛在汉代仍具有辟鬼驱邪的巫术意义。

从汉画看汉代教育

罗松晨 刘花玲

两汉时期,是我国封建社会传统教育的开创和迅速发展时期。这个时期,统治者为了加强中央集权,巩固统治地位,稳定社会发展,在建立以儒学经典为中心的思想理论基础的同时,也十分重视推广儒学思想教育的方法和手段,官学、私学和诸多忠孝故事、祥瑞画像的出现,便是其最具代表性的体现。故此,本文试图结合汉画像石中的有关题材,对汉代传统教育的形式和内容进行粗浅的探讨和分析,有不当之处,敬请专家、老师们斧正。

一、《讲经图》与汉代教育形式

《讲经图》在山东、河南、四川等地均有出土。《山东画像石选集》中有讲经图多幅,其中图542,一经师胡须飘拂,打着手势,其对面一人,堂下多人皆捧简踞坐静听,表现墓主人生前为经学大师的尊贵地位。《南阳两汉画像石》中也收录一幅《讲经图》:右刻一经学大师,戴冠着袍,扶几端坐,其右手伸出,似正侃侃而谈。旁立一笞者,左手握便面为其打扇,右手持棰以镇学规。图左刻七人,依次席地而坐,恭听教诲。画面生动地反映了孝景帝时董仲舒"为博士,下帷讲诵,弟子传以久次相授业"①的情景。《四川汉代画像砖》中的《讲经图》,也十分生动:经师端坐于左边榻上,双手拢于衣袖内,神情庄重严肃。下面席地环形跽坐着六位学生,皆双手捧简,面向经师凝神静听。上述《讲经图》都十分形象地表现了汉代经学教学的场面,同时也反映出汉代官学或私学的发展程度。

西汉初年,国家贫穷,经济萧条,汉高祖刘邦采纳了陆贾等儒生的建议,认真总结秦及历史上统治者成败得失的经验教训,提倡"教化"和"劝善"。汉武帝元光元年,董仲舒向武帝建议:"臣愿陛下兴太学、置明师,以养天下之士"②。元朔五年(前124年),丞相公孙弘向武帝再次建议,提出设立太学的具体规划。武帝下诏,开始正式建立太学,地点设在"长安西北十里"③。这时的太学尽管规模不大,但"罢黜百家,独尊儒术"的政策已得以在全国推行。直到新朝时,王莽为赢得儒生们的支持,广建太学,为学者筑舍万区。④官学的数量进一步增加,其规模也得以扩大。

东汉建立后,光武帝刘秀迁都洛阳,为巩固东汉政权,刘秀极力推动今文经学的发展并于建武五年在京师洛阳正式建立太学,地点设在"洛阳故开阳门外",距刘秀所居南宫只有八里,太学规模浩大,仅讲堂就"长十丈,广三丈",并在堂前刻下"石经四部"⑤,以示儒家经典是太学学习的中心内容。太学落成后,四方儒生"莫不抱负坟策,云会京师"⑥,大批官宦子弟要求到太学读书。刘秀凡其行迹所在,"未及下车,而先访儒雅",还亲临太学,对太学的师资

---

① 《汉书》卷56《董仲舒传》。
② 《汉书》卷56《董仲舒传》。
③ 《三辅黄图》。
④ 《汉书》卷99《王莽传》。
⑤ 陆机《洛阳记》。
⑥ 《后汉书》卷79上《儒林列传·序》。

和学生审核划分等级,"赐博士弟子各有差"①。刘秀本人"爱好经术",多次到太学"正坐自讲",并让"诸儒执经问难于前"②。太学内部,上下一致,研讨经学,蔚然成风,洛阳的太学不仅成为学习的场所,而且也成为讨论国家大事的中心。中元元年,为了给显贵子弟以更方便的就学条件,专辟教授外戚樊、郭、阴、马等家族子弟的四小侯校舍,进一步扩大了原来的太学规模。由于最高统治者的极力提倡,在当时全国政治文化中心的洛阳,太学声势大振,在太学附近,"诸生横巷,为海内所集"③。太学名声广传域外,就连长期曾与汉相对峙的匈奴,此时也"遣子入学"了④。

东汉明帝时期,洛阳太学有了进一步的发展。明帝刘庄就是因为"十岁而通春秋"被"光武奇之"⑤,由第四子而继承皇位的。他在当时的经学大师桓荣的影响下,同样重视太学教育,保持了光武时期的兴盛局面。安帝时,太学一度废弛。顺帝时,"更修黉宇",开始恢复太学,建造了二百四十房和一千八百五十室,重新安置太学人员。质帝元初元年,梁太后下诏:"大将军下至六百石,悉遣子入学。"⑥这种动用诏令以充实太学学生人数的做法使学生空前增多,最多时达三万余人。像这样人数众多,规模浩大的洛阳太学,不仅在我国历史上绝无仅有,就是在世界教育史上也是罕见的。

洛阳太学的高度发展,不仅推动了京师洛阳教育事业的发展,在统治者的大力支持和倡导下,也促进了全国范围内大批官学和私学的建立,政府明确规定,郡设学、县设校、乡设庠、聚(村)设序,

---

① 《后汉书》卷1《光武帝纪》。
② 《后汉书》卷79《儒林列传·序》。
③ 《后汉书》卷48《翟辅传》。
④⑥ 《后汉书》卷79《儒林列传·序》。
⑤ 《后汉书》卷2《明帝纪》。

全国出现了"四海之内,学校如林,庠序盈门"①的新景象。

无论在太学或郡学等这些官学里,讲授儒家经典者,称为"博士"。博士始设于秦,掌通古今。汉承秦制,仍设有各家博士,文帝初年,就有博士70余人。不过这时的博士并不完全习尚儒家经典,只是一种备朝廷咨询的文化官吏。文帝后期,开始设立一经博士。武帝时,罢黜其他各家,增设五经博士,到元朔五年兴办太学,熟通儒经的博士便成为太学的专门教官。洛阳太学建成后,基本上沿承旧制,但随着太学学生的增加,学校数量的扩大,博士数达到顶点,教授内容逐渐脱离开烦琐无用的章句,丰富和充实了讲授的内容。

从西汉设置的博士官来看,全属今文经学派,但其选派方法却大不相同,西汉博士一般通过征拜或者举荐,这样博士的充任大多掺杂有私人派系成分,就任博士不见得都具备相当水平。但东汉时,对博士采取考试制度,即使互相推荐,也须立下"保举状"。皇帝本人,对任职博士也常进行面试。如光武帝刘秀就亲临太学,令"能说经者更相难诘,义有不通,辄夺其位以益通者"②。所以东汉官学博士水平较西汉博士水平相应较高,大抵为当时之儒宗或是研究某家之名流。

官学学生的来源,一般为贵族官僚子弟,平民通过考试,也可以到官学就学。从史载班固等人在太学的情况来看,十几岁至二十几岁大抵为就学的一般年龄,学习时间未见记载,教学的方法与学生的数量相适应。如洛阳太学有博士十四人,以这样的人数去直接教授三万学生是不可想像的,所以太学采用了上大课和博士通过高年级学生教低年级学生这两种形式。汉代著书大抵为竹简,靠书籍学习十分困难,所以汉人"无无师之学,训古句读皆由口

---

① 班固:《两都赋》。
② 《后汉书》卷79《儒林列传·序》。

授",但是最后能达到"至一师能教千万人"①,可见当以第二种教授方法为主。

东汉时期,由于古文经学的产生和发展,也出现了一批古文经学大儒,而这些大儒在政治上受到政府的压制,得不到从政的机会;在传道授业上,又没有到官学任职博士的资格。于是便从事私人讲学、开馆传业,这些学馆相对于官学而言,即所谓的私学。从表面形式上来看,它只是和官学稍有差异而已,但就其本质来说,私学和官学的分立,意味着东汉时期古文学派和今文学派的对立和斗争。在这个时期,河南地区的私学最为兴盛,许多古文经学大师遍设私学,著书立说,四处讲学,在《后汉书·儒林传序》中著录者大部分为河南人,有的私学可与洛阳太学相媲美。

如东汉最早设立私学的为刘昆。刘昆,字桓公,陈留人(今开封市东南),王莽新政时,在陈留开办私学,"教授弟子恒五百余人"。颍川鄢陵人张兴,开办的私学也颇著名声,四方弟子弥集,"著录且万人"。此外南阳尹敏、河内人张玄、缑氏人(偃师东南)孙堪、汝南人周防、周兴、蔡玄,淮阳人薛汉、陈留人楼望、杨伦等所开的私学在东汉的不同时期都非常具有代表性。

在私学里,讲授的内容,大致可以分为小学教育和比较高深的经学教育,小学教育又分为习字的蒙学和讲授《论语》、《孝经》两个阶段。小学结业,就取得了担任小官吏或谋业的资格。如继续深造,必须投私家经师接受更高深的经学教育,专攻一经或数经,私学门生人数繁多,教育方式也采用高业弟子迭相传授。

汉代官学和私学的发展,不仅仅是汉代政治、文化的缩影,也展示了汉代全国文化和教育事业发展的盛况及在我国教育史上占有的重要地位。而上述《讲经图》也从实物资料上、学校分布地域、规模和教学形式上为我们探讨汉代教育提供了生动形象、说服力

---

① 皮锡瑞:《经学历史》。

极强的历史佐证。

二、《孔子见老子》、《忠孝故事》、《祥瑞图》等与儒学教育

在初中《中国历史》第一册第 58 页有一幅取材于汉画像石的《孔子见老子》插图：右者高冠长袍，手柱曲杖，躬身相见，身后题"老子"；左者亦高冠长袍，躬身打礼，手捧双雉，虔诚地敬献于老子，身后题为"孔子也"；中间有一位推独轮车的顽童——项橐。孔子见老子的故事发生在周景王（前544年至前520年）在位期间，"孔子谓南宫敬叔曰，吾闻老聃博古而达今，通礼乐之源，明道德之归，即吾师也，遂至周，问礼于老聃焉"①。而项橐与这历史故事并无联系，据考证，之所以有项橐形象，是因为"夫项橐生七岁而为孔子师"②之故。画面体现了孔子"三人行，必有我师焉"，"择其善者而从之"和不耻下问的严谨治学精神。此类画像，在全国各地均有发现，尤以山东最为集中和典型。

此外，在汉画中还有大量的蕴含着三纲五常、天人感应、君权神授等儒家思想的忠孝图和祥瑞图，如：反映忠臣的有周公辅成王③、完璧归赵④、伍子胥画像⑤、二桃杀三士、聂政自屠、荆轲刺秦王⑥等，意在教育人们要像周公、蔺相如、伍子胥、晏婴、聂政、荆轲等人那样忠心耿耿保卫刘汉天下，不惜代价，为主人效劳，直至献出生命。反映孝子和贞妇的主要有丁兰供木人、老莱子娱亲、闵

---

① 《家语》。
② 《战国策·文信侯欲攻赵以河间相》。
③ 《山东汉画像石选集》，齐鲁书社，1981年。
④ 朱锡禄：《武氏祠汉画像石》，山东美术出版社，1986年12月。
⑤ 孔祥星：《中国铜镜图典》，文物出版社，1992年7月。
⑥ 王建中：《南阳两汉画像石》，文物出版社，1991年3月。

子骞失棰、邢渠哺父、韩伯榆受笞、董永卖身侍父、贞妇、贤妇、七女为父报仇等①。这些图像教导人们要像孝子、贞妇一样孝亲,由此达到"以孝治天下"的目的。反映祥瑞的有四神图、四灵图、神兽图、日月星辰图等,以谶纬之说,给皇权蒙上一层神秘的帷帐而行长期统治之实。

这类画像,之所以能够得到统治者的认可,并得以大肆宣扬,概括起来有如下原因。

1. 封建统治者为维护稳定的需要

在汉代、自武帝以降,积极倡导董仲舒的"罢黜百家,独尊儒术"思想和"天人感应"学说,封孔子为素王,颜渊为司徒,左丘明为素臣②,给孔子和孔子的思想赋以神秘色彩。后经数十代经学大师的丰富和完善,到东汉时期,恪守周礼、尊崇先古,维护宗法家族观念和君臣父子的正名观念及提倡忠孝礼义的三纲五常思想,君权神授等理论已成为儒家思想的核心,并把儒家思想扩散到各个领域,无论是自然科学如医学、天文学、或哲学思想都深受影响,成为统治者控制天下的有力工具。这一点,从两千多年儒家思想作为正统思想对我国历代人民思想影响之深远,可以得到充分的历史证明。

忠孝是维系汉代社会国家与家庭的纽带,是保持社会平稳的基础,也是汉代封建君主选拔官吏的基本条件。封建统治者认为,忠孝紧密相连,不孝就是不忠君,"其为人也孝弟,而好犯上者鲜矣。不好犯上而好作乱者未之有也。"③"求忠臣于孝子门"是忠孝观念的真正内涵。同时,汉代以君臣、夫妻、父子为"王道之三纲"并认为三纲"可求于天"。三纲中以"君惠臣忠"为首,"夫和妻柔",

---

① 《和林格尔发现一座重要的东汉壁画墓》,《文物》,1974年第1期。
② 《春秋繁露·玉杯》。
③ 《论语·学而》。

"父慈子孝"为次。这是天的安排,同天地、阴阳冬夏相当,不可改变。汉画中的忠孝、贞妇题材故事,体现了儒家"三纲五常"思想。这些通俗易懂的宣传教育,方法简单,而效果显著。当世人都按儒家的忠孝礼义思想行事时,汉代的江山能不稳定吗?

祥瑞图,是儒家宣扬"天人感应""天人一体"的具体表现形式。帝王、先贤的出现与凡人不同,需要祥瑞证明,以获得百姓的支持和畏惧。粉饰太平歌颂帝王、官吏德治同样需要祥瑞,祥瑞代表天意,天意如此,平民百姓谁又能不为之奔走宣传、欢呼雀跃、顺承天意呢!

2. 进行儒学思想教育最有效的手段

每个时期都有与之相适应的教育手段。《讲经图》所体现的是通过完备的官学体系和私学教诲来实现教育目的,而大量的《孔子见老子》、《忠孝图》、《祥瑞图》等汉画题材,则是通过更直接、更通俗的手段去传播儒家思想,倡导世人学习之、实践之、传承之、弘扬之,应视为汉代社会教育的重要方式。

总之,汉代是我国古代教育史上的繁荣鼎盛时期,对后世的影响是深远的。本文通过汉画这个侧面去分析了解汉代教育的内容和方法,对我们学习历史,开阔视野,增长知识是有益的。同时,对我们在历史教学的工作实际中,恰当运用历史实物(文物)教学,改进教学方法,探索教学新路将会起到一定的借鉴作用。

东汉草书艺术的演变及其精神内质

徐 华

汉末魏晋"人的自觉与文的独立",应该是一个被条分缕析的提法,因为所谓的"人",并非指普遍的大众,而是指那些掌握知识的文人;所谓的"文",也并非单指文学,还包含了各门类的艺术如绘画、音乐、书法等在内。所以,考察"自觉与独立"精神的发生,更应该站在整体的立场。其中,书法作为一种抽象的线条艺术,和文学因缘相近,故而属于较早发生新变的艺术。西汉末年至东汉末年,洋洋大观的汉隶中,渐渐分化出草书一脉;而新兴草书又很快经历了由竹简草书到草书流派,由实用书体到审美艺术的显著新变,其掌握者也由下层书吏渐变为士人。东汉草书的演变是如何发生的?具有怎样的精神价值?理清其脉络,对于汉魏艺术精神变迁的研讨应是有所裨益的。

一、草书体演变的历史轨迹

中国书法的众多书体之中,草书最具精神表现力,其发展的每个阶段几乎都与士人的精神趋向密切相关。但处在艺术观念尚未完全独立和自觉的阶段,不仅当时的墨迹法书没有得到有效的保存,而且后人对当时情形的描绘也非常之少,有些文献记载也显得含混不清。因此,在探讨草书演变的精神意义之前,有必要先对草书体由形成到发展演变的轨迹做一勾勒。

首先,关于草书体确立的时间,便是一桩千古疑案,即便是东汉著名的书论家如许慎、赵壹、蔡邕等人,也已经不能明确地说出草书究竟兴起于何时何地,更别说魏晋以后的学者了。他们或者笼统地称"汉兴有草书","汉初而有草法,不知其谁"。或者指一人为始创者,如以西汉元帝时史游创立草书①。或者干脆抱着存而不论、视而不见的态度。20世纪以来,随着大量竹木简帛等汉人墨迹的出土,给当代研究者解决这一问题提供了非常重要的佐证。通过对考古所见文献资料的相互印证,当代文字学家、书法史家不约而同地指出:草书作为一种正式的书体,形成于西汉后期的元帝、成帝时期。如裘锡圭先生说:"草书的形成至迟不会晚于元、成之际,很可能在宣、元时代就已经形成了。""草书在东汉时代比较流行。"②陆锡兴《论汉代草书》中也说:"从居延、敦煌的汉简看,草书以王莽时较多。海州花果山汉墓十三枚简牍中有两枚纯为草字,体式与章草近,此简为哀帝元寿二年之物,因此,可以推测章草书形成大致在稍早于此时的元帝、成帝之间。"③谢德萍《谈谈草书》中有:"从出土的木简可以看出,草书在西汉之末东汉之初才比较成熟。"④这些看法基本都是通过对各个阶段考古发现中字体的分析比较得出的,具有一定的客观性。

然而,草书作为一种新兴的书体,并不是一兴起便流行于社会

---

① 宋王愔云:西汉元帝时史游作《急就章》,"解散隶体,粗书之"。张怀瓘《书断》卷上认为:史游"存字之梗概,损隶之规矩,纵任奔逸,赴俗急就,因草创之义,谓之'草书'"。案史游其人为汉元帝时一黄门令,其生平事迹不详,其书法风格更不见于其他书法文献。张怀瓘以其为草书的创始者,实本于主观附会。
② 裘锡圭:《文字学概要》,商务印书馆,1998年版。
③ 陆锡兴:《汉代简牍草字编》,上海书画出版社,1989年版。
④ 谢德萍:《谈谈草书》,河北美术出版社,1983年版。

的各阶层,而是集中流行在书写任务相当繁重的下层书吏和民间抄书手的笔下,流行在边陲的竹木简牍中间。因为当时纸还没有普及,书写用具主要是竹木简牍和帛。丝帛制品虽轻盈但贵重,普通人是用不起的,只能是王公贵族的专利。如东汉中期崔瑗写给葛元甫的信中就说:"今遣送《许子》十卷,贫不及素,但以纸耳。"与此相反,竹简虽笨重却方便实用,是政府机关公文及往来函件的通用工具。两者相较,帛书更适宜于庄重的一笔一画地书写,竹简则可相对随意自由一些。但就竹简来说,亦有所不同,皇帝发布命令和大臣上奏章都必须按照制度的规定,以官方通行的字体篆书和隶书来书写①,在远离政治经济文化中心的边陲,或者是下层书吏中间则不一定要遵守这些规则。因此,作为非正统、书写随意的草书,它最初的兴起和发展也只能是在地方机构大量的简版文书中间。这一点非但著于考古所见,而且和文献记载相吻合。两汉之际王莽使大司空甄丰校文书之部,归纳字体为六书,其中便不包括草书。东汉中期以前作为政治经济文化中心的中原地区,许多书家及书论家如扬雄、陈遵、刘睦、曹喜、许慎等,都以擅长篆书、隶书而著名,说明在下层书吏中间日渐流行的草书,至少在当时并没有真正引起士大夫书家的重视。

这种状况一直持续到了东汉章帝时期。从草书发展演变的轨迹来看,我们可以把西汉末至东汉早期称为草书兴起的第一阶段。这一阶段的草书,尽管有的已经呈现出"用笔圆融,回环自然"、"笔势贯通,一气呵成"、"奔放跌宕,线条疾劲"等特征,但从其形成的

---

① 《后汉书》卷1《光武帝纪》上注引《汉制度》曰:"帝之下书有四:一曰策书,二曰制书,三曰诏书,四曰诫敕。策书者,编简也,其制长二尺,短者半之,篆书。……三公以罪免亦赐策,而以隶书。"又唐张怀瓘《书断》称东汉章帝称赏杜操的草书,故而特别批准他以草书上奏章。说明奏章字体本来是有严格之规定的。

出发点来看,仍是秦汉以来简化笔画、快速书写以提高效率这一实用观念的延伸,仍以实用为主要目的,草书体远未达到艺术的层次。加之来自社会下层的文吏和民间抄书者,一般没有深厚的文字基础,对文字本身的内涵也没有更为深层的理解。再者,由于这一时期草书书写以竹简为载体,窄而细的长条,笨重的体积,依然难以让书写者的心手任意驰骋。所有这些因素,都阻碍了这一时期草书的进一步发展。

虽然如此,草书在社会下层的流行,作为初始阶段,仍具重要意义:一是提供了大量的自由实践,二是为此后草书的进一步普及和升华提供了良好的基础。

东汉章帝(公元76年－公元88年)后期,草书的发展进入了一个新的阶段,即士大夫对草书的提升及草书升华为一种艺术。齐相杜操曾用草书给章帝上奏章,并得到赞扬,后来就被特批他用草书上奏。齐萧子良云:"章草者,汉齐相杜操始变稿法。"宋羊欣《采古来能书人名》中也说,从杜操开始"始有草名"。杜操虽为齐相,然本来是京兆杜陵(今陕西西安东南)人,这里原为西汉京都所在,而且三辅和河西地区在东汉初期以前都是汉简应用最为频繁之地①,杜操自然会受到简牍草书风格的启发和感染。杜操之后,另一位颇负盛名的大学者崔瑗开始从审美的角度来审视草书体。崔瑗师承比他略早的草书名家杜操,后世往往以"崔、杜"并称。本传记载崔的著作中有《草书势》一篇,又有《飞龙篇·篆草势》三卷。

---

① 目前我国众多出土竹简的分布是有着很强地域性的,比如到目前为止,大部分已发掘的竹简都是在国家的西北边陲,也就是以汉代凉州为中心的地域之内,包括《居延汉简》,前后几次挖掘出三万余枚,数量之大堪称全国之最。此外还有《武威汉简》、《流沙坠简》、《敦煌汉简》和《甘谷汉简》等。这一现象至少可以证明,西汉末、东汉初,书写这门技术在当时的西北地区,比别的地方都更普及;同时,草书这种新体,也因书写的广泛应用而成为日常通行的字体。

唐李嗣真《书后品》云："崔氏小篆,爱校李斯,点画皆如铁石。传之后裔,厥功亦茂。"从其擅长小篆,但又颇喜草书来看,说明对草书的接触并未深入。但所做《草书势》一篇的确以审美的眼光,挖掘出蕴含在草书中的自然之妙与生命之美,在以各种书体为实用工具的当时,这种论调无疑令人耳目一新。

在杜、崔二人对草书大力提升的基础上,进而生成了一个颇富艺术精神的西州草书流派,成员都是来自三辅及其周围地区,以专精草书而知名,以学习和传播草书为主要目的,有当代学者指出:"在东汉末,旧京长安以西地区出现了以张芝为代表的一批草书专家,他们执着痴迷地专攻草书,既有领袖人物,又有许多追随者和继承者,延续了一个多世纪,并有着明显的地域性和一致的艺术追求,这是书法史上出现的第一个流派。"①其情形正如东汉末赵壹在《非草书》一文中所描述的:"余郡士有梁孔达、姜孟颖者,皆当世之彦哲也。然慕张生之草书,过于希颜、孔焉。孔达写书以示孟颖,皆口诵其文,手楷其篇,无怠倦焉。于是后生之徒,竞慕二贤,守令作篇,人撰一卷,以为秘玩。"《非草书》一文虽秉承儒家实用美学观念,批判当地流行的草书热潮,但却真实地反映出草书在士大夫中间已经流行的情况。这一流派的核心人物张芝、张昶兄弟,被后人尊为"草圣"和"亚圣",韦诞云:"芝学杜度,转精其巧,可谓草圣,超前绝后,独步无双。"②卫恒《四体书势》有:"文舒草书次伯英,又有姜孟颖、梁孔达、田彦和及韦仲将之徒,皆伯英弟子,有名于世,然殊不及文舒也。"张氏兄弟对草书的革新,吸引了许多当世才俊前来学习切磋草书技艺,仅张怀瓘《书断》记载生活在西京以西的书法家就有罗晖、赵袭、姜诩、梁宣、韦诞、田彦和、苏班、朱宽、张越、皇甫规及其妻等,足见当时盛况。

---

① 华人德:《中国书法史》(两汉卷),江苏教育出版社,1999年版。
② 马宗霍:《书林藻鉴》,卷4,文物出版社,1984年版。

西州草书流派不仅人数众多,而且多为士大夫,书写主体身份的转换,对草书品位的提升有着积极的作用。作为一种抽象的形式,草书艺术的确立无疑有赖于书写主体的素质。高修养学识、高接受能力的主体的介入,是草书创作与欣赏中审美因素发生自觉的重要前提。西州草书流派的成员正是这样一个群体的代表者。他们从本来被排斥在正统书体之外,流行于社会下层的实用性很强的草书中,发现了与自己的精神息息相通的因素,从而使草书发展成为一种超功利的以审美为目标的精神艺术。

二、草书演化与书法观念的新变

从汉简草书到"西州草书流派",草书从一种流行于下层民间的实用书体发展成为超功利目的的为士大夫们所喜爱的精神艺术,这一转变何以会发生?除去用纸的普及这一重要因素之外,东汉士大夫书法观念的新变,构成了草书演变的重要内因。

东汉士人书法观念的新变,一方面表现在对草书提升的过程中,书写内容发生了一定的定化。草书兴起的第一阶段,书写的内容比较单一。大量发掘的汉简草书,多为官方文书,包括军书往来、历谱术数、医方和信札等等,基本上是当时屯戍北地的军营中应用的工具和政府官员的往来信函。虽然草书的书写呈现繁兴的趋势,但只为书写而书写,写字的人似乎根本就没有闲暇来认真体会书写会给心灵带来怎样的快乐。至东汉,随着政府对西北控制力的逐渐削弱,原来草书体流行的地区由重要的贸易通道、战略要地,重新变成疏于治理的塞外疆场,由于日渐荒凉却相对自由的环境,使得草书书写内容出现变化,往来的公文减少了,士人之间的私人通信却大大增加了,这些通信不再只讨论实际的事务,而是顺手随意书写的短札、便笺,多为朋友间的心想言念和内心种种情感的倾诉。尤其是东汉中叶以后这类书写内容成为很多士人书写的主要部分,当时一流大学者张衡、马融、崔瑗等人都以私信倾吐内心的情感。如马融《与谢伯世书》中说:"愤愤愁思,犹不解怀。思在竹间,放狗逐麋。晚秋涉冬,大苍出笼,黄棘下菟,芎以干葵。以送余日,兹乐而已。"信中除了谈到自己的愁闷,自己的快乐,自己内心深处的梦想,没有谈到任何关于国家、关于政治这些西汉士人常挂在嘴边的正式话题。再如桓帝时西北名将张奂,《全后汉文》中搜集了他十六篇文字,除去两篇《诫子书》、一篇赋、两篇奏章之外,其余十一篇均为朋友之间往来的书信,或寄托思念,或发泄愤懑,或表达深情厚谊。其《与阴氏书》中说:"笃念既密,文章灿烂,名实相副,奉读周旋,纸弊墨渝,不离于手。"《与延笃书》说:"唯别三年,无一日之忘……聋盲日甚,气力寝衰,神邪当复相见者,从此辞矣。"《与公超书》说:"下笔沧浪,泣先言流。"《与许季师书》说:"不面之阔,悠悠旷久,饥渴之念,岂当有忘。"此外还有《与宋季文书》、《与孟季卫书》、《与屯留君书》等等,皆为泣血剖心之作。即使那些失意的士人也往往以这种方式表达情感,陇西人秦嘉与妻子徐淑情深意厚的书信,便为典型代表:"想念悒悒,劳心无已。当涉远路,趋走风尘,非志所慕,惨惨少乐。"也许迫不得已的远行和毫无前途的功业最容易引发人心中艰难与愁苦的万端感慨,而私信正是倾吐心曲的最佳形式。

蕴含浓郁情感的信笺,同样带给收信一方以文字与内容的双重感动。和帝时班固收到来自弟弟班超军中徐干的书信后说:"得伯章书,槀势殊工。知识读之,莫不叹息。实亦艺由己立,名自人成。"马融《与窦伯向书》曰:"孟陵奴来赐书,见手迹,欢喜何量,次于面也。书虽两纸,纸八行,行七字,七八五十六字,百二十言耳。"延笃《答张奂书》:"离别三年,梦想言念,何日有违。伯英来,惠书盈四纸,读之三复,喜不可言。"士人们通过这些日益频繁往来的带着深厚情感内容的书信,惊喜地发现原来草书是这样一种特殊的文字,它除了交流记载等实用功能之外,更有传达精神、宣泄情感、愉悦身心的神奇魅力。当一种文字只为表达心情而写的时候，它会在客观上要求笔画的安排舒卷自如以适应心灵的千变万化、自在随意以超脱现实中不能摆脱的束缚，西汉以"正"为最高要求的正统书体显然无法满足这一精神要求。东汉以来草书收写中抒情性、个体精神性、表现力的增强，很显然对草书艺术化的进程起到了巨大推动作用。

在此基础上，视草书为崇高的以美为根本内涵的艺术，而非伎艺之细者，也体现了东汉士人书法观念的一大显著变化。东汉中期，崔瑗最先从审美角度对草书进行欣赏，他认为草书表现出与当时的正统书体篆书和隶书很不相同的特征，所以应独立加以评析。其《草书势》提出：草书字形上的变化，打破原来字体一味追求对称平衡、方正平和的平稳结构，"方不中矩，圆不副规，抑左扬右，望之若欹"，草书丰富多样的变化和内在的趣味性，与自然界千变万化的意象和书写者内心复杂的情感有着深层次的契合；草书是静态形式下动态的生命展现，"竦起鸟跱，志在飞移，狡兽暴骇，将奔未驰"，字态的变化构成了活生生的自然意象的象征，而不再是抽象的表现，不再是静止的事物，像将飞未飞的鸟，像将奔未奔的兽，在一触即发的动感中传达了生命的活跃；草书似连未连的笔画，"或黝点染，状似连珠。绝而不离，蓄怒怫郁。放逸生奇，或凌邃而惴慄，若据槁而临危，旁点斜附，似螳螂而抱枝。绝笔收势，余綖虬结，若山峰施毒"，笔画与笔画之间连贯的意向，一字之间点画的遥相呼应、自成一体，构成了草书趋于放逸的风格；草书并非偶然产生的信手涂鸦，而是有着不可移易的基本语言规则的独立书体，"就而察之，即一画不可移。讥微要妙，临事从宜"。崔瑗对草书进行评析的角度，及对草书基本特征的总结都是源于对书法是否合乎自然本性、生命之美的审察，而非根据此前道德的、实用的评价标准。

东汉后期，这种艺术的观念越加明确。西州草书流派的核心风气便是以一种超功利的精神来对待草书。他们对草书的迷恋简直到了如痴如狂的程度,如赵壹《非草书》中将其描述为:"专用为务。钻坚仰高,忘其疲劳。夕惕不息,仄不暇食。十日一笔,月数丸墨。领袖如皂,唇齿常黑。虽处众座,不惶谈戏,展指画地,以草刿壁,壁穿皮刮,指爪摧折。见鰓(角中之骨)出血。尤不休辍。"甚至把草书看得比国家提倡的学说更加重要,"慕张生之草书过于希孔、颜焉"。再如"草圣"张芝练字时"凡家之衣帛,必书而后练之。临池学书,池水尽黑。下笔必为楷则,号'匆匆不暇草',寸纸不见遗,至今世人尤宝之,韦仲将谓之草圣。"①"匆匆不暇草",后人颇多解说,然真正理解其本意的要算钱钟书先生了,他在《管锥编》中详细引证,认为这句话"乃芝自道良工心苦也"。意思是:书写草书并不是单纯求快,最重要是要有悠游不迫的心胸,闲适的生活,从而可以意定神闲,一气呵成。从张芝常说的这句话中,可以看出他对草书的一种艺术的理解和草书在其心目中的地位之高。此外西州草书流派人数众多,相互间频繁的关于草书的交流和学习,都表明人们已经自觉到草书不再是枯燥的书写,而是一种能带给人精神愉悦的艺术。

当然新兴艺术观念与汉代流行的实用理念是矛盾的,赵壹《非草书》一文便反映出当时那种实用书法观念与新兴草书超功利艺术精神之间的冲突。赵壹批评那些狂热学习草书的人不务正业,因为草书不过是"伎艺之细者耳",但他对杜操、崔瑗、张芝等擅长草书的书法家却并没有一概否定,如其所说:"夫杜、崔、张子,皆有超俗绝世之才,博学余暇,游手于斯,后世慕焉。"即承认草书是士大夫精通经学之余的"游于艺",把草书作为一种精神游戏来看待,而没有视其为单纯的书写技艺,这显然和汉代流行的实用文艺观念相背离,说明视草书为"艺术"的观念在当时有相当大的势力和

---

① 陈寿:《三国志·魏书·刘劭传》注引《文章叙录》,中华书局,1959年。

影响,对传统的实用观念构成了强烈的冲击。

三、草书演变过程中的士人精神

东汉时期草书由实用到审美、由功利目的到超功利目的的演变,归根结底是人的精神的变化。由草书演变过程所流露出的东汉士人精神世界的变化,最明显呈现在两个方面:一是个体生命意识的凸显;一是审美情趣的萌生。

首先,草书的演变建立在东汉中后期士人个体生命意识自觉的基础上。有学者提出,根据中国书法形体变化的轨迹,可以划分为两个阶段:即东汉隶书成熟以前,书法形体以表现群体意识为主;东汉以后从魏晋开始,书法形体则进入以个体意识为主的阶段①。根据这一划分,东汉时期处于两大阶段之间,其艺术精神的表现相当混杂,但草书作为一种新兴书体从众多书体中独立出来,则无疑构成个体意识从群体意识中游离而出的标志。

汉代流行的正统书体篆书和隶书的美,很大程度就在于结构对称平衡,字形追求"平正安稳"、"四满方正",甚至达到非常严密精确的程度,所谓"隶欲精而密"。尽管这种字形安排传达出的是气势恢宏、浑厚典重的景象,冠冕堂皇的历史感,中规中矩的至善追求,与儒家哲学中重理性、重秩序、重实用的理念相一致;但对于个体艺术家而言,方正而略带扁低的隶书和上紧下松瘦长的篆书,无形中反而会形成一种令人感到拘束的压力和源于时代整体氛围的紧张感,并不能作为创作主体自由展现情感意志和心灵感受的最佳方式。因此,草书在东汉的兴起及进一步发展,正是当时书家的个体生命意识越来越凸显的必然结果。因为和群体意识强调和谐、对称、秩序、凝固的精神相比,个体意识主要强调大胆表现

---

① 丁梦周:《论书法线条的品格》,《中国书法》1991(4)。

个人的特性,其中包括宣泄个体情感,表现个体生命,追求超越自由精神境界等,以自由流动、奔放飘逸为精神追求的草书艺术显然是在这一要求的呼唤下不断得到提升的。

从书体特征来看,草书笔画的简省在此时已达到了极至,所谓"以简驭繁",正如前人所论,简约的线条,具有无限的包容性,书写主体正可以超越线条本身对思维的束缚和以往追求象形或抽象似形的观念,进入一种"以形写神"的境地,从而使个体精神得以摆脱一切束缚和压抑,超越到一个更为广阔自由的空间中去。草书艺术将线条的奇妙变化、结构的无拘无束作为根本艺术追求,象征着内在精神本身的无限丰富与深邃。正如篆书、隶书、楷书的美感源于稳定的空间性和凝聚力,草书的结构则力争打破这种稳定的框架,化稳定端正为流动奔放,如张怀瓘《书断》称草书"存字之梗概,损隶之规矩,纵任奔逸,赴连急就"。虽草书最终并未抛弃汉字的框架,但其结构方面的自由灵活无疑最适宜于创作主体率意任性的自我表现。草书笔势连贯而飞动,源于创作主体对自我有整体的自觉把握,并因此而生发出从现实中超越出来,获得解放的精神要求。正因为艺术家对生命本身有了更深刻理解,认识到宇宙的真谛是浑元流通的"道",个体生命的真谛是神气之全,以个体生命中生生不息的神气与宇宙浑元流通的道相合,便是草书所应该表现的真精神。

其次,草书作为一种独立书体的确立和发展,还标志着东汉中后期士人中审美意识的萌生。所谓审美意识的精神内涵相当丰富,此处所指为摆脱实用功利观念的束缚,对艺术进行自觉的追求,以审美为目的去创作和欣赏,甚至把超功利的富于审美性的艺术作为生命中重要的部分,追求一种艺术化的人生。

纵观东汉士大夫的人格,的确经历了这样一种变化。西汉元帝、成帝至东汉,是经学极盛的时代。士人对于经学抱着一种虔诚的信仰,甚至将六经中的字句奉为不可移易的金科玉律。经学是生活的全部,也是每个个体生命共同的最高精神追求。士人的一生从学经到通经的解经,完全以儒学经术为生命的价值依托。从董仲舒治《春秋》,"三年不窥园"开始,汉代的缙绅便在非礼勿行、非礼勿视的教训中,实践着社会的功利的生活方式。然而至两汉之际,从"固守一经"、严格遵守师法家法的士人中间,已经开始逐渐分化出了兼修六经、诸子、方术之学的通人,东汉中后期,更产生了不少擅长五言诗、抒情小赋、郑声、绘画、草书等艺术的文人士大夫。如张衡擅长小赋与绘画,马融好笛,崔瑗、张芝擅长草书,蔡邕善鼓琴,可见士大夫所心仪者基本转向了抒情性和审美性。崔瑗《草书势》一文的出现,尤其标志着一种自觉的审美精神的萌生。这样一种新型的气质即艺术人格的产生,与先秦孔子以音乐艺术提升道德修养、庄子以绘画艺术感受体道过程的目的不同,而是努力将艺术从实用的樊篱中解放出来,真正把艺术看做艺术本身,看作个体生命的一种表现手段和精神寄托。

草书演变过程中所表现出的东汉士大夫个体生命意识的凸显与艺术精神的萌生这一新变,并非孤立和偶然的现象。应该说,在其更深层的思想意识中,与东汉社会思潮的兴替有着密切的关联。一般以为,汉代为经学的时代,魏晋为玄学的时代。然而社会的思想潮流从来都是在流动中寻找最适宜的切合点的,并没有一成不变的超稳定形态的存在。东汉正处于由经学向玄学过渡的历史阶段。表面上看,东汉经学被奉为权威,然而实际上,东汉立国后,随着经学的地位达到极盛,也不可避免地暴露了自身的种种弊端,失去了内在创新的活力,日益趋于没落。特别是经学本身对个体心灵的深层缺乏相应的关注,在转型时代尤其难以得到士人真正的心理共鸣。以"克己复礼"为最高修养的儒士大夫,虽德行完善却缺乏对生命个体本真的思考;以干政进取功名为行为终极目的,虽达成了与社会的和谐却缺乏对自我生存价值的体认;以章句五经等经典学术为思想的全部内容,虽学富五车却遗失了他内心真实情感的自然流露和灵魂深处的声音。经学衰落所带来的直接后果,便是学术领域权威思想主体地位的日渐丧失和各种非权威思想个性化要求的乘机兴起。

在诸种非权威思想中,尤以老庄道家思潮对东汉知识分子个体人格的重塑产生了重要推动作用。先秦老庄哲学便以提升个体心灵的办法解决实际的政治问题,在蒸蒸日上的西汉帝国,呼唤个性的声音一度消沉微弱,然而至西汉末"老庄"却开始呈现"复兴"的趋势,有学者曾提出:"从东汉学者的情况看,《庄子》思想对很多人的人生哲学是有很大影响的,而且时间越后,影响越大,影响的人越多。"①这一观点无疑是符合于当时的客观现实的。《汉书·叙传》载班嗣的一段话:"若夫严(庄)子者,绝圣弃智,修生保真,清虚淡泊,归之自然。独师友造化,而不为世俗所役者也。渔钓于一壑,则万物不奸其志;栖迟于一丘,则天下不易其乐。"从他对老庄思想的阐释上看,和当时只把道家思想作为一种延寿长生之术的看法极为不同,而是从一种淡泊、自然、超越的态度中看到了人生真正的价值和快乐之所在。这是自汉初以来,士人首次明确地把道家哲学与个体的真实生命、与个人的精神意志、与人生的最高快乐联系在一起。

将老庄哲学进一步做思辨的延伸,并向个体生命落实,至东汉更趋普遍。考班固《汉书》所列,大篇幅的循吏、酷吏、儒林,却少有关于隐逸者的记载。而范晔所著《后汉书》中,不仅新增加了《独行列传》、《方术列传》、《逸民列传》,退隐的人数也大大超过了所记载的官吏的人数。虽然其动机各异,其中不乏沽名钓誉者,然从其主流看,当以有愤世嫉俗、洁身自好、重生轻名、去危就安、待时而出等等想法者为多。两史比较,我们可以看出社会普遍心理在两汉之间发生了较大的变化。从西汉末年开始,更多的士人在老庄思

---

① 熊铁基:《秦汉新道家》,上海人民出版社,2001年版。

想的影响下,开始有意识地把自然本真的个体生命看做生命的更高境界。如伶玄自叙:"学无不通,知音,善属文,简率尚真朴,无所秩式。"①马融于饥困之时对朋友说:"古人有言:'左手据天下之图,右手刎其喉,愚夫不为。'所以然者,生贵于天下也。今以曲俗咫尺之羞,灭无赀之躯,殆非老庄所谓也。"②以及赵壹《非草书》中称张芝的性格为"信道抱真,乐天知命",都明显带有道家哲学的影响。

所以,东汉一代儒家学说表面上仍然是占统治地位的官方哲学,然已无可奈何地趋于衰落;道家尤其是老庄的人生哲学虽然很微弱,却在士人的潜意识中上升并日益占据重要的位置,因为老庄道家关于个体人生的阐释正好填补了儒学所造成的心灵空虚。与汉儒的理念不同,道家更为关注个体生命的生存状态,重真实自然的情感,重自由解放的快乐。老庄道家哲学的复兴,不但扩展了思想的视野,更激活了士人的个体生命意识及艺术的精神。社会思想的兴替嬗变,在人们的精神中会以各种方式显露出来,文学艺术便是其中最敏感的表现。

在东汉时期,作为官方的权威意识形态,儒学理念仍然控制着人们的思想。与其重群体弥伦,重规矩法度的要求相适应,篆书、隶书甚至后期的楷书、行书无不以正为美,以框架为节制,构成了东汉书法占主导地位的风格气质。然于此主流之外,草书的形成与发展,其追求自由灵活、流动奋逸的艺术要求背后,是崇尚道家自然美、个体意识、解放与超越的精神支持。或许当时的士人书法家还没有真正意识到这一点,但却在草书这一发展演变过程中不自觉地隐约传达出来了。

---

① 严可均辑:《全汉文》卷56,中华书局,1958年版。
② 《后汉书》卷60上《马融列传》,中华书局,1965年版。

从汉画看门神的演变过程

李真玉

门神崇拜在我国广大汉族地区广泛流传。人们在生活中供奉它、敬畏它,祈求它的保护,这逐渐成为一种根深蒂固的民俗信仰。
"门神"一词见诸史籍,是在儒家的经典之作《礼记》,《礼记·丧大记》郑玄注曰:"君……释菜,礼门神。"门神作为远古的神祇,经历了一个漫长的历史演化过程,最后成为神荼、郁垒的形象,而它起源于何时,最初的神形如何,由于相去遥远,史前资料缺乏,给人以茫茫无踪之感。幸而由于大量的汉代画像石刻的出土,在汉代"事死如生"观念的支配下,这种冥宅古墓有极大的仿阳宅倾向,墓门画像给我们提供了许多不为史书记载的有关门神的形象资料,本文试从出土的大量汉画中,追溯这种流传久远的民俗习惯及神祇形象的渊源,由于本人水平有限,难免会出现贻笑大方之处,望专家和同仁们指导,以期起到抛砖引玉的作用。

我们知道,人类最原始的神灵是动物、植物,最原始的神灵崇拜是对动物神祇的崇拜,神祇的形象在演变的过程中经历了动物形、人兽同体、神人同形的演化过程。门神的形象也不例外,它的最初形象也应该是动物,随着历史的进化,人的主体意识的觉醒,"人化"程度的逐渐加深,进而定形成了具有人形神力的门神——神荼、郁垒。在大量出土的汉画像石墓门画中有许多门神的形象,从这些画面及有关史书的记载中,我们可以推断,门神最初的动物神形象和虎有着不可分的关系。

一、汉墓门画中的白虎

在汉画中，门画的内容十分丰富，而门神也以不同的形式和组合出现，其中占相当比例的门画是以白虎铺首衔环的形象单独出现的。如出土于河南南阳县草店乡东汉时期的两幅墓门画见于墓门的左右门扉，左右门扉上各刻一虎，两虎相向而立，昂首张口，奋爪翘尾，形象生动威猛。像这样以虎为门画的画面在许多地方均有发现，仅在南阳地区出土的汉画像石中就有五十余幅。这说明在历史进化的某一阶段，虎曾被人们当做门神崇拜，而且在墓室其他部位也有虎的形象。这些虎的锲刻是和虎在早期人类观念中的特殊功能分不开的。

虎是中华民族远古的图腾崇拜物之一。从思维角度讲，早期人类心理上的动物、植物、人的领域之间的界限是没有的，他们的生命观是综合的而不是分析的。生命并没有被划分为类和亚类，它们被看作是一个连续的整体，在这种万物有灵观的支配下出现了人类早期的拜物教。原始人类相信，各氏族出自各种特定的物类，大多数为动物（哺乳类、爬行类、鸟类、鱼类、昆虫类等），其次为植物，少数为其他生物。到了图腾崇拜阶段，图腾观念与自然崇拜和祖先崇拜结合起来，人们把自己原始共同体溯源到的那种动物或植物赋予了神性，认为图腾具有保护本共同体的某种神秘力量。虎曾经是西北及西南巴蜀等广大地区的图腾动物，具有保护人类的巨大的神秘力量，后来又演化为四灵之一，成为威震西方大地的主刑杀的大神，可以驱除邪恶，上行正于天，下行义于地。所以在汉墓的门扉、门楣、门柱及过梁上的白虎形象就是其远古图腾动物的保护、震慑作用的延续和利用，也就是利用它来保护亡灵的安宁，不受外来妖祟的侵害，而这种作用和后来人们对门神的认识有很大的相似之处。

虎在原始的巫术中,具有驱邪除鬼的功能。在汉画中,留存了许多原始巫术的遗迹,这是先民们在最早的岁月里征服自然,躲避灾难的一种方法。商周的青铜绘画被认为是汉画的起源因素之一,汉画不仅继承了商周的雕刻形式,而且也接受了商周时期的思想内涵。在商代的青铜器上饰以动物纹饰与古代的信仰及巫术有一定的渊源关系,"在美术上,亘商周两代,种种的动物,或是动物身体的一大部分,构成装饰美术单元的一部分……另外还有些动物,则是神话性而为自然界所无的,如饕餮、龙、凤及其种种的变形……商周神话与美术中的动物,具有宗教上与仪式上的意义"①。因此在汉画中有许多反映原始神力、巫术的画像,而虎在其中起着举足轻重的作用,在南阳汉画中有虎吃女魃,辟邪逐疫的画面。

虎吃女魃,画中刻一熊为方相氏,立姿,前肢张开,一肢指穷奇,一肢指虎。虎与穷奇正共食女魃。女魃为一高髻女子,上穿衣,下着裳,当为旱鬼②。张衡《东京赋》云:"囚耕父于清泠。溺女魃于神潢。"《后汉书·礼仪中》引此文注曰:"耕父、女魃皆为旱鬼。恶水,故囚溺于水中,使不能为害。"汉画中的虎食女魃是典型的避旱求雨的巫术。

辟邪逐疫:画面刻群兽,其中有二虎,二穷奇食鬼③。从以上画面可知,虎在原始的巫术中有食鬼驱邪之功用,正如《风俗通义》言:虎者阳物,百兽之长也,能噬食鬼魅。人卒得病,烧虎皮饮之,系之衣服,亦辟邪恶。

---

① 张光直:《中国青铜时代》,三联书店,1983年版,第289—290页。
②③ 《南阳汉代画像石》,文物出版社,1985年10月,图27,图7。

二、汉墓门画中神荼、郁垒和白虎的寓意

在汉画的墓门画中,有的画面同刻神荼(郁垒)和白虎,有的只刻神荼、郁垒。在这种不同组合的画面形式中,蕴含着门神的演变历程。

在南阳汉画像砖中有一神荼(郁垒)画面,其中一武士怒目虬髯,张口露齿,右手叉腰,左手握剑,形象剽悍似为神荼(郁垒),下有一坐虎,昂首张口,听命于神荼(郁垒)①。

在洛阳市邙山南麓发现的一座东汉初期的壁画墓(编号CTM689)的甬道里,东壁为一立人像,朱唇宽厚,上下翻侈,牙齿整齐,额须前撅,着浅黄衣,屈肘抬臂,大袖翻掀。对应之西壁亦立一人像,广额长面,顶束圆髻,巨目圆睁,貌颇凶悍,着遮膝圆领朱衣,白裤,手肘上抬。二人位于墓内中室门外,作舞动状,脸侧向墓门,由形象与所处的位置来判断是"御凶魅"的门神——神荼、郁垒。

从以上的画面中我们可以看到,汉画中的门神形象中有虎单独作为门神出现,有虎和神荼(郁垒)同时出现,也有神荼、郁垒单独出现的情况,这种不确定的门神形式组合,说明了神话在传承过程中的一般规律:上古神话作为一种口头流传的东西,在流传过程中的变异性是其基本特征,随着传说者的生活特点及思维方式的变异而变异。这些画面表明门神神话在传承的过程中,由原来的纯动物形象——虎,逐渐演化为人兽混合形象,其原始的、动物的因素逐渐减少,而人格的因素逐渐增多,到最后完全让位于人神——神荼、郁垒,从而完成了从动物神祇到人形神的变化。而这种神形的变化我们能从许多方面获得信息。

---

① 《南阳汉代画像砖》,文物出版社,1990年5月,图53。

首先,虎从单独的西方之神、门神到成为神荼(郁垒)驾驭的动物、神祇的工具,无论虎形动物神的地位发生如何变化,虎在其中的功能却没有变。在汉代,有关虎可起到辟邪御凶的门神作用的史料很多。王充《论衡》:"画虎之形,著于门阑","门户画神荼、郁垒与虎","宅中主神十二焉,青龙、白龙列十二位,龙虎门神,天之正鬼也。飞尸、流凶,安敢妄集。"《说文》曰:"虎,山兽之君也。"应劭《风俗通义》:"画虎于门,皆追效于前事,冀以御凶也。"张衡《东京赋》云:"度朔作梗,守以郁垒,神荼副焉,对操苇索。"薛综注曰:"东海中度朔山有二神,一曰神荼,一曰郁垒,领众鬼之恶害者,执以苇索而用食虎。"《风俗通》曰:"上古时有神荼、郁垒昆弟二人,性能执鬼,度朔山上有桃树,下常简阅百鬼,鬼无道理者,神荼与郁垒持以苇索,执以饲虎。是故县官常以腊祭夕,饰桃人,垂苇索,画虎于门……以御鬼也。"从以上史料我们可以看出,虎即使在丧失门神之位沦为差役后,其作用仍没有变,神荼、郁垒是借助于虎之力量来最终将鬼制服的。

其次,在许多考证中,我们也可以看到虎为门神的原型。《左传·宣公四年》:"楚人谓虎於菟。"《辞源》解释:"今湖北省云梦县址古称於菟。"与这一称谓有关的故事讲,楚国著名政治家令尹子文是私生子,被丢弃在云梦泽这一地方,被一只母虎哺乳长大,因此这地方被称作"於菟"。又《山海经·西次三经》云:"昆仑之丘……神陆吾司之,其神状虎身而九尾,人面而虎爪。是神也,司天之九部,及帝之囿时。"而据有的学者考证,门神中神荼之荼字与陆吾皆为於菟之转音。由此可知,於菟、陆吾、神荼均为虎神之名,即门神神荼实为虎神,也即神荼是由虎神演变而成的人形神。

另外,虎豹还有作为天门之神的说法。《楚辞·招魂》提到有关"虎豹九关",王逸注曰:"言天门凡有九重,使神虎豹执其关闭。"在长沙马王堆汉墓T形帛画的天国门柱上也绘有虎豹的形象,也许有让其把守天门之寓意。

再者,汉画中有许多虎与人的组合,如南阳汉砖中神荼与虎的组合,南阳汉画馆中的一幅雷公车图,车中三只翼虎拉一车,车上有二人肩生羽翼,二羽人借虎之牵拉在云气飘绕的天空飞驰。《论衡·雷虚》篇认为风随虎来[①],有的学者认为中国古代传说有许多人乘动物,驭动物或与动物相伴的形象,这种人畜关系是巫师与神灵的关系,其动物形象是巫师神灵的象征。《左传》载:"昔夏之方有德也,远方图物,贡金九牧,铸鼎象物,百物而为之备,使民知神奸。故民入川泽山林,不逢不若,螭魅魍魉,莫能逢之。用能协于上下,以承天休"。就是说把各种动物的纹样铸在鼎上,目的是用来"协于上下"也就是沟通天地。在青铜时代的各种器物上还可以看到许多动物的形象,著名学者张光直先生以古代礼器上的图纹都是动物为依据,认为"铸鼎象物"的"物"是"牺牲之物"或"助巫觋通天地之动物"。说明巫师是借助与之相随的动物的神力而达到沟通天地之目的的。在濮阳西水坡仰韶文化遗址发现的蚌壳摆塑虎即被有的学者认为是墓主人的神灵,墓主人为巫师,其虎为动物神的属性。从史料中反映的虎在先民心目中的功能及实物中虎与神荼(郁垒)这种相伴出现的关系,则可看出神荼是以虎为神灵来起到门神的作用,说明门神是由动物神祇虎转化而来的。

至于汉画中门画的其他题材,它们许多出自神话、秦汉以后的仙话传说,这里不做赘述。

门神的形象没有定形于神荼郁垒,在两汉以后,门神无论从内容到形象又得到发展,人们依据现实生活的需要,又创造出了新的门神形象。

相传到唐代,唐太宗身患重病,闻听户外鬼魂呼叫,太宗甚畏,后大将秦叔宝与尉迟敬德戎装立于门外,鬼魂不来。遂命画二人像悬于宫门两侧,后世沿用此习,为镇邪之门神,唐玄宗时,病中梦

[①] 《南阳汉代画像石》,文物出版社,1985年10月,图140。

见一貌丑且凶恶之鬼捉一小鬼啖之,明皇询之,自称名钟馗,明皇醒,命画师吴道子绘其形。民间旧俗端午节常悬钟馗像,到了五代,演化为除夕悬之。

到了五代,后蜀宫廷里开始在桃符上题联句。《宋史·蜀世家》云:"孟昶命学士为题桃符,以其非工,自命笔题云:'新年纳余庆,嘉节号长春。'"这可能是最早的春联,而正式使用"春联"一词据说是始于明代的朱元璋。

而且,隋唐以前多直接画在桃板或纸上的门神,在隋唐时由于木刻印刷术的出现,开始用木刻印刷,宋时又出现了着色和套色技术。这样,门神不仅是一种驱鬼辟邪的神祇,而且变成一种装饰艺术,在过去的单一功能中又增添了吉祥喜庆的新内容,进而发展成为年画,在明末清初时年画趋于全盛,出现了驰名中外的"三大民间木刻年画",它形式多样,内容新颖,被誉为"东方古艺之花"。

总之,在原始的图腾崇拜及万物有灵观下借助神力战胜客体的原始巫术的基础上演化出的门神,随着时代的变迁,人类思维的进步,世事的更替,远古的情绪淡忘了,其神祇形象从虎形神变为人形神,并且逐渐被赋予了新的内容,成为一种广为流行的民俗。

南阳汉代的风俗文化

李法惠

南阳地处中原与荆楚交汇之地,北连中原,东通吴会,西接川陕,南控荆楚,而属楚时间最长,既受中原风俗的影响,又受楚风俗的濡染。如果说社会历史的递进为南阳文化沉积下斑斓多彩的楚韵之风,那么特殊的地理位置,更为南阳提供了吸纳八面来风、融会南北文化的空间优势。这两种不同的文化经由在南阳盆地的碰撞、交融,铸就了南阳地域文化的独特品格,形成了独具特色的南阳文化。特别是在汉代,南阳曾以"南都"和"帝乡"的身份而称雄数个世纪,形成了独具特色的南阳风俗文化。

一、祭祀风俗

1. 祭祀祖先风俗

南阳在汉代祭祀祖先之风盛行。张衡在《南都赋》中说:"纠宗绥族,禴祠蒸尝。""禴祠蒸尝"就是四时祭祀祖先宗庙的活动名称。《诗经·小雅·天保》中就有"禴祠蒸尝,于公先王"的记载。毛传说:"春曰祠,夏曰禴,秋曰尝,冬曰蒸。"南阳汉代画像石墓就出土有祭祖画像,上刻有墓祀图[1]。东汉诸帝王也常亲自回南阳章陵

---

[1] 王建中、闪修山:《南阳两汉画像石》[M],北京:文物出版社,1990年。

祭祀祖先,据史书记载,光武十八年、永平七年、元和中、永元十年等,东汉帝王曾回南阳章陵祭祖。张衡在《南都赋》中对东汉帝王回南阳祭祖活动有详细的记载:"于其宫室则有园庐旧宅,隆崇崔嵬。御房穆以华丽,连阁焕其相徽。圣皇之所逍遥,灵祇之所保绥。章陵郁以青葱,清庙肃以微微。皇祖歆而降福,弥万祀而无衰。帝王臧其擅美,咏南音以顾怀。"这段记载反映了东汉对祭祖求福的重视。

2. 上巳节禊祓风俗

南阳汉代在阴历三月的上巳日举行禊祓祭祀活动,是为除灾去邪而举行的仪式。《周礼·春官·女巫》云,女巫"掌岁时祓除衅浴",郑玄注曰:"岁时祓除,如今三月上巳如水上之类,衅浴谓以香熏草药洒浴,草药沐浴。"汉代沿袭这一风俗,郊游踏青色彩日益浓重。《后汉书·礼仪志上》云:"是月(三月)上巳,官民皆洁于东流水上,曰洗濯祓除,去宿垢疢,为大洁。"《西京杂说》云:"三月上巳……士女游春,就此祓禊。"可见,沐浴祓禊活动相当普遍。张衡在《南都赋》中描述了南阳人在当时的上巳祓除祭祀活动:"于是暮春之禊,元巳之辰,方轨齐轸,祓于阳濒,朱帷连纲,曜野映云,男女姣服,络绎缤纷,致饰程蛊,偃绍便娟,微眺流睇,蛾眉连卷。于是,齐僮唱兮列赵女,坐南歌兮起郑舞,白鹤飞兮茧曳绪,修袖缭绕而满庭,罗袜蹑蹀而容与。翩绵绵其若绝,眩将坠而复举。翘遥迁延,蹴蹰躏跖。结九秋之增伤,怨西荆之折盘。弹筝吹笙,更为新声。《寡妇》悲吟,鹍鸡哀鸣。坐者悽歇,荡魂伤精。"由此可以看出,上巳日禊祀活动的壮观场面,一幅幅贵族炫耀身份地位和游春娱乐的画面跃然纸上。

3. 祭灶神风俗

南阳汉代有祭灶神的风俗。据《后汉书》卷62《阴识传》载:"初,阴氏世奉管仲之祀,谓为相君。宣帝时阴子方者至孝有仁恩,腊日晨炊而灶神形见。子方再拜受庆,家有黄羊因已祀之。自是以后,暴至巨富。田有七百余顷,舆马仆隶比于邦君。子方常言:'我子孙必将强大',至识三世而繁昌,故后常以腊日祀灶,而荐黄羊焉。"阴识是南阳新野人,他的祖上阴子方祀灶神供奉黄羊得到神的降福而暴富,使阴子方的后代繁荣昌盛。从此以后,以黄羊为祀灶神的首选祭品,成为流行风尚。后人诗云:"至孝曾传阴子方,自兹祀灶用黄羊。"祭灶神是腊月民间的重大祭祀节日。灶神又称灶火、灶君、灶君菩萨等。黄帝、炎帝、祝融都是传说中的灶神。后来。灶神沦落为宫中小火神。汉代一般认为灶神是老妇。后来由老妇变为"状如美女"的神,而后,又变为灶神夫妇,一直沿用至今。祀灶之举,古已有之,汉以前在孟夏(农历四月)祀灶。《礼记》载,"孟夏之月,其祀灶。"汉以后,祀灶改在冬腊月(农历十二月)举行,意在请灶神上天言好事降吉祥。

4. 祭神求雨风俗

南阳汉代有对水旱诸神的祭祀风俗,以祈求四季平安,风调雨顺,五谷丰登,丰衣足食。这些风俗主要有除魃求雨风俗,祭风伯、雨师风俗,祭雷神求雨风俗,祭应龙求雨风俗,祭月神求雨风俗等。如:南阳汉代画像石中有《虎吃女魃》画像(见图版27)。画左右各有二虎,一虎生翼,二虎正低首扑食一女子,女子瘦弱纤小,上身裸露,下着裳,赤足,伏于地,一臂上举,作挣扎状。二虎上方又有一熊作人立状,双臂左右平伸,指二虎。女魃乃一旱神或旱鬼,其形象为一年轻女子,身材瘦小,裸体。唐孔颖达《毛诗正义》卷18引《神异记》云:"南方有人长二三尺,袒身,而且在顶上,走行如风,名曰魃,所见之国大旱,赤地千里,一名旱母。"古代自然灾害给人们带来极大的威胁,旱灾使赤地千里,寸草不长,人们无法抗御,便误认为是有旱鬼作祟。于是,便和女魃联系起来,女魃解数用尽不能上天,走到哪里,哪里就旱而不雨。为了驱走致旱的女魃,古人就借助于虎。虎被人们认为能食鬼魅的神物。《风俗通义》云:"虎者,阳物,百兽之长也,能执缚挫锐,噬食鬼魅。"在汉代大傩活动中就有以人装扮成十二神兽来驱鬼怪的,虎属十二神之一。而女魃是危害人类的恶鬼之一。张衡《东京赋》云:"囚耕父于清泠,溺女魃于神潢。"《后汉书·礼仪志(中)》引这两句话作注说:"耕父、女魃皆旱鬼,恶水,故囚溺于水中,使不能为害。"南阳汉画中画虎以食女魃的画像,与文献记载相印证,充分反映了汉代南阳人祈求消除旱灾的除魃风俗,同时,这也是一种巫术手段。

5. 祭神辟邪风俗

南阳出土的汉代画像石有驱鬼邪的神灵郁垒、神荼和方相氏等图像,说明南阳在汉代已有求神驱鬼邪的风俗。

(1) 神荼、郁垒。《南阳汉代画像石》图版389—398,收藏汉画墓门或柱上两个面目狰狞威武的神人形象,似为古代神话中的神荼和郁垒,它们是后世的门神。当时人用桃木制成桃符,其上画神荼、郁垒形象,用来驱鬼辟邪。古人认为疾病灾难是鬼魅在作怪的结果,因此必须求神灵驱除。张衡《东京赋》云:"守以郁垒,神荼副焉,对操苇索。"薛综注曰:"东海中度朔山有二神,一曰神荼,一曰郁垒,领众鬼之恶害者,执以苇索而用食虎。"李善解释说,《风俗通》黄帝书,上古时有神荼、郁垒昆弟二人,性能执鬼,度朔山上有桃树,下常检阅百鬼,鬼无道理者,神荼与郁垒持以苇索,执以饲虎。是故,县官常以腊祭夕,饰桃人,垂苇索,画虎于门,以御凶也。汉代把神荼的形象刻在门上,以防鬼魅来扰乱死者。由此可知,汉代南阳有以神荼、郁垒驱鬼邪的风俗。

(2) 大傩之仪。傩是中国古代驱鬼除瘟神的巫术,大傩则是在年终举行的最隆重的、涉及范围最广的傩仪。在南阳发掘的汉代画像石墓见有似人似熊的形象(图版90、186),就是傩仪中的打鬼头目方相氏;在龙虎羽人的行列前面有手执角状物的人似为方士(图版365—373),这可能是升仙时先由方士驱鬼打魅;《南阳汉代画像砖》图版181,左有一熊,人立,这是汉画中常见的动物形象,应是打鬼的神兽方相氏。一般认为,傩仪的起源与旱灾、疾病有关①。张衡在《东京赋》中云:"尔乃卒岁大傩,殴除郡疠。方相乘钺,巫觋操荛。侲子万童,丹首玄制。桃弧棘矢,所发无臬,飞砾雨散,刚瘅必毙。煌火驰而星流,逐赤疫于四裔。"由此可见,汉代南阳确有大傩辟邪逐疫的风俗。

(3)对其他辟邪神物的祭祀。《南阳汉代画像砖》拓本75、176的虎牛相斗画像,其中虎是辟邪的神物,而牛或许为精怪,被虎扑攫,或许为辟邪的神兽。《南阳汉代画像石》中的墓门上还雕刻有强良,其形象为虎头、鹿角、熊腹、龙爪(图版384—386),也是为了辟邪。《山海经·大荒北经》云:"大荒之中……有神衔蛇操蛇,其状虎首人身,四蹄长肘,名曰强良。"汉画中虽然强良没有衔蛇或操蛇,但形象和强良极为相似,应是汉代艺术家集凶兽之大成,以镇守墓门辟邪除恶。南阳汉画像石墓都刻有铺首衔环(图版3、4、69、75—82、151等)。《汉书·哀帝纪》云:"孝元庙殿门铜龟蛇铺鸣。"如淳注:"门铺首作为龟蛇形而鸣呼也。"颜师古注:"门之铺首,所以衔环者也。"南阳画像石上的铺首皆为狰狞兽面,似为饕餮,也和辟邪有关。由此可见,汉代南阳也存在求强良、虎、铺首等神物辟邪的风俗。

6. 祭祀河水神

《南阳汉代画像石》图版34和336为河伯画像,在南阳发掘的汉墓中也出土有大量的铜镜,上面有河伯的形象,其铜镜的河伯图如下:中有一双阙,阙前有"天公"铭文,一人肩生双翼乘云东自阙中而出,阙后一云车,三鱼牵引,车上乘一人,其旁有铭文"河伯"②。河伯为古黄河的水神,有关祭祀河伯之说早已存在。《楚辞·九歌·河伯》就是楚人祭祀河伯的乐歌。《史记·滑稽列传》有"河伯娶妇"的故事,说明自战国时代已有祭祀河伯之风俗。从

---

① 阴法鲁:《中国古代文化史》[M],北京大学出版社,1991.497.
② 李陈广:《南阳汉画像河伯图试析》[J],中原文物,1986(1).

《淮南子·说山》和《史记·封禅书》记载来看,秦汉时有以"牲牛犊牢"祭河之俗。祭祀河伯主要因为古黄河泛滥成灾,威胁了人民的生命和财产的安全,反映了人们渴求神灵解除洪水灾害的美好愿望。南阳汉画中河伯形象多刻于墓顶,且多与天帝、雷神、风伯、雨师为伍,显然,河伯不是以河神出现的,而是以乘云车的天神出现的。据记载,河伯还有降雨的本领,《神异经·西荒经》云:"西海水上有人,乘白马朱鬣,白衣玄冠,从十二童子驰马西海水上,如飞如风,名曰河伯使者。或时上岸,马迹所及,水至其处,所之之国雨水滂沱。暮则还河。"《酉阳杂俎·诺皋记上》云:"太原郡东有崖山。天旱,土人常烧此山以求雨。俗传崖山神娶河伯,故河伯见火,必降雨救之。今山上多生水草。"南阳汉画将河伯与雨水之神刻在墓顶,反映了汉代南阳人祈求风调雨顺的祭祀河伯之神的风俗。据《全后汉文》卷58《桐柏淮源庙碑》(延熹六年正月)可知,南阳郡在东汉时还经常祭祀淮渎之神,以求平安降福。

7. 祭神求子风俗

南阳汉代画像石中的伏羲女娲画像就是人们祭神求子风俗的反映。《说文》说:"娲,古之神圣女,化生万物者。"《淮南子·说林训》、《风俗通义》都生动地记载了女娲化身人类或抟土造人的事。而伏羲,《路史》说:"伏牺正姓氏";《绎史》卷3引《古史考》说:"伏羲制嫁娶,以俪皮为礼。"可见,这两神都担当了嫁娶及繁衍子嗣的职能,从而成为汉画中最重要的题材之一。值得提出的是,南阳汉画中不少以二者交尾的形式出现,有一次相交,有多次相交呈缠绕状。关于"交尾",《公羊传》说:"尾有雌雄,常不离散。"《白虎通仪》:"子孙繁衍,于尾,明当后盛也。""交尾图"正是伏羲女娲"兄妹相婚"、"人首蛇身、蛇尾相交"神话活动的图解,象征着阴阳匹配,男女交合,隐喻他们是人类的生育者。从南阳汉画中大量的伏羲女娲交尾图,可知南阳汉代存在祭祀伏羲女娲,以求子孙繁盛的风俗。

南阳汉画中还出现有当时的生殖大神——高禖,亦称郊禖。蔡邕《月令章句》云:"高禖,神名也。……所以祈子孙子祀也,后妃将嫔御,皆令于高禖,以祈孕妊。"《汉书·礼仪志》:"仲春之月,立高禖于城南,祀以特牲。"《史记·武五子传》记汉武帝喜得太子,立郊祀设志祝之事。《礼记·月令》、《毛诗》、《汉书·外戚传》中也都记载了先秦两汉时代祭祀高禖的隆盛情况。南阳市唐河针织厂画像石墓有巨人或力士拥抱女娲伏羲的画像,显然有撮合婚姻求子之意,此巨人可能就是高禖的形象。由此可见,汉代南阳存在祭祀高禖,祈求繁衍,保佑婚姻幸福美满的风俗。

8. 占星风俗

南阳汉代天文星象图反映了人们占星的风俗。占星风俗是根据星象推测吉凶,进而发展为对某一星宿的崇拜和祭祀的风俗。汉代弥漫着"天人感应"的思潮,使星占之风更浓,甚至连天文学家张衡也是以星占术而闻名于朝廷的。据陈江风《南阳天文画像石考释》[1]一文,南阳汉画中的角亢氐尾四宿图、角尾二宿图、尾牛女三宿图等与尾宿或女宿有关的星象图就反映了汉代妇女崇拜尾宿、女宿的生殖信仰。《史记·天官书》"尾为九子"条下引宋均注云:"属后宫场,故得兼子。"《史记正义》称,尾"星近心第一是为后,次三星妃,次三星嫔"。班固《白虎通义·灾变》载,当时如果尾宿所在天域发生日食,就是"阴失明",要"夫人击镜,孺人击杖,庶人之妻楔搔"以"救之"。可见,尾宿为繁衍的象征,其明暗阴晦直接关系到人们的生殖活动,因此受到人们的顶礼膜拜。南阳出土的有的画像石图像中月亮之旁刻有四星,或以为是装饰画面,其实这些星宿正是女宿的象征,也就是《史记·天官书》所云婺女或须女。《史记正义》云,"须女四星,说婺女";并说,"须女,贱妾之称……主

---

[1] 南阳汉代画像石学术讨论会办公室编:《汉画像石研究》[M],北京:文物出版社,1987年。

布帛,裁制,嫁娶"。尾女二宿被刻在汉墓的画像石上寓有祈佑婚姻顺利、子孙旺盛的精神寄托,反映了南阳在汉代天文星占术在生殖领域内的应用。韩连武先生在《星图探微》①一文中认为,南阳汉画星象图是占星图。陈江风《南阳天文画像石考释》一文,也从星占的角度考证了星象图的民俗学价值。他认为:"日月合璧"象征阴阳和,夫妇睦。"白虎星座"是取白虎专吃鬼魅的神兽,驱妖辟邪,求得死者的灵魂在天国的平安。"鬼宿图"是因其中间有主祠祀丧死的星,是辟邪逐鬼之意。"牵牛图"取"牢牛为牺牲"之意,表示祭祀。"月亮图"是祈求灵魂不死。"河鼓图"表牺牲,有祭祀辟邪祈福之意。"心宿图"象征明堂,又象征"子属",有祈求祖先保佑后代子孙繁昌之意。综上所述,可知在汉代南阳占星之风俗是广泛地存在于民间的。

二、饮食风俗

1. 饮食结构

(1) 主食。南阳地处我国中部的江汉中游地区,恰当秦岭、淮河这条南北自然分界线的衔接地带,造成了复杂多样的农作物。① 稻谷。张衡在《南都赋》中记述南阳一带"其水则开窦洒流,浸彼稻田",清楚地表明当地水稻生产有丰富的水资源和水利设施做保证。这部著作还说:"滍皋香秔",滍皋是指滍水(今沙河)之泽,秔指粳稻,沙河从伏牛山北麓流出,那里也有水稻种植。至于书中"冬稌"、"黄稻"的记载,说明当地稻谷的品种尚不一致,稌即糯稻,黄稻就是黄米(秋),又称黄糯,加上粳稻,有三四种之多。② 豆类。豆类作物在先秦时代韩国故地曾有大面积种植。据《战国策》卷 26,韩国之地"五谷所生,非麦而豆,民之所食,大抵豆饭藿羹"。

---

① 韩玉祥:《南阳汉代天文画像石研究》[M],民族出版社,1995 年。

豆类可做成豆饭和豆汁汤,为一般人的主食,播种面积会相当大。战国初期,南阳之地隶属韩国,尤其是西边的卢氏、淅川、西峡地处丘陵,在一定程度上,南阳的豆类生产与韩国其他地方应有相同的情形,也就是说种植面积广大,在粮食作物中占的比重较大。《南都赋》曾说南阳的原野上有"菽麦稷粟",菽是放在第一位的。嘉靖《邓州志》也说邓州"菽粟之所出可他州比",看来不仅多菽,而且质优。③ 粟。粟即谷子,去皮后称小米,河南称为粟谷,它是南阳最古老的栽培作物之一。与粟类相似的旱田作物较多,有黍、稷(通称糜子)、和、稗、穄等,在农艺上一般称作粟植物。谷物是粮食的总称,但历史文献中,不少场合单称谷有可能就是指粟。《南都赋》讲过南阳原野上种有粟,还说"若其厨膳则有华芗重秬",华芗是指好看的香草,秬是指黑色的黍,这种黍稃内皆含两粒米,故称重黍。《后汉书》卷1载,王莽地皇三年,南阳发生饥荒,刘秀在新野县避乱,又到宛城卖谷,此处的谷即似应为粟。由此可见,粟是南阳种植的重要粮食作物。④ 麦子。麦子在《南都赋》中也有记述,所谓"冬稌夏穱",是指冬季的糯稻和夏季的穱麦,一年两熟,实际上是水旱田轮作制。总之,南阳在汉代以稻谷为主食,辅以其他杂粮,正如《南都赋》所述:"其原野则有桑漆麻苎,菽麦稷黍。百谷蕃芜,翼翼与与。"

(2) 副食。汉代南阳的副食也丰富多彩。据张衡《南都赋》所载:"若其园圃则有蓼蕺蘘荷,薯蔗姜䪡,菥蓂芋瓜。乃有樱梅山柿,侯桃梨栗,梬枣若留,穰橙邓橘。若其厨膳则华芗重秬,滍皋香粳。归雁鸣鸡,黄稻鲜鱼,以为芍药。酸甜滋味,百种千名。春卵夏笋,秋韭冬菁。苏蔱紫姜,拂彻膻腥。"苦菜、蕺菜、黄蘘、莲菜、甘蔗、姜、大蒜、大芥、芋头等,还有夏天的嫩笋、秋天的韭黄、冬天的蔓菁等,还有除膻解腥的调味品茱萸、紫姜等。南阳盛产的水果有:樱桃、梅子、柿子、山桃、香梨、栗子、大枣、石榴、柚子、桔子等。南阳汉代的肉食品更是多种多样:大雁、沙鸡、黄籼鲜鱼、春天的鲜蛋等。这些美味佳肴在南阳出土的汉代画像上也有表现,据《南阳汉代画像石》图版 222《鼓舞宴飨》画像,在一案上刻有一条鱼,头尾大部伸出盘外,上有三只肥鸭,还有串肉和其他炮制好的食物。《南阳汉代画像砖》图版 19、20、21、22 的庖厨、伏羲女娲图上,有一横架,架上挂有猪腿和鸡鸭一类的肉食。在南阳发掘的汉代墓葬中,也出土有大量的随葬动物陶俑,是供死人冥界享用的,但也反映出死人在生前食用的肉食品,据《南阳汉画像石》和《南阳汉代画像砖》二书的统计,主要有鱼、鸭、鸡、狗、猪、牛等。

(3)饮酒。南阳汉代饮料就现今见到的文献记载和考古发掘资料,主要是酒。张衡《南都赋》中说:"酒则九酿甘醴,十旬兼清。醪敷径寸,浮蚁若萍。其甘不爽,醉而不酲。"说明南阳的酒的质量是较高的,有酝酿九次的甜醅酒,有百日酿出的香清酒。这些酒酒膏寸厚,蚂蚁上去若坐浮萍,入口香甜而不伤人,即使过量也不得病。汉代饮酒之风颇盛,特别是官僚贵族的饮宴都把饮酒作乐称为"嘉会之好";民间饮酒也很普遍,或"宾昏酒食,接连成因",或"因人之丧,以求酒肉",或"舍中有客,提壶行酤",或"论道饮燕,流川浮觞",总之,婚丧嫁娶,送礼待客,无不用酒。饮酒场合很多,有"百礼之会,非酒不行"①之说。汉代无名氏的一首乐府古辞云:"东厨具肴膳,椎牛亨猪羊。主人前进酒,弹瑟为清商。投壶对弹棋,博弈并复行。朱火飏烟雾,博山吐微香。清樽发朱颜,四坐乐且康。"作品生动地描绘了汉代贵族的饮酒场面,而且饮酒时还佐以酒令助兴。南阳王公贵戚也不例外,饮酒之风更浓,在考古发掘的画像中,有不少反映饮酒的画像,饮酒作乐时还以投壶、六博为酒令赌具。如:《南阳汉代画像石》图版 223、28 就分别是投壶饮酒图和六博饮酒图。

2. 饮宴陈伎助兴

---

① 班固:《汉书》卷 24《食货志》[M]。

南阳汉代贵族在饮宴时，往往伴以舞乐百戏来助兴，起到了重要的愉悦功能。《南阳汉代画像砖》图版第 19、20、21、22《庖厨、伏羲女娲图》：在一人大瓮前，两个奴婢各执棒、勺劳作，右有执鸠杖的长者。大瓮之旁有横架，架上挂有猪腿和鸡鸭一类的肉食，一人跽跪伸手取肉。架右方，两奴婢端盘、执物作走动状。《南阳汉代画像石》图版第 28：画分上、中、下三层。上层左二人对坐，中一人仰面举手跽坐，手中似端有杯盏之物，其右置二壶。右上一人为鼓瑟者；中层五人：左三人奏乐，中置一樽，樽右一女伎作长袖舞，右端一人似为伴唱者；下层左立一侍从，另二人对坐，中置博局与樽，二人持箸对博，右二人对坐。这种饮宴陈伎风俗在历史文献中也有记载，《汉书·张禹传》说，张禹弟子戴崇位至少府，列九卿之一，"禹将崇入后堂饮食，妇女相对，优人奏乐"，与画像反映的何其相似。张衡在《南都赋》中对南阳人饮宴陈伎的场面也有详尽的描述："及其纠宗绥族，禴祠蒸尝。以速远朋，嘉宾是将。揖让而升，宴于兰堂。珍馐琅玕，充溢四方。琢琱狎猎，金银琳琅。侍者盈媚，巾帼鲜明。被服杂错，履蹑华英。儴才齐敏，受爵传觞，献酬既交，率礼无违。弹琴擫籥，流风徘徊。清角发徵，听者增哀。客赋醉言归，主称露未晞。接欢宴于日夜，终恺乐之令仪。"从张衡的描述中可能看到，汉代南阳人合家相聚、或祭祀祖先、或招待亲朋好友都要举行隆重的宴会，不仅有美味佳肴，而且陈伎助兴，伎人姿态迷人，吹笛弹琴，翩翩起舞，阿娜多姿，通宵欢宴，尽情尽兴，真乃其乐无穷！这又好像是对画像画面的描述。

3. 饮食器具

（1）食具。从南阳考古发掘的汉代墓葬出土的随葬器物和画像砖（石）来看，南阳汉代的食具主要有箸、勺、碗、樽、杯、案、鼎、壶、敦、瓮、盘、盆、魁、罐、豆、洗等。

箸在先秦时期称作"梜"或"筴"，即现代的筷子。原先进餐时多用手取食，只有食菜时才用箸，汉时可能已用箸进餐。南阳出土的汉代画像砖(石)有持箸进餐的画面。

鼎、敦、壶是战国墓中的随葬陶礼器的组合,供死人在阴间使用,而南阳汉画像石墓中仍葬这些礼器,说明南阳在汉代贵族的生活中仍使用这些礼器做饮食器具。

杯又称耳杯,得名于杯上有耳形把手。常用于饮酒,也可做食器。从南阳汉画像石墓出土的随葬陶耳杯来看,两侧都有月状耳,而大小不一,在汉画的饮酒画面上也多置有耳杯画像。

案,是汉代人进餐用的食案,当时人进餐进席地而坐,所以食案又分为无足和矮足。从南阳汉代墓葬中发现的陶制食案来看,主要有两种,一是长方形的,二是圆形的。从南阳汉画的食案画面看,上刻有鸡、鸭、鱼食品,还有耳杯、酒壶等饮具。

尊是汉代主要的酒器或水器。它分为盆形、筩形、肖形三大类。盆形尊有三足、圈足两种,以后者居多。筩形尊也有三足、圈足两种,而以前者居多。从南阳汉画来看,饮酒画面所置尊,大多为三足尊。

勺,南阳汉墓出土的陶勺与现在用的勺相差无几,前为椭圆勺,后有圆柱形柄,柄端折成钩状,柄上有彩绘,长20厘米左右。勺主要用来舀水或汤类。

盘,是用以盛食品的,南阳汉画上有盘上刻鱼的画像。从南阳汉墓出土的陶盘来看,长方形,四边有边棱,大敞口,浅腹,平底,有的盘内模印有扫帚、勺等器物,口径约20厘米。看来盘也可以用来盛其他物品。瓮、罐都是盛器,鼓腹,平底。

(2)炊具。南阳汉代的炊具主要有灶、釜和甑等。灶是以柴草为燃料煮饭、炒菜的工具。南阳汉墓出土的灶类型多,工艺先进,充分反映了南阳人在汉代的饮食生活和烹饪技术。从形状上看,有立体长方形、椭圆形、半椭圆形等灶。从灶口数量看,有灶面1个锅口、2个锅口、3个锅口,3个锅口置3釜,而且釜之上有甑,四个锅口等。拱形火门,分落地和不落地两种。灶后壁中间的烟囱分为圆形和柱形两种。灶的前后有遮烟隔火墙。这种灶型几乎与现在农村的灶型没有区别,灶面同开数个锅口,使人们可以一边做饭,一边煮菜,同时兼做菜肴食品,既省时又省燃料。烟囱有利于拔风起火,隔火墙高出灶台之上,以遮挡烟火,可以避免烟熏火燎之苦。釜相当于现在的锅,一般用夹砂陶制成,呈红色,扁圆腹、圜底,可套在灶的火眼上。甑也多为陶制,放在釜上,敞口,外折平口沿,底部有透入蒸汽的孔,需蒸的食物放在甑中。南阳汉墓出土的釜有大小两种,形制略同,小釜一般口径7厘米,腹径12厘米,高10厘米。一般是大口、鼓腹、平底。

(3) 食品加工器具。南阳汉代食品加工器具主要有臼盘和磨等。磨用来磨面,臼盘是用来加工米的脱壳工具。这是汉代先进的粮食加工工具,也反映出南阳汉代的饮食文化。磨是农村主要的食品加工用具,在电力磨面加工机器出现之后才退出历史舞台。从南阳汉墓出土的陶制磨型看,一般分为上下两扇,上扇的顶面凸起并有凹槽,槽内分两格,每格一磨眼,磨面刻有凿槽,磨下有方池磨盘,安有四个熊足。有的上扇顶面有两个相对的半月形粮槽,槽内各雕一磨眼,磨面有辐射状沟槽,中心有磨脐,下扇与圆形磨盘连接为一体。磨盘边沿突起,其下有足。臼盘是用来加工米的。从南阳汉墓出土的陶臼盘看,臼盘一般作凸边长方形,盘内侧有一臼形圆窝和两个杵架。

三、葬制葬俗

1. 墓葬形制

根据考古发掘资料,依墓葬的时代、墓主的身份地位、墓室的结构、墓室平面布局、建墓使用的材料等因素,我们将南阳汉墓的形制划分为以下几种基本类型:

(1) 长方型墓。长方型汉墓是南阳发掘的早期汉墓型制,多为纯石结构或砖石混作结构,以赵砦画像石墓为代表①。赵砦墓所用的石料主要在墓室的前部,后部墓壁及主室券顶均为小砖砌筑,由墓门、前室、两主室、两侧室四部分组成,墓室营造比较均匀。

(2)"回"字型墓。平面呈"回"字型墓也是南阳早期的汉墓形制,所用建筑材料有纯石和砖石混作两种。墓室结构一般由门、前室、两主室、三侧室组成,三侧室与前室相通,平面呈"回"字形,其中以唐河县针织厂墓为代表。

(3)"亻"字型墓。"亻"字型墓是南阳发掘的中期汉墓。以南阳市卧龙区石桥镇的汉墓为代表。

(4)"品"字型墓。"品"字型墓是南阳发掘的中期汉墓。以邓州市长冢店汉墓为代表。

(5)多室墓。多室墓是南阳早期汉墓的形制。它有两室墓、两室带耳室墓、三室墓等类型。例如,湖阳镇画像石墓,属砖石混建,由东、西并列三墓室组成,每一墓室各有两扇门扉,用楔形砖起券,中室东、西壁有过道与东、西室相通,应当也是夫妻(前、后妻)合葬墓,因入葬有先后,墓道是分三次挖成的。再如,樊集吊窑M24墓是由并列的东、中、西三墓室组成,平面呈"目"字形,墓门由4门柱、3门楣构成。东室东壁、西室西壁用小砖错缝平砌。

2. 墓室装饰

南阳汉代墓室大多由石、砖、砖石混合三种构筑材料,而在石、砖上都刻绘有画,根据时代的不同和人们思想观念的变化,汉画的内容也在发生变化。在汉代贵族官僚的住宅、神庙和陵墓里的壁上都出现了绘画。南阳早期的汉墓多以建筑物为题材,画像多刻绘在墓门、主室门的主柱和门扉上,将现实生活中的建筑物刻入画面,以象征阳间住宅,南阳赵砦汉墓就只在墓门的主柱和门扉上刻

---

① 韩玉祥,李陈广:《南阳汉代画像石墓》[M],郑州:河南美术出版社,1998年。

绘双阙和厅堂。汉武帝以后，独尊儒术，儒家思想的"三纲"、"五常"伦理道德观念也影响了南阳汉画的内容。汉墓的画像出现诸如"伯乐相马"、"狗咬赵盾"、"二桃杀三士"等歌颂智勇忠义的画像。例如，唐河针织厂画像石墓中出土历史故事画像约占人物画像总数的20%。汉代的谶纬迷信思想也影响到汉画的内容。在杨官寺画像石墓中开始出现白虎、双龙交蟠和执钺神人等画像，其意在辟邪、升仙。还有反映墓主人生前生活情况的画面，如骑射田猎、车骑出行、杂技舞蹈、舞乐宴飨等内容刻画在墓中，这些画常安排在墓的前室周围和主室二侧。在墓门上刻铺首衔环，凶悍的猛虎形象，用意在镇墓。在门上也有吉祥的朱鸟，象征死后吉祥如意。在墓葬盖顶上刻日轮和满月，日内刻三足乌，月中刻蟾蜍，日月周围繁星密布，还刻有长虹之类的天象图和二十八宿的星相图，这些都有占卜的意思，每一星相和天象都象征一种社会上的人事。同时也出现了伏羲、女娲画像，雕刻在主室两侧的主柱，这是人们对生殖的崇拜，希望在阴间也繁衍不断。

3. 随葬物品

南阳汉代墓葬随葬的种类和数量很多，主要是吃和用的东西。随着时代的不同，随葬的物品也不断发生变化。从材料上看有金属类和陶器，金属器有：弩机、剑柄、铃、镈、带钩、铺首衔环、销、五铢钱、大布黄千、大泉五十、小泉直一；车辖、当卢、镳、盖弓帽、鎏金铜钉帽、兽面形饰、铜环、车轴、锲刀、鎏金柿蒂形饰、洗、灯、镜、铜环、铜铃、铁钁、铁犁铧、铁锸、铁凿等。陶器主要有鼎、壶、敦、瓮、奁、仓、仓房、臼盘、厕所带猪圈、灶、甗、炙炉、案、杯、磨、井、罐、盆、博山炉、牛、猪、鸡、鸭、乌、俑、盘、豆、狗等。从用途上讲有生活用品和钱粮武器等。

4. 殡葬习俗

唐河县电厂汉墓出土的丧葬出行图反映了汉代南阳的送丧习俗。图左为一列送葬队伍，一人骑马肩扛铭旌做前导，其后有六辆辒车正在行进。图右一人双手执锸,旁有一株柏树。执锸掘土和柏树象征着墓地。墓前植柏是秦汉以来的风俗,《太平御览》引《风俗通》云:"墓上树柏,路头石虎。""铭旌"也叫"旐"或"柩",稍晚则称作"幡",是招魂的标志。《礼记·檀弓》云:"铭,明旌也。以死者为不可别也,故以其旗识之。"郑玄注:"明旌"为"神明之旌",此处的"神明"指死者的灵魂。《仪礼·士丧礼》云:"为铭,各以其物。亡,则以缁,长半幅,赪末,长终幅,广三寸。书铭于末,曰'某氏某之柩'。竹竿,长三尺,置于宇西阶上。""各以其物"之"物"为"旗物"之省称,死者生前所用旌旗上的徽志,带有死者的爵级。悬旌原用竹竿长三尺,后来逐渐加长,旌尾的形状,下有燕尾。汉代幡制与此相同,"宫殿门吏……并负赤幡,幡上有青翅燕尾"①。

四、游猎风俗

南阳汉代的游猎活动,又称田猎、狩猎、畋猎,也就是打猎的意思。张衡在《南都赋》中就记载了南阳人在汉时的游猎活动:"于是群士放逐,驰乎沙场。骡骥齐镳,黄间机张。足逸敬飙,镞析毫芒。俯贯鲂鱮,仰落双鸽。鱼不及窜,鸟不暇翔。"这是记载南阳骑士在沙场竞赛,骏马勒嚼飞驰,骑士张弓射箭,空中的鸟顾不上飞窜。在南阳汉画中也有不少车骑出行、田猎骑射等活动的画面,规模相当浩大,一辆辆辒车,骖驾骈马,高撑华盖,前有导骑,后有护从,耀武扬威,烜赫过市,生动地反映了汉代南阳人社会现实生活的一个侧面。

1. 游猎种类

文献中关于田猎活动的记载很多,名称亦多种多样,诸如校猎、田猎、射猎、狩猎、蒐猎、弥猎、苗猎、羽猎等。校猎是指用木栏

---

① 张未元:《汉代服饰参考资料》[M]。

遮阻来猎取野兽的一种打猎方式,这种校猎活动为天子所特有,故至今在南阳汉画像中尚未发现。狩猎、蒐猎、弥猎、苗猎等,是君主在不同季节打猎活动的名称。这些名称与南阳汉画像关系不大,略去不述。

关于田猎,《韩非子·难一》云:"焚林而田,偷取多兽,后必无兽。"《易·系辞下》曰:"作结绳以为网罟,以田以渔。"注:"以罩取兽曰田。"南阳汉画像石刻中反映田猎的画幅较多,其中有不少借助猎犬捕兽的。例如:南阳县英庄汉画像石墓围猎图、唐河针织厂汉画像石墓围猎图、南阳市王庄汉画像石墓猎兔图、南阳汉画馆馆藏猎犬逐兔图、南阳汉画馆馆藏山林田猎图。

在田猎活动中,借助弓矢猎取野兽称为射猎,亦称羽猎。南阳汉画像中反映射猎的画面也很多。例如:唐河针织厂汉画像石墓猎虎图、南阳市王庄汉画像石墓跪射图、南阳市靳岗所存射牛图。

借助马匹进行射猎,称为骑射。"(汉)文帝……骑骏马从侍中近臣常侍,期门武骑,猎渐台下,驰射狐兔、毕雉鸡、刺麑……"①南阳县草店汉墓有一幅猎虎图:右边一人骑马拉弦向一猛虎射去,虎前有一人持矛刺虎。邓县长冢店汉墓的骑射图更为惊险:画面刻出三骑者,左边二人围射一虎,其中一人骑马弯弓迎射一猛虎,一人骑马持矛刺虎;右边一人骑马与一野兽搏击②。

射猎时在箭上系丝绳使飞禽中箭后不能逃走,这种方法叫弋射。《诗经·女曰鸡鸣》:"将翱将翔,弋凫与雁。"疏曰:"谓以绳系矢而射也。"可知这种方法主要用于射猎飞禽。南阳市靳岗乡新发现一块汉画像石:画面上刻画凌空飞翔的大雁,其中一只中箭下坠。下面刻二射者,前面一人跪姿持弓,用系绳的箭射中一雁颈

---

① 应劭:《风俗通义·孝文帝条》卷2。
② 南阳汉画像石编委会:《邓县长冢店汉画像石墓》图版七[J],中原文物,1982(1)。

部,后一人肩扛武器,手拿一雁。这是一幅弋射画像。

渔猎也是汉代田猎活动的一种。《史记·货殖列传》:"弋射渔猎,犯晨夜,冒霜雪,驰阬谷,不避猛兽之害,为得味也。"南阳县英庄汉画像石墓有一幅渔猎图:在野兽出没的山脚下,一条小河流水淙淙,二人泛舟河心;长虹似的桥上,二人各持长杆,联结两杆的长索象征渔网。

2. 田猎所用的器物

南阳汉画中的田猎活动,使用了多种器物,诸如各种武器及捕兽的专用工具,还有猎犬、猎车等等。用来打猎和运载野兽的车,称为田车。《诗经·小雅·吉田》:"田车既好,四牡孔阜。"《周礼·考工记》:"田车三轮六尺有三寸。"南阳汉画像中有很多用于田猎的车子,如骑射田猎图:"画中间为两辆骈驾轺车,车上有华盖,各乘一驭夫,一主人。车前有三组导骑。两车间有二骑导行,后有三组从骑,最后二骑回身挽弓射一猛虎。"①这里的车当为田车。天子打猎所乘之车叫猎车。"猎车,其饰皆如之(乘舆),重辋缦轮,缪龙绕之。一曰阘猎车,亲校猎乘之。"②周代设有田什一职,专门掌管君王的猎车。《文选》卷八扬雄《长杨赋》序曰:"张罗网罝罘,捕熊黑豪猪、虎豹……狐兔麋鹿,载以槛车。"南阳县英庄汉画像石墓中田猎图中的车子可能就是槛车。打猎所用的马叫田马,汉画像田猎图中驾车和骑射之马皆可谓之。打猎所用的犬叫田犬。《礼·少仪》:"犬则执緤,守犬、田犬……"疏:"犬有三种……二曰田犬,田猎所用也。"唐河针织厂墓中的围猎图中的犬就是田犬。捕兔的网叫毕。唐河针织厂墓和南阳县英庄墓的田猎图皆有持毕网兔的内容。弓、箭、戈、矛、戟等都是汉代田猎常用之武

---

① 闪修山等:《南阳汉代画像石刻》图 41[M],上海人民美术出版社,1981年。
② 《后汉书》卷 29《舆服志》。

器。矰和缴：矰是一种系有生丝绳的短箭，缴是拴在短箭上的生丝绳，很轻。《淮南子·说山》："好弋者先具缴与矰。"《庄子·应帝王》："鸟高飞以避矰弋之害。"在南阳市靳岗弋射图中可以见到这两种弋射用品。南阳汉画像表现的田猎活动很多，猎获物也很丰富。从画面上见到的被猎动物有虎、牛、鹿、兔、野猪、雁、鱼等，这与文献中所见到的猎物种类大体相近。

五、南阳汉代民风士俗

1. 经商之风

南阳经商之风较盛。《史记·货殖列传》载：南阳与颍川原来同为"夏人之居也，夏人政尚忠朴，犹有先王之遗风。……秦末世，迁不轨之民于南阳。南阳西通武关、郧关，东南受江、汉、淮。宛亦一都会也，俗杂好事，业多贾，其任侠，交通颍川，故今谓之'夏人'"。《汉书·地理志》讲得更明确："秦既灭韩，徙天下不轨之民于南阳。故其俗夸奢，上气力，好商贾渔猎，藏匿难制御也。"韩地被迁南阳的"不轨之民"究竟是豪强、贵族，抑或是商贾，不得而知。这些移民给南阳风俗带来了变化，确为事实。如大梁（今河南开封市）以冶铁致富的大商人孔氏被迁往南阳，"大鼓铸，规陂池，连车骑，游诸侯，因通商之利"，并与南阳"游闲公子"交往，因而名气更大，赢利更多，"家致富数千金，故南阳行贾尽法孔氏之雍容"[①]。南阳工商业战国时已比较发达，宛地制作的铁兵器以其锋利而闻名天下。南阳冶铸的生产工具在新疆就有出土，在陕西永寿县出土有南阳郡生产的有"阳二"铭文的铁锸，长安城内就有"南阳工官"铭铜弩机的出土。在南阳还发现有大量的汉代铸钱遗址，所见钱范数量之多，分布地区之广，是除长安之外他郡所不及的。如，

---

① 《史记》卷129《货殖列传》。

南阳市城区东关外小庄村出土阴文"半两"青石质钱范四块;宛城东城河岸冶铜遗址;郡国五铢钱范三件;南召县出土阴文五铢铜范一件、方城县收五铢阴文铜范一件、宛城区收集一件;宛城区出王莽时"大泉五十""大布黄千"的铜母范;邓州、社旗等地也有王莽时期的钱范出土;还有更始五铢钱范和建武十七年铭铜母范。这说明南阳宛城有规模可观的"造币厂",也反映了南阳汉代商业经济的发达情况。《史记·货殖列传》说:"秦、夏、梁好农而重民,三河、宛、陈亦然,加以商贾。"桑弘羊曾说:"宛、周、齐、鲁,商遍天下。"桑弘羊为洛阳商人之子,时为御史大夫,自然熟悉各地商业情况,而首列宛,可知南阳经商之风的确很盛。西汉宣帝时,召信臣任南阳太守,他针对"南阳好商贾"之风俗,"富以本业",即劝民耕稼,他采取了两条措施:一是劝农功兴水利,二是禁止奢靡之风,提倡俭约,使民风大为改观。但是南阳到两汉之际,仍是农商并重。刘秀曾贩谷于宛,他的舅家湖阳樊氏"世善农稼,好货殖"。宛人李通"世以货殖著姓","居家富逸,为闾里雄,以此不乐为吏"。东汉时南阳为"帝乡",奢侈之风屡禁不止,富商大贾遍行全国。从南阳汉画中众多的车骑出行、宴饮歌舞的场面,也可以看出皇亲国戚、富商大贾的豪华生活。

2. 粗犷豪爽之风

汉代南阳人粗犷豪爽,崇尚力量,淳朴无华。这从南阳汉画中众多的斗兽场面可以体现出来。斗兽就是人与兽斗,它包括斗牛、斗虎、搏狮等,它展示了人的力量、智慧和勇敢。南阳汉画馆展示一块斗牛画像石:画左刻一人头戴面具,袒胸露腹,右手伸出,左手持短剑,力斗右边一牛。牛俯首翘尾,仓皇逃窜,四蹄扬起,有尘土飞扬之势。《南阳汉代画像石》图版29《斗虎》:画上部中间刻一人,双臂按动与二虎搏斗;下部左刻一虎,张口向前,中刻一人,执棒搏虎;右刻一人,臂上举,是斗虎者。南阳汉人敢于与牛、虎相斗,反映了南阳人的勇气和力量,体现出了粗犷豪爽之风。

3. 积极进取之风

汉代南阳人志向远大，自强不息，积极进取，勇于斗争，决心干一番伟业。南阳人宁成说："仕不至二千石，贾不至千万，安可比人乎？"仅两汉之际游学京师长安的南阳人就有刘秀、刘縯、刘嘉、刘隆、邓禹、朱佑、卓茂、张堪、阴识、郭丹等人，他们都成为刘秀官僚集团中的文臣武将，为东汉政权的建立做出了极大的贡献。刘縯少有大志，自王莽篡权，常愤愤有复社稷之志，于是起兵于宛，联合绿林农民军，攻占宛城，建立更始政权，推翻了王莽新朝统治。邓晨率宾客与汉军汇于棘阳，小长安战役之败，妻及三女皆遇害，新野县令烧其房舍，但终无悔恨之色，仍追随刘秀征战不已。新野阴识在长安游学，听说南阳刘氏起兵，"委业而归，率子弟、宗族、宾客千余人信往从伯升（刘縯）"。邓禹"闻光武安集河北，即杖策北渡，追及于邺"。李通首劝刘秀起兵反莽，并发动武装起义未果，其兄弟门宗64人被杀，但仍忠心未减，终于助成刘秀帝业。岑彭坚守宛城，汉军攻之不下，粮尽而降，刘伯升以其"执心坚守，是其节也"，封为归德侯，借以表彰他讲义守节。张衡的一生也是勤奋不已的一生、不断进取的一生。正如他自己说的"一物不知，实以为耻"。他在文学、科学上的成就，主要也是得之于勤奋。

4. 讲义守节之风

汉代南阳人崇尚名节，刚直不阿，嫉恶如仇。南阳郡治"宛为大都，士之渊薮"《后汉书》（卷34《梁冀传》），士人很活跃。新野（今南阳新野县）人邓彪，是邓禹的宗亲，"少砺志，修孝行"《后汉书》（卷67《党锢列传》），"与同郡宗武伯、翟敬伯、陈绥伯、张弟伯同志好，南阳号曰'五伯'"《后汉书》（卷44《邓彪传》）。与邓彪"同志好"的宗武伯诸人，自然也是道德方面杰出的人。樊英富贵不淫，威武不屈，安帝以其有才华特征到京师洛阳，欲任以要职，他拒不接受，连安帝对他也无可奈何，只得尊樊英以师傅之礼，不敢夺其志节，听其还归南阳，表现出刚直不阿的独立人格精神。汉代大科学家张衡不媚俗,不盲从,不随波逐流,他对图谶所作的批判和抵制,就突出地表现了他的独立人格意识。南阳安众(今南阳县西南)人宗慈屡辞征辟,后为修武令,因看不惯太守收受贿赂而弃官还乡,"南阳群士皆重其义行"(《后汉书》卷67《党锢列传》)。他未出仕之时,已是宾客满门,可见,宗慈的满门宾客都是志同道合的正直守义之人。宗慈的儿子宗承,"少而修德雅正,卓然不群,征聘不就,闻德而至者如林"。据说,曹操时年少,"屡造其门,值宾客猥积,不能得言",等到宗承空闲之机,"往要之,提手请交,承拒而不纳"①。《世说新语·方正》记此事说:"南阳宗世林,魏武同时,而甚薄其为人,不与之交。及魏武作司空,总朝政,从容问宗曰:'可以交未?'答曰:'松柏之志犹存。'"

  以上对南阳的汉代风俗作了简要论述,未免挂一漏万,不妥之处,还望各位专家学者批评指正,希望本文能对汉代南阳文化研究发挥一定的作用。

---

① 王先谦:《后汉书集解》[M]。

试论汉画中的民风民俗

王玉金

汉代画像石以蔚为大观的数量、丰富多样的内容、绚丽多姿的艺术风格形象地展现了汉代社会的各个方面,为我们研究汉代的民风民俗提供了宝贵的实物资料。但对汉画中的民风民俗,至今尚无人综合研究。笔者不揣浅陋,对此问题略作探讨,有不当之处,敬请有关专家学者批评指正。

一、汉代舞乐之风

在河南、山东、四川、江苏等地出土的汉代画像石中有大量表现汉代舞蹈和音乐表演场面的画像。这些画像再现了汉代舞乐艺术之繁荣,反映了汉代舞乐之风的昌盛。

汉代舞乐之风盛行。汉朝宫廷设有乐府,规模庞大。西汉桓谭在《新论》中说,他在汉成帝时任乐府令,乐府中"凡所典领倡优伎乐盖有千人之多"。西汉末年,哀帝罢乐府,据统计尚有八百三十余人,其规模可算惊人。汉代民间舞乐之风亦盛。《盐铁论》中说:"今富者钟鼓五乐,歌儿数曹。中者鸣竽调瑟,郑舞赵讴。"汉代舞乐艺术甚为普及。汉代统治阶层中不乏擅长歌舞者。汉代乐府的设立,对搜集、整理和提高民间乐舞起到一定推动作用。民间乐舞便通过这个途径进入宫廷,成为一种雅乐。

1. 多姿多彩的汉画舞蹈

汉代是我国古代舞蹈艺术发展的第一个高峰期。大量的民间歌舞伎人共同创造了辉煌的汉代舞蹈艺术。汉画中的舞蹈图像很多。归纳起来主要有七盘舞、长袖舞、建鼓舞、踏拊舞、剑舞、巾舞等。

七盘舞见于河南南阳及山东等地出土的汉画像石上。七盘舞是汉代十分流行的一种舞蹈，又叫盘鼓舞。表演时先在地上放置盘和鼓若干个，舞者在盘鼓之上或盘、鼓之间跳跃徘徊。从各地出土的画像石来看，七盘舞并无固定的程式。舞者或男或女，盘和鼓的放置十分灵活，且无固定数目。如河南南阳唐河县汉郁平大尹墓出土画像石中的七盘舞为五盘，许阿瞿墓志画像石上的七盘舞为四盘舞二鼓。而山东沂南汉画像石墓出土画像石上的七盘舞所用之盘恰好是七个，其排列方式是上三下四，而且旁边还有一个鼓。由于盘、鼓数目多少不定，排列各异，因而在表演过程中演员都力争发挥自己的特长，所表现出的舞蹈风格就各不相同，或"绕身若环"，或"抚修袖以翳面"（张衡《七盘舞赋》），或"云转飘忽，体如游龙，袖如素霓"（傅毅《乐赋》）。

长袖舞在河南南阳汉画像石中十分常见。这是一种以舞蹈者衣袖特别长为特征的女子独舞。古代艺术家充分发挥了长袖这种善于抒发人的感情的特点，使其成为我国古代舞蹈的传统特色之一。表演者宽衣长袖，腰如束素，两只特长的袖帛随着演员变换动作飘绕缠绵。演员以轻盈的体态翩翩起舞，婀娜多姿，给人以轻松舒适之感。飞绕的长袖和袅袅的细腰是这种舞蹈的特点。《西京杂记》载："（戚）夫人善为翘袖折腰之舞，歌《出塞》、《入塞》、《望归》之曲。"所谓"翘袖折腰"并非舞名，而是对舞姿的形容，与长袖、细腰是相一致的。南阳唐河县汉郁平大尹墓出土画像石中即有"翘袖折腰"之舞,舞者高髻细腰,折腰而舞,甩长袖呈燕飞之状①。

建鼓舞在河南南阳、江苏徐州、安徽、四川、山东出土的汉代画像石中皆有发现,这是一种以建鼓为主要乐器的舞蹈。从画像上看,一面高大的建鼓置于表演场所的中心位置。建鼓两侧各有一舞蹈者,双手各执一根鼓槌,在鼓两侧且鼓且舞,举臂跃足,欢欣鼓舞,十分壮观,富有气势。关于建鼓舞的起源,《仪礼·大射仪》中说"建鼓在阼阶西,南鼓",所谓"南鼓"指楚国大鼓。湖北随州战国早期曾乙墓出土的漆器上即有建鼓舞图像。全国各地汉画像石中,以南阳汉画的建鼓舞图为最多,这与楚文化的影响有关。

踏柎舞主要见于南阳汉画像石中,这是一种以旋转为特点的女子独舞。从画像上看,一女子广舒长袖,足下踏一个形状像鼓的东西做旋转动作。舞蹈者足下所踏之物形状像鼓,但并非乐器,而是一种外面围皮,里面实糠的道具,叫做"柎"。《周礼·春官·大师》云:"令奏击柎。"郑玄注曰:"柎,形如鼓,以韦为之,著之以糠。"南阳石桥镇出土的一块舞乐百戏画像石②,图中左起一女子侧身举臂,翩翩起舞,另一女子倒立,中间一女子高髻束袖,挥长袖踏柎而舞。一俳优作假面之戏,旁有二伎似为歌者。

剑舞是指持剑而舞。南阳汉画像石中的鸿门宴图③,画右为刘邦和项羽二人相对踞坐,刘邦身后之人为项庄,拔剑起舞,画左为项伯及二侍者。这幅画像中,项庄所表演的正是剑舞。《史记·项羽本纪》载:"庄则入为寿。寿毕,曰:'君王与沛公饮,军中无以为乐,请以剑舞。'项王曰:'诺。'项庄拔剑起舞……其意常在沛公也。"山东沂南汉画像石墓中也有剑舞图像。此外,汉画中还

---

① 南阳地区文物队、南阳市博物馆:《唐河汉郁平大尹冯君孺人画像石墓》,《考古学报》1980年第2期。
② 王建中、闪修山:《南阳两汉画像石》图104,文物出版社,1990年6月。
③ 王建中、闪修山:《南阳两汉画像石》图140,文物出版社,1990年6月。

有刀舞、钺舞等。

巾舞是持巾而舞。是由山西周的"祓舞"发展而来的。《说文》:"祓,一幅巾也。"舞者男女不定,但都是扬巾而舞。从汉画像石可以看出,汉代的巾舞有的是手持短柄,柄端系巾;有的是持巾而舞。

如此众多的汉代舞蹈给人以目不暇接之感,反映了汉代舞蹈艺术的繁荣。

2. **汉画中的乐器**

汉代音乐在继承前代音乐艺术,吸收西域音乐的基础上有了较大发展。汉代的乐器既有打击乐器,又有吹管乐器,还有弹弦乐器。乐队组合形式多样。

打击乐器有鼓、铙、钟、磬等。鼓在乐队中占有重要位置,它起着控制节奏,指挥全局的作用。鼓又可分为建鼓、鞞鼓、鼗鼓。建鼓在汉画中比较常见,形体较大,有扁圆和长圆两种形制,下有底座,鼓的上面饰有羽葆。鼗鼓引导乐起,建鼓和鞞鼓掌握乐章的节奏,鸣铙表明演奏一曲乐章的完毕。

吹管乐器有埙、竽、排箫、龠、篪等。埙是一种古老的乐器。汉画中的埙因雕刻粗犷而看不出音孔的数量,但双手捧吹,音孔不会太少。竽在春秋战国时已有。南阳汉画像石中刻有竽的画像。《汉书·礼乐志》记载宫廷乐队中设有"竽工员"。颜师古注云:"竽,笙类也,三十六簧,音于。"排箫,在南阳汉画像石中比较常见。南阳汉画中执排箫者均是一手摇鼗鼓,一手执排箫。排箫既用于宴飨,也常用于丧葬。排箫的管数多少不一,据《太平御览·乐部》载,大者二十三管,小者十六管。

弹弦乐器有瑟、琴、琵琶。瑟是汉代非常流行的一种乐器。近年来,在湖北、河南、湖南均发现了战国至汉代瑟的实物。据文献记载,瑟规格有两种。《礼记·明堂位》:"大琴大瑟,小琴大瑟。"汉代的瑟普遍为二十五弦。汉画中,由于雕刻比较粗犷,看不出瑟的弦数,但长方形的形体放置膝上以手拨弦的姿态是比较清楚的。南阳汉代画像砖中出现有琴。画像中三乐伎跽坐于地,左边一人弹琴,而且身前还有一琴。四川系山虎头湾崖墓墓门上方刻一人物,斜抱琵琶,这是中国最早的琵琶图像。(见高文《四川汉代画像石》图25。)

汉画中的乐队组合形式多样,最常见的是由多种打击乐器和管弦乐器组成的混合乐队,有的是器乐协奏,有的是歌舞和百戏伴奏。

汉代时,由于政治的安定,经济的发展,文化艺术日趋繁荣。汉画中大量的舞乐画像,充分表现了我国汉代舞乐之风的盛行情况。汉画中的舞蹈、音乐和杂技常常同台演出,合称舞乐百戏。在汉代,从民间到宫廷,小至婚丧喜庆,大至大型庆典,总有规模不等的舞乐百戏表演。上自皇亲贵戚,下及黎民百姓普遍能歌善舞。正如张衡《南都赋》所云:"齐僮唱兮列赵女,坐南歌兮起郑舞。白鹤飞兮茧曳绪,修袖缭绕而满庭。"

二、汉代角抵之风

在汉画像石中有许多表现角抵场面的画像,反映了汉代盛行角抵之风。

角抵,汉代又称角婚戏,是汉代百戏中蓬勃发展的一种艺术形式。它起源于战国,两汉时期十分盛行。任昉《述异记》云:"今冀州有乐名蚩尤戏,其民两两三三,头戴牛角而相抵,汉造角抵戏,盖其遗制也。"说明角抵戏是蚩尤戏的发展。《汉武故事》记载了角抵戏的发展过程:"未央宫中设有角抵戏。角抵者,六国所造也,秦并天下,兼而增广之,汉兴虽罢,然犹不能绝,至上(武帝)复采用之,并四夷之乐,杂以幼童,有若鬼神,角抵者,是角力相抵触者也。"汉武帝十分喜欢观赏角抵戏,对角抵戏极为提倡,使角抵活动在汉代更加盛行。《汉书·武帝纪》载:"(元封)三年春,作角抵戏,三百里内皆来观","(元封)六年夏,京师民观角抵于上林平乐馆。"张衡曾作《西京赋》赞曰:"临迥望之广场,程角抵之妙戏。"这两次大型的角抵盛会,充分表现出了汉代角抵之风的盛行情况。

汉画像石中的角抵图像很多,大体可以划分为三种形式:人与兽斗(即斗兽);人与人相搏;兽与兽斗(即兽斗)。

1. 斗兽

斗兽起源较早,汉代时已成为一种竞技娱乐项目。汉画中的斗兽图像包括斗牛、搏虎、搏狮、斗熊、斗兕等。有二人合力斗兽,还有单人斗兽,甚至一人斗二兽。有的是持械斗兽,有的是徒手搏兽。这些画像刻画得形象逼真,给人以身临其境之感,充分表现了汉代人的力量、智慧和勇敢。

河南南阳汉画像石中有一幅斗牛图,图左一力士袒上身,弓步蹲身,左手持一物,力斗一牛;牛回首怒目,复欲抵之,四蹄跳跃,有凌空而起之势。这幅画像以写实的手法,刻画出了一幅生动形象的斗牛场面,使人仿佛看到了斗牛场上那尘土飞扬的情景。江苏徐州铜山县出土了一幅"搏虎、拔树、背兽、扛鼎图"画像石[1],图中共刻七人,其中左起第一人执兵器与第二人共同搏一虎。

河南南阳汉画像石中还有许多斗熊、斗兕、搏狮画像。

斗兽画像体现了汉代人征服自然、乐观向上的精神境界和朝气蓬勃、生生不息的生命力,表现了汉代人崇尚力量的特点,体现了汉代先民的一代风范。

2. 人与人相搏

可区分为徒手相搏、徒手搏器械、持械相搏。

徒手相搏:又称手搏,是指练武者以掌、拳相互搏击,与后世的

---

[1] 徐州市博物馆:《徐州汉画像石》图 82,江苏美术出版社,1985 年。

拳术很相似。河南南阳汉画像石中的手搏图（又称拳勇图）①生动地描绘出三个武士徒手搏击的情况。图中三人皆身着紧身衣，挽袖，腰间束带，中间一人左弓步推左掌迎敌，右手后举格挡，作攻防兼备之势。右边一人右弓步推出右手，左手作钩拳，处于进攻状态。左边一人跨步跃起，将右掌击出。三人的动作有守有攻。守者坚如磐石，左右封挡，使攻者无可乘之机；攻者迅若疾风，有无坚不摧之势。画像中人物动作处理准确，再现了拳术搏击中的攻防态势。

徒手搏器械：多为两人之间的搏击，一人徒手，以拳、掌进攻，另一人持刀、矛、棍等兵器参战。南阳石桥汉画像石墓②中刻有徒手搏棍图，图右一武士持棍进击，左边武士弓步迎战，并以左手夺棍，右手防护，此人以守为攻，稳健有力。南阳石桥汉墓中还刻有徒手搏长矛图，右边武士双手握长矛，跨步跃起，将其进攻重心聚于矛头；左边武士左弓步，以大动作将全身重心下落避开矛锋，同时，推出左手格挡已逼近的长矛，右掌后扬可攻可守。

持械相搏：多为两人持武器进行对练。江苏徐州汉画像石中有比武图③，画面共分四层，内容密切相连。第一层刻一人邀请另外三人观看比武；第二层刻四人一同前行；第三层刻二人，皆手持长矛，正在比武。第四层刻一人与另外三人揖别。四层自上而下，形成一幅连环画。

以上这些画像真实地再现了汉代的比武风习。

3. **兽与兽斗**

兽与兽斗也是汉代角抵的一种形式，这在汉画像石中也得到

---

① 编委会组织：《南阳汉代画像石》图493，文物出版社，1985年。
② 南阳市博物馆：《河南南阳石桥汉画像石墓》，《考古与文物》1982年第1期。
③ 徐州市博物馆：《徐州汉画像石》图190，江苏美术出版社，1985年。

了反映。在汉画中有牛虎相斗、虎熊斗、二兕(指雌性的犀牛)斗等。河南南阳汉画中熊斗二兕图刻画得特别形象,两只身躯庞大的兕把力量集中在锋利的角上,向一熊抵去;熊被左右夹击,仍然镇定自若,以其两前爪分别抓着两只兕的角,把兕的头狠狠的向下按去,欲制服二兕。充分展示了熊的骁勇善战,力大无比。

汉画中的兽与兽斗折射出汉代人对威武勇猛的精神的崇尚。

汉代自西汉中期以后角抵之风开始兴盛。汉画中大量的角抵画像是对汉代生机勃勃的社会风习的真实写照,同时也反映了汉代娱乐形式的广泛性和多样化的特点。

三、汉代礼俗

汉画像石中所见汉代礼俗有拥彗、投刺和拜谒。

1. 拥彗

拥彗是我国古代迎接宾客的主要礼仪之一,是指在客人到来之前先把院子打扫干净,然后拥彗(彗即扫帚),彗头向上,柄朝下,躬身立于门口,迎接客人到来,以示对客人的尊敬。汉画像石中大量的拥彗画像反映了汉代的拥彗礼俗。

在山东、江苏徐州、河南南阳等地出土的汉画像石上有很多拥彗画像。山东安丘县王封、莒县大沈庄、诸城县前凉台等地都发现有拥彗迎宾题材的画像。在江苏徐州铜山县青山泉白集发掘了一座汉画像石墓[1]。该墓前室的南横梁石上,刻绘着一幅拥彗迎宾图。画面左边刻一门吏,戴冠,着长衣,双手捧盾,腰佩长剑。门吏前有二人,皆戴冠,着长衣,相向夹道,拥彗躬身而立,以示对客人的欢迎与尊敬。右边八人均戴冠,身着宽袖长衣,列队而入,双手皆拱于胸前,表示对迎者的谢意。河南南阳汉画像石中的拥彗图

---

[1] 《徐州青山泉东汉画像石墓》,《考古》1981年第2期。

大多刻在墓葬的门柱石或门扉上。从拥彗人物的冠饰来看,有戴冠者,也有束帻者(帻是汉代地位低下者的束发之布),说明汉代拥彗者的地位有高有低。在汉代拥彗之礼中,根据宾客的尊贵程度,或由主人亲自拥彗,或命仆人、小吏、士卒拥彗。

拥彗迎客之礼,最初流行于西周时期。《礼记·曲礼上》载:"凡为长者粪之礼,必加帚于箕上,以袂拘而退。"粪:扫除秽土也。拥彗之礼在春秋战国时各国仍然沿用。《史记·孟子荀卿列传》:"(邹衍)如燕,昭王拥彗先驱,请列子座而受业。"司马贞索隐:"彗,帚也,为之扫地,以衣袂拥彗而却行,恐尘埃之及长者,所以为敬也。"

到了汉代,拥彗迎宾之礼更加流行,上至皇亲贵戚,下及一般的官吏、富贵之家,皆以拥彗迎接宾客。拥彗成为一种约定俗成的礼仪。《史记·高祖本纪》曰:"后高祖朝,太公拥彗迎门却行。"李奇注云:"为恭也,如今卒持帚者也。"汉高祖刘邦的父亲尚亲自拥彗,说明拥彗之礼俗在汉代颇为流行。

2. 投刺

在汉代,若拜见他人时要投刺(刺,相当于今天的名片)。投刺者先候于门外,待门人通报主人许可后方可进见。《汉书·高帝纪》颜师古注曰:"为谒者,书刺自言爵里,若今参见尊者而通名也。盖当时自陈姓名……"刺,又称"刺片"、"名片"。"古人通名,本用削木书字,汉时谓之谒,汉末谓之刺,汉以后则虽用纸而仍相沿曰刺。"

投刺是汉代普遍流行的一种礼俗,它是在拜见尊者时使用的。河南南阳汉画像石中有"楼阁、人物"画像石[①],画面刻一高大的门楼,门楼下层门柱两侧雕饰青龙、白虎,门楼上层有一人向外张望。这一切表明此建筑物的主人地位尊贵。门楼下层有两扇门扉,其

---

① 《南阳汉代画像石》图209,文物出版社,1985年。

中右侧门扉微启。门外一人跪于地,双手捧刺,当为来访者;门口一人站立,似在询问来访者的情况。古代文献对投刺多有记载。《后汉书·文苑列传》云:"建安初,(祢衡)来游许下,始达颍川,乃阴怀一刺,既而无所之适,至于刺字漫灭。"东汉《释名》言:"下官刺曰卡刺。长书一行而下之也,双㸕里刺,书其官爵及郡县乡里。"说明刺为自上而下的书写格式,内容为姓名、官职、家庭住址等。这和现代的名片已比较接近,也许"刺片"是中国最早的名片形式(清·赵翼《陔余丛书》卷30)。汉代刺的质地根据执刺人身份的高低有木质、竹质等。

3. 拜谒

拜谒是汉代会见宾客时常见的礼节。在河南南阳、山东汉画像石中有许多拜谒图,常常是拜谒双方双手执笏,或直立而拜,或躬身而拜,或跪拜。汉代画像石中的拜谒图据拜谒双方身姿的不同,大体可以分为以下几种形式:

第一,双方皆站立(或直立、或躬身)而拜。如山东武氏祠西阙阙身南面画像①,画面第三层共刻六人,其中左边四人皆执笏,一人与另外三人直立对拜;右边二人拱手对拜。再如,山东武氏祠东子阙阙身南面画像②,画面第三层共刻四人,其中左二人皆执笏,躬身对拜,右边二人手抬至胸前互相致意。对拜双方身姿相同,说明双方地位、级别相当。

第二,一方站立,另一方跪拜。河南南阳邓县(今邓州市)长冢店汉画像石墓出土的一幅拜谒图③,画面上部一人头戴进贤冠,右手微伸,作站立之姿,另一人亦头戴进贤冠,双手执笏,跪地而拜;画面下部有一骏马,身披鞍鞯,另有马槽悬吊一旁。画面表现的是

---

① 朱锡禄:《武氏祠汉画像石》图95,山东美术出版社,1986年。
② 朱锡禄:《武氏祠汉画像石》图89,山东美术出版社,1986年。
③ 南阳汉画馆:《南阳汉代画像石墓》第102页,河南美术出版社,1998年。

来客停下马匹,进谒主人。

第三,一方跽坐,另一方跪拜。河南南阳唐河县电厂汉画像石墓,门楣上刻画的拜谒、乐伎图①,右起二人戴冠,着长衣,颔下有须,扶几跽坐,当是主人和嘉宾;前有二人双手执笏,跪拜(其中一人上体与地面平行,叩首将及于地);画面中间一人跽坐,前有酒樽,樽内有勺,当是司酒者;画左为四乐伎。

第四,一方跽坐,另一方站立而拜。南阳唐河汉郁大尹墓出土了一幅十分形象的拜谒图②图中刻八人,左为一尊者,头戴进贤冠,着长衣,一手持物,另一手放于腰间,跽坐;其前一人亦头戴进贤,着长衣,双手执笏,跪拜,上体前倾,面向尊者。此人身后有六人,亦面向尊者,其中,右下三人皆戴冠着长衣,执笏站立,躬身而拜,右上三人头束帻,跪拜,其中有二人叩首于地。这幅拜谒图,八个人物的贵贱尊卑鲜明可见。

第五,一方跽坐,另一方叩首拜谒。在"第三"、"第四"所举的拜谒图中皆有人跪于地上,面对跽坐的尊者叩首而拜。这是汉画像石中所见拜谒的第五种形式。

全国许多地区出土的汉画像石中都有拜谒图,说明拜谒是汉代比较流行的一种礼俗。汉画像石中的拜谒者大多于双手执笏。笏是古代官吏所持的手板,用于记事,也是官吏身份的一种标志。表明拜谒在汉代官吏阶层中特别流行。南阳唐河汉郁平大尹墓一墓之中就刻画五幅拜谒图。该墓的铭文题记明确记载,此墓的墓

---

① 南阳汉画馆编:《南阳汉代画像石墓》第68页,河南美术出版社,1998年。
② 南阳汉画馆编:《南阳汉代画像石墓》第77页,河南美术出版社,1998年。

主人生前任郁平(今广西桂林)大尹(相当于太守)①。墓中刻画的拜谒图当是这位太守生前会见宾客的情景。当时地位低下的人见到官吏也要行拜谒之礼,这从汉画中的一些拜谒图可以看出。如一些拜谒图中的人物有头束帻者,说明其地位比较低下。

在汉画中,除执笏拜谒外,还有不少拱手拜谒的画像。如徐州汉画像石中有宴宾图②,画面中部为一亭,亭内二人踞坐对饮。亭之左边有四人,其中一人躬迎另外三人,此四人皆拱手行拜见之礼。亭之右边拴有马匹。山东武氏祠西阙阙身南面画像③,画面第一层刻六人,左边一人拱手站立,其前一人拱手跪拜;跪者身后有四人均手捧简牍站立,说明汉代也流行拱手拜谒的习俗。

特别值得一提的是,汉代有伸右手示意迎接客人之习俗。南阳唐河汉郁平大尹墓还出土了一幅拜谒图④,图中刻四人,中间一人戴冠着长衣,左手握剑,右手向前平伸,示意迎接客人,此人身姿为直立之姿;右侧一人佩剑,执笏而拜,身体微躬;左侧二人亦执笏而拜,其中一人躬身约呈90度,另一人跪拜。在江苏省高淳县固城画像砖墓出土的拜谒图上也有伸出右手以迎客人的画面⑤,这反映出在汉代会见宾客时有伸出右手以示迎接客人的习俗。这种招呼客人进门的习俗在我国现今有些地区仍然流行。

从汉画可以知道,汉代行拜谒之礼的场所,有的是在门口,有的是在厅堂中。汉代是一个封建等级制度森严的时代,这种等级

---

① 南阳汉画馆编:《南阳汉代画像石墓》第70页,河南美术出版社,1998年。
② 徐州市博物馆:《徐州汉画像石》图269,江苏美术出版社,1985年出版。
③ 朱锡禄:《武氏祠汉画像石》图18,山东美术出版社,1986年。
④ 南阳汉画馆编:《南阳汉代画像石墓》第78页,河南美术出版社,1998年。
⑤ 尤振尧:《苏南地区东汉画像砖墓及其相关问题探讨》,《中原文物》1991年第2期。

制度也表现在拜谒之礼俗中。在拜谒中,双方地位不同,其身姿是不同的,这在汉画像石中表现得比较明显。

汉代拜谒之礼俗,古代文献虽有记载,但不如汉画那么直观。汉画像石以形象的画面详尽地展现了一种礼俗,弥补了文献记载的不足,为我们研究汉代拜谒礼俗提供了十分难得的资料。

四、汉代宴宾习俗

汉代人在宴请宾客时常用舞蹈、音乐和杂技表演来招待客人,这是汉代盛行的一种社会风习。

宴宾陈伎,源于商周。《礼记·檀弓下》云:"平公饮酒,师旷李调侍,鼓钟。"《史记·滑稽列传》云:"齐威王之时,……好为淫乐长夜之饮"。汉代此风更盛。左思《蜀都赋》云:"若其旧俗,终冬始春,吉日良辰,置酒高堂,以御嘉宾。……起西音于促柱……纡长袖而屡舞。"汉代民间聚会,家庭宴请宾客常以歌舞款待。富贵之家蓄养有大批歌舞伎人。少则数人,多则上百人。"夫家人有客,尚有倡优奇变之乐,而况县官乎"(《盐铁论·散不足》篇)。汉代人这种乐舞宴宾的习俗在全国各地的汉画像石中都得到了体现。画面表现的往往是:一边是正襟跪坐的客人和丰盛的宴席,另一边是各种精彩的舞乐杂技表演。如河南南阳出土的鼓宴飨画像石[①],画面上部左为一人跪坐,右为建鼓舞,建鼓两侧各有一人,一人执枹击鼓,另一个表演舞蹈。画面下部刻一案,案上放置一条大鱼、三只肥鸭、两个饮酒用的杯,还有肉串和其他食品。在山东汉画像石的一些舞乐宴宾图中,舞乐杂技表演规模尤为盛大,参与表演者人数众多,画面表现出一种立体结构。

从汉画像石可以看出,汉代宴宾陈伎的形式主要有以下四种:

---

① 《南阳汉代画像石》图222,文物出版社,1985年。

一是融舞蹈、音乐、杂技表演于一体的综合性表演,即舞乐百戏表演。二是舞蹈和音乐表演,载歌载舞。三是单纯的舞蹈表演,让宾客观舞。四是单纯的音乐表演,让来宾赏乐。其中,前两种形式在汉画中比较常见,是汉代宴宾陈伎的最主要形式。后两种形式不太常见。

汉代人在宴请宾客时,常用投壶,六博作为酒令,以活跃宴会气氛。这在汉画像石中也得到了反映。

投壶起源于春秋末年,它是从射礼发展而来的,是指把没有箭头的箭投到壶中去,是宴会上一种助酒兴的游戏。《礼记·投壶》云:"投壶之礼,主人奉矢,司射奉中,使人执壶。"投壶在汉代比较流行,且投壶之法较春秋战国时有较大改进。《西京杂记》云:"武帝时,郭舍人善投壶,以竹为矢,不用棘也。"投壶在汉画中不多见。河南南阳汉画中仅有一幅①:画面中部刻一壶,壶内已投进两矢,壶边放一酒樽,樽上置一勺。壶左右各有一人跽坐,皆手执一矢,怀抱三矢,全神贯注,准备向壶内投掷。画面右边一人正在观看,当为司射;画左一人身体前倾,头低垂,被人搀扶着,一幅酩酊大醉的样子,是投壶的失败者。这幅画像生动地再现了汉代投壶的场面。在陕北汉画像石中也有一幅投壶图②:画面共分四层,第一层为二人相对而坐,单手相握;第二层是二人进行六博游戏;第三层是二人对坐投壶,中间置一壶,壶中已投入三矢,壶上部置一酒樽,二人手中各执一矢作投壶之状;画面第四层为二人习舞。

六博是一种类似弈棋的游戏。《楚辞》王逸注云:"投六箸,行六棋,故六博也。"箸是一种竹制的六博用具,形状像筷子。因所用之棋为六黑六白,每人六棋,故名六博。这种娱乐活动在商末就已出现了。及至春秋战国时,六博已成为宴席上一种常见的游戏。

---

① 编委会:《南阳汉代画像石》图223,文物出版社,1985年。
② 陕西省博物馆:《陕北东汉画像石》,陕西人民美术出版社,1985年。

《列子·说符》篇云:"登高楼,临大路,设乐陈酒,击博楼上。"六博在汉代更为流行。在河南、山东、四川、陕北汉画像石中皆有六博图。河南唐河县针织厂汉墓①出土的舞乐宴飨画像石上有六博图。画面共分三层,上层和中层为跽坐者和舞乐表演者;下层中部刻二人对坐,持箸对博,二人中间放置博局与樽。其中,一人全神贯注,低头沉思;另一人右手高举,似兴高采烈。山东武氏祠汉画像石中有六博宴饮画像:画右有三人坐于席上,其前放置六博棋盘、六箸、一案,还置有杯、碗、酒樽等物;对面有一人系六博对弈者,其旁一人,手正伸向酒樽;他们后边有一人挥长袖而舞②。湖南长沙马王堆三号汉墓还出土了一套六博用具。

汉代宴饮往往投壶、六博并用,"投壶对弹棋,博弈并复行"(引自《艺文类聚》卷74)。陕北东汉画像石中也有投壶、六博处于同一画面的场景。

汉代宴宾的座次:汉代筵宴过程中最重长幼、尊卑、亲疏、贵贱有序有别。地位不同,座次明显不同,充分体现了汉代的等级制度。先秦座序,在屋中以西为贵、为尊,在堂以北方为贵、为尊。而君王则是坐北朝南,臣下则是面北而拜。凌廷贵《礼经释例》卷一:"凡室中、房中拜以西方为敬,堂下拜以北方为敬。"汉代仍沿用这种座次。《论衡·四纬》篇云:"夫西方,长者之地,尊者之位也,尊者在西,卑幼在东。"《史记·项羽本纪》载:"项王即日因留沛公与饮。项王、项伯东向坐,亚父南向坐。亚父者,范增也。沛公北向坐,张良西向侍……"河南南阳汉画中的鸿门宴图③真实地反映了这一历史片段。图中项羽东向按剑而坐,一副盛气凌人的样子,刘邦则北向而坐。项羽明显以尊者自居。

---

① 周到、李京华:《唐河针织石汉画像石墓的发掘》,《文物》1973年第6期。
② 朱锡禄:《武氏祠汉画像石》图18,山东美术出版社,1986年。
③ 王建中、闪修山:《南阳两汉画像石》图140,文物出版社,1990年6月。

五、汉代门户饰神荼、郁垒之节俗

神荼、郁垒是神话传中管理众鬼的神人,性能执鬼,在汉代被推崇为门神之祖。汉代人常在除夕和春节时在门户上画神荼、郁垒,或用桃木削成神荼、郁垒的形象挂在门口,用以辟邪,成为一种节日风俗。河南南阳汉画像石墓墓门上常见的神荼、郁垒画像反映了汉代的这种节日风俗。

门户画神荼、郁垒以辟邪的做法起源甚早。汉王充《论衡·订鬼》引《山海经》曰:"沧海之中,有度朔之山,上有大桃木,其屈蟠三千里,其枝间东北曰鬼门,万鬼所出入也。上有二神人,一曰神荼,一曰郁垒,主领阅万鬼。恶害之鬼,执以苇索,而以食虎。于是黄帝乃作礼,以时驱之,立大桃人,门户画神荼、郁垒与虎,悬苇索以御凶魅。"至春秋战国时,在荆楚之地门户画神荼、郁垒以辟邪已成为一种民俗。《类说》卷六引《楚辞岁时记》云:"岁旦绘二神,贴户左右,左神荼、右郁垒,俗谓之门神。"到了汉代,此风更加流行。东汉张衡《东京赋》云:"度朔作梗,守以郁垒,神荼副焉。"正是对这种节日风俗的描绘。神荼、郁垒同其他神人逐步发展成为独具风采的门画艺术。河南南阳汉画像石墓的墓门上常见有两个面目狰狞、勇猛威武的神人形象,即为神荼、郁垒。如,方城县东关汉画像石墓墓门上刻有神荼①。方城县城关镇汉画像石墓墓门上刻画有神荼、郁垒②。汉墓墓门上刻画神荼、郁垒是汉代阳间习俗在冥宅中的反映。这些汉画像石从实物上证明了汉代的这种节日风俗。

---

① 南阳市博物馆,方城县文化馆:《河南方城东关汉画像石墓》,《文物》1980年第3期。
② 南阳地区文物队、方城县文化馆:《河南方城县城关镇汉画像石墓》,《文物》1984年第3期。

汉门户饰神荼、郁垒的习俗在后代逐步演变门画和春联艺术，成为节日喜庆的象征。我国现今许多地区仍有春节贴门画和春联的习俗。

六、汉代丧葬习俗

全国现已发掘汉代画像石墓二百余座，出土了大量汉画像石。这些为研究汉代葬俗提供了丰富的资料。

汉代葬俗中表现得最为明显的是厚葬。汉代人认为"人死辄为鬼神而有知"（《论衡》），认为活着的人需要的，死人也需要。于是就在墓葬中埋藏大量随葬品。汉代注重孝道，把厚葬当作致孝的表现。许多人对父母极尽厚葬，以求得孝名。这导致了厚葬之风的兴盛。汉代厚葬始于汉武帝时。汉武帝为自己修建的茂陵规模浩大，墓内随葬品也极奢华。汉成帝修建昌陵时，动用士卒、民工数万人。在帝王厚葬之风的影响下，达官贵人、富商地主竞相仿效，厚葬之风弥漫整个社会。

汉代画像石墓是厚葬的一种表现。一座画像石墓，从设计、石料的采制、运输到绘画、雕刻、建造，要求都很高，不仅费工费时，而且需要大量的财力物力。山东沂南汉画像石墓规模浩大，画像雕刻精美。河南南阳发掘的针织厂汉墓、汉郁平大尹墓、麒麟岗汉墓、长冢店汉墓、中原技校墓等画像石墓皆规模庞大。汉郁平大尹墓有前大门、中大门、两主室、藏阁、车库、耳室等部分组成，完全是一座仿阳宅建筑。麒麟岗汉墓一墓之中就雕刻画像达155幅之多。建造这样豪华的画像石墓决非一般地主所能办到的。从某种意义上讲，汉代画像石本身即是厚葬的产物。

汉代葬俗带有明显的阴阳观念。河南南阳发掘的唐河针织厂汉墓由南北两室组成。据对南主室顶部的天象图研究认为：北主室顶部刻太阳、白虎、长虹等，为白昼天象，代表阳，此室应为男墓主人葬室；南主室顶部刻有月亮和星辰，为夜晚天象，此室应为女墓主人葬室①。这种天象图的刻绘方法反映了当时盛行的阴阳五行思想。汉画像石墓中刻画的伏羲与女娲、日神常羲与月神羲和等大多以一阴一阳的对偶形式出现。汉画像石中的"日月合璧"图像则是汉民族追求"和谐"的哲学思想在丧葬意识中的反映，它以日月象征阴阳之分、夫妇之位，以"日月合璧"象征生存世界的万物和谐，阳间的夫妻关系和睦，并以此为中心，以理想化的方式建成一个天地人三位一体的和谐的实体②。《太平御览》卷四引《礼记》曰："大明（太阳）生于东，月生于西，此阴阳之分，夫妇之位也。"这也是古代丧葬制度的一种反映。

南阳唐河针织厂汉墓出土的两块骑吏捐幡画像石③，反映了汉代丧葬中捐幡的习俗。骑吏捐幡图画面刻一骑吏，骑于马背上，肩扛一幡行进。幡，又称"铭旌"。《礼记·檀弓》曰："铭，明旌也。以死者为不可别也，故以其旗识之。"幡的作用有二：一是招魂。从战国时楚国诗人屈原所作《楚辞》我们可以知道，招魂之习俗在荆楚之地较为流行。南阳在战国时长期属于楚国的管辖范围，当时也应有这一风俗。时至汉代，仍相当流行。骑吏捐幡画像石从实物上证明了汉代有捐幡招魂的习俗。二是标明死者生前所用旌旗上的徽志。《仪礼·士丧礼》云："为铭，各以其物。亡，则以缁，长半幅……书铭于末，曰：'某氏某之柩。'竹竿长三尺，置于宇西阶上。"此处的"物"指死者生前所用旌旗上的徽志，代表死者的爵级。骑吏捐幡画像石表明汉代出丧时前边有骑吏用竹杠挑铭旌做先导。结合马王堆汉墓棺盖上的"非衣"我们可以知道，出丧到达墓

---

① 魏仁华：《唐河针织厂汉画像石墓中的天象图》，见《汉代画像石研究》，文物出版社，1987年。
② 陈江风：《天文与人文》第93至106页，国际文化出版社，1988年。
③ 南阳汉画馆：《南阳汉代画像石墓》第52页，河南美术出版社，1998年。

地后幡要盖在棺之上。

南阳唐河县电厂汉墓出土的丧墓出行画像石①是研究汉代葬俗的难得资料。该画像石右起一人戴帻,着襌衣,双手执一锸,旁有一株柏树,一人骑马,戴冠,肩扛一铭旌(幡)向后飘动,其后有六辆轺车,车上饰伞形华盖,车内一驾者、一尊者,最后一辆车仅刻出一马和一驭手以示车队无穷。这一幅向墓地行进的出丧图,画像在右边一人执锸站立,寓意掘土封坟,表明此处为墓地。墓上种柏是秦代以来的习俗。《太平御览》引《风俗通》曰:"墓上树柏,路头石虎。"汉代人比较重视送葬和护丧。棺盛尸之后为柩,柩载于车上,丧车所过路街都有祭。丧家亲友随柩送到墓地,而且以护丧送葬者众多为荣耀。护丧送葬者多为朋友、门客及里中豪杰。有关汉代送葬的情况,文献多有记载,但在画像石中却不多见。唐河县电厂汉墓出土的丧葬出行图以形象生动的画面展现了汉代出丧规模之浩大。

河南南阳及山东汉画中的墓祀图表现了汉代守冢墓祀的葬俗。南阳县英庄汉墓出土的墓祀图②自上而下分层刻画:最上层刻一祠堂,中立一柱,下有柱础,上有一斗三升斗拱,大庑顶。堂内放祭品,左置五盘,右置六耳杯;其下置奠酒,中间为一樽,两侧各有一提梁壶;再下放肴馔,左置一叠案,中置一圆盒,右置三碗。画像最下部刻一犬,以绳系于颈部。1907年,日本学者藏田信吉在山东长清县孝堂山下曾发掘到一座小石祠堂,在小祠堂后壁下层,画有一幅祠堂祭祀图③。画面的左半部为一祠堂建筑。祠堂前一人跪在地,其前放有祭食一钵、灯一盏。其后有大树和马匹。表明

---

① 南阳汉画馆:《南阳汉代画像石墓》第67页,河南美术出版社,1998年。
② 王建中、闪修山:《南阳两汉画像石》图26,文物出版社,1990年。
③ 信立祥:《论汉代的墓上祠堂及其画像》,《汉代画像石研究》,文物出版社,1987年。

祭祀者是骑马而来的。汉代对墓祀十分重视，上自皇帝，下及臣民，守冢墓祀成俗。《论衡·四讳》篇云："古礼庙祭，今俗墓祀。"汉初，高祖刘邦下令二十家为秦始皇守冢，并为楚王陈胜、魏安釐王、齐闵王各派十家守冢。至于汉代皇帝的帝陵，不仅徙山东豪强于陵旁，置县，而且设置陵令、属官、寝庙令、园长、门吏等官职，负责陵园管理，岁时祭祀。顾炎武《日知录》云："汉代人以宗庙之礼移于陵墓，有人臣于陵者，苏武自匈奴还，诏奉一太牢谒武帝园庙是也。有上冢而会宗族故人者，有上冢即为太官为之供具者，有赠谥而赐于墓者，有人主而临人臣之墓者，有庶民而祭古贤人之墓者。"据《日知录》的记载我们可以知道，汉代墓祀上冢之人中，除儿子上父母冢者外，有弟子上师冢者，有故臣上旧君之冢者，有故仆上旧主之冢者，有地方乡吏祠张贤之墓者。子女上父母之冢祭祀时，常常召宗族，会宾客，见故人，飨以酒食，惠以金帛，以联络亲友宾朋，增进感情。

七、汉代辟邪风俗

辟邪观念的产生具有十分悠久的历史。究其原因在于人们相信鬼神的存在，相信灵魂不灭的观念。为了防御鬼魅，辟除邪恶，人们采取了许多辟邪的方法。这些辟邪的做法流行起来，便形成了辟邪的风俗。汉代时由于谶纬迷信思想的影响，辟邪之风颇为兴盛。汉画像石中就有许多以辟邪为内容的画像。李宏同志在《原始宗教的遗绪——试析汉代画像石中的巫术、神话观念》一文中指出："从汉代丧葬中画像砖石的内容来看，多着重祈福禳灾，着重于死之归宿（升仙）和生之安宁（打鬼），依照孙作云先生之论点，汉代画像石的宗教内容可以一言以蔽之，就是打鬼升仙。对疫鬼的祛祓和对天界神祇的向往，凡乎囊括了当时民间信仰的全部。"①汉画像石生动地展现了汉代的辟邪风俗。

1. 大傩

大傩是汉代辟邪风俗中表现得最为明显的一项，是汉代颇具影响的一种打鬼辟邪的仪式。

大傩起源于由熊崇拜而产生的原始舞蹈。后来这种舞蹈逐渐由宗教转变为民族的习俗而沿袭下来。《周礼·夏官·方相氏》曰："方相氏掌蒙熊皮，黄金四目，玄衣朱裳，执戈扬盾，帅百隶而时难，以索室驱疫。大丧，先柩及墓，入圹，以戈击四隅，驱方良。"这种打鬼的习俗自西周经春秋战国一直延续到汉代。到了汉代进入宫廷，成为一种规模盛大、仪式隆重的驱鬼逐疫的仪式。《后汉书·礼仪志》记载了东汉宫廷大傩的仪式："先腊一日，大傩，谓之'逐疫'。其仪，选中黄门子弟年十岁以上、十二岁以下百二十人为侲子，皆赤帻皂制，执大鼓。方相氏黄金四目，蒙熊皮，玄衣朱裳，执戈扬盾。十二兽有衣毛角。中黄门行之，冗从仆射将之，以逐恶鬼于禁中。……因作方相与十二兽舞。"这样反复表演三遍，持火炬，送疫出端门；门外有卫士千人送疫出宫，司马阙阙门外有五营骑士千人，送火炬掷于洛水中，表示恶鬼投入水中，使其不再行妖作怪。

山东沂南画像石墓中的大傩图②和洛阳西汉壁画墓中的大傩图③，对汉代大傩之仪进行了生动形象的刻画。沂南画像石墓中的大傩图表现出了打鬼的头目方相氏及十二神兽驱鬼逐疫的场

---

① 李宏:《原始宗教的遗绪——试析汉代画像石中的巫术、神话观念》，《中原文物》1991年第3期。
② 南京博物馆，山东省文管会:《沂南古画像石墓发掘报告》，文化部文物事业管理局，1956年。
③ 《洛阳古墓博物馆》，中州古籍出版社，1995年。

面。画面上刻有十几个面目狰狞、身长毛羽的神兽,正在驱逐异兽(表示疫鬼),有的正在追杀,有的正在吞食,而异兽则四散逃奔状。画面下部排列类似面具的兽头装饰。这幅画像是我们研究汉代大傩的难得实物资料。南阳汉画像石中虽然没有发现完整的大傩图,但有许多驱邪逐疫画像,刻有神兽驱赶怪兽的画面。有的画像中刻有打鬼的头目方相氏,有的画像中刻有大傩中十二神兽之一的穷奇。画像中常有一人手持牛角形物奔走呼喊。这些画像从不同角度、不同侧面表现出了汉代大傩之仪。

2. 门上饰铺首衔环以辟邪

在河南南阳发掘的汉画像石墓中,大多数墓门的门扉上都刻有铺首衔环。铺首衔环或与白虎组合在一起,或与朱雀组合在一起,白虎、朱雀刻于门扉上部,铺首衔环刻于下部。这类画像称"白虎、铺首衔环"或"朱雀、铺首衔环"。铺首衔环画像在南阳汉画像石中比比皆是。在河南商丘、江苏徐州汉画像石中也常见到铺首衔环。铺首的形象皆为面目狰狞的兽形。汉墓墓门上大量刻画铺首衔环,反映了汉代用凶恶的兽形作为门环底座——铺首以辟邪的风俗。

汉画中铺首的形象源于商周青铜器上的饕餮纹饰。饕餮是古代传说中一种贪食的凶兽,面目狰狞凶恶,用其头部形象作为铺首,有一种强大的威慑力,可以辟邪。铺首衔环的用途除镇鬼辟邪外,还可以起到鸣震传呼和封闭门锁的作用。《汉书·哀帝纪》云:"孝元庙殿门铜龟蛇铺首鸣。"如淳注曰:"门铺首作为龟蛇形而鸣呼也。"

3. 画虎于门,冀以御凶

河南南阳汉画像石墓的墓门上虎的画像刻画得非常多。虎常与铺首衔环共同刻画在墓门的门扉之上,这类画像可谓司空见惯。汉画是汉代社会现实的反映,这表现出了汉代"画虎于门,冀以御凶"的风俗。

画虎于门以防凶辟邪的做法在很早以前便产生了。汉代时这种做法已成为一种风俗。汉应劭《风俗通义》曰:"虎者阳物,百兽之长,能执搏挫锐,噬食鬼魅。""画虎于门皆追效前事,冀以御凶也。"在秦汉人的观念中,白虎被认为是守护西方的神灵,可以驱逐邪恶,辟除不祥。《三辅黄图》云:"苍龙、白虎、朱雀、玄武,天之四灵,以正四方。"此外,白虎还是宅中的主神,《论衡》云:"宅中主神十二焉,青龙、白虎列十二位,龙虎猛神,天之正鬼也。飞尸、流凶妄敢安集。尤主人猛勇,奸客不敢窥也。"目前,南阳发掘的四十余座汉画像石墓中,有许多墓葬的墓门上都刻有白虎。如前文提及的唐河汉郁平大尹墓,一墓之中即有四块门扉上刻画白虎。由此可见,汉代画虎于门以辟邪的风俗甚为流行。

4. 以熊辟邪

河南南阳、商丘汉画中熊的画像非常多。吕品先生在《河南汉画所见图腾遗俗考》①一文中指出:"汉画中熊的画像除一部分为斗兽或兽斗之类的动物外,一些似熊而又怪异的画像大都是装扮为熊的方相氏,作为打鬼的头目出现在墓室中。墓中刻画它的形象,显然是它具有驱除鬼魅的力量,使墓主人可以无忧地安息或不受鬼魅的干扰而羽化升仙。"汉画中众多的熊,除角抵图(斗兽或兽斗)中的熊和田猎图中的熊之外,其余的熊皆表示辟邪。这是汉代丧墓和信仰中以熊辟邪这种风俗的反映。这些熊大多刻画在汉画像石墓的门扉、门楣或门柱上,以防邪入内。例如:"朱雀、熊、铺首衔环"、"熊、门吏"、"柏树、熊"等画像。

八、汉代的祈雨风俗

在古代,农业的收成与雨水的关系十分密切。祈求风调雨顺是广大百姓的美好愿望。早在汉代时,形成了多种祈雨风俗。这在汉画像石中得到了充分表现。

---

① 吕品:《河南汉画所见图腾遗俗考》,《中原文物》1991年第3期。

1. 驱旱魃祈雨

河南南阳唐河针织厂汉画像石墓①出土了三幅虎食女魃图。其一,女魃赤裸上身,上体着裳,赤足,伏于地上,作挣扎状。右有一翼虎,张口欲食女魃。画左有一虎、一熊。其二,一翼虎将一女魃扑于地上,其前面有一虎与野猪相斗。其三,画面中部有一翼虎正在食地上的女魃,两侧又有三虎,皆向女魃奔去。在洛阳西汉壁画墓中也有虎食女魃图。

女魃是传说中的旱鬼,这种传说早在西周时就有了。《诗经·大雅·云旱》曰:"旱既太甚,涤涤山川。旱魃为虐,如惔如焚。"这是关于旱魃的最早记载。《山海经·大荒北经》云:"有人衣青衣,名曰黄帝女魃。蚩尤作兵伐黄帝,黄帝乃令应龙攻之翼州之野。应龙畜水,蚩尤请风伯、雨师,纵大风雨。黄帝乃下天女曰魃,雨止,遂杀蚩尤。魃不得复上,所居不雨……"古人认为旱灾是女魃作祟的结果,驱除旱鬼女魃旱灾可消除,于是就形成了驱旱魃以求雨的风俗。

《山海经》中即有驱逐旱魃的记载。《山海经·大荒北经》云:"魃时亡之,所欲逐之者,令曰:神北行。先除水道,决通沟渎。"郭璞注曰:"言逐之必得雨,故见先除水道,令之逐魃是也。"

汉代时,除旱魃的风俗比较流行。张衡《东京赋》云:"囚耕夫于清泠,溺女魃于神潢。"《后汉书·礼仪志》注曰:"耕父、女魃皆旱鬼,恶水,故囚溺于水中使不能为害。"《风俗通义》云:"虎者,阳物,百兽之长,能执搏挫锐,噬食鬼魅。"汉代人认为,用虎吃掉女魃之后,旱灾即可消失,天上即可降雨。汉画像石中的虎食女魃图反映了汉代的这种除旱魃求雨的风俗。

2. 祭风伯、雨师祈雨

---

① 周到、李京华:《唐河针织厂汉画像石墓的发掘》,《文物》1973年第6期。

河南南阳市王庄画像石墓墓顶上有一块风雨图画像石①,画面上部有三个神人共同曳引一车,车以五星联珠为轮,车上乘坐一人当为天帝。画面下部有四个神人,皆怀抱大罐向下倾倒雨水。画右有一神人,身躯高大,张口向前吹风。此图中,持罐者为雨师,吹风者为风伯。山东嘉祥武氏祠后石室第三石也刻有风伯、雨师图②。

　　有关风伯、雨师的传说甚早。《楚辞·离骚》云:"前望舒使先驱兮,后飞廉使奔属。"王逸注曰:"飞廉,风伯也。"《独断》云:"雨师神,毕星也,其象在天,能兴雨。"

　　在汉代,祭风伯、雨师被纳入到国家祭典中,成为每年祭祀的主要内容。《后汉书·祭祀下》:"县邑常以乙未日祠先农于乙地,以丙戌日祠风伯于戌地,有以己丑日祠雨师于丑地,用羊豕。"秦汉时民间设有风伯、雨师庙。《汉书·郊祀志上》:"(秦时)雍有二十宿,风伯、雨师之属,百有余庙。"《风俗通》亦云:"飞廉,风伯也。……长者伯故曰风伯,故以丙戌日祀于西北。……土中之众者莫若水,众者师也。雷震百里风亦如之。……故雨独称师也,丑之神为雨师,故以己丑日祀雨师于东北。"汉代祭风伯、雨师的目的是为了祈求风调雨顺。这是汉代祈雨风俗的一种表现形式。

　　汉画像石中有风伯、雨师表现出了汉代人对风伯、雨师的信仰。说明了汉代人企图借助风伯、雨师的力量来达到降雨的目的,使庄稼免遭旱灾。

　　3. **祭雷神祈雨**

---

① 南阳市博物馆:《南阳市王庄画像石墓》,《中原文物》1984年第3期。
② 朱锡禄:《武氏祠汉画像石》图三四,山东美术出版社,1986年。

雷神画像在河南南阳①、商丘②、江苏徐州③、山东武氏祠④等地汉画像石中均有发现。南阳英庄汉画像石墓出土了一幅雷神出行画像石,画面刻三只翼虎共同曳引一车,车以云气为轮,车上有建鼓,上饰羽葆。车内一驭手,一尊者。车上所乘的尊者为雷神。画面上,云气飘飞,羽葆飞扬,三只翼虎在飞奔中肢、体、尾拉成一条直线,给人以风驰电掣之感。

对雷神的崇拜在新时代就已存在。《山海经》中对雷神有记载。《山海经·海内东经》曰:"雷泽中有雷神,龙身而人头,鼓其腹则雷。"汉代时雷神的形象已演变为人形。王充《论衡·雷虚》篇云:"又图一人,若力士之容,谓之雷公,使之左手引连鼓,右手推椎,若击之状。"汉画中的雷神画像与汉代文献所载正相吻合。

在自然现象中,雷电往往与风雨相伴出现,雷鸣闪电之后常常会有大雨出现。这种自然现象使人把雷电与雨联系在一起,误以为雨是雷电带来的。在殷墟卜辞中就有雷电和雨水同时出现的记载。《太平御览》卷十引《易林变占》云:"雷君出行,隐隐西行,霖雨不止,流为江河。"从民族学的材料看,我国许多民族都有祭雷神的习俗,不少民族认为雨水是由雷神主宰的。汉墓中刻画雷神形象应与汉代祭神求雨有关。

4. 祭河伯祈雨

河伯画像在河南南阳⑤、商丘、江苏徐州⑥出土的汉画像石中皆有发现。南阳市王庄画像石墓墓顶上刻有河伯出行图,画面中

---

① 南阳市博物馆:《河南南阳英庄汉画像石墓》,《中原文物》1983年第3期。
② 闫根齐等:《商丘汉画像石》之"雷公、河伯、舞乐图",河南美术出版社,1992年。
③⑥ 徐州市博物馆:《徐州汉画像石》,江苏美术出版社,1985年。
④ 朱锡禄:《武氏祠汉画像石》,山东美术出版社,1986年。
⑤ 南阳市博物馆:《南阳市王庄画像石墓》,《中原文物》1984年第3期。

部有四条鱼并驾一车,车上树华盖,一驭者双手挽缰,河伯端坐车上;鱼车之前有二神人,一手持盾,一手操刀,为河伯开道;鱼车两侧各有一鱼夹道随从;鱼车之后又有二神人骑鱼荷戟护送河伯。河伯本为黄河之神,文献多有记载。但从该画像刻画于墓顶来分析,此图中的河伯并不是以河神的身份出现的。因为在南阳汉画像石墓的墓顶上所刻画像皆为天象或天上之神,如天帝、雷神、雨师等。该画像与风雨图刻画于同一墓葬之墓顶。河伯与雨师、风伯同时出现在墓顶上,说明此图中的河伯是以天神的身份出现的。该画像画面空间所饰的星云也可起到佐证作用。从文献记载来看,河伯也有降雨的功能。《神异经》云:"西海水上有人……如飞如风,名曰河伯使者。或时上岸,马迹所及水至其处。所之之国雨水滂沱。暮则还河。"

早在春秋战国时就有祭河伯求雨的风俗。《晏子春秋·内篇谏上》曰:"齐大旱,逾时……景公曰:'今为之奈何?'晏子对曰:'君诚避宫廷,暴露,与灵山、河伯共忧,其幸而雨乎?'于是景公出野暴露,三日,天果大雨,民尽得种时(莳)。"汉画像石墓墓顶上刻画河伯出行图是汉代祈雨风俗的反映。

5. 祭龙祈雨

在全国各地出土的画像石中龙的画像非常多。汉画中的龙大多表示祥瑞或升仙,但其中有一些龙明显与祈雨有关,是汉代祭龙祈雨风俗的反映。

河南南阳县英庄汉画像石墓[①]墓顶上刻一龙,肩生双翼,即为应龙。此龙张口曲颈,穿行于云间,与其紧邻、同处墓顶的另一块画像石上刻雷神出行图。此处的应龙有降雨之作用。《山海经·大荒东经》云:"大荒东北隅中,有山名曰凶犁土邱,应龙处南极,杀

[①] 南阳市博物馆:《河南南阳英庄汉画像石墓》,《中原文物》1983年第3期。

蚩尤与夸父,不得复上,故下数旱,旱而为应龙之状,乃得大雨。"另外《山海经·大荒北经》中有"应龙畜水"帮助黄帝打败蚩尤及"应龙已杀蚩尤,又杀夸父,乃去南方处之,故南方多雨"之说。可见,应龙具有呼风唤雨的神性。

应龙还是黄帝的神龙。黄帝出行时常以龙、风伯、雨师等为其随从。《韩非子·十过》曰:"昔者黄帝合鬼神于泰山之上,驾象车而六蛟龙,毕万并锗,蚩尤居前,风伯进扫,雨师洒道……"南阳市王庄汉画像石墓①即将龙与风伯、雨师、河伯同刻于墓顶,此处的龙具有降雨的作用。

河南南阳汉画像石中应龙的画像比较多。如南阳县十里铺画像石墓②,一墓之中即有数块画像石上刻应龙。

由于龙能降雨,祭龙求雨便逐渐形成为一种民间习俗。传说黄帝时代就专门派人养龙,养龙之地称为龙池。每逢旱灾,便祭龙求雨。《盾甲开山图》云:"绛北有阻石山,中有神龙池。黄帝时,遣云阳先生养龙于此,为历代养之处。国有水旱不时,即祀祠请雨。"汉代有作土龙求雨之法,如《后汉书·礼仪中》云:"其旱也,公卿官长以次行雩礼求雨。闭诸阳,衣皂,兴土龙……"杜而未著《凤麟龟龙考释》云:"应龙即土龙,为雨神。"《春秋繁露·求雨》篇对做龙舞龙求雨有详细的描述:"春旱求雨。……以丙丁为大赤龙,长七尺,居中央,又为小龙六,各长三丈五尺,于南方。……季夏,……以戊己日为大黄龙一,长五丈,居中央,又为小龙四,各长二丈五尺,于南方。……秋……以庚辛日为大白龙一,长九尺,居中央。……冬舞龙六日,祷以名山以助之。……以壬癸日为大黑龙一,长六尺居中央,又为小龙五,各长三丈,于北方。……四时皆以水日为龙,必取洁土为之。"祭龙祈雨成为民间十分普遍的现象。这种祈雨习俗

---

① 南阳市博物馆《南阳市王庄画像石墓》,《中原文物》1984年第3期。
② 《河南省南阳县十里铺画像石墓》,《文物》1986年第4期。

在后代仍有延续。

　　总之,本文从以上八个方面对汉画像石中的民风民俗做了论述。汉代民俗丰富多彩,汉画像石虽然不能反映汉代民俗的全貌,但却反映了汉代民俗的诸多方面。因篇幅所限,本文对汉画像石中的民风民俗只是做了概括性地论述,以期能引起更多的研究者对此问题进行深入的探讨。

略论汉代的三年丧

杨天宇

一、引论

三年丧有两种：一是斩衰三年，如子为父，妻为夫，臣为君等皆当服此；一是齐衰三年，是父卒为母所服（如果父在，则当为母服齐衰期）①。从文献记载看，三年丧制由来已久。周初伯禽就曾为其父周公旦服三年丧②。此后，先秦文献中也每见服三年丧的记载，而以孔子为代表的儒家学者即在此基础上，制定出一整套服丧制度来，且谓"三年之丧，天下之通丧也"③。后来孟子也说，三年之丧，"自天子达于庶人，三代共之"④。然而先秦时期当服三年丧而不服的记载也很多，特别到了春秋战国时期，此种记载尤多。如

---

① 见《仪礼·丧服》之斩衰、齐衰。
② 《史记·鲁周公世家》曰："鲁公伯禽之初受封之鲁，三年而后报政周公。周公曰：'何迟也？'伯禽曰：'变其俗，革其礼，丧三年然后除之，故迟。'"
③ 《论语·阳货》[M]。阮校《十三经注疏》本，北京：中华书局，1980.
④ 《孟子·滕文公上》[M]。阮校《十三经注疏》本，北京：中华书局，1980.

《左传》昭公十五年(前527年)记周景王在这年有三年之丧二①,而景王却"以丧宾宴,又求彝器,乐忧甚矣",严重地违背了丧礼。孔子的学生宰予觉得三年丧时间太长,他认为服一年就够了。当孔子问他这样做是否心安时,他竟毫不迟疑地回答说"安"②。又如滕定公死,世子(即后来的滕文公)派人去向孟子请教丧事该怎么办,孟子说当行三年丧礼,于是决定服三年丧。但父兄百官都表示反对,说:"吾宗国鲁先君莫之行,吾先君亦莫之行,至于子之身而反之,不可。"③可见三年丧礼废之已久,而能行之者寡矣。秦统一后是否有服三年丧的,因资料缺载,已不可考。到了汉代,情况却逐渐有了变化。下面我们就着重对汉代三年丧的实行情况略作探讨。

二、从文帝的短丧诏谈起

文帝临终时曾特制短丧诏,《史记·孝文本纪》曰:

后七年(前157年)六月己亥,帝崩于未央宫。遗诏曰:"朕闻盖天下万物之萌生,靡不有死。死者天地之理,物之自然者,奚可甚哀。当今之时,世咸嘉生而恶死,厚葬以破业,重服以伤生,吾甚不取。且朕既不德,无以佐百姓;今崩,又使重服久临,以离(《汉书》作罹)寒暑之数,哀人之父子,伤长幼之

---

① 指太子寿丧与穆后丧。案王为太子服三年,《仪礼·丧服》有明义,然大为妻(即周景王为穆后),据《丧服》则当服齐衰服,而无服三年之文。杨伯峻《春秋左传注》曰:"唯《墨子·节葬下》、《非儒下》、《公孙孟篇》俱有夫为妻服三年之文,与《仪礼》异,与《左氏》合。……顾颉刚《史林杂识》则谓'《丧服》一经当有二本,甲本如《墨子》及《左传》作者之所见,乙本则汉以来诵习者也。'"

② 《论语·阳货》[M]。阮校《十三经注疏》本。北京:中华书局,1980.

③ 《孟子·滕文公上》[M]。阮校《十三经注疏》本,北京:中华书局,1980.

志,损其饮食,绝鬼神之祭祀,以重吾不德也,谓天下何!朕获保宗庙,以眇眇之身托于天下君王之上,二十有余年矣。赖天地之灵,社稷之福,方内安宁,靡有兵革。朕既不敏,常畏过行,以羞先帝之遗德;维年之久长,惧于不终。今乃幸以天年,得复供养于高庙。朕之不明与嘉之,其奚哀悲之有。其令天下吏民,令到出临(哭吊)三日,皆释服。毋禁取妇嫁女祠祀饮酒食肉者。自当给丧事服临者,皆无践(赤脚)。经带无过三寸,毋布车及兵器,毋发民男女哭临宫殿。宫殿中当临者,皆以旦夕各十五举声,礼毕罢。非旦夕临时,禁毋得擅哭。已下(谓下葬),服大红十五日(红通功),小红十四日,纤七日(纤谓服缌麻),释服。佗不在令中者,皆以此令比率从事。布告天下,使明知朕意。"

文帝这一诏令,包括两方面内容:一是说明短丧的原因,二是对短丧做出具体规定。关于短丧的原因,有以下几点:第一,生死是天地自然之理,不必悲哀;第二,厚葬破业,重服伤生,甚不可取;第三,不欲因已丧给臣民的生活带来不便;第四,自己已有幸获天年而终,无可悲哀。对于短丧的具体规定,有以下几点:第一,吏民哭吊三日即释服;第二,丧期内民众的生活一切照常;第三,丧事、丧仪一切从简;第四,葬后不再服斩衰,而先后服大功、小功、缌麻,以体现"渐即吉"之意①,服丧期也由三年改为三十六日。又考文帝死于六月己亥日,而葬于六月乙巳日,是死后第七天就下葬了②,比起儒家所制定的天子殡七月而葬的丧礼来,则大大缩短了,还比不上士、庶人葬前的殡期长③。

---

① (日)泷川资言:《史记会注考证》引刘攽曰:"考之文帝之意,既葬除重服(案指斩衰),制大功、小功,所以渐即吉耳。"
② 《汉书》卷4《文帝纪》:"乙巳葬霸陵。"师古曰:"自崩至葬凡七日也。"
③ 《礼记·王制》:"大夫、士、庶人三日而殡,三月而葬。"

文帝之所以制此短丧诏,实由汉初的国家形势所然。《风俗通义》卷二《孝文帝》节中所载刘向的一段话,对此有很好的说明,兹以文繁不录,撮其要点,大约有四:一,汉家基业初定,百姓新免于战乱,故当轻刑少事,俭约节欲,与民休息,以恢复国力;二,文帝本修黄老之言,不好儒术,因此对儒家所提倡的礼乐制度(自然也包括丧礼)皆未修;三,匈奴数犯,兵连不解,"转输络绎,费损虚耗";四,水、旱、蝗、风等各种自然灾害频繁发生,造成年谷不登,百姓饥馑,粮食贵到石五百钱。在这种的情势下,文帝临终诏令短丧,也就很自然了。

从文献记载看,文帝的短丧诏对后世的影响可谓深远,兹略举数例:

《汉书·翟方进传》载成帝时,丞相翟方进对其后母"供养甚笃。及后母终,既葬三十六日,除服起视事,以为身备汉相,不敢逾国家之制。"师古曰:"汉制自文帝遗诏之后,国家遵以为常。大功十五日,小功十四日,缌麻七日。方进自以大臣,故云不敢逾制。"是至成帝时,公卿大臣仍遵文帝遗制。

《后汉书·光武纪下》记刘秀临终遗诏曰:"朕无益百姓,皆如孝文皇帝制度,务从约省。"是东汉光武帝犹遵文帝制度。

《后汉书·礼仪下》载:"故事:百官五日一会临,故吏二千石、刺史、在京都郡国上计掾史皆五日一会。天下吏民发丧临三日。先葬二日,皆旦晡临。既葬,释服,无禁嫁娶、祠祀。佐史以下,布衣冠帻,绖带无过三寸,临庭中。武吏布帻大冠。大司农出见钱谷,给六丈布直。以葬,大红十五日,小红十四日,纤七日,释服。部刺史、二千石、列侯在国者及关内侯、宗室长吏及因邮奉奏,诸侯王遣大夫一人奉奏,吊臣请驿马露布,奏可。"此所谓故事,据刘昭注,即指文帝的短丧诏所定丧制,到了后汉,又据以定为常制。

《后汉书·蔡邕列传》载灵帝熹平六年(177年)蔡邕上封事,所言凡七事,其第七事有曰:"臣闻孝文皇帝制丧服三十六日,虽继体之君,父子至亲,公卿列臣,受恩之重,皆屈情从制,不敢逾越。"可见后世君臣确乎皆遵文帝之制。

《晋书·羊祜传》载,文帝崩,祜谓傅玄曰:"三年之丧,虽贵遂服,自天子达;而汉文除之。毁礼伤义,常以叹息。今主上天纵至孝,有曾闵之性,虽夺其服,实行丧礼。丧礼实行,除服何为邪!若因此革汉魏之薄,而兴先王之法,以敦风俗,垂美百代,不亦善乎!"玄曰:"汉文以末世浅薄,不能行国君之丧,故因而除之。除之数百年,一旦复古,难行也。"可见汉文之制,至魏、晋犹行之。

又《旧唐书·崔祐甫传》载宰相常衮之言曰:"案《礼》,为君斩衰三年。汉文权制,犹三十六日。国家太宗崩,遗诏亦三十六日。……高宗崩,服绝轻重,如汉故事。武太后崩亦然。及玄宗、肃宗崩,始变天子丧为二十七日。"是文帝之制,至唐犹相沿而未改,且变而愈短矣。

由上可见,汉文帝的短丧诏,其影响可谓至深远。既如此,则汉代当无服三年丧者。然而实际情况却不是这样。

三、汉代服三年丧之例

其实,汉代不乏服三年丧之例。如是武帝时的公孙弘,《汉书》本传说他"养后母孝谨,后母卒,服三年丧。"其事盖在元光年间,这是文献所见汉代最早服三年丧的记载。此后见于文献的还有:

昭帝时,韩延寿"好古教化",他做颍川太守时,"略依古礼"而为民制定"丧嫁娶礼,百姓遵用其教"[1]。其中的丧礼,盖当包括三年丧礼。颍川之民既"遵用其教",则自当不乏服三年丧者。

成帝时丞相薛宣之弟、临甾令薛修为后母服三年丧[2]。

---

[1] 《汉书》卷76《韩延寿传》。北京:中华书局,1962。
[2] 《汉书》卷83《薛宣传》

成帝时于永为其父于定国服三年丧①。(《于定国传》)

成帝末年河间惠王刘良为母太后服三年丧②。(《河间献王传》、《哀帝纪》)

哀帝时刘茂为母服三年丧③。(《独行传》)

哀帝时原涉为父服三年丧④。(《游侠传》)

平帝崩,王莽令"天下吏六百石以上皆服丧三年"⑤。(《王莽传上》)

居摄三年(8年)九月,王莽母功显君死,王莽令其长孙新都侯王宗为之主丧,"服丧三年"⑥。(《王莽传上》)

始建国五年(13年),文母皇太后崩,"莽为太后服丧三年"⑦。(《王莽传中》)

西汉末年,郅恽年十二失母,为之服三年丧,且"居丧过礼"⑧。(《郅恽传》)

西汉末年,铫期为父服三年丧⑨。(《郅恽传》)

由上可见,西汉自武帝以后,渐有行三年丧者,这显然与汉武帝"稽古礼文","罢黜百家,表彰《六经》"⑩(《武帝纪·赞》),提倡儒家经学有关。而到成帝以后,特别是王莽时期,服三年丧者渐多,且王莽躬行三年丧礼以为天下倡,则当与西汉后期经学盛行,而王莽又处处"以周公为比"⑪(《王莽传上》),借经学以为其篡汉改制服务有关⑫。

到了东汉,服三年丧者更多,且每多服丧"过礼"者。兹仅从《后汉书》中举例如下:

《樊儵传》载,儵为后母服三年,"哀思过礼"。

《鲁恭传》载,恭年十二为父服三年,"礼过成人"。

---

①②④⑤⑥⑦⑩⑪ 《汉书》[M].北京:中华书局,1962.
③⑧⑨ 《后汉书》[M].北京:中华书局,1965.
⑫ 参见拙作:《论王莽与今古文经学》,中华书局,《文史》第53辑。

《韦彪传》载，彪为父母丧"哀毁三年，不出庐寝。服竟，羸瘠骨立异形，医疗数年乃起"。

《鲍昂传》载，昂为其父丧"毁瘠三年"，至除丧犹"潜于墓次，不关时务"。

以上皆东汉初建武年间事。

《逸民传》载，明帝时，戴良与其兄为母服三年，伯鸾"居庐啜粥，非礼不行"，以至"毁容"。

《黄香传》载，章帝初年，香九岁丧母，为母服三年，"思慕憔悴，殆不免丧"（意谓其身体几乎不能坚持到终丧）。

《何敞传》载，和帝时，何敞为汝南太守，"百姓化其恩礼，其出居者，皆归养其父母，追行丧服。"李注："其亲先亡者自恨丧礼不足，追行丧制也。"

《东平宪王苍传》载，安帝时东平孝王刘敞为母服三年，"丧母至孝"。

《刘赵淳于江刘周赵列传·序》载，安帝时薛苞为其父母"行六年服，丧过乎礼"。

《济北惠王寿传》载，济北孝王刘次九岁丧父（盖在冲帝元年），次为父服三年，"焦毁过礼，草庐土席，衰杖在身，头不枕沐，体生疮肿。谅闇已来二十八月。"

《申屠蟠传》载，蟠年九岁丧父（盖当安帝末、顺帝初），为父服三年，"哀毁过礼。服除，不进酒肉十余年。每忌日，辄三日不食"。

《东海恭王强传》载，顺帝时东海孝王刘臻及其弟刘俭，为母服三年丧，"皆吐血毁眥"。又想到父丧时，他们兄弟年尚幼小，"哀礼有阙"，因此又为父追服三年。

《崔寔传》载，顺帝末年崔寔为其父服三年，到桓帝初年，又为其母服三年。

《桓彬传》载，桓帝初年，桓彬为其父桓麟服三年，"麟不胜丧，未祥而卒"。

《任城孝王尚传》载,桓帝时任城孝王刘尚为母服三年,"丧母服如礼"。

《彭城靖王恭传》载,桓帝时,彭城孝王刘和为母服三年,"行丧陵次,毁瘠过礼"。

《孔融传》载,桓帝延熹六年(163年),融父孔宙卒,时融年十三,为父服三年,"哀悴过毁,扶而后起"。

《胡广传》载,灵帝时,太尉胡广年八十,为其继母服三年,"居丧尽哀,率礼无愆"。

《陈纪传》载,灵帝时,陈纪为父服三年,"每哀至,辄欧血绝气,虽衰服已除,而积毁消瘠,殆将灭性"。

《袁绍传》载,灵帝时,绍为母服三年,"追感幼孤",又为父服三年。

又《后汉书》中每有言某人"服阕"者,皆谓服三年丧毕。如上引《鲍昂传》载,昂为其父服三年,"服阕,遂潜于墓次,不关时务。"又如《陈宠传》载,"元初三年(116年)有诏,大臣得行三年丧,服阕还职。"是皆"服阕"为行三年丧毕之证。而《后汉书》中言"服阕"者多矣。如《杨厚传》载厚为父"服阕,辞家";《虞诩传》载诩为祖母"服阕,辟太尉李修府";《邓骘传》载骘为母"服阕,诏喻骘还辅朝政";《杨伦传》载伦为安帝"服阕,征拜侍中";《黄琼传》载琼为母"服阕,五府俱辟,连年不应";《来历传》载历为母"服阕,复为大鸿胪"《陈蕃传》载蕃为母"服阕,刺史周景辟别驾从事";《袁闳传》载闳兄弟为父"服阕,累征聘举召,皆不应";《霍谞传》载谞为母"服阕,公车征,再迁北海相";《徐稺传》载稺为父母"服阕,隐居林薮,躬耕稼穑",等等。

此外,《后汉书》中还每有"行服",或"去官行服",以及"服竟"、"服除"等记载,亦皆谓服三年丧者,其例甚多,兹不悉举。

东汉的三年丧,除为君(如上举杨伦为安帝)、为父母服外,还有以下情况有为太守服三年者,如《桓鸾传》载胶东令桓鸾为太守向苗服丧三年,《李恂传》载颍川郡功曹李恂为太守李鸿服丧三年。有故吏为其主官服三年者,如《杜乔传》载太尉杜乔死狱中,其故掾杨匡为之服三年。有为曾辟举己之官服者,如《荀爽传》载司空袁逢增因爽"有道"而荐举他,爽"不应。及逢卒,爽制服三年"。有为师服三年丧者,这在西汉末年已有其例,如侯芭曾从扬雄"受其《太玄》、《法言》",扬雄死,"侯芭为起坟,丧之三年"①(《扬雄传下》)。东汉亦有其例,如《窦武传》载,窦武因得罪宦官而被害,曾"少师事武"的胡腾,即为之"独殡敛行丧"。亦有为师心丧三年者,如《李郃传》载,李郃死,门人冯冑"独制服,心丧三年,时人异之"。还有属民为其长官服三年者,如《桓典传》载沛相王吉被诛,沛人桓典即为之服丧三年。

总之,东汉服三年丧盖已成风气,这当与东汉时期"经学极盛"②,统治者大力提倡名教、奖励名节有关。

四、统治者及社会一般人对服三年丧的态度

汉代统治者,除文帝遗命为己短丧外,一般对服三年丧者,都是持肯定态度,予以表彰、奖励,甚至加以提拔、重用。兹举例如下。

西汉成帝时,于定国死,其子永为之"居丧如礼,孝行闻,由是以列侯为散骑光禄勋,至御史大夫"。成帝还把馆陶公主嫁给了他,后来还想用他为相,"会永薨"而罢③。(《于定国传》)

哀帝时河间惠王刘良为母太后"服丧如礼",于是哀帝特下诏褒扬曰:"河间王良,丧太后三年,为宗室仪表,其益封万户。"④(《河间献王传》、《哀帝纪》)

---

① ③ ④ 《汉书》[M]。北京:中华书局,1962.
② 皮锡瑞:《经学历史》称东汉为"经学极盛时代",见该书目录。

东汉的帝王,更注意鼓励行三年丧者。如:

早在更始元年(23年),刘秀经略颍川时,听说有个叫铫期的人为父服三年丧,"乡里称之",刘秀"闻其志义,召署贼曹掾"①。(《铫期传》)刘秀即帝位后,铫期又以战功封侯,后官至卫尉。

安帝时,东平孝王刘敞"丧母至孝,国相陈珍上其行状。永宁元年(120年),邓太后增邑五千户,又封苍孙二人为亭侯"②。(《陈平宪王苍传》)

顺帝时,东海孝王刘臻及其弟刘俭为母服三年,又"追念初丧父,幼小,哀礼有阙,因复重行丧制","顺帝美之",特制诏褒奖曰:"东海王臻以近蕃之尊,少袭王爵,膺受多福,未知艰难,而能克己率礼,孝敬自然,事亲尽爱,送终竭哀,降仪从士,寝苫三年。和睦兄弟,恤养孤弱,至孝纯备,仁义兼弘,朕甚嘉焉。夫劝善厉俗,为国所先。曩者东平孝王敞兄弟行孝,丧母如礼,有增户之封。诗云:'永世克孝,念兹皇祖。'今增臻封五千户,俭五百户,光启土宇,以酬厥德。"③(《东海恭王强传》)

济北王刘次九岁丧父,服丧过礼,建和元年(147年)梁太后下诏褒奖曰:"济北王次以幼年守藩,躬履孝道,父没哀恸,焦毁过礼,草庐土席,衰杖在身,头不枇沐,体生疮肿。谅闇已来二十八月,自诸国有忧,未之闻也,朝廷甚嘉焉。……今增次封五千户,广其土宇,以慰孝子恻隐之劳。"④(《济北惠王寿传》)。

桓帝时,彭城孝王刘和"性至孝,太夫人薨,行丧陵次,毁瘠过礼。傅相以闻,桓帝诏使奉牛酒迎王还宫"。(《彭城靖王恭传》)

延熹四年(161年),任城王刘博"丧母制服如礼",桓帝为之"增封三千户"⑤。(《任城孝王尚传》)

灵帝末,陈纪服丧过礼,"虽衰服已除,而积毁消瘠,殆将灭性。

---

①②③④⑤ 《后汉书》[M]。北京:中华书局,1965。

豫州刺史嘉其至行,表上尚书,图象百城,以厉风俗。"①(《陈纪传》)

不仅如此,东汉帝王还有带头服三年丧的。如:

明帝刘庄就曾为其父刘秀服丧三年。《后汉书·礼仪志上》刘注引《谢承书》载蔡邕之言曰:"以孝明圣孝之心,亲服三年。"

安帝刘祜亦曾为其祖父章帝刘炟服丧三年。《后汉书·鲁恭传》载安帝初立,鲁恭上疏有曰:"会新遭大丧(李注曰:'帝崩也。'),人怀恐惧。陛下躬大圣之德,履至孝之行,尽谅阴三年,听于冢宰。"

献帝刘协曾为其皇母服三年丧。《灵思何皇后传》载,兴平元年(194年)献帝诏曰:"皇母前薨,……中心如结,三岁之戚,盖不言吉。"杨树达说:"据此,献帝主行三年丧也。"②

皇后亦有为父服三年丧者。如《和熹邓皇后传》载,和帝永元四年(92年),邓后入选,会父卒,邓后为之服三年,"憔悴毁容,亲人不识之"。

由于统治阶级的提倡,服三年丧遂成风气,有能服三年丧或"服丧尽礼"、"服丧过礼"者,就会受到人们的赞扬。如:

哀帝时原涉为父服丧三年,"繇是显名京师,衣冠慕之辐辏。"③(《原涉传》)

章帝初年,黄香为母丧"思慕憔悴,殆不免丧,乡人称其至孝。"

顺帝初,申屠蟠为父三年,"哀毁过礼",时贤郭林宗"见而奇之"。同郡蔡邕亦"深重蟠",并赞之曰:"申屠蟠禀气玄妙,性敏心通,丧亲尽礼,几于毁灭。至行美义,人所鲜能。"④(《申屠蟠传》)

桓帝延熹年间,孔融为父丧"哀悴过毁,扶而后起,州里归其

---

①③④ 《后汉书》[M].北京:中华书局,1965。

② 杨树达:《汉代婚丧礼俗考》[M].上海:上海古籍出版社,2000。

孝"①。(《孔融传》)

相反,该服三年丧而不服者,便会受到惩罚或讥弹。如:

西汉元帝初元二年(前47年),富平侯张勃荐举陈汤为茂材,陈汤后来却"父死不奔丧,司隶奏汤无循行,勃选举故不以实,坐削(户二百),会薨,因赐谥曰缪侯。汤下狱论"②。(《陈汤传》)

成帝时丞相薛宣后母死,其弟修为后母服丧三年,薛宣却不为后母服。到哀帝即位时,博士申咸即"毁宣不供养行丧服,薄于骨肉,前以不忠不孝免,不宜复列封侯在朝省。"后又牵于他过,薛宣终被"免为庶人,归故郡"③。(《薛宣传》)

东汉明帝时,有个名叫邓衍的外戚小侯,"每豫朝会,而姿容趋步有出于众",于是明帝很欣赏他,"特赐车马舆服","拜郎中,迁玄武司马"。后来邓衍父死,他却"不服父丧"。明帝知道后,十分感叹地说:"知人则哲,惟帝难之,信哉斯言!"邓衍也因此"惭而退"④。(《虞延传》)

正因为服三年丧者,能受到人们的称誉,能得到统治者的褒奖和擢用,风气之所趋,"至于饰伪以邀誉,钓奇以惊俗"⑤,故而有伪为久丧以邀誉者。最典型的例子要数乐安郡的赵宣了。桓帝时,赵宣丧亲,葬后即居于墓道中,行服长达二十余年,于是"乡邑称孝,州郡数礼请之。郡内以荐(陈)蕃(时蕃为郡太守),蕃与相见,问及妻子,而宣五子皆服中所生。蕃大怒曰:'圣人制礼,贤者俯就,不肖企及。且祭不欲数,以其易黩故也。况乃寝宿冢藏,而孕育其中,诳时惑众,诬污鬼神乎?'遂致其罪。"⑥(《陈蕃传》)事虽伪,却很能说明当时统治者的态度和社会风气。

当然,凡事皆不可一概而论。在汉代社会,该服三年丧而不服

---

①④⑥ 《后汉书》[M]。北京:中华书局,1965.
②③ 《汉书》[M]。北京:中华书局,1962.
⑤ 《资治通鉴》[M]。北京:中华书局,1976.

者,亦不乏其例。如西汉时梁平王的任王后因与李太后有矛盾,故李太后"病时,任后未尝请病;薨,又不持丧"①。(《梁孝王世家》)又前举西汉成帝时的薛宣,东汉明帝时的邓衍,皆其例。这说明汉统治者只是提倡和鼓励三年丧,并没有做强制性的规定,所以任王后不为李太后服丧也照样做她的王后,而明帝对于邓衍的不服父丧,也只是感叹知人之难而已。然而汉代社会尽管有不服三年丧者,也并不能改变当时风气之主流。

五、汉代统治者有关三年丧的制度诏令

除本文第一部分所举文帝的短丧诏外,汉代有关三年丧方面的制度、诏令,文献所见,虽较零星,却可以看出其中一贯的精神。

《后汉书·陈忠传》载陈忠之言曰:"高祖受命,萧何创制,大臣有宁告之科,合于致忧之义。"据李注引《前书音义》曰:"告宁,休谒之名。吉曰告,凶曰宁。"是自汉初朝廷即有允许大臣告假回家服丧的制度。

《汉书·扬雄传》注引应劭曰:"汉律以不为亲行三年服不得选举。"案应劭是东汉末年人,曾"册定律令为《汉仪》","凡二百五十篇"②(《应劭传》),十分熟悉汉代的法律和典章制度,其所言当是可信的。然此条"汉律"制定于西汉还是东汉,出于何帝之时,则不可考。

宣帝地节元年诏曰:"导民以孝,则天下顺。今百姓或遭衰绖凶灾,而吏繇事,使不得葬,伤孝子之心,朕甚怜之。自今诸有大父母(即祖父母)、父母丧者勿繇事,使得收敛送终,尽其子道。"③

---

① 《史记》[M]。北京:中华书局,1975.
② 《后汉书》[M]。北京:中华书局,1965.
③ 《汉书》[M]。北京:中华书局,1962.

(《宣帝纪》)这是对庶民服斩衰及齐衰丧者的一种优惠政策(据《仪礼·丧服》),为父服斩衰,为母及祖父母皆齐衰)。此种政策,礼书中早有记载。如《礼记·杂记下》曰:"三年之丧,祥则从政。"从政就是服徭役。《礼记·王制》又说:"父母之丧,三年不从政。"这里所说不从政的时间虽与《杂记》不一样,但基本精神是相同的。宣帝之诏,盖本于此。但宣帝所允许的"勿繇事"的时间有多长,则不可详。据《后汉书·陈忠传》说:"孝宣皇帝旧令,人从军屯及给事县官者,大父母死未满三月,皆勿徭,令得葬送。"然而这里只提到大父母之丧,而未言及父母。

《汉书·哀帝纪》载绥和二年(前7年)六月诏曰:"博士弟子父母死,予宁三年。"师古曰:"宁谓处家持丧服。"这是规定博士弟子可以准假回家为父母服三年丧。

由上引资料可见,西汉时期是允许朝臣告假回家服三年丧的。但这一制度到东汉初年发生了变化。《后汉书·陈忠传》载安帝元初三年(116年),尚书令祝讽、尚书孟布等所上奏书有曰:"光武皇帝绝告宁之典。"是西汉的因丧告假制度,到光武帝时则取消了。盖因东汉政权初建,万事待举,故凡事皆从简易,正如陈忠所说,"建武之初,新承大乱,凡诸国政,多趣简易"也①。(《陈忠传》)

东汉自安帝时起,则每有关于官吏是否应去职为亲服丧的争议。《后汉书·安帝纪》元初三年曰:"初听大臣、二千石、刺史行三年丧。"又《后汉书·刘恺传》载:"元初中,邓太后诏:'长吏以下不为亲行服者,不得典城选举。'时有上言:'牧守宜同此制。'诏下公卿,议者以为不便。恺独议曰:'诏书所以为制服之科者,盖崇化厉俗,以弘孝道也。今刺史,一州之表率;二千石,千里之师。职在辨章百姓,宣美风俗,尤宜尊重典礼,以身先之。而议者不寻其端,至于牧守,则云不宜,是犹浊其源而望流清,曲其形而欲景直,不可得

---

① 《后汉书》[M]。北京:中华书局,1965.

也。'太后从之。"案此《传》所载,盖与《安帝纪》元初三年所记为同一事。

但到建光元年(121年),尚书令祝讽和尚书孟布等则上书说:"孝文皇帝定约礼之制,光武皇帝绝告宁之典,贻则万世,诚不可改。宜复建武故事。"而太尉陈忠则引经据典,竭力论证当准许大臣去职服三年丧。结果,因"宦竖不便之,竟寝忠奏而从讽、布议,遂著于令"①。(《陈忠传》)故建光元年(121年)十一月,"复断大臣二千石以上服三年丧"②。(《安帝纪》)是元初三年之制,时过五年,又废止了。

到桓帝永兴二年(154年)二月,又"听刺史、二千石行三年服"。永寿二年(156年)春正月,又"听中官得行三年服"。李注曰:"中官,常侍以下。"然而到了延熹二年(159年),"复断刺史、二千石行三年丧"③。(《桓帝纪》)是亦时隔五年而复断之。延熹九年(166年),郎中荀爽又上书批评说:

> 臣闻之于师曰:"汉为火德,火生于木,木盛于火,故其德为孝,其象在《周易》之《离》。"……故汉制使天下诵《孝经》,选吏举孝廉。夫丧亲自尽,孝之终也。今之公卿及二千石,三年之丧,不得即去,殆非所以增崇孝道而克称火德者也。往者孝文劳谦,行过乎俭,故有遗诏以日易月。此当时之宜,不可贯之万世。古今之制虽有损益,而谅闇之礼未尝改移,以示天下莫遗其亲。今公卿群僚皆政教所瞻,而父母之丧不得奔赴。夫仁义之行,自上而始;敦厚之俗,以应乎下。传曰:"丧祭之礼阙,则人臣之恩薄,背死忘生者众矣。"曾子曰:"人未有自致者,必也亲丧乎!"《春秋传》曰:"上之所为,民之归也。"夫上所不为而民或为之,故加刑罚;若上之所为,民亦为之,又何诛焉?昔丞相翟方进,以自备宰相,而不敢逾制。至遭母忧,三

---

① ② ③ 《后汉书》[M]. 北京:中华书局,1965。

十六日而除。夫失礼之源,自上而始。古者大丧三年不呼其门,所以崇国厚俗笃化之道也。事失宜正,过勿惮改。天下通丧,可如旧礼①。(《荀爽传》)
荀爽上书后,即弃官而去,其所上书也不见下文。

　　不过朝廷的诏令或规定是一回事,实际执行情况又是一回事。故自东汉初世建武以降,大臣、官吏及诸侯王等服三年丧者,史不绝书(参见本文第三节)。且惟见统治者褒奖服三年丧者,而未见相反的例子。然而却有皇帝强释大臣之服的例子。如明帝时,太尉赵憙遭后母丧,憙"上疏乞身行丧礼。显宗不许,遣使者为释服,赏赐恩宠甚渥"②(《赵憙传》)。盖因赵憙当时"内典宿卫,外干宰职",朝廷对他须臾不可离故也。从明帝"遣使者为释服"看,尽管赵憙因丧告假而不许,他还是回家服丧去了。从明帝对他"赏赐恩宠甚渥"看,不仅没有加罪于他,还通过重奖来安抚他。又如安帝永宁元年,桓焉因母丧"自乞,听以大夫行丧",但仅服丧一年安帝就"诏使者赐牛酒,夺服,即拜光禄大夫,迁太常"③,(《桓焉传》)盖因光禄大夫、太常之职亟须其就任故也。由上可见,不管朝廷的制度、诏命如何,实际都不曾强行制止大臣、官吏服三年丧。

　　这里我们再回过头来看看汉文帝的短丧诏。文帝之诏是为己丧所制,推而广之,不过是为君丧所制,正如顾炎武所说:"若服君丧之礼,自战国以来,固已久废。文帝乃特著之为令。"④(《君丧》)而其用心,则在倡导节俭,然而却每蒙后世之讥。如东汉荀爽谓其"行过乎俭","不可贯之万世"⑤(《荀爽传》)。顾炎武谓其"干百姓之誉,而反以蒙往代无穷之讥"⑥。就汉代而言,景帝时似曾据文帝之诏而定为律令,故景帝后元二年(前142年)武原侯不害"坐葬

---

①②③　《后汉书》[M]。北京:中华书局,1965.
④⑥　顾炎武:《日知录》卷十四[M]。长沙:岳麓书社,1996.
⑤　《汉书》[M]。北京:中华书局,1962.

过律,免"①(《高惠高后文功臣表》),此所谓律,盖即据文帝诏所制。然而两汉历史上亦仅见此一例。且到武帝时就有公孙弘为后母服丧三年,而未遭任何非议。可见景帝时所定之律,武帝时即已废而不行了。此后的君臣。虽有遵文帝之诏以为典制者,如西汉成帝时翟方进为后母短丧,自称"不敢逾制";光武帝临终遗诏"如孝文皇帝制度,务从约省";安帝、桓帝时不同意大臣告假行三年丧者,亦每引文帝之诏以为据,等等(皆见上文所述),然而从未废除过三年丧,且对臣民之行三年丧者,皆采取支持、鼓励的态度。

综上述可见,三年丧虽春秋、战国时期已很少有人实行,而到了汉代,却渐渐盛行起来,特别到了东汉,竟成风气。统治者对于三年丧的政策诏令虽出现前后矛盾或不一致的情况,但总的说来却是持支持、鼓励的态度,甚至带头服三年丧。儒家所提倡的丧服制度,到盛行经学的汉代,才真正被人们所重视。

---

① 《汉书》[M]。北京:中华书局,1962.

汉代夫妻关系研究

薛瑞泽

众所周知,汉代是中国封建社会形成和发展的重要历史时期,社会秩序开始逐步走向规范化。夫妻关系作为最基本的社会关系,在汉代呈现出复杂的现象,既有夫妻恩爱、夫唱妇随的典型事例,也有夫妻反目成仇,甚至相互杀戮的事实。多样的夫妻关系折射出了汉代社会生活的丰富多彩。

一、夫妻关系的理念

在汉代人的视野中,对夫妻关系的看法与先秦以来儒家的观点没有大的区别,即强调夫妻之间尊卑有序。司马迁在《史记》卷49《外戚世家》的序言中说:"夫妇之际,人道之大伦也。礼之用,唯婚姻为兢兢。夫乐调而四时和,阴阳之变,万物之统也。可不慎与?"他将夫妻关系提到人伦道德维护的高度去看待,同时指出:"妃匹之爱,君不能得之于臣,父不能得之于子,况卑下乎。"即夫妻亲情是亘古不变的,即使位居"君"、"父"之尊,也不能夺其所爱。因而他在言及撰著《史记》目的时说:"若夫列君臣父子之礼,序夫妇长幼之别,虽百家弗能易也。"①故而张守节《史记正义·论史

---

① 《史记》卷130《太史公自序》。

例》称司马迁作《史记》"并采六家杂说以成一史,备论君臣、父子、夫妻、长幼之序"。公孙弘在上汉武帝的奏章中也说"天下之通道五",有"君臣,父子,兄弟,夫妇,长幼之序"①,可见夫妻关系作为社会上五种重要关系之一,其有序化的格局对社会的安定具有重要的意义。

汉代的统治者在所下的诏书中,多次表达了借助夫妻关系维护封建统治的思想,因为夫妻关系的稳定不仅对于家庭而且对于社会的发展都至关重要。孝文帝元年十二月,针对沿用秦律"父母妻子同产坐之"的连坐法,在与诸官员商讨后,"除收帑诸相坐律令",使夫妻间不再因一方犯法而株连另一方②。汉宣帝在地节四年夏五月,诏曰:"父子之亲,夫妇之道,天性也。虽有患祸,犹蒙死而存之。诚爱结于心,仁厚之至也,岂能违之哉!自今子匿父母,妻匿夫,孙匿大父母,皆勿坐。其父母匿子,夫匿妻,大父母匿孙,罪殊死,皆上请廷尉以闻。"③对于夫妻之间因为相互包庇罪行而引发的一系列问题,汉宣帝为了维护封建统治予以更多的关注,即在照顾妻子隐匿丈夫而不治罪的同时,对于丈夫隐匿妻子犯罪也要经过报告才能处理。建始三年谷永在上汉成帝书中表明了"夫妻之际,王事纲纪,安危之机,圣王所致慎也"的观点④。建平二年,汉哀帝因为其母亲丁太后死,为了将其父母葬在同一个陵园中,在所下的诏书中有"朕闻夫妇一体"之说,说明在他的心目中有夫妇同心相附的观念⑤。汉平帝元始四年也有"盖夫妇正则父子

---

① 《史记》卷112《平津侯主父列传》。
② 《史记》卷10《孝文本纪》。
③ 《汉书》卷8《宣帝纪》。
④ 《汉书》卷85《谷永传》。
⑤ 《汉书》卷11《哀帝纪》。

亲,人伦定矣"的诏书①,反映了平帝对夫妇关系重要性的认识,即夫妻关系是一切社会关系的基础。

封建士大夫也多次论述了夫妻关系对维护社会稳定的重要性。汉景帝时,淮南王刘安欲乘吴王叛乱之际起兵,其谋臣伍被反对起兵,指出:"被窃观朝廷之政,君臣之义,父子之亲,夫妇之别,长幼之序,皆得其理,上之举错遵古之道,风俗纪纲未有所缺也。"②可以看出社会秩序的稳定是伍被感到不适合起兵的重要原因,这也是"七国之乱"时,汉朝廷取得胜利的关键。班固在《汉书》卷22《礼乐志》开篇也表明了这样的思想,"人性有男女之情,妒忌之别,为制婚姻之礼。……故婚姻之礼废,则夫妇之道苦,而淫辟之罪多。"说明了婚姻是建立和维系夫妻关系的重要渠道。他还认为"天地合精,夫妇判合"③,"夫妇,生化之本。本伤则末夭。"④京房《易传》认为"夫妇不严"就发生猪狗相交。京房《易传》还将"蜺,日旁气也"引申到夫妻关系方面,认为"妻不壹顺,黑蜺四背,又白蜺双出日中。妻以贵高夫,兹谓擅阳,蜺四方,日光不阳,解而温","女不变始,兹谓乘夫","妻不顺正,兹谓擅阳,蜺中窥贯而外专。……妇人擅国兹谓顷。蜺白贯日中,赤蜺四背。适不答兹谓不次,蜺直在左,蜺交在右。取于不专,兹谓危嗣,蜺抱日两未及。君淫外兹谓亡,蜺气左日交于外。取不达兹谓不知,蜺白夺明而大温,温而雨"⑤。京房将夫妻关系分为妻子不顺从丈夫、妻子凌驾于丈夫之上、夫妻之间没有严格的等级界限等几种情况。虽然说京房将夫妻关系与自然现象联系起来的观点是错误的,但他所描述的

---

① 《汉书》卷12《平帝纪》。
② 《史记》卷118《淮南衡山列传》。
③ 《汉书》卷25下《郊祀志下》。
④ 《汉书》卷27上《五行志上》。
⑤ 《汉书》卷27下之上《五行志下之上》。

现象则表明了他对夫妻关系中不符合封建礼教现象的态度,即妻子应当顺从丈夫、夫妻间应当有严格的等级界限。这从当时皇后、王后的封号也可以得到说明,汉哀帝即位后,"上祖母傅太后与丁太后皆在国邸,自以定陶共王为称"。当有人根据历史上的惯例提出"宜立定陶共王后为皇太后"时,最终为汉哀帝所采纳,而师丹出于维护封建等级制的目的,认为"今定陶共皇太后、共皇后以定陶共为号者,母从子妻从夫之义也",予以反对,也因此得罪了哀帝①。说明在封建文人的心目中,妻子应当顺从丈夫。

封建士大夫关于夫妻关系的理论化概括,对当时人们的价值理念的形成起了重要作用。贾谊《新书》卷6《礼》云:"君仁臣忠,父慈子孝,兄爱弟敬,夫和妻柔,姑慈妇听,礼之至也。君仁则不厉,臣忠则不贰,父慈则教,子孝则协,兄爱则友,弟敬则顺。夫和则义,妻柔则正,姑慈则从,妇听则婉,礼之质也。"贾谊将夫妻的行为准则与其他家庭成员中的关系并列看等,说明他充分认识到夫妻间和睦相处的重要性。从董仲舒开始,伴随着儒学独尊地位的确立,妻子的地位更为低下。董仲舒说:"循三纲五纪,通八端之理,忠信而博爱,敦厚而好礼,乃可谓善,此圣人之善也。"《白虎通》:"三纲者,何谓也?谓君臣、父子、夫妇也。六纪者,谓诸父、兄弟、族人、诸舅、师长、朋友也。故君为臣纲,父为子纲,夫为妻纲。"董仲舒进一步强调"丈夫虽贱皆为阳,妇人虽贵皆为阴"②,这就将夫妻之间的位置永远地固定下来,他还说:"凡物必有合;合必有上,必有下",夫妻之间,"妻者,夫之合","物莫无合,而合各相阴阳。阳兼于阴,阴兼于阳,夫兼于妻,妻兼于夫","夫妇之义,皆取诸阴阳之道","夫为阳,妻为阴"③。"男女之法,法阴与阳","天地

---

① 《汉书》卷86《师丹传》。
② 《春秋繁露》卷10《阳尊阴卑第四十三》。
③ 《春秋繁露》卷12《基义第五十三》。

之阴阳当男女,人之男女当阴阳,阴阳亦可以谓男女,男女亦可以谓阴阳。"①为了规范夫妇关系,他认为官员应当"君之官,循宫室之制,谨夫妇之别"②。董仲舒的思想因为汉武帝时期"独尊儒术"的推行,更加深入人心。到了东汉章帝时期的白虎观会议更将女性在夫妻关系中的地位彻底定了下来。

汉宣帝时,王吉指出:"夫妇,人伦大纲,夭寿之萌也。……汉家列侯尚公主,诸侯则国人承翁主,使男事女,夫诎于妇,逆阴阳之位,故多女乱。"③王吉对当时与公主、翁主结婚的男性地位较低的状况深为不满,并认为这是社会上多内乱的原因。汉末,荀爽也认为"臣闻有夫妇然后有父子,有父子然后有君臣,有君臣然后有上下,有上下然后有礼义。礼义备,则人知所厝矣。夫妇,人伦之始,王化之端……今汉承秦法,设尚主之仪,以妻制夫,以卑临尊,违乾坤之道,失阳唱之义。"④可见封建士大夫对于特殊群体婚姻中男女倒位的不满。

东汉班昭的《女诫》对于女性的行为做了更为严格的规范,在《卑弱第一》中她指出了妻子应当"正色端操,以事夫主"。在《夫妇第二》中她首先论述了夫妻关系的重要性,认为"夫妇之道"是"天地之弘义、人伦之大节也",所以对于夫妻关系"不可不重也"。在处理夫妻关系时,她还提出了几个具体的注意事项:"夫不贤,则无以御妇。妇不贤,则无以事夫。夫不御妇,则威仪废缺。妇不事夫,则义理堕阙。"她又对社会上夫妻关系中一些不符合封建礼教的现象进行了驳斥:"察今之君子,徒知妻妇之不可不御,威仪之不可不整,故训其男,检以书传,殊不知夫主之不可不事,礼义之不可

---

① 《春秋繁露》卷16《循天之道第七十七》。
② 《春秋繁露》卷13《五行顺逆第六十》。
③ 《汉书》卷72《王吉传》。
④ 《后汉书》卷62《荀淑传附子爽传》。

不存也。但教男而不教女,不亦蔽于彼此之数乎。"这说明为了维护夫妻之间的正常关系,父母不但要教育其子,而且对于将为人妻的女性也要教育。在《敬慎第三》中她对夫妻相处时所出现的一些现象做了剖析,认为"敬顺之道,妇人之大礼也"。夫妻之间的互敬互爱才是夫妻关系得以长久维持的重要原因,"夫敬非它,持久之谓也,夫顺非它,宽裕之谓也"指的就是这个意思。夫妻因为相争而最后大打出手,"侮夫不节,谴呵从之。忿怒不止,楚挞从之"。班昭最后总结为"夫为夫妇者,义以和亲,恩以好合,楚挞既行,何义之存?谴呵既宣,何恩之有?恩义俱废,夫妇离矣。"这可以说是夫妻关系破裂的重要原因。在《专心第五》中,班昭引用《仪礼》的话再次强调了"夫有再娶之义,妇无二适之文,故曰夫者天也。天固不可逃,夫固不可离也。"即妻子不可以提出离婚,否则"行违神祇,天则罚之。"①从班昭所作的《女诫》我们可以看出,其出发点是为了将夫妻关系固定在维护丈夫的权威和妻子的屈从地位上,一切以丈夫的意志为转移,以丈夫的好恶为日常生活的目的和追求目标,妻子对于丈夫要顺从,妻子不可以主动离婚。班昭的思想实际上是针对两汉以来社会上夫妻关系所出现的问题而提出来的应对之策,所以《妇女》这一"有助内训"的文章一问世,跟随班昭学习《汉书》的马融就非常赞同,史称"马融善之,令妻女习焉。"

综观两汉时期封建士大夫关于夫妻关系的一些论述,我们可以看出封建统治阶级将夫妻关系作为人与人之间的一个重要关系,给予了很大的重视,将夫妻关系的维护上升到了巩固封建统治的高度去认识。虽然说夫妻关系在人们的生活中占有重要的地位,统治阶级也规定了一系列的夫妻共同遵守的规范,但是,这些规范只能是统治集团的美好理想,在现实生活中,我们可以看到既有夫妻间的琴瑟奏鸣,也有夫妻间的横眉冷对,甚而杀死对方。

---

① 《后汉书》卷 84《列女传·曹世叔妻传》。

二、琴瑟和鸣的夫妻关系

汉代夫妻关系的协调发展是夫妻关系中的主流,因为夫妻间的相亲相爱对于家庭的稳定、社会风俗的醇化起到了积极的推动作用,所以在汉代的史籍中关于夫妻间和睦的关系记述较多。夫妻关系和睦的表现有多种多样的形式,既有夫妻共度危难的情形,也有夫妻彼此理解的现象,更有夫妻间的互相帮助。

夫妻共度危难的情形表现了中国传统文化中同舟共济的思想,在汉代倡导夫妻关系和睦的环境下,这一现象更具有它的现实意义。我们以历史实例来说明这一问题。汉景帝时司马相如与卓文君的故事可以说妇孺皆知,因为卓王孙不满意司马相如与卓文君的婚事,不给其女嫁妆,"相如与俱之临邛,尽卖其车骑,买一酒舍酤酒,而令文君当垆。……与保庸杂作,涤器于市中"。到后来卓王孙不得已"分予文君僮百人,钱百万,及其嫁时衣被财物。文君乃与相如归成都,买田宅,为富人"[①]。夫妻二人齐心协力度过了难关,也加深了夫妻情感。王章早年"为诸生学长安,独与妻居。"因为得病无钱医治,没有被子,"卧牛衣中"。生活的困厄使他失去了对生活的信心,"与妻诀,涕泣。"其妻怒斥曰:"仲卿!(王章字——引者注)京师尊贵在朝廷人谁逾仲卿者?今疾病困厄,不自激卬,乃反涕泣,何鄙也。"[②]在妻子的激励下,王章因此而振起。后来王章反对王凤专权,其妻又劝解他:"人当知足,独不念牛衣中涕泣时耶?"王章不听,终受排挤而死[③]。王章之妻在丈夫遇到困难之时激励丈夫,而当丈夫即将卷入政治斗争的漩涡中时又予以规劝,充分显现了夫妻间的相知相爱。再如张骞出使西域,为匈奴

[①] 《史记》卷117《司马相如列传》。
[②][③] 《汉书》卷76《王章传》。

所留,留骞十余岁,予妻,有子,然骞持汉节不失。后来张骞乘匈奴内乱之机,"与胡妻及堂邑父俱亡归汉"①。对于曾经跟随自己患难与共的妻子,张骞将其带回了汉朝,并没有因她是胡人而轻视她。

夫妻间的相互愉悦、彼此疼爱显现出了更多的人间真情。东方朔在汉武帝三伏日赐肉的仪式上,因"大官丞日晏不来",他拔剑割肉而去,当汉武帝问他原因时,东方朔说:"拔剑割肉,壹何壮也。割之不多,又何廉也。归遗细君(师古曰:'细君,朔妻之名。一说,细,小也,朔自比于诸侯,谓其妻曰小君。'),又何仁也。"对于东方朔的自誉,汉武帝无可奈何,"复赐酒一石,肉百斤,归遗细君"②。东方朔幽默的话语使汉武帝又赐给他百余斤肉送给妻子,也反映了其夫妻感情之深。张敞任京兆尹时,其妻为他画眉,"长安中传张京兆眉怃",有关官员奏敞为官不节。汉宣帝问其原由,张敞回答:"臣闻闺房之内,夫妇之私,有过于画眉者。"张敞将夫妻之间的亲密无间和盘托出,但因其言辞不符合时人的观念,"上爱其能,弗备责也,然终不得大位"③。

为了维护夫妻间的稳定关系,长辈也往往对子女进行教育。张负在将自己的孙女嫁与陈平前,担心孙女因为陈平家贫而慢待其家人,就告诫孙女:"毋以贫故,事人不谨。事兄伯如事父,事嫂如母。"④张负教导其孙女在嫁与陈平以后,侍奉丈夫时要谨慎,侍奉兄嫂如父母,其目的还是为了保持家庭关系的稳定。

夫妻间的和睦还表现在妻子与丈夫同心同德,有共同的志向。夫妻之间因志趣相投而喜结良缘并成为嘉对的是流传至今的梁鸿

---

① 《汉书》卷61《张骞传》。
② 《汉书》卷65《东方朔传》。
③ 《汉书》卷76《张敞传》。
④ 《史记》卷56《陈丞相世家》。

与妻子孟光的故事。孟光因羡慕同县梁鸿之贤而自愿嫁之。夫妻交往严格遵守礼节。居住吴地时,梁鸿"为人赁舂。每归,妻为具食,不敢于鸿前仰视,举案齐眉"。夫唱妇随成为封建时代人们所效法的楷模①。《襄阳记》记载庞德公"夫妻相敬如宾",夫妻耕作田间,在刘表前去拜访时,"因释耕于垅上,而妻子耘于前"②。这种夫妻同耕的状况显示了夫妻间的平等相待。而妻子在结婚后,对丈夫的唯命是从,也是封建时代夫妻志同道合的表现形式。《后汉书》卷84《列女传·鲍宣妻传》云:

> 勃海鲍宣妻者,桓氏之女也,字少君。宣尝就少君父学,父奇其清苦,故以女妻之,装送资贿甚盛。宣不悦,谓妻曰:"少君生富骄,习美饰,而吾实贫贱,不敢当礼。"妻曰:"大人以先生修德守约,故使贱妾侍执巾栉。既奉承君子,唯命是从。"宣笑曰:"能如是,是吾志也。"妻乃悉归侍御服饰,更著短布裳,与宣共挽鹿车归乡里。拜姑礼毕,提瓮出汲。修行妇道,乡邦称之。

为了满足丈夫的心理,桓少君放弃了父亲的陪嫁妆,与丈夫同归故里。

也有的妻子对于丈夫远离尘世的理想给予了充分的支持,太原王霸"少立高节,光武时,连征不仕","妻亦美志行"。正因为二人志趣相投,所以其妻在其好友的儿子前来拜访时,看出了王霸有反悔心理,遂说服丈夫,最后二人"共终身隐遁"③。

一些名臣严格遵守封建的伦理道德,对于自己的妻子忠心耿耿,不因地位的变化而抛弃原配妻子,也受到社会舆论的赞扬,《后汉书》卷26《宋弘传》云:

---

① 《后汉书》卷83《逸民传·梁鸿传》。
② 《后汉书》卷83《逸民传·庞公传》。
③ 《后汉书》卷84《列女传·王霸妻传》。

> 时帝姊湖阳公主新寡,帝与共论朝臣,微观其意。主曰:
> "宋公威容德器,群臣莫及。"帝曰:"方且图之。"后弘被引见,
> 帝令主坐屏风后,因谓弘曰:"谚言贵易交,富易妻,人情乎?"
> 弘曰:"臣闻贫贱之知不可忘,糟糠之妻不下堂。"帝顾谓主曰:
> "事不谐矣。"

宋弘并没有因为公主而抛弃自己的妻子,他的话充分表明了他与妻子情感之深,以及他富贵不能淫的品质。再如,刘秀在宜阳收降赤眉军后,在指责赤眉军将领滥杀无辜的同时,又说他们"然犹有三善:攻破城邑,周遍天下,本故妻妇无所改易,是一善也"。于是"仍令各与妻子居洛阳,赐宅人一区,田二顷"①。赤眉军将领在富贵后没有抛弃原配妻子,受到刘秀的肯定。

也有的大臣甚至因在战场上眷恋妻妾而遭到皇帝的批评。杨仆征伐南越有功,后来东越又反,汉武帝打算让他再次出征,因为他自恃有功,汉武帝因此指责他,并摆出了他五大罪过,其中"失期内顾(师古曰:'内顾,言思妻妾也。'),以道恶为解,失尊尊之序,是四过也。"②很明显汉武帝认为杨仆不该在战场上想到妻妾。

感情好的夫妻因为特殊的原因,即使妻子有过丈夫也不会怪罪妻子,而是对妻子更为呵护,《后汉书》卷77《酷吏传·黄昌传》云:

> 初,昌为州书佐,其妇归宁于家,遇贼被获,遂流转入蜀为
> 人妻。其子犯事,乃诣昌自讼。昌疑母不类蜀人,因问所由。
> 对曰:"妾本会稽余姚戴次公女,州书佐黄昌妻也。妾尝归家,
> 为贼所略,遂至于此。"昌惊,呼前谓曰:"何以识黄昌邪?"对
> 曰:"昌左足心有黑子,常自言当为二千石。"昌乃出足示之。
> 因相持悲泣,还为夫妇。

---

① 《后汉书》卷11《刘盆子传》。
② 《汉书》卷90《酷吏传·杨仆传》。

正因为妻子是在与黄昌回故乡的途中被人掳掠的,所以黄昌对妻子依然情深如故。

有的夫妻关系本来很好,只因为婆母从中作梗,丈夫才抛弃了妻子。邓元义还乡里,妻留"事姑甚谨,姑憎之,幽闭空室,节其食饮,羸露日困,妻终无怨言"。元义之父知道详情后同情儿媳的遭遇,"因遣归家"。离婚后她曾对儿子邓朗说:"我几死,自为汝家所弃,我何罪过,乃如此邪?"①而《孔雀东南飞》中焦仲卿之母虽折磨儿媳,并迫使儿媳与儿子离婚,但终不能破坏二人的患难情感,成为千古之绝唱。

三、不和谐的夫妻关系

不和谐的夫妻关系的表现为抛弃妻子以及互相厮杀。抛弃妻子的现象略有以下几端:

其一,有的是为了理想追求而抛弃妻子。司马迁《报任安书》说:"夫人情莫不贪生恶死,念亲戚,顾妻子,至激于义理者不然,乃有不得已也。今仆不幸,蚤失二亲,无兄弟之亲,独身孤立,少卿视仆于妻子何如哉?且勇者不必死节,怯夫慕义,何处不勉焉?"②司马迁在被处以腐刑后,表明了为了正义而不顾妻子。又有郅都为官清廉,常常说:"已倍亲而仕,身固当奉职死节官下,终不顾妻子矣。"③为了效忠朝廷,他对自己的妻子也无暇顾及。

其二,有的是因妻子的行为不符合封建的伦理道德而抛弃妻子。陈平"少时家贫,好读书",其兄长为了使陈平能够出人头地,"伯常耕田,纵平使游学"。当"其嫂疾平之不亲家生产",并且说

---

① 《后汉书》卷48《应奉传》李贤注引《汝南记》。
② 《汉书》卷60《司马迁传》。
③ 《史记》卷112《酷吏列传》。

"有叔如此,不如无有"时,其兄长"闻之,逐其妇弃之"①。因其妇待家人无爱,陈平之兄将妻子赶走。李充家贫,兄弟六人"同食递衣"。其妻私下对李充曰:"今贫居如此,难以久安,妾有私财,愿思分异。"李充假装答应:"如欲别居,当酿酒具会,请呼乡里内外,共议其事。"其妻就"置酒宴客",李充跑在母亲前面说:"此妇无状,而教充离间母兄,罪合遣斥。"于是当着众乡邻的面,"便呵叱其妇,逐令出门,妇衔涕而去。"②妻子本想通过众乡邻帮助分家,而丈夫则借机将其赶走。冯衍的第一个妻子为北地任氏女,因为"悍忌",使他"不得畜媵妾,儿女常自操井臼,老竟逐之,遂坎壈于时"③。冯衍《与妇弟任武达书》对妻子的所谓恶行进行了揭露,最后竟发出了"不去此妇,则家不宁。不去此妇,则家不清,不去此妇,则福不生。不去此妇,则事不成"的呐喊,可见夫妻关系已经僵化到无以复加的地步。第二个妻子因为对其子冯豹"欲行毒害",又被冯衍赶走④。鲍永"事后母至孝,妻尝于母前叱狗,而永即去之"⑤。这都是因对丈夫家人不好而被丈夫赶走的。妻子照顾母亲不周,丈夫有时也赶走妻子,又有因妻子的诚心而将妻子迎还,《后汉书》卷84《列女传·姜诗妻传》所载的姜诗妻事迹就是这方面的典型:

> 广汉姜诗妻者,同郡庞盛之女也。诗事母至孝,妻奉顺尤笃。母好饮江水,水去舍六七里,妻常溯流而汲。后值风,不时得还,母渴,诗责而遣之。妻乃寄止邻舍,昼夜纺绩,市珍羞,使邻母以意自遗其姑。如是者久之,姑怪问邻母,邻母具对。姑感惭呼还,恩养愈谨。其子后因远汲溺死,妻恐姑哀

---

① 《汉书》卷40《陈平传》。
② 《后汉书》卷81《独行传·李充传》。
③ 《后汉书》卷28下《冯衍传》李贤注引《衍集》。
④ 《后汉书》卷28下《冯衍传附子豹传》。
⑤ 《后汉书》·卷29《鲍永传》。

伤,不敢言,而托以行学不在。……赤眉散贼经诗里,弛兵而过,曰:"惊大孝必触鬼神。"时岁荒,贼乃遗诗米肉,受而埋之,比落蒙其安全。

其三,有的是因政治原因抛弃妻子。汉昭帝时,霍光"以女妻日䃅嗣子赏",汉宣帝即位后,已为太仆的金赏,因为"霍氏有事萌牙,上书去妻"①。因为害怕祸及自身,金赏抛弃了妻子。王莽末年政治混乱,活活拆散原配夫妻的现象屡见不鲜,因为"人犯铸钱,伍人相坐,没入为官奴婢。其男子槛车,儿女子步,以铁锁其颈,传诣钟官,以十万数。到者易其夫妇,愁苦死者什六七。"②王莽此举是为了惩罚盗铸,但无疑破坏了夫妻之间的关系,使社会秩序陷于混乱,以至于十分之六七的夫妻因此而愁死。窦融在朝中十余年,他的子孙多不遵守法律,长子窦穆"以封在安丰,欲令姻戚悉据故六安国,遂矫称阴太后诏,令六安侯刘盱去妇,因以女妻之。(永平)五年,盱妇家上书言状,帝大怒,乃尽免穆等官。"③

其四,社会的不安定,灾害频仍也使普通的民众不得不在灾荒之年嫁妻卖子。初元元年,关东地区的齐楚一带连年歉收,民众流离失所,甚至出现了民众"嫁妻卖子"的现象,因为灾害持续时间长,所以"法不能禁,义不能止,此社稷之忧也。"④汉元帝最终决定赈济灾民。政治混乱也是百姓嫁妻卖子的原因,光武帝刘秀曾经八次下诏对于民间被迫嫁妻或卖女为人妻的现象进行了制止,令民众夫妻得以团圆⑤。

其五,有的丈夫随意抛弃妻子。如枚皋之父枚乘在梁时,"取

---

① 《汉书》卷68《金日䃅传》。
② 《后汉书》卷13《隗嚣传》李贤注。
③ 《后汉书》卷23《窦融传》。
④ 《汉书》64下《贾捐之传》。
⑤ 《后汉书》卷1《光武帝纪》。

皋母为小妻。乘之东归也,皋母不肯随乘,乘怒,分皋数千钱,留与母居。"①只因妻子不愿随他离开便将其抛弃。还有的人因为迷信而欲弃妻,汉武帝相信神仙,于是说:"嗟乎!吾诚得如黄帝,吾视去妻子如脱屣耳。"②究其实,汉武帝仅仅是说说而已。

其六,有的人因嫌贫爱富或攀附权贵抛弃妻子。司徒袁隗打算将从女嫁给黄允,"允闻而黜遣其妻夏侯氏"。其妻对婆婆说:"今当见弃,方与黄氏长辞,乞一会亲属,以展离诀之情。"其妻准备在亲友面前揭露黄允的丑恶嘴脸,黄允不知是计,"于是大集宾客三百余人,妇中坐,攘袂数允隐匿秽恶十五事,言毕,登车而去。允以此废于时。"③在社会重视人伦道德的环境下,黄允虽然达到了抛弃妻子的目的,但因社会舆论的谴责,又不得与袁隗的从女结婚,落了个孤家寡人的下场。

其七,因战乱而抛弃妻子。西汉末年,南阳人赵憙与韩仲伯等数十人为了躲避赤眉军的追赶,逃出武关。"仲伯以妇色美,虑有强暴者,而己受其害,欲弃之于道。憙责怒不听,因以泥涂仲伯妇面,载以鹿车,身自推之。每道逢贼,或欲逼略,憙辄言其病状,以此得免。"④韩仲伯害怕妻子的美貌带来祸害,准备抛弃妻子,因赵憙的计谋才获免。楚汉战争中,刘邦因军事力量弱小,在与项羽作战中多次弃妻而逃。汉末军阀混战,在战争中诸军阀为了逃跑,也往往抛弃自己的妻子。吕布之妻就曾说:"妾昔在长安,已为将军所弃,赖得庞舒私藏妾身耳,今不须顾妾也。"⑤刘备在与诸军阀作战中,因失败也每每抛弃妻子。

---

① 《汉书》卷51《枚乘传附子皋传》。
② 《史记》卷12《孝武本纪》。
③ 《后汉书》卷68《郭太传》。
④ 《后汉书》卷26《赵憙传》。
⑤ 《三国志》卷7《魏书·吕布传》裴注引《英雄记》。

当时不仅存在着丈夫抛弃妻子的现象,也有妻子抛弃丈夫的事实。《汉书》卷64上《朱买臣传》云:

> (朱买臣)家贫,好读书,不治产业、常艾薪樵,卖以给食,担束薪,行且诵书。其妻亦负戴相随,数止买臣毋歌讴道中。买臣愈益疾歌,妻羞之,求去。买臣笑曰:"我年五十当富贵,今已四十余矣。女苦日久,待我富贵报女功。"妻恚怒曰:"如公等,终饿死沟中耳,何能富贵?"买臣不能留,即听去。其后,买臣独行歌道中,负薪墓间,故妻与夫家俱上冢,见买臣饥寒,呼饭饮之。

朱买臣之妻离开他除了生活困窘外,朱买臣的行为怪异也是重要原因。因他后来富贵了,史书才记述了这件事情①。汉成帝末年,定陵侯淳于长因犯大逆之罪被诛,"长小妻乃始等六人皆以长事未发觉时弃去,或更嫁"。对于是否对乃始等人连带治罪,朝廷内部曾经展开了争论,汉成帝采纳了孔光的建议而对乃始等人没有治罪②。

夫妻之间关系恶化的极端表现是将对方陷之死地或相互杀戮。光武年间,"范升尝为出妇所告,坐系狱",弃妻告范升是因为已经情断意绝③。汉宣帝元康年间,魏相上书指出:"案今年计,子弟杀父兄、妻杀夫者,凡二百二十二人。"④这一统计数字触目惊心。汉元帝的异母弟东平王刘宇有一幸姬朐臑被疏远,"数叹息呼天。宇闻,斥朐臑为家人子,扫除永巷,数笞击之。朐臑私疏宇过失,数令家告之。宇觉知,绞杀朐臑。有司奏请逮捕,有诏削樊、亢

---

① 《汉书》卷64上《朱买臣传》。
② 《汉书》卷81《孔光传》。
③ 《后汉书》卷79上《儒林传上·杨政传》。
④ 《汉书》卷74《魏相传》。

父二县。"①夫妻之间因抛弃而折磨对方,乃至因告发而杀死对方,说明夫妻关系已是水火不相容。侍中中郎将张彭祖年少时与宣帝共同读书,"以旧恩封阳都侯",他为人"谨敕","为其小妻所毒薨,国除。"②史书没有记明张彭祖小妻毒死他的原因,当时王侯多蓄妾的现象,极有可能是嫉妒所致。《后汉书》卷 11《天文志中》云:"孝顺永建二年,……定远侯班始尚阴城公主坚得,斗争杀坚得,坐腰斩马市,同产皆弃市。"有时夫妻间还吃掉对方,汉灵帝建宁"三年春正月,河内人妇食夫,河南人夫食妇。"③

四、夫妻关系中的其他现象

因为夫妻关系中的这些现象有其特色,兹分别论述如下。

因历史习俗相互的传承,个别地区夫妻关系中的陋俗仍然存在。如蓟地因为"太子丹宾养勇士,不爱后宫美女,民化以为俗,至今犹然。"表现在"宾客相过,以妇侍宿,嫁取之夕,男女无别,反以为荣。后稍颇止,然终未改。"④这里根本没有儒家所说的夫妻之间的纲常礼教。另外,达官贵人的淫乱行为也显示了夫妻关系的不正常,五凤年间,青州刺史奏思王刘终古"使所爱奴与八子(如淳曰:'八子,妾号。')及诸御婢奸,终古或参与被席,或白昼使裸伏,犬马交接,终古亲临观。"丞相御史在上奏其罪行时说:"终古禽兽行,乱君臣夫妇之别,悖逆人伦,请逮捕。"⑤淫乱行为使夫妻之间的信任和和睦遭到破坏。这虽说不能算陋俗,但属于婚姻关系中

---

① 《汉书》卷 80《宣元六王传·东平思王刘宇传》。
② 《汉书》卷 93《侯幸传·序》。
③ 《后汉书》卷 8《孝灵帝纪》。
④ 《汉书》卷 28 下《地理志下》。
⑤ 《汉书》卷 38《高五王传·燕灵王刘建传》。

的不正常现象。

有的人在妻子面前扮演了严君的形象,朱博"为人廉俭,不好酒色游宴","夜宴早起,妻希见其面"①。周燮"志行高整,非礼不动,遇妻子如君臣,乡党以为仪表"②。仇览"妻子有过,辄免冠自责。妻子庭谢,候览冠,乃敢升堂。家人莫见喜怒声色之异"③。这些人可以说是中国古代传统思维中的正人君子形象,是儒家所倡导的夫妻关系的典范。

夫妻之间相互劝谏因人不同,所起的作用也不相同。有的妻子因为丈夫不听劝告,就以死警告丈夫,周郁的妻子赵阿,"少习仪训,闲于妇道,而郁骄淫轻躁,多行无礼";但周郁的父亲则归罪赵阿:"新妇贤者女,当以道匡夫。郁之不改,新妇过也。"赵阿因为无力规劝自己的丈夫,即对周围人说:"我无樊卫二姬之行,故君以责我。我言而不用,君必谓我不奉教令,则罪在我矣。若言而见用,是为子违父而从妇,则罪在彼矣。生如此,亦何聊哉!"无奈之下,绝命自杀④。谢躬与刘秀共同攻占邯郸,"而躬裨将搂掠不相承禀,光武深忌之"。"其妻知光武不平之",常常劝谏谢躬:"君与刘公积不相能,而信其虚谈,不为之备,终受制矣。"谢躬不听其妻的话,最后被吴汉率军剿灭⑤。韩嵩劝刘表"遣子入侍",刘表认为他怀有二心,准备杀掉他,"表妻蔡氏知嵩贤,谏止之"⑥。蔡氏对于刘表的鲁莽行为予以制止,显现出她的高明之处。有的丈夫听信妻子的谗言而最终自取灭亡。公孙述曾梦见有人告诉他:"八厶子

---

① 《汉书》卷83《朱博传》。
② 《后汉书》卷53《周燮传》。
③ 《后汉书》卷76《循吏传·仇览传》。
④ 《后汉书》卷84《列女传·周郁妻传》。
⑤ 《后汉书》卷18《吴汉传》。
⑥ 《后汉书》卷74下《刘表传》。

系,十二为期。"醒后他对其妻曰:"虽贵而祚短,若何?"妻对曰:"朝闻道,夕死尚可,况十二乎!"公孙述因听从其妻的话而称帝,最后覆亡①。

有些才女因为丈夫的无理取闹而以自己的才智使丈夫受到惩罚。马融的姑娘马伦嫁于袁隗为妻,马融因"家世丰豪,装遣甚盛。"袁隗自恃有才,婚礼刚过,袁隗就问马伦:"妇奉箕帚而已,何乃过珍丽乎?"袁隗本想给新婚妻子一个下马威,殊不知马伦是个"少有才辩"的姑娘,马伦对曰:"慈亲垂爱,不敢逆命。君若欲慕鲍宣、梁鸿之高者,妾亦请从少君、孟光之事矣。"一计不成,袁隗又对马伦先其姐而嫁提出异议,袁隗曰:"弟先兄举,世以为笑。今处姊未适,先行可乎?"马伦巧对曰:"妾姊高行殊邈,未遭良匹,不似鄙薄,苟然而已。"看到占不到便宜,袁隗又诋毁马伦之父马融,也为马伦所驳斥,以至于"帐外听者为惭。"②马伦以自己的才学使丈夫轻视妻子的行为受到惩罚。

有些妻子害怕丈夫娶妾夺己之爱,采取了多种方式阻止丈夫的纳妾行为。董卓死后,李傕与郭汜来往密切,"汜妻惧与傕婢妾私而夺己爱,思有以离间之。会傕送馈,汜妻乃以豉为药。汜将食,妻曰:'食从外来,傥或有故?'遂摘药示之,曰:'一栖不两雄,我固疑将军之信李公也。'他日傕请汜,大醉,汜疑傕药之,绞粪汁饮之乃解,于是遂相猜疑也"③。又有"上洛都尉王琰获高幹,以功封侯。其妻哭于室,以为琰富贵将更娶妾媵故也。"④从当时妾制的盛行可知当时这种现象出现的原因。

有的人将妻子视为生育的工具,张苍"妻妾以百数,尝孕者不

---

① 《后汉书》卷13《公孙述传》。
② 《后汉书》卷84《列女传·袁隗妻传》。
③ 《后汉书》卷72《董卓传》李贤注引《袁宏传》。
④ 《后汉书》卷74下《袁绍传附子谭传》李贤注引《典论》。

复幸。"①张苍将妻子视为生产的工具,虽然说张苍的妾不是真正意义上的嫡妻,但其婚姻关系的存在则是不容置疑的。昌邑哀王刘髆有"妻十六人,子二十二人,其十一人男,十一人女。"②元帝后王政君之母李氏因其父王禁"好酒色,多取傍妻,凡有四女八男","后以妒去,更嫁为河内苟宾妻。"③因丈夫的荒淫无度妻子最终离其而去。因为妻子不能生育而在他人的帮助下赶走妻子的现象见诸《谢承书》,该书曰:"何汤字仲弓,豫章南昌人也。荣门徒常四百余人,汤为高第,以才明知名。荣年四十无子,汤乃去荣妻为更娶,生三子,荣甚重之。"④

  严格说来,上述的这些现象都可以归类到夫妻间的不和谐方面,但因这些现象毕竟不是正常夫妻关系中普遍存在的,故专列而论之。这些现象影响了夫妻间的感情,破坏了夫妻间的和睦,打乱了家庭的关系,对此我们应当有清醒的认识。

---

① 《史记》卷96《张丞相列传》。
② 《汉书》卷60《武五子传·昌邑哀王刘髆传》。
③ 《汉书》卷98《元后传》。
④ 《后汉书》卷37《桓荣传》李贤注引。

西汉后期南阳郡"南岳诸刘"等豪族的文化特征

丁毅华

两汉之际,即自西汉末经王莽统治时期到东汉之初,社会经历了激烈动荡、改朝换代和秩序重建,由大乱走向大治。在这一过程中,相当于今河南西南、湖北西北毗邻地带的南阳郡,是一个起了关键作用,有着十分独特的地位和影响的地区。

南阳地区在战国时期先分属韩、楚,后由两国反复争夺和轮番据有。至秦昭王三十五年(公元前272年),秦国占有此地而建立南阳郡,初仅有今河南南阳市,后渐蚕食楚地而扩充至今湖北襄樊市境内。秦汉时期,南阳郡之地兼跨今之河南、湖北两省。秦末,刘邦率义军经南阳郡境内,经武关(在今陕西丹凤县境)而攻向秦都咸阳。因此,南阳是刘邦先项羽一步而摘取灭秦之果的致胜通道。汉武帝划天下为十三州(部),南阳属荆州。于是,南阳成为南北纵横千里的荆州刺史部的北端。在整个秦汉时期,南阳是连接先后作为全国统治中心的关中、河洛两个地区和南方各地的枢纽,战略地位极为重要。研究秦汉历史,南阳地区是须予以重点关注的。

南阳的地理位置优越,资源和物产丰富,因此,在战国至秦汉时期,这里堪称天下富地。发达的农业和冶铁等手工业,使南阳在其时有着重要的经济地位。南阳也是商业繁盛之地,《史记·货殖列传》谓:"秦末世,迁不轨之民于南阳。南阳西通武关、郧关,东南受汉、江、淮。宛亦一都会也。俗杂好事,业多贾。"《汉书·地理志》则云:"秦既灭韩,徙天下不轨之民于南阳,故其俗夸奢,上气力,好商贾渔猎,藏匿难制御也。宛,西通武关,东受江、淮,一都之会也。……南阳好商贾,召父富以本业。"两段文字虽有差异但基本意思大致相同,即南阳居于四方要冲,是个交通方便之地,战国末年曾迁入大批外来移民;这里商业发达,风气奢豪,是一个较难治理的地区。《史记》、《汉书》透露的这些信息,对于我们了解秦汉时期南阳郡的基本特点,是很有帮助的。

王莽改制,又取代西汉而建立新朝,由于他的举措大多失当,致使西汉后期长久积累并日益尖锐的社会矛盾,非但没有得到缓和,相反,形势变得更趋严峻。起义反莽的浪潮翻滚,公元17年爆发于当时南阳郡范围内的绿林大起义。

但是,值得注意的是,在起兵反莽后的一个相当长的时间内,绿林军斗争的规模并未迅速增大,席卷的范围也不甚广。这主要是绿林军缺乏一个强大的领导核心,也没有提出足以吸引人的斗争纲领。后来,严重的疾疫也影响了绿林军的正常发展。

到公元22年(离开绿林军起义已经过去了4年),情况才发生根本性的变化。这一年,刘縯、刘秀兄弟等起义,组成一支名为舂陵军的武装,不久就加入了绿林军的系列。与此同时或先后,南阳地区一大批在当时具有一定影响的各类人物也加入了绿林军的队伍,他们的加入,从根本上改变了原先绿林军的成分。

这一变化中的代表人物是刘縯、刘秀、刘玄、刘赐等,他们都生活于当时的南阳郡蔡阳县(在今湖北省枣阳市境内)。他们是西汉元帝初元四年(公元前45年)从南方的零陵郡泠道县舂陵乡(其地在今湖南宁远县境)北迁的舂阳节侯刘买(汉景帝之孙,长沙定王刘发之子)的后裔,因此,他们被人称为"南岳诸刘"①。

当年,刘买的孙子刘仁和他的从弟钜鹿都尉刘回等北徙定居于此,以后子孙繁衍,宗族昌盛。到西汉末年,"南岳诸刘"的势力已经有了相当的发展。他们之中有人出任官职,如刘縯、刘秀兄弟的父亲,也就是刘买的曾孙刘钦,先后任济阳(治所在今河南兰考东北)、南顿(治所在今河南项城西)县令,其弟刘良曾任萧(今属安徽)令。而刘钦的同族兄弟中有舂陵康侯刘敞,曾任访江都尉。在王莽采取从政治上限制刘姓宗室的措施之前,"南岳诸刘"已经具有相当的政治影响。

他们积有相当的地产,成为当地的富户。刘縯"倾身破产,交结天下雄俊",可见他是有相当的家产的。刘秀也有上好的土地,因而能在当地普遭旱灾的时候却能抗灾保收。王莽末年,刘秀曾为其族叔刘敞"讼逋租于尤",即代刘敞为欠租之事与时任大司马的严尤交涉,数额为"地皇元年十二月壬寅前租两万六千斛,刍稿钱若干万"②,可见,刘敞乃至刘氏宗族拥有的土地数量巨大。有地有财,加上他们的政治优势,刘氏成为当地豪族,拥有大量的依附人口。这些人口中,有的是同姓宗族,有的是异姓宾客。刘縯"好侠养客",说明他出于政治目的,招附远方来人,扩充自己的势力。刘縯在舂陵乡举兵,有七八千人,拉起的就是一支依靠宗族、宾客等依附力量组成的武装。

他们还通过联姻、交际发展刘氏宗族的关系,壮大自身的力量。他们之间,往往是亲上套亲。刘縯、刘秀的父亲刘钦娶樊氏女娴都为妻。娴之父樊重是当地实力雄厚的豪族。其子樊宏娶刘赐妹为妻。刘秀的一位族兄刘顺的叔父刘弘的妻子是刘秀之母的从

---

① 《后汉书》卷12《王昌书》,其下有注曰:"圣公、光武本自舂陵北徙。故舂陵近衡山,故曰'南岳诸刘'也。"
② 《后汉书》卷1《光武帝纪》注引《东观记》。

妹。刘敞的嫡子刘终还和丞相翟方进之子翟宣联姻,娶其女翟习为妻。来歙之父娶刘秀的祖姑,因而来歙便是刘秀的外兄,他们自小就很亲近。来歙之妹又嫁刘嘉为妻。

刘秀有姐妹三人,姊刘元嫁新野人邓晨,妹刘伯姬嫁宛人李通。这两家各有特色,一是官僚世家("世吏二千石"),一是世代经商尔后又官商合一的豪家("世以货殖著姓","居家富逸,为闾里雄",至李通父李守任王莽守卿师,李通任巫丞,开始涉足仕途)。

青年时代的刘秀以迎娶新野女子阴丽华为志,终于梦想成真。阴氏也是南阳郡新野的富户,阴丽华之姊嫁给王莽时任交阯牧的邓让。这进一步增强了刘氏的社会联系和总体实力。

两汉时期史料较为缺乏,特别是反映社会基层的情况,更是难得,因此,治这段历史学的学者,常苦于言而无征,至如当代兴起的社会史的研究之类,也苦于缺乏资料。相形之下,两汉之际南阳地区刘氏宗族聚居的情况,还比较集中而有清晰的记载反映在史籍中,使我们不免有格外珍惜之感。

西汉后期到新莽时期,南阳地区的大族势力所在多有,见于记载的如湖阳人樊重"世善农稼,好货殖","至乃开广田土三百余顷","赀至巨万,而赈赡宗族,恩加乡闾"①,这是一个典型的农商结合、多种经营、拥有大量依附人口的庄园主。樊宏继承了其父的家产,动乱中,他"与宗家亲属作营堑自守,老弱归之者千余家"。还有同是湖阳人的冯鲂,在局势动荡中"聚宾客,招豪杰,作营堑,以待所归"②,也是一个很有实力的大族。

虽然史料十分有限,但从相关史料中,我们还是可以了解并概括出当时南阳郡"南岳诸刘"等地方豪强的文化特性,主要是:其一,这些强宗大族注重礼仪,以此来加强宗族的凝聚力;其二,刘氏

---

① 《后汉书》卷32《樊宏传》。
② 《后汉书》卷33《冯鲂传》。

宗族重视文化与教育,注重提高自身文化水平;其三,在这些宗族势力的某些成员中,有着浓厚的行侠之风。

由于是大的宗族,人口众多,关系复杂,必须加强凝聚力。同姓同宗或亲或疏的血缘关系,是宗族凝聚力的主要因素。此外,还需要注重礼仪,保持父系家长和族长的权威。具体例子如李通的家庭其父李守"为人严毅,居家如官廷"①,因李通起兵反莽,"兄弟、门宗"受牵连被害者六十多人,可见这也是一个大家族。刘秀的舅家樊氏,也是"乡里著姓"、"三世共财",其家庭、家族内部,也是"子孙朝夕礼敬,常若公家。"②值得注意的是,这两个家族都是以农为业或农商结合,还不是官僚味特别浓厚的,一般而言,其他封侯或官僚世家,注重礼法,以礼治家的传统应当更强。

这些大家注重教育,子弟往往不满足于在家乡受初等教育,还要远赴京城求学。刘氏宗族中人,刘縯、刘秀兄弟都到长安求学。刘縯与族兄刘嘉同在长安学习,学《尚书》、《春秋》。刘秀到京师,入太学,师从庐江许子威,受《尚书》。他的同学见诸记载的有韩生(与刘秀为"同舍生",曾和刘秀合伙买驴经营运输,"以给诸公费")、朱祜(一作"朱福",外家为复阳刘氏,与刘秀"早善",曾合伙"买蜜合药")、强华(刘秀另一"同舍生",著名的《赤伏符》的炮制者)、朱岑("家世衣冠",与刘秀俱学长安,有故)、严光、高崇("少游学长安,与光武有旧")等,而后来因辅助他而成为"东京"功臣之首的邓禹,也与他有同在长安求学的"学缘"。刘氏族人中,还有安众侯之宗室刘隆,也曾赴长安求学。同是南阳大户的新野阴氏,阴识(阴丽华兄)也到长安学习。南阳豪族注重教育、他们的子弟热衷求学的目的性是非常明确的,那就是为了提高自身的应世能力和文化品位,以求在政治上有更大的伸展。

---

① 《后汉书》卷 15《李通传》。
② 《后汉书》卷 32《樊宏传》。

行侠之风,自战国经秦至汉,一直很盛。司马迁作《史记》,班固作《汉书》,均有《游侠传》,反映了游侠是战国秦汉一股非常活跃的社会力量。游侠并不是一个固定的社会阶层,而是一类具有相同的精神风貌、品格作为的人。在游侠中间,即有处于社会下层的人物,也有为官为吏、甚至属于贵族阶层的人物。故《汉书·游侠传》论及王莽统治时期的游侠有"诸公之间陈遵为雄,闾里之侠原涉为魁"之说。

"南岳诸刘"虽是侯门后裔,但在王莽统治下已经没落不振。这样一种昔荣今损的状况,最适于培育他们蔑视官府和当世权贵、不顾法律、不怕惹事、任事而为的游侠作风。而王莽统治时期的政局动荡、社会混乱,也使从贵族蜕化而来的地方豪族更易具有游侠气质。

最典型的当数刘縯,他"性刚毅,慷慨有大气",个人作风与刘秀迥然不同,"好侠养士",成为当地一位令人瞩目的人物。刘秀,照其"诸母"即族中女性长辈的说法是"少时谨信,与人不款曲,唯直柔耳"①,他比较善于掩饰,以"勤于稼穑"而给人留下深刻印象。因而《东观汉记》也说他早年"在家重慎畏事"。相比而言,刘縯却比较外露,是那种锋芒毕露类型的。正因为刘縯、刘秀兄弟间存在明显的差异,而刘縯对其弟的性格内涵疏朗而不细察,因此才"常非笑光武事业",实际上是嘲笑他弟弟"胸无大志"。可见连这位兄长也没有看透其弟的本质。实际上,刘秀也是颇具侠风的,这一点,是只见其表象的"诸母"所不知道、不了解的,只有刘秀的姐姐湖阳长公主因为了解真相,才透露了一点真实情况:"文叔白衣时,臧亡匿死,吏不敢至门。"②刘秀和邓晨关系密切,二人在一起激励了勇气和胆量,"逢使者不下车",一个自称江夏卒使,一个自称侯

---

① 《后汉书》卷1《光武帝纪》。
② 《后汉书》卷77《酷吏列传》。

家丞,这也表现了刘秀真实的一面。刘秀和李通从弟李轶之间的交往,也是很有后世所谓"江湖味道"的①。总之,刘秀的所谓"谨厚"实际上是假相,对此,清人王先谦在集解《后汉书》时早已说穿:"是帝之好侠颇似伯升,非壹于谨厚者也。"

还有刘玄,此人的形象,在今见《后汉书》中恐有所歪曲,一是说他为人"素懦弱",二是写他被绿林诸将推举为帝时所表现的那种"羞愧流汗,举手不能言"的状态。其实,刘玄早在起兵前就是一个敢作敢为、十分张狂的人。他的父亲刘子张因被蔡阳亭长酒醉呵斥,发怒刺杀亭长。十余日后,亭长子报仇杀了刘玄之弟刘骞。面对如此暴力,刘玄并没有退缩,而是结客报仇,只是因为出了其他事而报仇未果。刘玄因此事而到平林(刘玄的母亲何氏是平林人)暂避,官府见刘玄逃亡,就拘捕了其父刘子张。此时的刘玄依然没有惊惶失措,而知道以"诈死"之法诱使官府释放其父,他也安全逃脱。可见,刘玄并非一个不能临事之人。

当然,也应看到,经过西汉时期加强中央集权统治和地方吏治,再加上"王莽居摄,诛锄豪侠"②,游侠已经不再那么风光,他们对群众的吸引力、号召力都已经大为削弱。因此,刘縯虽然雄桀,但他过于张扬的行为也没有吸引那么多的追随者,有的族人还高喊"伯升杀我",对他没有信任感。

综上所述,虽然总的说来史料十分有限,无法使我们对有关情况有更具体、更详细的了解,但基本上还是可以得出一些结论:

在反莽战争和随后出现的严重动荡中,属于"南岳诸刘"一系

---

① 《后汉书》卷15《李通传》注引《续汉书》:"先是李通同母弟申徒臣能为医,难使,伯升杀之。上恐其怨,不欲与轶相见。轶数请,上乃强见之。轶深达通意,上乃许往,意不安,买半甬佩刀怀之。至通舍,通甚悦,握上手,得半甬刀,谓上曰:'一何武也!'上曰:'苍卒时以备不虞耳。'"
② 《汉书》卷92《游侠传》。

· 398 ·

的刘秀之所以能够夺取全国政权,重建皇朝统治,并不是偶然的。这其中,有刘秀个人的基本素质和他充分施展在复杂的形势下驾驭全局、利用一切机会的能力这方面的原因,也有一些经过一个较长时期而发展起来的深刻原因。从战国以来经秦和西汉的发展,南阳地区的区域经济优势和地域文化特色,是很适合培育一支有希望在社会秩序的重建中发挥重大作用的力量的。

刘氏宗族以由近而疏的血缘关系为纽带的宗法结构,使之具有在任何条件下都不易消解的凝聚力,在社会的政治结构暂遭破坏的情况下,这一结构的优势更加显现,作用得以充分发挥。同姓、同宗、姻亲、同学等关系,使相当多的人聚集在一起,具有共同的心理特征,而在王莽失政的条件下,"兴复刘氏"更成为大家都能接受并为之奋斗的理想、口号。

其次,刘氏宗族势力不仅有政治上的优势,而且具有较强的经济实力。没有这一优势也是不行的。政治优势加上经济实力,刘氏本来就拥有较多的依附人口,从而形成一支较强的社会力量。这是刘氏用以"举大业"的支柱力量,也是扩充实力的一个良好基础。

光武帝刘秀是中国历史上第一位"造反成功"的秀才,也是第一位具有较高的文化素质的开国皇帝。东汉是一个重视文治的时期。"光武中兴,爱好经术,未及下车,而先访儒雅,采求阙文,补缀漏遗",实行这样的劝学重文的政策,天下士人自然纷至沓来,趋之若鹜,"自是莫不抱负坟策,云会京师,范升、陈元、郑兴、杜林、卫宏、刘昆、桓荣之徒,继踵而集。"①东汉一代,甚至"期门羽林之士,悉令通《孝经》章句",连远在塞外的匈奴都"遣子入学"。这一切,是刘秀的建武之治开的头,尔后产生了深远的影响。

如果从地域文化因素来看刘秀成功的内在根源,也许可以说,

---

① 《后汉书》卷79《儒林列传》。

张衡在《南都赋》中所称颂的"曜朱光于白水,会九世而飞龙",在《东京赋》所盛赞的"龙飞白水,凤翔参墟",虽然是带有神秘主义色彩的咏叹,但也并非全是"神话"。

秦汉时代的南阳郡,兼跨今河南、湖北两省,主要在今河南的南阳、湖北的襄樊两市之境。直到今天,这两市居民的口音、习俗和文化特色等基本相同。研究秦汉问题不可能将历史上的南阳郡分割开来谈(至于当代所出的省史之类,为地域概念严格所限,另当别论);谋及今后的发展,这山水相连的两个古老而又年轻的城市也应加强合作,优势互补,以求获得更快更好的发展。

《南都赋》自然生态史料研究

王子今

张衡出身南阳,"世为著姓",所作《南都赋》,述写所熟悉的南阳地方风物,内容备极详尽,且笔力稳重朴实,"从容淡静","无骄尚之情",风格一如其人。张衡据说"善术学","善机巧,尤致思于天文、阴阳、历算",人称"数术穷天地,制作侔造化","推其围范两仪,天地无所蕴其灵;运情机物,有生不能参其智。故知思引渊微,人之上术。"①以这样的科学学术眼光考察家乡南阳之地理人文,自然与俗常汉赋作品多夸张虚饰不同,能够细致真切,确可信据。

我们这里首先注意的,是张衡《南都赋》中有关当时南阳地方自然生态条件的记录。

一

《南都赋》中有赞美汉代南阳地区山林之丰饶的辞句。

例如关于南阳大胡山,即所谓"天封大狐",张衡写道:"若夫天封大狐,列仙之陬。上平衍而旷荡,下蒙笼而崎岖。阪坻巇薛而成甗,溪壑错缪而盘纡。芝房菌蕳生其隈,玉膏滵溢流其隅。昆仑无以奓,阆风不能踰。""芝房"句,李善注:"芝房,芝生成房也。菌蕳,

---

① 《后汉书》卷59《张衡传》。

是芝貌也。"山间又林木繁茂。其木则枞松楔樱,楸柏杻檀。枫枰栌枥,帝女之桑。楈枒栟榈,柍柘檍檀。结根竦本,垂条蝉蝉。布绿叶之萋萋,敷华葉之蓑蓑。玄云合而重阴,谷风起而增哀。攒立丛骈,青冥昈眲。杳蔼蓊郁于谷底,森莘莘而刺天。……其竹则钟笼䈽簜,篠簳孤筊。缘延坻阪,澶漫陆离。阿那蓊茸,风靡云披。

所谓"攒立丛骈,青冥昈眲",李善注:"言林木攒罗,众色幽昧也。"即形容杂木茂密,蔽翳天日。

看来,南阳地区原始森林的原生植被,在张衡生活的时代似乎尚未因人类的开发活动而受到严重破坏。

张衡笔下所记述南阳地区生存的树种,有的与现今分布地域不同,值得引起生态史研究者注意。

例如"樱"。《山海经·西次二经》:"厎阳之山,其木多樱、枬豫章,其兽多犀、兕、虎、豹、柞牛。"郭璞注:"樱,似松,有刺,细理。""樱"与江南树种"枬、豫章"并列①,应当也是南方林产。清人李调元《南越笔记》卷13说,"樱"就是水杉:"水松者,樱也,喜生水旁。其干也,得杉十之六,其枝叶得松十之四,故一名水杉。言其枝干则云水杉,言其叶则云水松也。""水松性宜水。盖松喜干,故生于山;桧喜湿,故生于水。水松,桧之属也,故宜水。"

然而现今植被类型图所见自然植被分布形势,"杉木林"以及"冷杉、云杉、铁杉林"的生长区,均距南阳相当遥远②。

《南都赋》所见南阳林木所谓"楈枒栟榈"也值得注意。"楈枒

---

① 《墨子·公输》:"荆有长松、文梓、楩、楠、豫章。"《战国策·宋卫策》:"荆有长松、文梓、楩、楠、豫樟。"《史记·货殖列传》:"江南出枬。"《后汉书·王符传》:"今者京师贵戚,必欲江南檽、梓、豫章之木。"李贤注:"豫章即樟木也。"今按:《墨子》和《战国策》所谓"长松",有可能就是"樱"。

② 西北师范学院地理系、地图出版社主编:《中国自然地理图集》,地图出版社1984年6月版,第135页。

栟榈"句下,李善注:"郭璞《上林赋》注曰:'楈枒似栟榈,皮可作索。'张揖注《上林赋》曰:'栟榈,椶也,皮可作为索'",都是指现今通称为"棕"的"椶"。《说文·木部》:"栟,栟榈,椶也。""椶,栟榈也,可作萆。"段玉裁注:"《艸部》曰:'萆,雨衣,一名衰衣。'按'可作萆'之文,不系于'栟'下,而系'椶'下者,此树有叶无枝,其皮曰'椶',可为衰,故不系于'栟'下也。'椶'本木皮,因以为树名。故'栟榈'与'椶'得互训也。"张揖注《上林赋》曰:"'并闾,椶也,皮可以为索。'今之椶绳也。"也有称之为"椶榈",以为即"蒲葵"者。段玉裁已经予以澄清①。不过,所以将所谓"椶榈"和"蒲葵"相混同,可能也是因为出产地大致相同的缘故。

罗愿《尔雅翼》卷九"并闾"条也写道"张揖解《上林赋》曰:并闾,椶也,木高一二丈,傍更无枝,叶大而圆,有如车轮,皆萃于木杪,其下有皮重迭裹之。每皮一匝为一节。其花黄白,结实作房,如鱼状。《山海经》曰:石翠之山,其木多椶,岭南、西川、江南皆有之。其皮为用最广。二旬一割,则叶转复生。皮作绳,入土号为千岁不烂。孙权讨黄祖,祖横两蒙冲,保守沔口,以并闾大绁系石为矴。又齐高帝时,军容寡少,乃编椶皮为马具装。此盖军旅所须,故晋令夷民守护椶皮者,一身不输。而《唐书》:诃陵国在南海洲上,立木为城,作大屋重阁,以椶皮覆之。王坐其中。此皮坚韧不受雨,故可以冒马覆屋也。一名蒲葵。晋人称蒲葵扇。扇自柄上攒众骨如椶叶之状,今宣、歙、衢、信间扇是也。梁张孝秀,性通率,常冠榖皮巾,蹑蒲履,执栟榈皮麈尾。唐世以为拂。今人游山者,作椶鞋。如淳解《甘泉赋》谓:并闾,其叶随时政,政平则平,政不平则倾。颜师古曰:'如氏所说自是平虑耳。'并闾,谓椶也。又郭璞解《上林赋》曰:'胥邪,似并闾,皮可作索。'《南都赋》曰'楈枒栟

---

① 段玉裁指出:"《玉篇》云:椶榈一名蒲葵。今按《南方艸木状》云:蒲葵如栟榈而柔薄,可为蓑笠,出龙川。是蒲葵与椶树各物也。"

桐',《蜀都赋》曰'樱枒',《周书·王会》云:'白州并间,其叶若羽,伐其木以车。'"

《南都赋》所说"樱"以及"楈枒枾梇",可能都是指棕榈科植物。汉代南阳出产"樱"及"楈枒枾梇",是值得重视的自然生态史信息。

后来南阳地区虽然仍然有"棕"的遗存,但是从20世纪50年代初的资料看,全国"棕"、"棕皮"、"棕片"、"棕绳"、"棕丝"的主要产地,已经不包括南阳地区了①。从现今植被类型分布图看,农业植被中"棕榈"的分布区,也不包括南阳②。

也有将《南都赋》所说"楈枒"解释为椰树的说法③,其所引据,有《集韵·平麻》:"枒,木名,出交趾。高数十丈,叶在其末,或从'耶'。"以为"楈枒"即椰树之说固然未可确信,然而以为"楈枒枾梇"应是南国树种的思路,却是可以参据的。

二

关于南阳地区山林中野生动物的分布情形和生存状况,《南都赋》也有所涉及:

虎豹黄熊游其下,毂玃猱狿戏其巅。鹙鹭鹍鹔翔其上,腾

---

① 据中国土产公司计划处编《中国土产综览》,这些产品的主要出产地是:棕,川西;棕皮,皖南、皖北;棕片,湖北;棕绳,广东、川南;棕丝,川南、川东。中国土产公司1951年7月版,上册第103页、138页,下册第134页、371页、552页、558页、657页、671页。
② 西北师范学院地理系、地图出版社主编:《中国自然地理图集》,地图出版社1984年6月版,第135页。
③ 如罗竹风主编《汉语大词典》说,"楈枒,木名,即椰子树。""枒,同'椰'。"汉语大词典出版社1989年11月版,第4卷1199页,第814页。前一例所引书证为张衡《南都赋》"楈枒枾梇",后一例所引书证为左思《蜀都赋》"枒楈樱枞"。

猿飞蝠栖其间。

"虎豹黄熊"、"毂貜猱狖"、"鸾鹭鸹鹥"、"腾猿飞蝠"的自由生存,已经与后世情形有所不同。其中有的兽名,所指已经难以明确。而所谓"猱",可以从考察自然生态史的角度讨论。

有以为"猱"即"狨"的说法。而"狨",历来许多学者以为就是金丝猴。明人方以智撰《通雅》卷28写道:

> 狨坐,以金丝狨饰鞍坐也。……相如赋:"蛭蜩貜猱",颜师古注曰:"今狨皮为鞍褥者,狨一名猱,谓之'金线狨'",则唐时已用此狨坐矣。

同书卷48又说:

> 猱即□也,一名狨,其毛茸而长,金色异采。世以为鞯褥,谓之"金线狨"。今香山隩有来贸者,其毛柔长,可藉制字,从柔以此。

关于"狨"即"金线狨",陆佃《埤雅》卷4曾经写道:

> 狨盖猱狖之属,轻捷善缘木,大小类猨,长尾。尾作金色,今俗谓之"金线狨"者是也。生川峡深山中。人以药矢射杀之,取其尾为卧褥、鞍被、坐毯。①

所谓"尾作金色",可能是文人误传。宋人宋祁撰《益州方物略记》也说到"狨"的习性和价值:

> 状实猿类,体被金毳。皮以藉焉,中国之贵。右狨。威、茂等州,南诏夷多有之。大小正类猿。惟毛为异。朝制内外省以上官乘马者得以狨为藉,武官则内客省使宣徽使乃得用。

于是宋以后诗作多以"金狨"作为乘马鞍具的代称。宋祁所谓"体被金毳",比之陆佃所谓"尾作金色",显然更为切近事实。

李时珍《本草纲目》卷51下写道:

---

① 吴陆玑:《陆氏诗疏广要》,卷下之下引用陆佃之说,字句略有差异。杨文公《谈苑》其说亦略同。

狨释名猱,难逃切。时珍曰:狨毛柔长如绒,可以藉,可以绩,故谓之"狨"。而"猱"字亦从柔也。或云生于西戎也。《集解》:藏器曰:"狨生山南山谷中,似猴而大,毛长,黄赤色。人将其皮作鞍褥。"时珍曰:杨亿《谈苑》云:狨出川峡深山中,其状大小类猿,长尾,作金色,俗名"金线狨"。轻捷缘木,甚爱其尾,人以药矢射之,中毒即自啮其尾也。宋时文武三品以上,许用狨座,以其皮为褥也。

又明人曹学佺《蜀中广记》卷59也可见相关内容:

《益州方物略》:狨,咸、茂等州,南诏夷多有之。大小正类猿,惟毛为异。朝制内外省以上官乘马者,得以狨为藉。武官则内客省使、宣徽使乃得用。赞曰:状实猿类,体被金氄。皮以藉焉,中国之贵。李鹰《师友谈记》云:狨座,文臣两制,武臣节度使以上许用。每岁九月乘三月撤,无定日,视宰相乘则皆乘之,撤亦如之。狨似大猴,生川中。其脊毛最长。色如黄金。取而缝之,薮十片成一座,价值钱百千。杜诗云:"狨掷寒条马见惊",即此。

康熙《御定月令辑要》载录李鹰说。而清人陈启源撰《毛诗稽古编》卷16也写道:"狨,色黄赤,故名'金线狨'。"

以上所引录材料可以说明许多学者认为"猱"就是"狨"。而"狨","是考证可信的金丝猴古名。"而许多资料可以说明,"狨、猱为一物",也就是说,"猱也是金丝猴古名称之一。"①

如果《南都赋》中说到的"猱"可以看作金丝猴,则有关资料可以作为研究这一物种历史时期生存地域的有意义的论据。

现今金丝猴的三个亚种川金丝猴、滇金丝猴和黔金丝猴在中国的地理分布,仅限于陕西、四川、西藏、云南、贵州等地。然而经

---

① 李保国、沈文君、陈服官:《金丝猴名称考释》,陈服官主编:《金丝猴研究进展》,西北大学出版社,1989年3月版,第30页至第31页。

研究表明,"古代金丝猴曾经生活在亚热带的环境中并且有过比较广泛的分布"①。金丝猴生存地域的退缩,有气候条件的演变以及因此导致的环境恶化等因素的作用,而千百年来人类的残酷猎杀,也是主要原因之一②。

三

从《南都赋》提供的资料看,现今已经并非南阳地区主要经济物产的甘蔗和柑橘,在汉代南阳曾经有所栽植。张衡写道:

若其园圃,则有蓼蕺蘘荷,藷蔗姜䕉,菥蓂芋瓜,乃有樱梅

---

① 潘文石、雍严格:《金丝猴的生物学》,陈服官主编:《金丝猴研究进展》,西北大学出版社,1989年3月版,第4页。
② 清陈远龙:《格致镜原》卷87引录的几条资料可以反映金丝猴被猎杀的情景:"《癸辛杂志》:'武平素产金线狨,大者难驯,小者其母抱持不少置,法当先以药矢毙其母,母既中矢,度不能自免,则以乳汁遍洒林叶间,以饮其子,然后堕地死。邑人取其母皮,痛鞭之,其子亟悲鸣而下,束手就获。盖每夕必寝其皮而后安,不则不可育。'陈贞父《宝鸡录》:'尝见鬻皮于市,似猿猱而长尾,尾色红。问之,曰:狨也。'《玉堂闲话》:'狨者猿猱之属,其雄毫长一尺尺五者,常自爱护之,如人披锦绣之服也。极嘉者毛如金色,今之大官为暖座者是也。生于深山中,群队动成千万。雄而小者,谓之狨奴。猎师采取者,多以桑弧榅矢射之。其雄而有毫者,闻人犬之声,则舍群而窜。抛一树枝接一树枝,去之如飞。或丁繁柯秾叶之内,藏隐其身,自知茸好,猎者必取之。其雌与奴则缓缓旋食而傅其树,殊不挥霍,知人不取之,则有携一子至一子者甚多。其雄有中箭者,则拔其矢䑛之,觉有药气,则折而掷之,噸眉愁沮,攀枝蹲于树巅。于时药作抽掣,手足俱散,临堕而却揽其枝,如是者数十度,前后呕哕,呻吟之声,与人无别。每口中涎出,则闷绝手散,堕在半树,接得一细枝,稍悬身,移时力所不济,乃堕于地,则人犬齐到,断其命焉。猎人求嘉者不获,则便射其雌。雌若中箭,则其子摘去复来,抱其母身,去离不获,乃母子俱毙。'"

山柿,侯桃梨栗,梬枣若留,穰橙邓橘。

"藷蔗",李善注引《汉书音义》曰:"藷蔗,甘柘也。"至于所谓"穰橙邓橘",李善注:"《汉书》:南阳郡有穰县、邓县。《说文》曰:橙,橘属也。"

《南都赋》所见"藷蔗",是研究历史时期甘蔗生产区北界的重要资料。

我们看到,汉代生活在黄河流域的人士说到这种经济作物,虽视为珍奇然而亦已相当熟悉。《汉书·礼乐志》载《郊祀歌》有"泰尊柘浆析朝酲"句,应劭解释说:"柘浆,取甘柘汁以为饮也。酲,病酒也。析,解也,言柘浆可以解朝酲也。"是甘蔗的浆汁当时曾经用以醒酒。宋人陈景沂撰《全芳备祖集》后集卷四《杂著》写道:"自古食蔗者始为蔗浆,宋玉《招魂赋》所谓'臑鳖炰羔有柘浆'是也。"《荆溪林下偶谈》卷四"甘蔗谓之诸蔗亦谓之都蔗"条说,"相如赋云,'诸蔗巴苴',注云:'甘柘也。'曹子建《都蔗诗》云:'都蔗虽甘,杖之必折;巧言虽美,用之必灭。'"可知甘蔗已经进入社会饮食生活之中。《西京杂记》卷四:"……元理复算曰:藷蔗二十五区,应收一千五百三十六枚。"说明甘蔗种植已经略有规模,甚至有人已经能够比较准确地估产。只是我们尚不能为这一资料所反映的社会现象进行准确的时间定位和空间定位。

《汉书·司马相如传》载《子虚赋》所谓"诸柘巴且",颜师古注:"张揖曰:'诸柘,甘柘也。……'文颖曰:'巴且草一名巴蕉。'"宋人洪迈撰《容斋随笔》四笔卷二"北人重甘蔗"条写道:"甘蔗只生于南方,北人嗜之,而不可得。魏太武至彭城,遣人于武陵王处求酒及甘蔗。"又说:"《子虚赋》所云'诸柘巴且','诸柘'者,甘柘也。盖相如指言楚云梦之物。"而南阳地方正在"南""北"之间,而且宋人时世久隔,已经难以理解汉时生态状况。"甘蔗只生于南方,北人嗜之,而不可得"的说法,只是宋人的知识。如果相信《南都赋》所云"藷蔗"是实际生活的反映,则司马相如《子虚赋》所云"诸柘"者,虽然直接"指言楚云梦之物",但是当时云梦以北地方却未必没有"诸柘"即"甘柘"种植。

《史记·货殖列传》可见如拥有"江陵千树橘",则经济地位相当于"千户侯"的说法。是说江陵地区是最重要的柑橘类果品的生产基地。又《汉书·地理志上》记载巴郡朐忍、鱼复"有橘官"。但是《南都赋》"穰橙邓橘"之说,地方品种都十分确定具体,应当是历史实际的真实反映。有学者据此指出,"处于秦岭东西段间的南襄隘道之南阳部境为柑橘经济栽培区见于东汉文献。"①但是《水经注》中说到橘的,只有卷33《江水》和卷38《汀水》②。可见南阳柑橘类生产后世也有所退化。张衡引为自豪的"穰橙邓橘"的生产优势已经不复存在了。近世以来,"大概陕甘境内秦陵南坡的柑橘产区是我国现今柑橘分布纬度最高的,不需人工特殊保护的经济栽培地区(约当北纬33°余)。"③而南阳虽然同样处于北纬33°线上,却已经不被看作柑橘"产区"以及"不需人工特殊保护的经济栽培地区"了。

南阳地区后世未必没有"藷蔗"和"橙""橘"生存,但是其经济意义已经锐减。其产量和产值,在全国经济物产的总体布局中已经微不足道了。《中国自然地理图集》所绘出的出产甘蔗和柑橘的

---

① 义焕然:《从秦汉时代中国的柑橘、荔枝地理分布大势之史料来初步推断当时黄河中下游南部的常年气候》,《中国历史时期植物与动物变迁研究》,重庆出版社,1995年12月版,第133页。
② 参看陈桥驿:《〈水经注〉记载的植物地理》,《〈水经注〉研究》,天津古籍出版社,1985年5月版,第115页。
③ 文焕然:《从秦汉时代中国的柑橘、荔枝地理分布大势之史料来初步推断当时黄河中下游南部的常年气候》,《中国历史时期植物与动物变迁研究》,重庆出版社,1995年12月版,第129页。

农业植被区,与南阳相距最近的地方,直线距离也在 360 公里以上①。

四

上述《南都赋》中所见汉代南阳地区动植物分布状况后来的历史变化,有多种原因。除了人类活动的影响之外,气候变迁也是重要因素。

气候条件对于以农业为主体经济形式的社会,显然是经济进程中至关重要的因素。这一条件对于社会生活的全面影响,也是不宜忽视的。

许多资料可以表明,秦汉时期的气候条件确实与现今不同,在两汉之际,又曾经发生了由暖而寒的历史转变②。

西汉时期,关中地区有繁茂的竹林,与现今自然植被景观形成鲜明的对照。司马迁《史记·货殖列传》说,"渭川千亩竹"的主人,经济地位可以相当于"千户侯",而以"竹竿万个"为经营之本者,也可以和所谓"千乘之家"并列。《汉书·地理志下》和《东方朔传》都说,当时关中因竹林及其他资源之富足,有"陆海"之称,被看作天下最富饶的"膏腴"之地。西汉薄太后南陵 20 号从葬坑中发现大熊猫头骨,或许也可以看作当时关中地区竹林繁茂的例证之一。不仅关中竹林之丰饶负有盛名,当时的黄河中下游地区大体都属

---

① 西北师范学院地理系、地图出版社主编:《中国自然地理图集》,地图出版社,1984 年 6 月版,第 135 页。
② 参看竺可桢:《中国近五千年来气候变迁的初步研究》,《考古学报》1972 年 1 期;王子今:《秦汉时期气候变迁的历史学考察》,《历史研究》1995 年 2 期;陈良佐:《再探战国到两汉的气候变迁》,《中央研究院历史语言研究所集刊》第 67 本第 2 部分,1996 年 6 月。

于同样的植被类型。司马迁在《史记·货殖列传》中分析各地出产，"竹"居于山西物产前列，却不列于江南物产之中，说明当时黄河流域竹的分布，对于社会经济的意义甚至超过江南。

作为根据气候条件决定农时的农事规范，二十四节气的次序在秦汉时期曾经发生过变化。现今二十四节气中"雨水～惊蛰"的次序，在汉代起初是"惊蛰～雨水"。这说明在当时的气候条件下，初春气温回升至于冬季蛰伏的动物开始活动的时日，要较后世为早。据《汉书·律历志下》所列二十四节气和相应星度的关系，可以知道现今二十四节气中"清明～谷雨"的次序，在汉代起初是"谷雨～清明"①。

若干科学考察资料，也可以作为秦汉气候史研究的实证。主要根据我国东部平原及海区构造沉降量的估算所绘制的中国东部的海面升降曲线表示，距今两千年前后，海面较现今高 2 米左右。海面升降是气候变迁的直接结果。根据植被、物候等资料试拟的华北平原古气温曲线，表明当时气温大约高于现今 1℃左右。根据同类资料试拟的上海、浙北古气温曲线，表明当时气温大约高于现今 2℃左右。根据海生生物群试拟的东海与黄海古水温曲线，表明当时东海和黄海水温大约高于现今 3℃左右②。根据孢粉资料分析北京地区植物群的变化，可知在距今两千年至一千年，北京进入气候干温时期，湖沼有所消退，出现了以松为代表的森林草原。③

---

① 参看王鹏飞：《节气顺序和我国古代气候变化》，《南京气象学院学报》，1980 年 1 期。
② 王靖泰等：《中国东部晚更新世以来海面升降与气候变化的关系》，《地理学报》，第 35 卷第 4 期，1980 年 4 月。
③ 孔昭宸等：《北京地区距今 30000—10000 年的植物群的发展和气候变迁》，《植物学报》，第 22 卷第 4 期，1980 年 4 月。

自汉武帝时代起,史籍已经屡见关于气候严寒的记录①。自西汉末到东汉初,有关严寒的记载更为集中②。《续汉书·礼仪志中》刘昭注补引(古今注)说,永平元年(公元58年)六月乙卯"白幕皆霜"。乙卯日为六月三十,即公元58年8月8日,这一极端初霜记录早于现今洛阳地区平均初霜日竟达82日③。据《北堂书钞》卷79引《录异传》,大致在公元一世纪60年代,洛阳曾经有"大雪积地丈余"的情形。在公元前50年至公元70年这120年间,有关气候异常严寒的记载多达二十余起。元、成时代较为集中的23年中计6起。王莽专政最为集中的10年中,大约7年都发生严寒导致的灾害。除了《东观汉记·世祖光武帝纪》所谓王莽末年至汉

---

① 如《汉书》卷6《武帝纪》记载,元光四年(前131年)夏四月竟然降霜,致使草本植物冻杀,元狩元年(前122年)十二月大雨雪,致百姓有冻死者。元鼎二年(前151年)三月,降暴雨暴雪。元鼎三年(前150年)三月气温仍然在零下,四月依然降雪,关东十余郡人相食。《西京杂记》卷2说,元封三年(前108年),天大寒,雪深五尺,野鸟兽皆死,三辅地区民众冻死者多至百分之二三十。

② 《汉书》卷27中之下《五行志》说,汉元帝元光元年(前43年)三月降霜冻伤桑树,九月又降霜使农作物大面积冻死,以致"天下大饥"。建昭二年(前37年),齐、楚地方大雪,积雪深达五尺。王莽时代严重低温的气候反常记录更为频繁。例如,《汉书·王莽传中》记载,天凤三年(16年)二月大雨雪,关东地区灾情尤为严重,积雪深者至于一丈,竹柏多有冻枯者。《汉书·王莽传下》又记载,天凤四年(17年)八月竟然发生所谓"大寒"的气候异象,"百官人马有冻死者。"东汉初年,仍然多见严寒的历史记录。据《后汉书·郑兴传》记载,建武七年(31年)"正月繁霜"之后连续严寒近三个月,直至"孟夏"之时。

③ 据1962—1982年期间洛阳自然历,平均初霜日为10月29日,最早初霜日为1981年的10月15日,最晚初霜日为1977年的11月16日。见何光祥:《河南省洛阳的四季划分与自然历》,《中国自然历选编》,科学出版社1986年版。

光武帝建武四年(公元28年)间天下连年遭受霜灾而外,汉光武帝及汉明帝在位时关于严寒的记载也可见6起。此后,汉章帝建初八年(公元83年)至元和元年(公元84年),又有如《后汉书·韦彪传》所谓"盛夏多寒"、"当暑而寒"等气候极端异常的记载。东汉中晚期,更多见大暑季节而"寒气错时",以及"当温而寒","当暖反寒,春常凄风,夏降霜雹"①等以严寒为特征的异常气候记录。当时最为突出的气候异象,是由各种征候表现的持续低温。《续汉书·五行志二》记载:汉灵帝光和六年(公元183年)冬,大寒,北海国、东莱郡、琅邪国等地井中积冰厚度甚至超过一尺。汉献帝初平四年(公元193年)六月,虽然正当夏季,然而寒风如冬时。如《后汉书·襄楷传》所说,气候每遇"大寒",鸟兽鱼鳖多冻死,竹、柏这样的耐寒植物也往往"叶有伤枯"。于是经历气候转寒的历史变化之后,黄河流域秦及西汉时代繁茂的竹林遭到破坏。《水经注·淇水》在回顾汉武帝时斩淇园之竹木塞决河以及汉光武帝时伐竹淇川,治矢百万以输军资之后,又指出,现在"通望淇川",竟然已经"无复此物"了。

气候的变化,会直接影响动植物的分布。以柑橘为例,有的学者指出,"最适宜柑橘生长的气候条件,在我国为年平均气温18℃－20℃左右,年平均降水量为1000－1500毫米。"当1月平均气温低于0℃时,柑橘就生长不好(枸橘例外);当气温低于－8℃时,就会发生落叶,以至死亡②。而现今南阳的年平均气温为14.9℃,年平均降水量只有826.7毫米。在现今气候区划图中,南阳的位置正临近南温带的南界(以南即为北亚热带)。这两个气候带的温度指标,最冷月平均气温:南温带为－10℃至0℃,北亚热带为0℃

---

① 《后汉书·陈忠传》、《郎顗传》、《寇荣传》。
② 文焕然:《中国历史时期冬半年气候冷暖变迁》,科学出版社,1996年5月版,第23页。

至4℃；年极端最低气温：南温带为－30℃至－20℃，北亚热带为－20℃至－10℃①。现今南阳地区的气温状况，显然是张衡所谓"穰橙邓橘"的景况已经成为遥远的历史回忆的主要原因。

有的学者不同意两汉之际气候曾经发生由暖而寒的变化这一认识②。现在看来，进一步的研究是有必要的。《南都赋》中所见自然生态史料所提供的有关信息，或许有助于今后讨论的深入。

---

① 西北师范学院地理系、地图出版社主编：《中国自然地理图集》，地图出版社1984年6月版，第59页至第60页，第129页。
② 文焕然：《秦汉时代黄河中下游气候研究》，商务印书馆，1959年12月版；满志敏：《西周至两汉降温期黄淮平原气候的基本特征》，邹逸麟主编：《黄淮海平原历史地理》，安徽教育出版社，1993年11月版。

"乐府诗"中所反映的汉匈战争

宋 超

中国古代历史上农业民族与游牧民族第一次大规模的冲突与交融——汉匈战争,不仅对两汉社会的历史过程产生了巨大的影响,对社会心态的变化也起到了重要的作用,给后世刻下了难以泯灭的深刻印象。筹谋于御前、献策于阙门、决战于塞外、暴骨于荒漠、封爵于凌烟、悲歌于朝野,凡此等等,均为当时社会生活中常见之景象。"平城之下亦诚苦,七日不食不能彀弩"的"歌吟之声"不绝于耳,在"乐府诗"中.;围绕汉匈战争留下大量忧伤感叹的记录。尽管许多乐府诗歌都是后人所描绘的自己心目中的汉匈战争,但为我们今天多方面探讨汉匈战争的影响提供了一个新的视角。

一 阴山日不暮,长城风自凄

自古以来,任何形式的战争都必然会引起社会各个层面的广泛注视,自然也成为诗歌创作的一个重要来源与体裁;汉匈战争由于持续的时间长,其影响广泛而深刻,备受世人关注。特别是作为汉匈战争的一个重要标志——长城,首先成为乐府诗人关注的对象。

长城的修筑,在战国中后期即是中原农业民族防范游牧民族侵掠的一个重要策略。是时接壤于北部游牧民族的秦、赵、燕三国,均相继修筑长城以保证其北境的安全。长城的修筑,确实也在一定程度上保障了秦、赵、燕三国北境的安全。如赵孝成王时,赵将李牧"常居雁门、代郡备匈奴",曾依托赵长城的东段大破匈奴,"其后十余岁,匈奴不敢近赵边城"①。不过,在秦国强大的军事压力下,修筑长城、防范北境毕竟不是各国战略重点所在,不可能引起社会各个层面的特别关注。

自秦始皇统一之后,北境形势发生重大变化。秦始皇三十二年(前215年),"使将军蒙恬发兵三十万人北击胡,略取河南地"。次年,秦"西北斥逐匈奴。自榆中并河以东,属之阴山,以为四十四县,城河上为塞。又使蒙恬渡河取高阙、阳山、北假中,筑亭障以逐戎人。"②是时所修的秦长城,虽然是将原有秦、赵、燕长城连贯修缮而成,但也耗费无数劳役,其中北河地区自然是筑城防御的重点③。据《史记·六国年表》载,仅筑"河上(泛指广义的北河地区)"长城,就用卒三十万,工程规模之大,可以想见。

秦筑长城、逐匈奴,从军事战略角度讲具有重要的意义:漫长

---

① 《史记》卷43《赵世家》注引《集解》徐广曰:"在朔方。"《正义》:"《地理志》云朔方临戎县北有连山,险于长城,其山中断,两阙俱峻,土俗名为高阙也。"
② 《史记》卷6《秦始皇本纪》。
③ 《辞海》(缩印本)"北河"条:"清以前黄河自今内蒙古磴口县以下,分为南北二支,北支约当今乌加河,时为黄河正流,对南支而言,称为北河。"(上海辞书出版社,1980年,第332页)此处所云北河为狭义"北河"。广义"北河"则如同谭其骧先生《北河》一文所云:"黄河自宁夏北流过磴口而东流,西东流向一段对南北流向一段而言,彼为'西河',此为'北河',是为广义。"(《长水集》下,上海人民出版社,1987年,第331页)关于北河地区在汉匈战争中的战略地位问题,请参阅拙作《秦汉时期北河战略地位考察》(《秦汉文化比较研究:秦汉兵马俑比较暨两汉文化研究论文集》,三秦出版社,2002年,第490—503页)

坚固的长城,成为匈奴难以逾越的防线;匈奴被逐出传统的游牧区域——河南地,京畿地区的安全得到了可靠的保障。然而,秦始皇这一重要战略布置的意义,在当时并没有得到充分的显示,反而成为导致秦廷速亡的一个重要因素,并为继秦而立的汉人留下了无尽的"过秦"话题。在汉人对秦政诸多指摘中,秦始皇修筑长城与攻逐匈奴,无疑是秦政中最为失败的一笔。陆贾所谓"(秦始皇)筑长城于戎境,以备胡、越,征大吞小,威震天下,将帅横行,以服外国,蒙恬讨乱于外,李斯治法于内,……事逾烦而天下逾乱,法逾滋而天下逾炽,兵马益设而敌人逾多"①云云,"欲知筑修城以备亡,不知筑修城之所以亡也!"②当是汉时诸多许多政论家、思想家的典型言论。

不仅汉代社会上普遍存在激烈的"过秦"氛围,即使是去秦已远的后世,秦政基本上还是暴政的代名词,从而在更能形象地反映社会心态的乐府诗歌中,秦始皇筑长城自然成为人们指斥秦之暴政的一个重要的载体。郦道元《水经注》曰:"其始皇逐匈奴,并河以东,属之阴山,筑亭障为河上塞。……始皇三十三年,起自临洮,东暨辽海,西并阴山,筑长城及南越也。昼警夜作,民怨劳苦,故扬泉《物理论》曰:'秦筑长城,死者相属。民歌曰:'生男慎勿举,生女哺用脯。不见长城下,尸骸相支柱。'其冤痛如此。"③逯钦立先生将扬泉《物理论》所引"民歌"判定为"秦始皇时民歌"④。如果是说可信,这可能是最早倾诉长城给百姓带来"冤痛"的民歌。由此为发端,长城成为人们倾诉"冤痛"的歌咏对象。作为"孟姜女哭长城"原型的"杞梁妻"哭夫颓杞都城的故事,被移植改造为哭颓长

---

① 《新语·无为第四》。
② 《淮南子·人间训》。
③ 《水经注疏》卷3《河水》3,江苏古籍出版社,1989年,第225页。
④ 《先秦汉魏南北朝诗》上,中华书局,1983年,第33页。

城,唐僧贯休所撰《杞梁妻》,就是一个典型的例证:

> 秦之无道兮四海枯,筑长城兮庶北胡。筑人城土一万里,杞梁贞妇啼呜呜。上无父兮中无夫,下无子兮孤复孤。一号城崩塞色苦,再号杞梁骨出土。疲魂饥魄相逐归,陌上少年莫相非①。

在以长城为歌咏对象的乐府诗歌中,至迟到东汉末年出现《饮马长城窟行》古辞题体。宋人郭茂倩"解题"曰:"(《饮马长城窟行》)一曰《饮马行》。长城,秦所筑以备胡者。其下有泉窟,可以饮马。古辞云:'青青河畔草,绵绵思远道。'言征戍之客,至于长城而饮其马,妇人思念其勤劳,故作是曲也。"又引《乐府解题》曰:"古词,伤良人游荡不归,或云蔡邕之辞。若魏陈琳辞云:'饮马长城窟,水寒伤马骨。'则言秦人苦长城之役也。"郭氏又刻意强调"今白道南谷口有长城,自城北出有高阪,傍有土穴出泉,挹之不穷。歌录云:'饮马长城窟,'信非虚言也。"②虽然郭氏考订长城之下确有可以饮马的"泉窟",以证实"饮马长城窟"非为虚言,略嫌拘泥刻板外,但仔细品味《乐府诗集》中所集上起东汉末蔡邕、下迄后梁荀昶所作十七首《饮马长城窟行》的古辞,虽然已经离秦有年,所谓"秦人苦长城之役"的遗痛尚存人们的记忆中,几许感伤之情充溢其间。如唐人王翰歌曰:

> 长安少年无远图,一生惟羡执金吾。骐骥前殿拜天子,走马为君西击胡。……回来饮马长城窟,长城道傍多白骨。问之耆老何代人,云是秦王筑城卒。黄昏塞北无人烟,鬼哭啾啾声沸天。无罪见诛功不赏,孤魂流落此城边。当昔秦王按剑起,诸侯膝行不敢视。富国强兵二十年,筑怨兴徭九千里。秦王筑城何太愚,天实亡秦非北胡。一朝祸起萧墙内,渭水咸阳

---

① 《乐府诗集》卷73《杂曲歌辞》13,中华书局,1979年,第1033—1034页。
② 《乐府诗集》卷38《相和歌辞》13,第555—556页。

不复都①。

《太平御览》卷175《居处部》3《殿》引《三辅黄图》曰:"未央宫有骐驎殿。"骐驎殿又作麒麟殿。《汉书》卷93《董贤传》载有哀帝置酒麒麟殿,戏许禅位于董贤,受侍中王闳谏阻事。诗人通过描绘一位"西击胡"的长安少年,回来后"饮马长城窟"时的所见所闻,悲伤"长城道傍多白骨",指斥"秦王筑城何太愚",感叹"天实亡秦非北胡",以诗歌的语言形象地诠释了秦筑城击胡之失政。

秦筑长城留下的是痛苦的回忆,对戍守长城的"远征人"而言,在乐府诗中留下的也是同样的记忆。特别是秦人的长城之戍与五岭之役几乎同时展开,造成的社会震荡之巨,成为秦朝速亡的一个原因,则是一不容置疑的事实。至于秦始皇为何于统一后不久即展开如此规模巨大的军事行动,汉人同样是站在"过秦"的立场进行审视,乃至出现秦始皇"利越之犀角、角齿、翡翠、珠玑",信"亡秦者胡"②之谶言而征服南越、攻逐匈奴的说法,也就不足为奇。《乐府诗集》卷32《相和歌辞》7《平调曲》3载有《从军行》多首,《乐府题解》曰:"《从军行》皆军旅苦辛之辞。"指斥秦政、感叹秦人南征北戍之苦,自然成为后人歌咏的一个体裁。晋陆机《从军行》曰:

> 苦哉远征人,飘飘穷四遐。南陟五岭巅,北戍长城阿。溪谷邈无底,崇山郁嵯峨。奋臂攀乔木,振迹涉流沙。隆暑固已惨,凉风严且苛。夏条焦鲜藻,寒冰结冲波。胡马如云屯,越旗亦星罗。飞锋无绝影,鸣镝自相和。朝餐不免胄,夕息常负戈。苦哉远征人,抚心悲如何!

刘宋颜延之《从军行》亦曰:

> 苦哉远征人,毕力干时艰。秦初略扬越,汉世争阴山。地

---

① 《乐府诗集》卷38《相和歌辞》13,第560页。
② 《史记》卷6《秦始皇本纪》"集解"引郑玄曰:"胡,胡亥,秦二世名也。秦见图书,不知此为人名,反备北胡。"可证这是汉人非常典型的看法。

广旁无界,岛阿上亏天。峤雾下高鸟,冰沙固流川。秋飙冬末至,春液夏不涓。闽烽指荆吴,胡埃属幽燕。横海咸飞骊,绝漠皆控弦。驰檄发章表,军书交塞边。接镝赴阵首,卷甲起行前。羽驿驰无绝,旌旗昼夜悬。卧伺金柝响,起候亭燧燃。遨矣远征人,惜哉私自怜!

人们在指斥暴虐的秦政,悲伤残酷的战争的同时,长城,作为汉匈战争的一个代表性标志,承载着过多的悲伤与感叹。"阴山日不暮,长城风自凄"①,当是一个典型的写照。

二 冠军临瀚海,长平翼大风

汉时许多"过秦"论者,之所以对秦始皇的匈奴政策进行猛烈抨击,一个重要的原因,即是认定秦统一之后耗费巨大的国力筑城逐胡,并付出惨重代价,完全是秦始皇"贪戾而欲广大"的性格所致。秦始皇究竟有无必要对匈奴采取如此强硬之措施,这是汉人在"过秦"中坚决予以否定的问题。乐府诗歌中大量充斥着抨击秦人对匈奴政策的作品,正是对汉人这种"过秦"态度的认可。

然而,汉高祖刘邦承袭的即是一个饱经兵燹后残破不堪的中原大地,以及在楚汉战争中形成与坐大的异姓诸侯王的割据势力,同时又要面对着卷土重来、咄咄逼人的匈奴势力。尽管是时与匈奴的关系比秦始皇时期还要棘手复杂,但是种种错综复杂的矛盾交织在一起,致使刘邦对于防御匈奴的侵扰没有、也无暇予以特别的关注。爆发于高祖七年(前200年)的平城之战,最终以汉军的失败而结束,足以证明汉初朝廷对匈奴问题尚无清醒认识就贸然与之交战,失败的结局也就不可避免了。而平城之败对汉廷最大的打击并不是在军事之上,而是在朝野间普遍弥漫着对匈奴的畏

---

① 《乐府诗集》卷32《相和歌辞》7《平调曲》3,戴嵩《从军行》,第479页。

惧之情,"平城之下亦诚苦,七日不食不能彀弩",曲调低沉哀伤的《平城歌》,正是这一社会心态的真实写照。

平城之战后,匈奴侵扰之势日炽。汉匈虽然缔结和亲之约,但匈奴并没有因此而停止侵扰。刘邦《大风歌》"安得猛士兮守四方",深切表达了对四边未靖,尤其是对北境屡受侵扰局势的忧虑之情。特别是在文帝初年,匈奴驱逐月氏,完全占据河西地区,与河南地区遥相呼应,对关中地区威胁更甚。当时从河西至辽东,漫长的北部边境烽火连绵、胡笳互动,几乎岁无宁日。战而不胜,和而不亲,汉廷重新审视与匈奴的关系势在必然。

文帝初年,贾谊上疏陈述政事,率先对汉初实行的和亲政策予以激烈抨击,自请"为属国之官以主匈奴","必系单于之颈而制其命"。贾谊所上制匈奴之策,尽管在当时权臣眼中属于"年少初学,专欲擅权,纷乱诸事"之类,在后人的笔下亦为"谊于制患之术浅矣"①,但却因其少年勇气赢得乐府诗人的好评:

> 雁塞日初晴,胡关雪复平。危关缘广漠,古窦傍长城。拔剑金星出,弯弧玉羽鸣。谁知系虏者,贾谊是书生②。

元光二年(前133年),王恢一反:"过秦"的社会时尚,极力推崇秦始皇对匈奴的攻击:"蒙恬为秦侵胡,辟数千里,以河为竟,累石为城,树榆为塞,匈奴不敢饮马于河,置烽燧然后敢牧马",而今"以中国之盛,万倍之资,遣百分之一以攻匈奴,譬犹以强弩射且溃之痈,必不留行矣。"③汉武帝最终采纳了王恢的建议,亲自部署发动了马邑之战,"自是后匈奴绝和亲,攻当路塞"④。至此,"秦家筑

---

① 见《新书·匈奴》、《汉书·贾谊传赞》、宋叶适《外论一》。
② 《乐府诗集》卷27《相和歌辞》2《相和曲》中,唐李瑞《度关山》,第394页。
③ 《汉书》卷52《韩安国传》。
④ 《汉书》卷94上《匈奴传》。

城备胡处,汉家还有烽火然。烽火然不息,征战无已时"①,旷日持久的汉匈战争终于爆发。

汉匈战争的爆发,促使汉人重新审视与评价秦人曾经实行,而且取得显著效果的防御措施。汉人在抗御匈奴的过程中,同样付出巨大的代价,修缮与新筑了包括秦长城在内的庞大北境防御体系。一个典型的事例是在元朔二年(前127年),汉军发动河南战役,"于是汉遂取河南地,筑朔方,复缮故秦时蒙恬所为塞,因河而为固"②。汉人在经历了初期的"过秦"冲动后,也认识到对匈奴这样的作战机动能力甚强的游牧民族,除筑城戍守外似乎没有更好的防御措施,还是因袭了秦人的做法。所不同的是,汉人较秦人相对和缓的驭民政策,也是后人对汉人批评远不如对秦人严厉的一个重要原因。反映在乐府诗歌中,除诗人仍是普遍感叹筑城劳役之艰辛外,对汉人与秦人基本相类似做法的批评却要和缓许多。《乐府诗集》卷75《杂曲歌辞》十五载唐元稹《筑城曲》曰:

年年塞下丁,长作出塞兵。自从冒顿强,官筑遮虏城。筑城须努力,城高遮得贼。但恐贼路多,有城遮不得。丁口传父口,莫问城坚不。平城被虏围,汉剧城墙走。因兹请休和,虏往骑来过。半疑兼半信,筑城犹嵯峨。筑城安敢烦,愿听丁一言。请筑鸿胪寺,兼愁虏出关。

诗中以筑城"塞下丁"的口吻,道出汉人筑城遮虏的劳辛,也表达了对所谓高城遮虏效用的疑问,虽然"半疑兼半信",但仍然表示了"筑城安敢烦"的心态,这与"秦王筑城何太愚"的严厉斥责有明显的区别。

不仅对待汉人"筑城"的态度如此,对于汉人大规模出击匈奴,甚至汉武帝晚年为此付出"海内虚耗,户口减半"的惨痛代价,已现

---

① 《乐府诗集》卷16《鼓吹曲辞》1《汉铙歌》上,李白《战城南》,第237页。
② 《汉书》卷94上《匈奴传》。

"亡秦"征兆的情形,乐府诗人大都表达肯定与理解的态度。不过,后人之诗与《乐府诗集》卷16《鼓吹曲辞》一所录"月支臣,匈奴服。令从百官疾驱驰,千秋万岁乐无极"等"皆美当时之事"①的汉曲《上之回》还是有所不同的。

在乐府诗集歌中,"东暨辽海,西并阴山",绵延万里的汉匈战争疆场,乘胜逐北的将军,以及与汉匈战争相关的一切,几乎都成为诗人讴歌的对象。

就汉匈战争疆域而言,除长城外,阴山由于其独特的地理位置,也成为汉匈争夺的一个重要的地区。阴山南麓属于水草丰盛,适宜游牧的漠南地区;再渡过北河而南,则是宜耕宜牧、毗邻秦汉京畿的河南地。正由于这种独特的地理位置,阴山以南地区,自古就是游牧与农耕两大民族相互冲突交会的一个敏感区域,秦汉长城的西段就是傍阴山南麓蜿蜒而东的。因此,在乐府诗歌中,常见将阴山与长城并称之语,如前引"阴山日不暮,长城风自凄"等语即是典型之例。《乐府诗集》卷32《相和歌辞》7《平调曲》3 录刘宋颜延之《从军行》,有"苦哉远征人,毕力干时艰。秦初略扬越,汉世争阴山"之语,对汉人与匈奴争夺阴山重要性定位的相当准确。唐王昌龄的名诗"秦时明月汉时关,万里长征人未还。但使龙城飞将在,不教胡马度阴山"。亦是将能否御匈奴于阴山之北,视为战争成败的一个重要标志。

如果说将匈奴御于长城、阴山之北,只是为了保障汉地的安危;那么与匈奴逐战于塞外②,则是决定汉匈战争胜负的关键所在。元狩四年(前119年)的漠北之战,正是这样一场关键战役。《乐府诗集》卷21《横吹曲辞》1 所录《出塞》诸篇,其中有一些诗歌

---

① 《乐府诗集》卷16《鼓吹曲辞》1《汉铙歌》,第227页。
② 汉人以长城为塞,《后汉书》卷90《鲜卑传》曰:"天设山河,秦筑长城,汉起塞垣,所以别内外,异殊俗也。"

对汉匈在塞外的逐战有生动地描绘。如隋杨素《出塞》辞曰:

> 漠南胡未空,汉将复临戎。飞狐出塞北,碣石指辽东。冠军临瀚海,长平翼大风。云横虎落阵,气抱龙城虹。横行万里外,胡运百年穷。兵寝星芒落,战解月轮空。严鐎息夜斗,辛角罢鸣弓。北风嘶朔马,胡霜切塞鸿。休明大道暨,幽荒日用同。方就长安邸,来谒建章宫。

虽然诗词不应、也不能以考实的方法一一释读,但诗中所涉及的一些具体地名、人名确实与汉军出塞逐战匈奴,特别是与汉匈漠北决战有密切关系。飞狐即飞狐口,位于代郡境内(今河北涞县北、蔚县南),自古以来就是著名关隘。扼守此地,即可以阻断匈奴南下侵掠北方诸边郡的通道。《汉书·文帝纪》载,"六年冬,匈奴三万骑入上郡,三万骑入云中。以中大夫令免为车骑将军屯飞狐,故楚相苏意为将军屯句注,将军张武屯北地,河内太守周亚夫为将军次细柳,礼为将军次霸上,祝兹侯徐厉为将军次棘门,以备胡。"其中周亚夫等三将军所屯细柳、霸上、棘门均在京城长安附近,而句注(即句注山)位于毗邻代郡的雁门郡,汉军在两地驻守,可以保障位于汉帝国中部北边诸郡的安全。碣石虽然不能确指,但在汉人的心目中,它不仅是神仙所居之地,亦是帝国东北部疆域起点的代名词。汉元帝时,待诏贾捐之议罢珠厓事,有"至孝武皇帝元狩六年,太仓之粟红腐而不可食,都内之钱贯朽而不可校,乃探平城之事,录冒顿以来数为边害,籍兵厉马,因富民以攘服之。西连诸国至于安息,东过碣石以玄菟、乐浪为郡,北却匈奴万里,更起营塞……"云云①,将汉武帝经营西至安息,东抵碣石的漫长疆界,视为"北却"匈奴的一个重要原因。而《出塞曲》中"冠军临瀚海,长平翼大风"之句,更是对元狩四年的汉匈漠北大决战的直白描写:是年,冠军侯霍去病率军出代郡,直抵瀚海,封狼居胥山而还;长平侯卫

---

① 《汉书》卷64下《贾捐之传》。

青则出定襄千余里,与匈奴单于鏖战于大风之中,趁胜逐北,直到阗颜山赵信城而还。《汉书·叙传下》有"长平桓桓,上将之元……合围单于,北登阗颜。票骑冠军,猋勇纷纭,饮马翰海,封狼居山"之语,与是曲对照而读,更是相得益彰。

三 塞北江南共一家,何须泪落怨黄沙

  自古以来,华夏民族在与四边所谓蛮夷戎狄的交往中,已经形成了一种固定的心态,对企图乱华夏者要防范戒备,敢于侵扰中原者予以伐击,但最为理想的方式还是要以德服人,恩泽流于远方,达到"四夷宾服"的境界。班固在《匈奴传赞》中开宗明义地说:"《书》戒'蛮夷猾夏',《诗》称'戎狄是膺',《春秋》有道'守在四夷'",即是这种状态的写照。若以"四夷宾服"的标准衡之,秦始皇筑城御敌及汉武帝出兵征伐的行为,显然皆远离之。特别是秦人的匈奴政策与汉武帝的"汉兵深入穷追二十余年",虽然遏止了匈奴侵扰的势头,但均付出或是"天下土崩",或是"海内虚耗,户口减半"的巨大代价。

  武帝去世之后,重新检讨对匈奴政策成为朝野共同关注的问题。昭帝始元六年(前81年),贤良文学在盐铁会议上与主张攻伐匈奴的御史大夫桑弘羊的辩论,以及宣帝初年长信少府夏侯胜非议诏书,斥责武帝"多杀士卒,竭民财力……亡德泽于民"等①,皆是重新检讨汉匈奴政策的著名事例。新朝时,严尤谏王莽勿伐匈奴时曾言:

    臣闻匈奴为害,所从来久矣,未闻上世有必征之者也。后世三家周、秦、汉征之,然皆未有得上策者也。周得中策,汉得下策,秦无策焉。当周宣王时,猃允内侵,至于泾阳,命将征

---

① 参见《汉书》卷75《夏侯胜传》,《盐铁论·和亲》等。

之,尽境而还。其视戎狄之侵,譬犹蚊虻之螫,驱之而已。故天下称明,是为中策。汉武帝选将练兵,约赍轻粮,深入远戍,虽有克获之功,胡辄报之,兵连祸结三十余年,中国罢耗,匈奴亦创艾,而天下称武,是为下策。秦始皇不忍小耻而轻民力,筑长城之固,延袤万里,转输之行,起于负海,疆境既完,中国内竭,以丧社稷,是为无策。

对于严尤之论,班固深表赞同:"若乃征伐之功,秦、汉行事,严尤论之当也。"反映乐府诗歌中,《乐府诗集》卷92《新乐府辞》3《乐府杂题》3所录唐李白《塞上曲》,以诗歌语言诠释了尤氏关于汉仅得"下策"的论点:

> 大汉无中策,匈奴犯渭桥。五原秋草绿,胡马一何骄。命将征西极,横行阴山侧。燕支落汉家,妇女无花色。转战渡黄河,休兵乐事多。萧条清万里,瀚海寂无波①。

然而,别说世之所无的所谓"上策",即使是"驱之而已","天下称明"的周之"中策",在汉匈民族激烈冲突之时也可求而不可得。这里除了对生存空间与利益的争夺外,汉匈在文化认同上也存有巨大的差异。在"冠带之民"看来,"(匈奴)其俗,宽则随畜田猎禽兽为生业,急则人习战攻以侵伐,其天性也。……利则进,不利则退,不羞遁走。苟利所在,不知礼义","夷狄譬如禽兽,得其善言不足喜,恶言不足怒也";在"控弓之民"的眼中,以"天之骄子"自诩的匈奴本来就"不为小礼以自烦",其俗"本上气力而下服役,以马上战

---

① "匈奴犯渭桥",实际应为"突厥犯渭桥"。《分类补注李太白诗》卷5杨齐贤注曰:"唐太宗初即位,颉利将十万袭武功(今陕西武功西北)。太宗与高士廉、房元龄驰六骑出元武门,幸渭上,与可汗隔水语,责其负约。群酋见帝皆惊,下马拜。翼日,刑白马与颉利盟于便桥(即唐代的西渭桥)上,突厥引退。以"匈奴"指代"突厥",是唐代诗人常用的"借汉为喻"的一种修辞手法。白居易《长恨诗》"汉皇重色思倾国"语,就是典型一例。

斗为国,故有威名于百蛮。战死,壮士所有也。"①正因如此,在《塞上曲》中希冀"休兵乐事多",对"燕支落汉家,妇女无花色"的匈奴深表同情的诗人李白,《乐府诗集》卷16《鼓吹曲辞》1《汉铙歌》上载《战城南》曰:

> 去年战,桑干源;今年战,葱河道②。洗兵条支海上波,放马天山雪中草。万里长征战,三军尽衰老。匈奴以杀戮为耕作,古来唯见白骨黄沙田。秦家筑城备胡处,汉家还有烽火然。烽火然不息,征战无已时。野战格死,败马号鸣向天悲。乌鸢啄人肠,衔飞上挂枯树枝。士卒涂草莽,将军空尔为。乃知兵者是凶器,圣人不得已而用之。

诗中描写了惨痛的战争场面,充满了强烈的悲天悯人的情感,在如何对待"以杀戮为耕作"的匈奴时,虽然明明知道"兵者是凶器",但是"圣人不得已而用之",体现出一种无可奈何的情绪。

更有甚者,则誓灭匈奴而后已,追求一种所谓"胡无人"的状态。《乐府诗集》卷40《相和歌辞》15《瑟调曲》5录有《胡无人行》六首,其中态度最为激烈者还是出自李白之手:

> 严风吹霜海草凋,筋干精坚胡马骄。汉家战士三十万,将军兼领霍嫖姚。流星白羽腰间插,剑花秋莲光出匣。天兵照雪下玉关,虏箭如沙射金甲。云龙风虎尽交回,太白入月敌可摧。敌可摧,旄头灭。履胡之肠涉胡血,悬胡青天上,埋胡紫

---

① 《汉书·匈奴传》、《季布传》。
② "去年战,桑干源;今年战,葱河道",系指天宝元年(公元742年),朔方节度使兼灵州都督王忠嗣与突厥战于桑干河,"三败之,大虏其众,耀武漠北,高会而旋。……明年,又再破怒皆及突厥之众"事(《旧唐书》卷103《王忠嗣传》),桑干河为永定河上游,源出今山西北部管涔山。葱河道所指不详。《资治通鉴》卷115《唐纪》31"玄宗天宝元年条"及"二年条"未载《王忠嗣传》"明年又再破怒皆及突厥之众"事,《考异》按,"朔方不与奚相接,不知所云奚怒皆何也,今阙之。"

　　　　塞旁。胡无人,汉道昌。陛下之寿三千霜,但歌大风云飞扬,
　　　　安得猛士兮守四方。胡无人,汉道昌。

如此刺目之语,与悲天悯人的《战城南》相比,似乎很难相信是出于同一位诗人之手。曲中连续用了两个"胡无人,汉道昌",表明对"胡人"的敌视达到了顶点。这一极端之态度,似乎并没有得到同代人的完全认可。贯休同样以《胡无人行》为题,表达的却是另外一种情感。

　　　　霍嫖姚,赵充国,天子将之平朔漠。肉胡之肉,烬胡帐幄。
　　　　千里万里,唯留胡之空壳。边风萧萧,榆叶初落。杀气昼赤,
　　　　枯骨夜哭。将军既立殊勋,遂有《胡无人》曲。我闻之,天子富
　　　　有四海,德被无垠。但令一物得所,八表来宾,亦何必令彼胡
　　　　无人!

贯休同样是站在汉人的角度上,体现则是一种相对宽容的精神,对于"肉胡之肉,烬胡帐幄。千里万里,唯留胡之空壳"的残酷剿灭持有强烈的反感,而主张德被四海、"八表来宾",这才是位于中央统治地位的"天子"对周边少数民族所应采取的态度。

长期的汉匈战争,不仅给汉人带来巨大的痛苦与损失,对于经济、军事实力都逊于汉人的匈奴而言,在汉军凛冽的攻势下,损失更为惨重,"孕重堕殰,罢极苦之"。"失我焉支山,令我妇女无颜色;失我祁连山,使我六畜不蕃息"①,悲伤的歌辞,道出了匈奴人在失去水草肥美的河西地后的痛苦与无奈。在匈奴已经无力在北境进行大规模侵扰的情况下,汉匈关系发生了新的变化。宣帝甘露三年(前51年),呼韩邪单于为寻求汉廷的支持,遣子入侍,称臣朝汉。经过长期艰苦的战争之后,在匈奴终于臣服于汉的前提下,汉匈和亲关系重新得以恢复。呼韩邪单于第三次入朝时,元帝因此改元"竟宁",以志纪念"边垂长无兵革之事"。东汉和帝永元元

---

① 《乐府诗集》卷84《琴曲谣辞》2《匈奴歌》,第1186页。

年(公元89年),窦宪与耿秉等率汉军出塞三千余里,联合南匈奴军大破北匈奴,穷追至燕然山(今蒙古杭爱山),从此北匈奴一蹶不振,开始走上辗转西迁的道路。永元三年,耿夔率师远征,于在金微山(今阿尔泰山)再次袭破北匈奴,单于逃亡,"不知所在",至此长达三个世纪的汉匈战争终于画上了一个休止符。

其后,汉匈关系虽有反复,但和亲的格局大体维持下来。活动于漠南中的南匈奴,虽然与汉人的心理隔阂依然存在,但与汉民族融合似乎也成为一种趋势。《乐府诗集》卷59《琴曲歌辞》3所录相传为蔡邕之女蔡琰所作的《胡笳十八拍》,对"入胡"、"归汉"、"别子"等悲喜交织的情节有真实描写,或许正是民族融合中不可避免的痛苦与波折:

> 越汉国兮入胡城,亡家失身兮不如无生。毡裘为裳兮骨肉震惊,羯膻为味兮枉遏我情……东风应律兮暖气多,汉家天子兮布阳和。羌胡踏舞兮共讴歌,两国交欢兮罢兵戈。忽逢汉使兮称近诏,遣千金兮赎妾身。喜得生还兮逢圣君,嗟别二子兮会无因……不谓残生兮却得旋归,抚抱胡儿兮泣下沾衣。汉使迎我兮四牡騑騑,胡儿号兮谁得知……胡笳本自出胡中,绿琴翻出音律同。十八拍兮曲虽终,响有余兮思未穷……胡与汉兮异域殊风。天与地隔兮子西母东,苦我怨气兮浩于长空。六合离兮受之应不容。

但要想消除胡汉"异域殊风"的对立现实,变"边地胡笳声"为"陌头采桑曲"①,只有通过民族不断地融合,才有可能达到诗人所祈盼的"塞北江南共一家,何须泪落怨黄沙"理想的"大和"境地②。

---

① 《乐府诗集》卷32《相和歌辞》7《平调曲》3录北周王褒《燕歌行》曰"遥闻陌头采桑曲,犹胜边地胡笳声"。
② 《乐府诗集》卷79《近代曲辞》1《大和》第4,第1119页。

张衡:世界史中罕见的全才伟人

王志尧

我国东汉时期杰出的科学家兼文学家张衡在《思玄赋》中写道:"恃己知而华予兮,鹩鹈鸣而不芳;冀一年之三秀兮,遒白露之为霜……天盖高而为泽兮,谁云路之不平?勔自强而不息兮,蹈玉阶之峣峥!"(《后汉书·张衡传》)。诗句写得慷慨激昂,抒发了张衡对自己怀才不遇的愤懑和他为探索科学和人生而自强不息,无高不可攀的决心。

随着对张衡研究的不断深入,笔者逐步加深了对张衡这些诗句之丰蕴内涵的认识。现不揣浅陋,对这位世界史上所罕见的集科学家、发明家、天文学家和文学家、思想家、艺术家于一身的全面发展的伟大人物略加论析,以抒景仰之意。

一

张衡(公元78—139年),字平子,东汉南阳郡西鄂县(今南阳市卧龙区)石桥镇人。由于他晚年曾做过三年河间相,人们又称他为张河间。他出生在一个贫寒的仕宦之家,祖父张堪担任过蜀郡和渔阳太守,很会用兵打仗,曾多次率兵击败侵扰地方的匈奴军队,并且注重发展生产,曾组织人力开垦了大片稻田,是名闻当地的人物。但到张衡出世时,张堪早已病故,其父或为一介平民或早故,史无记载,仅知其家境相当清苦,有时还受到祖父张堪好友的接济。

张衡的知识主要来自自学。他熟读过《诗经》、《书经》、《易经》、《礼记》、《春秋》等经典名著,十多岁时就已经相当有学问了;但他不热衷于功名,一心扑在学问上。当他17岁时,决心出外远游,以了解社会,寻求知识。他曾游西汉时期以都城长安为中心的京兆、左冯翊、右扶风之三辅繁华地区,再入京师,观太学,结识了扶风马融、平陵窦章和涿郡崔瑗等著名学者,学识增长很快。当时,东汉王朝已开始走向衰败,豪强世族垄断政权,"仕官皆世族,而寒人则无进身之路"。这就决定了张衡仕途坎坷,久滞下位。他于23岁时因受到南阳郡太守鲍德的激赏,邀他回南阳郡帮助办理郡政,继而提任南阳郡主簿9年。34岁到京城担任郎中,是品位很低的京官。37岁起调任太史令,先后达14年之久。他对当时那些"怀丈夫之容,而袭婢妾之态"的依势趋利者十分蔑视和憎恶。顺帝永建元年(公元126年),他在调离太史令5年后又被任为太史令,这显然是东汉统治者对张衡的冷遇和贬抑。于是有人嘲笑他"去史官五载而复还,非进取之势也"。张衡却心安理得地答辩说:"不患位之不之尊,而患德之不崇,不耻禄之不夥,而耻智之不博!"充分显示了张衡蔑视官位利禄,渴望追求真理的高贵品质,他的科学成就,大多产生于这个时期。

张衡在任太史令期间,曾深入研究了当时天文学发展的最新成果,写下了不朽的天文学名著《灵宪》。这是我国第一部重要的天文学理论著作,它试图从哲学的高度全面阐述天地的生成和结构,解释日月星辰的本质和运动。张衡认为天地万物是从原始的浑沌未分的元气发展来的;元气是物质性的,其中包含不同质量的阴气和阳气;自然现象的千差万别及相互影响,体现了阴阳二气所具有的不同物质性能及其相互作用。这是一种原始唯物主义的宇宙发生论和万物生成说。它指出,天地万物及其变化并不是神创造和安排的,因此具有无神论的性质。

张衡的这种从无到有从小到大的宇宙生成理论,不但符合物质世界的发展规律,而且也符合物质不灭的先进定律,比起18世纪驰名世界的德国康德所创造的星云学说早了1600多年。

张衡系统地总结和发展了我国古代的浑天思想。汉代论天的有浑天、盖天、宣夜三家。在解释天体结构和运动上争论得最激烈的是浑盖二家。浑天观点在当时是较为先进的学说,张衡是其主要代表人物。他认为,天是圆的,就像鸡蛋黄,居于蛋壳里,这是比较接近实际天地情形的认识。为进一步宣传浑天思想,他精心设计制造了一架表演浑天思想的水运浑象——浑天仪。设有南北极、黄赤道、恒显圈、28宿中外星官的位置、地平圈、子午圈等结构,具有完整的天球的模型,还包括了当时许多先进的天文知识。为使浑球的旋转与天相应,张衡还设计了一套齿轮系统,以漏壶的流水为动力,控制浑球的旋转速度,使它与天相应,能随时得知某星中天,某星东升,某星西落。另外,还用一组齿轮系统,叫做瑞轮蓂荚,也以流水为动力,使每月上半月每天升起一片木叶,下半月每天落下一片木叶,能自动报告日期。这种水运浑象实际是世界上最早发明的天文钟。

张衡还提出了崭新的行星运动理论。他在《灵宪》中说:日月和五星在众恒星间移动,通常都是顺行的。它们的运动有一个普遍规律,即"近天则迟,远天则速"。按正常情况,运动一段时间后速度就慢了下来,以至于停留不动,最后变成逆行,然后再回到顺行的正常情况。逆行速度慢,实际是接近恒星的边缘了。

张衡首次用科学方法解释了日月食形成的原因。他认为太阳能发出强烈的光,而月亮和五星都不能发光。只有当太阳将它们照亮时才能看见,所以会有月貌的变化。这是由于日月的相对位置改变造成的。日月的角半径差不多都是半度。当月亮正好从太阳下经过时,不发光的月亮就能挡住太阳光而产生日食。他认为晚上太阳入地下,地挡住了太阳光,当月亮进入地影时,便产生了月食。他在距今1800多年前就能正确解释日月食的成因,的确令人钦敬。

我国境内经常发生地震,为了准确地掌握地震情报,他于公元132年发明了地动仪。他在地动仪中央直立一根上粗下细的杆子,称作"都柱",也就是水平摆。只要地面稍有震动,"都柱"就能倒向地震波传来的方向,以至牵动地动仪上龙口所含铜丸掉进蹲在地上的蛤蟆嘴里,从而测知地震发生的方向。地动仪的制成,充分说明张衡对地震波的传播已具有一定的知识,进而成功地使用了惯性摆原理。张衡地动仪是全世界第一架测量地震的仪器。欧洲在1880年才制造出类似的仪器,比张衡晚了差不多1750年。

古代天文和气象密不可分。张衡还创造出一种测定风向的仪器,称为候风仪。以往人们常将候风仪、地动仪混为"候风地动仪",而不去分析"候风"的意义。竺可桢先生曾对候风仪做过一篇很有说服力的考证文章《中国过去气象学上的成就》,指出张衡的候风铜鸟和西洋屋顶上的候风鸡是相类似的。西洋的候风鸡到12世纪的时候始见之于载籍,要比张衡候风铜鸟的记载迟了1000年。不仅证明了"候风"是测风向的仪器,而且还证明张衡在世界气象学方面的先驱地位。

张衡还制造了测日影的土圭;"参轮可使自转"的自动车;"腹中施机,能飞数里"的自飞木雕;辨明方向的指南车等等。在数学方面,他著有《算罔论》,可惜已经失传,不能窥其情貌。他对圆周率也有所研究。在地理学上,曾绘有《地形图》,一直流传到唐代。他也擅长绘画,尤工山水、动物,与赵岐、刘褒、蔡邕合称东汉四大画家。他对音乐舞蹈也有精深研究,如在《观舞赋》里,他曾巧妙地形容舞蹈演员的舞技为"连翩络绎,乍续乍绝,裾似飞鸾,袖如回雪"。他的好友崔瑗说他"数术穷天地,制作侔造化",可见他对人类科学事业做出的贡献之大。正因为如此,1970年国际上的有关科学组织曾把月亮背面的一座环形山命名为"张衡山",1977年又把太阳系中编号1802的小行星命名为"张衡星",1981年上海造船厂把为中波公司建造的一艘1600吨多用途货轮命名为"张衡号"。张衡的名字和太空天地共存,与日月同辉。"张衡号"巨轮带着中华民族的骄傲和光荣,航行在世界各地。张衡以自己的光辉业绩彪炳史册,以自己的丰硕成果遗泽后人,而至今文明世界也没忘记用神圣命名的方式,对这位建造世界文明的历史科学巨匠表达最崇高的敬意。

二

张衡在科学上取得的巨大成就,一方面是他刻苦学习,勤奋研究的结果,另一方面也与他能和封建迷信、落后势力作坚决斗争分不开。他进步的宇宙观是他节节胜利的根本所在。

在汉代,董仲舒提出了"天不变,道亦不变"的形而上学宇宙观,以神灵的旨意取代宇宙发展的客观规律,把科学变成宗教神学恭顺的奴婢。与董仲舒"天人感应"的神学宇宙观相反,汉代的唯物主义思想家把天看成是自然的天、物质的天。他们拨开宗教神学的迷雾,从宇宙自身的发展变化来观察了解宇宙,充分利用先秦以来古代天文学的成就,提出具有朴素唯物主义思想的宇宙结构观念。张衡通过卓越的科学实验和理论研究,建立了当时最系统最完备的浑天学说的理论体系。公元117年,他写了《浑天仪图注》,在这部著作中,生动地阐述了一幅宇宙图景:"浑天如鸡子,天体圆如弹丸,地如鸡中黄,孤居于内,天大而地小,天表里有水,天之包地,犹壳之裹黄。天地各乘气而立……天转如毂之运也,周旋无端,其形浑浑,故曰浑天也。"张衡提出的浑天说是中国古代宇宙观念发展史上的一个飞跃,打破了传统的"天圆地方"的错误观点。他指出地"孤居"于天体之内"乘气而立",摒弃了过去"天柱地维"

的虚幻神话。他还指出天半覆地上,半绕地下"半见半隐","日昼行地上,夜行地下",定黄赤二道,立南北二极,这些已相当接近于近代的科学解释了。尤为可贵的是:张衡已精确地了解黄道和赤道的关系,讨论了由黄道度数求赤道度数改正值,指出由于黄道和赤道相交成24度的交角,有两个交点:春分点和秋分点,在春分、秋分及在夏至、冬至点,由黄道度数求赤道度数需要减或加一个改正数,即他所说的黄道进退数,这种科学见解的准确性已为现代天文学研究成果所证明。他还在《灵宪》中创造性地阐释了月光的来源、月亮的圆缺和交蚀现象。张衡以进步的宇宙结构理论,卓绝的天文学知识和"妙尽璇玑之正"的浑天仪的发明创造,为世界科学史写下不朽的一页。

张衡所著的《元图》和《灵宪》是两部集中反映他的哲学宇宙观的重要著作。在这两部著作中,他继承了春秋战国至汉代的唯物主义传统,提出了"太始"、"太虚"、"太素"、"太气"等哲学概念,以论述宇宙万物的起源。他明确地提出:天地万物最早的起源,既不是什么上帝、神灵的旨意,也不是什么绝对理念,而是"无形之类"的"元",也就是太始。一种未形成的气,它是天地万物未形成以前的原始物质。由于"太始"是无形的,所以又称气为虚无或太虚。虚无是指无形无象的客观实在,是肉眼不可见的原始物质的存在形式。

张衡就当时的科学水平和人们认识世界可能达到的高度,十分清晰地叙述了太始从无到庶类繁育的天地万物形成的具体过程。他的识见包含两点含义:一是意味着天地万物归根结蒂是原始物质自身变化生成的,不是神灵的创造;二是意味着宇宙并不是一开始就和现在一个模样,亘古不变,而是有一个运动的、变化发展的过程。他以"道根"、"道干"和"道实"来概括天地万物生成发展的三个阶段。先由无形无象的太始,到混沌不分的太素元气,再到天地剖分,万物滋育。张衡的宇宙观不是僵化不变的,而是发展的。他所阐述的时空观和阴阳观，闪烁着朴素的唯物论和辩证法的光芒。

张衡说："未之或知者，宇宙之谓也，宇之表无极，宙之端无穷"。宇，指上下四方，是空间；宙，指古往今来，是时间。空间和时间是物质存在的客观形式。张衡的天球模型是虚空中分布着众多天体，它们是可以自由运动的。他开始认识到空间的无限广袤性和时间的无限延续性。从中国思想史上看，张衡这一正确的时空观是个卓越的创见。张衡的宇宙无限思想同马克思主义对宇宙问题的认识是完全一致的。张衡认为的实际天球是虚空中分布着众多天体，它们可以自由运动，而在同一时代，西方人却没有这种区分。在西方，古希腊哲学家亚里士多德在公元前4世纪就提出：真实的宇宙结构是一个透明的大水晶球，星辰都镶嵌在这个水晶球上。这种认识为公元2世纪时的托勒密所继承，张衡的无限宇宙思想比水晶球的说法进步得多。

张衡进步的宇宙观还表现在对谶纬神学的批判上。谶纬神学是两汉思想史上一股唯心主义逆流。它是在两汉之际阶级矛盾十分尖锐，反动统治政权摇摇欲坠，妄图乞求天命和神灵以苟延残喘的历史背景下出现的。它滥觞于成哀期间，猖獗于新莽、东汉。就在张衡出生的第二年，白虎观会议召开了。会议编纂的《白虎通义》把谶纬奉为钦定的法典，使谶纬成为仕宦者必须宗仰的官方神学。举凡封建统治者一切政治措施：制礼作乐、更定年号、祭祀营建等，都要"应合图谶"。当时流行的谶纬有《河图》、《洛书》、《七经纬》等共83篇。内容基本上都是方士、巫师和儒生们或编造诡秘的隐语、预言，作为王朝兴衰、人事吉凶的符验、征兆，或任意穿凿附会儒家经典以神化孔子，制造荒诞不经的宗教迷信。总之是宣扬"天人感应"的唯心主义天命观，鼓吹腐败的统治政权如何"膺受天命"，起着很大的欺骗迷惑人民的作用。

鉴于此，张衡于公元133年呈递《驳图谶疏》，重点驳斥了图谶的所谓"立言于前,有征于后"这一最具欺骗性的要害问题。他们说图谶纬书就是孔子的立言,是黄帝、文王的圣传。他们早就知道有中兴的刘秀该膺命登基。张衡反驳道:"自汉取秦,用兵力战,功成业遂,可谓大事,当此之时,莫或称谶!""至于王莽篡位,汉世大祸,八十篇何为不戒?"然后指出:"则知图谶成于哀平之际也。"历史是无情的,真相一经指出,图谶纬书是所谓"立言于前"的神圣预言的论据,就被彻底粉碎了。张衡进一步戳穿了"有征于后"的流言。他说:"永元中,清河宋景遂以历纪推言水灾,而伪称洞视玉版,或者至于弃家业,入山林,后皆无效,而复采前世成事以为证验。"既然图谶"无效",只得"复采前世成事以为证验",其虚伪欺诈自不待言。他辛辣地嘲讽那些竞相称颂图谶的人:"譬犹画工,恶图犬马而好作鬼魅,诚以实事难形而虚伪不穷也。"他认为,编造谶纬的实质是"欺世罔俗,以昧权位",强烈要求"收藏图谶,一禁绝之"。张衡对谶纬神学的批判,使他在本质上和主流上当之无愧地成为两汉唯物主义营垒中的一员骁将。

张衡唯物主义宇宙观的形成,是他辛勤地从事科学技术研究的结果。张衡"约己博艺,无坚不钻",孜孜不倦地从事天文、历算和制作技术的研究。他的科学技术研究具有两个特点:一是求实精神。安帝延光二年(公元 123 年),亶诵、梁丰等人以"应合图谶"为理由,要求废止当时推行的四分历,改用已"迂阔不可复用"的太初历。张衡同周兴一道"参案仪注,考往校今",指出"九道法最密",运用自己观测天象的知识,与亶诵、梁丰进行论辩,使这二人"或不对,或言失误",进退失据,狼狈不堪。张衡明确提出"天之历数,不可任疑从虚,以非易是",反映了他实事求是,坚持科学真理的可贵精神。二是态度严谨,一丝不苟。他在公元 117 年正式铸造浑天仪之前,竟花了一年时间先做试验,亲自动手剖割、刮削出薄薄的竹篾,用竹篾编成圆环,以细针穿联,刻上度数,造出一个模型,称作小浑。待试验准确后,再正式用铜铸造。据《晋书·天文志》记载:"张平子既作铜浑天仪,于密室中以漏水转之,令伺之者闭户而倡之。其伺之者以告灵台上观天者,曰:'某星始见,某星已中,某星今没',皆如合符也。"张衡反对和摒弃科学上的"任疑从虚,以非易是",要精心达到使自己的试验和自然现象"皆如合符",为以后从事科学研究的人提供了良好的范例。

卓越的科学实验,使张衡很自然地认识到宇宙的规律,从而提出"天步有常"的观点。认为自然界一切运动变化,包括日月星辰的出没,寒来暑往的更替,都是有规律可循的,一切都是互相联系,互为因果的。因此,客观世界是可知的,都能被人们所认识。"艺可学而力可行"成了张衡的信念。一切真知妙艺都可以学到手,任何难事都可以力行!这种进步的思想推动张衡一生刻苦研究,勇敢实践。通过自然科学的研究,形成了唯物主义宇宙观,又在进步的宇宙观指导下,取得新的科学成果,这就是张衡认识世界的辩证法。

对自然科学的研究,必须首先承认世界的物质性,承认世界是独立于人们意识之外的客观实在,还必须通过反复的观察、实验,由此及彼,由表及里地认识世界。在马克思主义诞生以前的旧唯物主义论者,在自然观上是唯物主义的,而在社会观上却往往陷入唯心主义泥淖之中。张衡也是如此。他的宇宙观是朴素唯物主义的,但在认识和解释社会人事方面,却不能摆脱唯心主义"天人感应"论的影响。他相信"政善则休祥降,政恶则咎征见"的观点。他虽然反对谶纬神学,却又认为十筮、九宫、凤角"数有征效",这是他思想局限性的一面。总的来说,张衡的学术思想在东汉时期是站在时代前列的。

张衡一生也做过不少官。他不仅具有"居庙堂之高,则忧其民;处江湖之远,则忧其君"的可贵品质,而且是一个为官一任,造福一方的廉吏。

三

张衡的才能和贡献是多方面的，他对于科学、哲学、史学、艺术、文学等均有相当深入的研究，在著述上硕果累累。不过宋代南迁之时，国家收藏的大部分古代图书都在开封损失了，张衡的著作大半也在这次损失之列。所以，能流传至今的却不甚多。这无疑是无可弥补的损失。就其残留下来的著作而论，虽然各种门类都有专长，如哲学方面有易及太玄；社会学方面有周官；史学方面有驳班马；科学方面有天文历算；制造方面有天文仪器及各种自动机件；艺术方面有各色悬图；但却以文学的成就最为突出。他留给世人的诗、赋、文、诔、铭、赞、书等文体均有成功的代表作。特别是他在诗赋方面的创作成就尤为辉煌，不仅在当时负有盛名，就是在中国文学史上也占有不朽的一页。

张衡早在青少年读书时代就写过《定情赋》、《扇赋》之类的抒情名篇。当他做了南阳郡守鲍德的主簿之后，对鲍德之为官正直、气节高尚击掌叫好，写出了感情激越的五言诗《同声歌》。在这首诗中，他将鲍德比作君子，把自己比作妾，表现了对鲍德的感佩之情。一部伟大的作品，是作者对社会生活的本质及其发展规律的认识和反映，张衡的作品亦不例外，都带有鲜明的时代色彩和强烈的政治倾向，具有深刻的思想性和很高的艺术性。同时从他创作的作品时代及数量中亦可看出他思想的变迁。自从20岁左右游学京师起到60岁左右出任河间相止，前后40年间，其文学思想凡经三变：初，多诗赋铭诔应世之文，尚典雅重华丽；中，多疏表策奏关心国事之作，尚理解重实际；终，仍寓其忧时消极之念于诗赋，语沉痛而意玄远，以《七辩》及《应间》为其思想转变之关键。

《七辩》乃张衡初年确定人生态度之雏作，在《二京赋》前。假托无为先生之背世绝俗，祖述列仙，而引起七子之偕以就辩，为古小说体之笔法。七子者：一为虚然子，劝以处宫室之美，过那天堂般的日月。二为安存子，劝以听美妙的音乐，颐养天年。三为阙丘子，劝以多娶些佳丽，享尽人间艳福。四为空桐子，劝以穿上华丽的衣服，坐上华丽的车子到处游玩。五为雕华子，劝以尝滋味之美以饱口福。六为依卫子，劝以求神仙之美。先生闻言乃欣然从之，将飞未举之时又有第七位仿无子，侈述汉之德化，劝以用世之宜，先生思之终于幡然回面而受命。这实际上是张衡立志为国为民大干一番轰轰烈烈之伟大事业的内心剖白。

张衡早年已读过许多书，特别是班固的《两都赋》对他影响最大。他决心去游以西汉都城长安为代表的三辅，亲自去领略一下班固所描写的奇丽情景。

公元95年春，18岁的张衡先到骊山，观看了骊山残存的烽火台，又在温泉（华清池）沐了个浴。他缅怀西周灭亡的历史，不禁感慨万千。

张衡游三辅时就着手写作《二京赋》，历经10年，字字琢磨，句句推敲，到担任南阳郡主簿时才完成。《二京赋》由《西京赋》和《东京赋》组成。在《西京赋》中重现西京长安的生活，从后宫之丽导向帝王甘泉、建章、井干、天梁之宫的壮巧，又切实地引入"采少君之端信，庶栾大之贞固。立修茎之仙掌，承云表之清露"的历史真相。文中所讲述的是汉武帝的故事。武帝曾深信方术之士李少君和栾大，借他们以求成仙之术，并作铜露盘，承天露和玉屑饮之，欲以求仙。张衡严厉批判了武帝这种行为。他说："若历世而长存，何遽营乎陵墓！"人不能长生，求长生的人虽也认识到这一点，但却有欲长生的心理迷茫，透露出较为普遍的社会风习。同时，《西京赋》还直接表现市民生活，尤其是广场的群众娱乐、杂技、歌舞、幻术，各尽其妙。这与天子校猎独乐、妃姬歌舞自娱很不相同。民间艺术的大众化特征成为《西京赋》现实世界的重要一面。《西京赋》的世界是还原历史的真实，它涉及的生活层面和内容比《东京赋》要丰富得多,关键在于《东京赋》采取了不同的表现视点。《西京赋》凭虚公子"心奢体忕"昭示了他自己的生活情趣,在多识前代之载的情感共鸣中确立了表现的娱乐基调。《东京赋》安处先生对凭虚公子末学肤受,贵耳贱目,有胸无心,不能节之以礼的批评,意味着他在铺陈东京洛阳所奉行"礼"的原则。因此,出现在《东京赋》中的世界是天子节之以礼的世界:"既光厥武,仁洽道丰","昭仁惠于崇贤,抗义声于金商";"奢未及侈,俭而不陋","清风协于玄德,淳化通于自然"。即使是校猎,也是"不穷乐以训俭,不殚物以昭仁"。于是现实的行为都被道德化了,现实的世界成为道德的世界。这使人在不同的程度上离开自然本性,为社会公德所制约。张衡这样表现东京的现实世界,有以东京的法度批判西京生活奢侈的意味。由于他注意天子善德善行的一面,对天子失德处不予计较,无形中美化了天子和现实社会。张衡对东京天子的颂誉,掺杂了自我理想的成分。

《西京赋》炫耀西京及天子、百姓生活的奢丽超越了儒家礼义的范围,以便为《东京赋》思想表述奠定基础。《东京赋》的思想集中地表现为儒家的仁惠礼义,它赞誉汉光武帝的"仁洽道丰",在于止戈息武、仁义之道的丰盛。显宗昭仁惠,显义声;百姓"奢未及侈,俭而不陋,规尊王度,动则是趣"则是具有中和色彩的生活规范行为。这虽是说百姓,实际上在为统治者唱颂歌中表现了他对于政治上的思虑。他也十分注意道德在政治上的作用,所以,赋中的"仁风衍而外流,谊方激而遐逝",显示了道德行为的巨大力量。这上承孔子的"为政以德,譬如北辰,居其所而众星共之"的道德政治理论和孟子奉行的仁政、王道精神,把社会视作可为道德感化的社会。与此相吻合,往往强调行为的合"礼"合度,祭祀则是"肃肃之仪尽,穆穆之礼殚"。相辅而行,为政的表贤简能,敬慎威仪,为民的勤于疆场,力以耕耘,推恩四海而及禽兽,又从推恩禽兽中见天子仁惠的深厚,从而获得政治的效益。因此,张衡赋的理性特征蕴含了较多的政治因素。对于这样一位正直的有抱负的爱国爱民的知识分子来说,在其文学作品中,掺杂有较强烈的理性化政治因素是可以理解的。

张衡以儒家思想为主导,从国家的角度考虑,礼义、仁惠的核心,借助"水能载舟,亦能覆舟"为喻显示的是以民为本。然而,他思想中的道家思想时有展现。一方面表现在人生观上,希求虚无缥缈或超尘脱俗的生活;另一方面,把道家意识渗透到政治思想中,使他的政治思想在一定程度上成为儒道的混合体。《东京赋》叙述迁都以后的东汉政治,虽然说了"思仲尼之克己","所贵惟贤",民"怀忠而抱愨"这样一些隶属于儒家思想的话,但基本的政治和生活行为,人的欲望和境界则应归于老聃的政治学说。实际上,他以儒家的仁惠、礼义为思想本质,寻求道家所希望达到的社会安宁程度,以无为为功,以无事为业,百姓知足常乐,以致舍金弃玉,保持心理的宁静和生活的素朴。为此,统治者对国家事务的处理,也应是战战兢兢,如履薄冰,"用财取物,常畏生类之殄也;赋政任役,常畏人力之尽也"。由此可见,张衡创作的《二京赋》,在颂扬汉代国势隆盛社会繁荣的同时,含有浓郁的恤民思想是十分难能可贵的。

张衡赋的理性特征建立在社会政治与道德的批评之上,他在其中倾注的崇德爱民之情表现出他对生活的爱恋。这是由于他前期对生活的信心和期待,俟河之清而认定河水可清,即社会政治一定会清明。但当社会使他失望时,这种情绪不复存在而怀有深切的哀怨,从对社会的关注转向关注自我的人生,并促使赋风格的转变。像他的抒情之作《思玄赋》、《归田赋》就没有《二京赋》的豁达爽朗,在貌似洒脱中,流露出低沉的情调。

张衡的《南都赋》,是他歌颂家乡南阳的名篇。他采用了赋最基本的"离辞连类"的方法,言宝则若干,称木则若干,述竹则若干,说草则若干,一一铺陈,构成南阳丰盛的物产和奇丽的自然景观,进而再现身处南阳时的生活。作品承袭传统的表现模式,所表现的生活主要是君王狩猎,仕女游乐,具有浓郁的贵族气息,与普通百姓的生活有较大的距离。然而,两汉赋家表现现实世界的通则除了物产和自然景观之外,就是以贵族生活为现实世界的基本内容,而平民意识则通过君王、天子的政治意识得到体现。《南都赋》便受了这种通则的局限。《南都赋》华美的语言外衣虽说不无夸张的成分,但它给人的是直触生活之感。

总之,张衡在文学创作上以诗赋见长,尤其是赋的成就使他在汉赋各家中占重要的一席,与司马相如、扬雄、班固相颉颃。他的赋采众家之长,不仅《二京赋》是汉赋长篇的极致,《归田赋》是东汉赋风转变的扛鼎之作,而且在语言上开了汉赋骈骊的风气。他想像在日薄西山之际归耕田园。他所憧憬的田园生活如源源流水,汩汩而出。他的赋感情直抒,语言清新,开创了大赋发展的新天地,直接影响到唐宋新赋的发展;同时,他还创作了几篇意境优美的抒情小赋,《温泉赋》便是其代表作。

张衡在诗歌领域的创新和发展,主要表现在借鉴《诗经》的四言章法,吸收楚辞的营养成分,发展成多言诗。其代表作有四言诗《怨篇》,五言诗《同声歌》,七言诗《四愁诗》等,在这些诗歌中,对比兴的应用都比较成熟,感情比较自然真实,词藻华美清新,用韵上口,对唐宋多言诗的发展起了先导作用。

毛泽东同志在《中国革命和中国共产党》一文中充满豪情地说:"在中华民族的开化史上,有素称发达的农业和手工业,有许多伟大的思想家、科学家、发明家、政治家、军事家、文学家和艺术家,有丰富的文化典籍……"考察张衡的一生,可以毫不夸张地说,他几乎是集这诸多"家"于一身的一位伟大的天才、全才、奇才人物,这也正如大文豪郭沫若对张衡所作的更为简洁和亲切的评价:"如此全面发展之人物,在世界史中亦所罕见。万祀千龄,令人敬仰。"这位为人类的科学文化事业做出卓著贡献的历史伟人就像一颗耀眼的明星,永远闪耀在世界历史的长河中!

从对屈原的评价看汉代人的文学批评思想

金荣权

屈原作为中国文学史上第一个卓有成就的伟大诗人,以其高尚的人格,不朽的著作,凌越千古而俯视百代。两千多年来,他的作品和作品中所体现出来的伟大精神逐渐被后人所接受,并成为中国传统文化的一个部分,屈原的名字也永远铭刻在历史的丰碑之上而永不磨灭。但屈原并非是从一开始就被历史所承认并接受的,而是在文学观念得以确立、民族意识逐步加强的漫长历史时期逐步被历史所认可的。屈原形象及其作品经历了从否定到肯定再到否定与肯定的过程,这种肯定与否定之争开始于汉代。汉人对屈原的人格、创作动因和作品地位进行了全方位的评判,从而也得出了几乎相反的两种结论:一种认为屈原是忠贞之臣,其作品是"依托五经"的发愤抒情之作;一种则说他只不过是不善"明哲保身"的狂狷之士,其作品"强非其人",多虚无之语,离经叛道。汉人对屈原评价不仅反映了那个时代士人的处世哲学和社会心态,同时也反映出当时的文学批评思想和文学观念。

一、"忠贞之臣"与"狂狷之士"
——汉人以人品定文品的批评倾向

在中国文学批评史上,惯于把对作品的评价与对作者人格、人品的评价结合起来,多有以人品定文品的倾向,这种批评方式虽在先秦时代已有萌芽,但真正运用到文学批评上则始于汉代,尤其是在对屈原的批评中这种倾向表现得更加明显,所以在肯定屈原文品的同时必肯定其人品,反过来,否定其文品也必会首先否定其人品。

在汉代对屈原其人、其文进行较为详细记叙并给予高度评价的是司马迁,他在《屈原贾生列传》中说,屈原正道直行、竭忠尽智,"其文约,其辞微,其志洁,其行廉,其称文小而其指极大,举类迩而见义远。其志洁,故其称物芳;其行廉,故死而不容。自疏濯淖污泥之中,蝉蜕于浊秽,以浮游尘埃之外,不获世之滋垢,皭然泥而不滓者也。推此志也,虽与日月争光可也。"从司马迁这段话中我们可以得到一个基本的认识,那就是屈原的人品决定了他的文品,屈原作品的光芒是他人格光芒的反射。正因"其志洁",所以他的作品才有香草美人之比、男女君臣之喻,也创造性地发展了《诗经》以来的比兴手法,并使作品充满了一种浪漫气息,包含了深邃的思想;也正因"其行廉",所以作品里体现出一种不屈不挠的斗志和高尚的情操,从而感动和激励了一代又一代仁人志士。在司马迁的眼里,屈原可以说是达到了人品与文品的完善统一,司马迁也因其人而偏爱其文,因其文而想见其为人。

而之后的班固却对屈原做出了与司马迁不同的评价,班固说:"《大雅》曰:'既明且哲,以保其身。'今若屈原,露才扬己,竞乎危国群小之间,以离谗贼。然责数怀王,怨恶椒兰,愁神苦思,强非其人,忿怼不容,沉江而死,亦贬絜狂狷景行之士。……谓之诗兼风雅,而与日月争光,过矣。"班固以"明哲保身"的处世原则否定屈原"沉江"的不智之举,认为屈原获罪的主要原因是"露才扬己",且"竞乎危国群小之间",不知检讨个人的过失,反而责怀王,怨椒兰,"强非其人",心生愤懑,进而轻生,可谓是至死不悟。其行为不值得同情,更不可效仿。正因其行为不合儒家处世之道,所以其文章有很多地方"皆非法度之政,经义所载"。但班固仍然不能忽视屈原的创作对汉代辞赋的巨大影响,所以对屈原有一个最终的评语,就是:"虽非明智之器,可谓妙才者也。""妙才"一词值得玩味,一方面是肯定了屈原的创作才能,但另一方面说明,在班固眼中,屈原只不过是一个才子而已,绝不是经国济世之士。

班固对屈原的贬责激起了东汉另一位楚辞学家王逸的不满和愤怒,王逸是汉代楚辞学者中对屈原研究最深也肯定最多的一位。但王逸要想确立屈原的文学地位,首先必须得还屈原人品与人格的清白,他走的也是先定人品再定文品的路子。针对班固的批评,王逸在他的《楚辞章句》"离骚叙"中如此评价屈原:

> 且人臣之义,以忠正为高,以伏节为贤。故有危言以存国,杀身以成仁。是以伍子胥不恨于浮江,比干不悔于剖心,然后忠立而行成,荣显而名著。若夫怀道以迷国,详(佯)愚而不言,颠则不能扶,危则不能安,婉娩以顺上,逡巡以避患,虽保黄耇,终寿百年,盖志士之所耻,愚夫之所贱也。今若屈原,膺忠贞之质,体清洁之性,直若砥矢,言若丹青,进不隐其谋,退不顾其命,此诚绝世之行,俊彦之英也。①

王逸认为,屈原的忠义无可指责,屈原的行为也无可挑剔,其"责数怀王"只不过是"危言以存国",其"沉江而死"是实践儒家的"杀身存仁",其"竞乎危国群小之间"是他为了国家、民族和君王而"不顾其命"的表现,这一切都堪称是孔孟的信徒、人臣的典范。在定位了屈原的人品之后,屈原作品中所表现出来的种种情感和他的种种行为都可以得到合理的解释,连作品中的过激的言论都等同于《诗经》"大雅"中的"耳提面命",其著作当然可以视之为经国之典与济世之文,"金相玉质,百世无匹"。

---

① 洪兴祖:《楚辞补注》("离骚叙"注引班固"离骚序"语)[M],中华书局,1983.

从今存的资料来看,汉人对屈原文学价值和文学地位的评品是建立在对他人格和人品的评判之上的,这种评价方式不仅反映出汉人的文学观点,同时对后代文学批评也产生了较大的影响。

二、文"自怨生"与"发愤著书"
——汉人的文学创作动因论

关于文学的创作动因,在先秦时代已经被提出,《尚书·尧典》中说:"诗言志,歌永言,声依永,律和声。"《尧典》虽不可能出自于唐尧时代,但至少是先秦的产物。"诗言志"说表明了中国早期文论思想,朱自清先生在他的《诗言志辩序》中称之为中国历代诗论"开山的纲领"。"诗言志"不仅说明了文学的创作动因,同时也表明了文学的认识功用。这里的"志"既包含了后天正统诗论所强调的合乎儒家伦理道德规范的种种思想,也包括与政教相对立的作者的个人"私情",即喜、怒、哀、乐之情。所以《汉书·艺文志》说:"'诗言志,歌永言'。故哀乐之心感而歌咏之声发。诵其言谓之诗,咏其声谓之歌。故古有采诗之官,王者所以观风俗、知得失、自考正也。""诗言志"说被《毛诗序》进一步发挥,从而形成一种比较系统的创作动因和创作过程论。《毛诗序》说:"诗者,志之所之也,在心为志,发言为诗。情动于中而形于言,言之不足故嗟叹之,嗟叹之不足故永歌之,永歌之不足,不知手之舞之,足之蹈之也。"尽管对《毛诗序》的作者问题今天学术界还有不同的看法,但作于西汉以前是没问题的,它是对先秦以来儒家实用批评理论的总结。"诗序"认为诗是作者心志的反映、情感的外化,在这里,"志"与"情"达到了统一。当然,这里的"志"有已申之"志",也有未申之"志";"情"有欢乐之"情",也有悲怨之"情"。是人类全部心志与情感的综合体。

而汉人在对屈原及其《离骚》的评价中,发现先秦以来的"诗言志"说不足以恰当地解释屈原的创作动因,从而得出了屈原因"怨"

而作文、因"发愤"而"著书"的观点,最有代表性的是司马迁。他在《史记·屈原贾生列传》中对屈原创作的动因有一段十分精彩的论述:

> 屈平疾王听之不聪也,谗谄之蔽明也,邪曲之害公也,方正之不容也,故忧愁幽思而作《离骚》。离骚者,犹离忧也。夫天者,人之始也;父母者,人之本也。人穷则反本,故劳苦倦极,未尝不呼天也;疾痛惨怛,未尝不呼父母也。屈平正道直行,竭忠尽智以事其君,谗人间之,可谓穷矣。信而见疑,忠而被谤,能无怨乎?屈平之作《离骚》,盖自怨生也。

司马迁认为屈原《离骚》创作的动因归结为一个"怨"字,正因为屈原内心的怨愤之情和不平之气才激发他的创作冲动,从而也使他的作品和他们创作的杰出的作品无不是如此,因而总结出了"发愤著书"的创作动因论。他在《报任安书》中说:

> 盖西伯拘而演《周易》;仲尼厄而作《春秋》;屈原放逐,乃赋《离骚》;左丘失明,厥有《国语》;孙子膑脚,兵法修列;不韦迁蜀,世传《吕览》;韩非囚秦,《说难》、《孤愤》;《诗》三百篇,大抵圣贤发愤之所为作也。此人皆意有所郁结,不得通其道,故述往事,思来者。①

司马迁列举前代圣贤和他们的传世之作,无非是要说明,大凡有著作被后世传诵的人也都一定有着坎坷不平的人生际遇和无法排解的郁结之意,他们的作品为的是发幽愤、解郁结、通其道,从而表现个人心志而启迪来者。

司马迁的"发愤著书"说与《诗经·小雅·四月》中"君子作歌,维以告哀"之语和孔子的诗"可以怨"之论是一脉相承的。司马迁的创作动因论虽与传统的"诗言志"说并不矛盾,但却大大地突破了儒家诗教"温柔敦厚"的中和原则,更加强调文人的社会责任感

---

① 《汉书》卷62《司马迁传》(二十四史本)[M],天津古籍出版社,1999,375.

和文学本身应有的批判精神与战斗精神。正如张少康先生所言："司马迁通过分析屈原及其《离骚》的特点，揭示了一个真理：在中国古代文学发展史上，真正伟大的优秀的作品，充满了强烈的批判精神和无法企及的艺术感染力。司马迁认为古往今来，大凡杰出的作品大都是作家坚持自己进步的理想或正确的政治主张，在遭到反动势力迫害后，为了反抗这种迫害而坚持斗争的产物。"①

司马迁的观点在中国后代文学批评史上产生了很大的影响，汉人严忌《哀时命》云："志憾恨而不逞兮，抒中情而属诗。"这里说的也正是因发愤而抒情。唐人韩愈的"不平则鸣"说与司马迁的"发愤著书"有异曲同工之妙。宋代欧阳修承司马迁和韩愈之论进而提出"诗穷而后工"的见解，他在《梅圣俞诗集序》中说："予闻世谓诗人少达而多穷，夫岂然哉？盖世所传诗者，多出于古穷人之辞也。凡士之蕴其所有，而不得施于世者，多喜自放于山颠水涯。外见虫鱼草木风云鸟兽之状类，往往探其奇怪；内有忧思感情之郁积，其兴于怨刺，以道羁臣寡妇之所叹，而定人情之难言，盖愈穷则愈工。然则非诗之能穷人，殆穷者而后工也。"这段论说，既是作者创作的体验和对文学创作动因的认识，也是对司马迁"发愤著书"说最好的注解。

三、"依托五经"与离经叛道
——汉人的实用文学批评观

对于诗歌的社会功用，孔子曾概括为"兴"、"观"、"群"、"怨"四大内容，并认为可以"迩之事父，远之事君。多识于鸟兽草木之名"②。孔子文学的"兴观群怨"说包括了文学的感染力量、教育功用、认识价值、切磋交流作用和文学的怨刺功能等诸方面，是对文

---

① 《中国文学理论批评史教程》[M]，北京大学出版社，1999，60.
② 《论语·阳货》(四书集注本)[M]，岳麓书社，1987，59.

学社会功用最早的全面概括。《毛诗序》承袭了这一观点并对之加以发挥,认为:"正得失,动天地,感鬼神,莫近于诗。先王以是经夫妇、成孝敬、厚人伦、美教化、移风俗。故《诗》有六义焉,一曰风,二曰赋,三曰比,四曰兴,五曰雅,六曰颂。上以风化下,下以风刺上,主文而谲谏,言之者无罪,闻之者足以戒,故曰风。"①"诗大序"重点在于强调诗歌的教化作用、认识价值和讽刺功用,但要求作家在创作时,要温柔敦厚,"发乎情,止乎礼仪",以合乎中庸之道。"诗大序"以政教为中心来规范文学创作,并以之为标准来要求诗人,开汉代实用文学批评的先河,对汉代及其以后的文学批评产生了巨大而深远的影响。

　　汉代评论屈原及其作品的几位大家如刘安、班固与王逸,虽然对屈原及其作品的评价不同,但他们却都同时自觉和不自觉地在运用这种实用批评标准,对屈原和他的《离骚》展开评论。刘安《离骚传》云:"《国风》好色而不淫,《小雅》怨诽而不乱,若《离骚》者,可谓兼之。蝉蜕浊秽之中,浮游尘埃之外,皭然泥而不滓。推此志,虽与日月争光可也。"刘安首先以《离骚》与《诗经》相比,不仅确立其与儒家经典相提并论的正统地位,同时说明它符合儒家诗教"温柔敦厚"的中庸原则,也肯定了《离骚》具有教化之功、经国之用。后来司马迁在《屈原贾生列传》中进一步引用和发挥了刘安之说。而东汉的班固也是从实用原则出发,批评《离骚》"责数怀王,怨恶椒兰,愁神苦思,强非其人"。并且"多称昆仑、冥婚宓妃虚无之语,皆非法度之政,经义所载。谓之诗兼风雅,而与日月争光,过矣。"正如我们前面所说过的,班固对屈原之文的批评是建立在其对屈原人品的贬责的基础之上的,在他看来,屈原《离骚》中所表达的思想情感和个人的怨愤之语超越了儒家诗教中"不淫"、"不伤"、"不乱"的界限,没有"发乎情,止乎礼仪"。再加上"责数怀王",有违人

---

① 　陈子展:《诗经直解》[M],上海:复旦大学出版社,1983,1.

臣事君之道,不足为训。从艺术形式上,他认为屈原《离骚》中的昆仑、冥婚宓妃意象为"虚无之语","非法度之政,经义所载"。一方面批评屈原作品不利于教化,同时也是对屈原作品中大量运用神话传说的浪漫主义内容的反对。尽管班固对屈原及其作品也有肯定的地方,如说:"其文弘博丽雅,为辞赋宗。后世莫不斟酌其英华,则象其从容。"但这种评价并不是对屈原文章"品味"和社会功用的肯定,而只是对他的创作技巧的肯定。

王逸为了拨乱反正,大力宣扬屈原,但囿于当时文学批评传统,他也不得不以实用标准和儒家诗论的要义来评价屈原及其作品。首先王逸别出心裁地在"离骚"篇名后面加上一个"经"字,于是《离骚》就变成了《离骚经》,并且说:"离者,别也。骚,愁也。经,径也。言已放逐离别,中心愁思,犹依道径,以风谏君。……《离骚》之文,依《诗》取兴,引类譬谕,故善鸟香草,以配忠贞;恶禽臭物,以比谗佞;灵修美人,以媲于君;宓妃佚女,以譬贤臣;虬龙鸾凤,以托君子;飘风云霓,以为小人。其词温而雅,其义皎而朗。"在"后序"中又说"屈原之文,依托五经以立义",并列举出《离骚》中"帝高阳之苗裔"、"纫秋兰以为佩"、"夕揽洲之宿莽"、"驷玉虬以乘鹥"、"就重华而陈辞"、"登昆仑而涉流沙"数语,以印证"五经",说明屈原作品依托五经立义,与儒家经典无异,甚至可以当作经典来看待。并不像班固所说的那样,屈原作品"皆非法度之政,经义所载"。其言词"温雅"、"优游婉顺",并非"露才扬己"、"强非其人"。其中个别过激之言、讽谏之语只不过是仿效《诗经》中臣子对君王的耳提面命罢了。总之,王逸为了证明屈原之作合经典、利教化,可以说是千方百计、费尽心机。最终一定要让屈原之作在以政教为中心的实用批评原则之下得以"与日月争光",这一点王逸确实做到了。综上所述,汉人对屈原及其作品的评价,虽然只对某一个体的作家和具体的作品的评判,但从中反映了汉人的文学批评原则。

汉代律学概览

刘 勇

汉代是我国学术复兴和发展的一个重要时期。如果把先秦比作中国学术的"呈示部",那么汉代就应该是其"发展部"。汉初,黄老之学同"与民休息"的政策相契合,因而在这一时期发挥了重要作用。汉武帝即位后,为适应新的政治局面,改奉儒学为独尊,设太学,立五经博士,直接促进了汉代儒家经学的繁荣。司马迁的《史记》开创了纪传体史书的先河,"究天人之际,通古今之变,成一家之言"的史学境界,至今仍为治史者所努力攀登的高峰。班固的《汉书》是继《史记》之后又一部史学巨著,与《史记》一起代表着汉代史学的高度成就。在经学和史学的带动下,其他文化领域和科学领域也都取得了重要成果,共同促成了汉代学术的全面繁荣。

律学是中国音乐史学的一个重要组成部分,也是中国音乐史学区别于西方音乐史学的重要标志之一。中国的律学不仅仅是数度之学,不仅仅属于音乐,它还和度、量、衡以及天文、历法等有着密切的关系。汉代是中国律学发展的一个重要时期,它既继承了先秦律学的精髓,又在其基础上向精深处发展,在中国律学史上起到了承前启后的作用。自《史记·律书》开始,律学即在正史中占有了自己的位置,其后相继出现的七种《律历志》(《汉书》、《续汉书》、《晋书》、《宋书》、《魏书》、《隋书》、《宋史》)成为中华文化的重要组成部分。本文拟对汉代律学作一浏览,以图对这一学科的时代特征和历史地位有一个整体的认识。

汉代的律学成果,主要记载在《淮南子·天文训》、《史记·律书》、《汉书·律历志》、《续汉书·律历志》等史籍中。从这些材料看,汉代律学对先秦成果的继承和发展以及对后世的影响,主要体现在生律法、天文律历合一的思想与路践、同律度量衡的思想与实践三个方面。

一、生律法

在中国律学史上,占主导地位的生律法是三分损益法,因而占主导地位的律制也就是三分损益律。三分损益法最早记载于《管子·地员》和《吕氏春秋·音律》两种史籍。在当时,这种生律法已经超越了经验的阶段,采用了数字的方法来表示各音之间的相对关系,成为一种成熟的理论形态,便于文载,也便于口传。上述几种汉代史籍中所载的生律法,都是三分损益法。这说明,成熟于先秦的三分损益法,并没有在战乱和秦火中泯灭(像《吕氏春秋》这样的秦国典籍应是能够幸免的),而是凭借文载口传在汉代被继承下来,并且获得了进一步发展。

汉代有关律学的文献,较早的是《淮南子·天文训》。该书所载的生律法属三分损益法。它按照"一生二,二生三,三生万物"的思想,"以三参物,三三如九",首次定黄钟之律为九寸。又因而九之,以"九九八十一"为黄钟之数,这与《管子》相同。此外,它还首次将 3 的 11 次方 177147 立为黄钟大数。用这样一个数字在十二律内作三分损益运算,本是可保证每一步都能除尽的。但是,该书的运算并没有使用这个数字,而是仍用 81 作为黄钟之数,将所得结果中的小数部分做四舍五入处理,只取整数。由此所得各律的律数为:黄钟81,林钟54,太簇72,南吕48,姑洗64,应钟42,蕤宾57,大吕76,夷则51,夹钟68,无射45,仲吕60。后来的《晋书》、

《宋书》也都照此办理,但《宋书》与《淮南子》又不全同,应钟为43,夹钟为67。这样一改,比《淮南子》更加准确。因为应钟律数本应为42.66666667,做四舍五入应该是43,夹钟律数本应为67.42386832,做四舍五入应该是67。《宋书·律历志》为律学家何承天撰写,其严谨于此可见一斑。明朱载堉认为这样做是在探求新法,评之曰:"《史记》、《汉书》所载律皆三分损益,惟《淮南子》及《晋(书)》、《宋书》所载此法,独非三分损益,盖与新法颇同。"朱氏立新法,从多方面搜求历史依据,以利于获得皇帝的认可。《淮南子》的律数本非如此,但因其数勉强可纳入新法的思路,也被他拉来充当了一回依据。我们可以理解朱载堉,但事情的本来面目还是应该讲清楚的。

《淮南子》中与生律法有关的另一对重要概念,就是"和"与"缪"。《天文训》曰:"姑洗生应钟,比于正音故为和。应钟生蕤宾,不比正音故为缪"。在曾侯乙墓编钟出土之前,根据东汉高诱注以及杨树达等近代学者的解释,一般认为应钟为和,蕤宾为缪。但在曾侯乙钟铭中,和比角高半音,穆(即缪)比变宫低半音,与《淮南子》不同。其间原委颇为复杂,非本文所能理清。黄翔鹏、吴钊等学者各有论述,可供参考①。

《史记·律书》首先转述了《管子》中五律的律数"九九八十一以为宫,三分去一,五十四以为徵。……"继而又将这些律数转化为弦长:"黄钟长八寸十分一②,宫。……太簇长七寸十分二……林钟长五寸十分四……"这里将黄钟长度定为八寸十分一,但仅隔

---

① 参见黄翔鹏:《曾侯乙钟磬铭文乐学体系初探·附论"释'穆'、'和'"》,《音乐研究》,1981年第1期第47—53页;吴钊:《'和'、'穆'辨》,《中国音乐学》,1992年第4期第119—130页。

② 旧本误为八寸七分一,司马贞《索隐》与中华书局点校本均已校为八寸十分一。

数行,在"生黄钟"一节又说:"凡得九寸,命曰'黄钟之宫'。"这个九寸,是用3的9次方19683去除黄钟大数177147而得到的。从字面上看,两个黄钟长度不同。对于九寸之黄钟,唐司马贞《索隐》这样解释:"案上文云:律九九八十一,故云长八寸十分一。而《汉书》云'黄钟长九寸'者,九分之寸也。"①清王元启《史记正伪》亦云:"黄钟之管长九寸,以《汉志》考之,本属十分之寸。而《律书》有九九八十一之说者,盖律吕相生,以三分为损益,以三约九,则无余分,以三约十,则余分之多,后将不可胜计。故必以十分之寸均为九分,更以十厘之分均为九厘,毫丝以下皆然,然后以三归之,各得其数之整,以之制律审度,皆有所据,验而不爽也。"②二人皆认为《汉书》中的黄钟九寸应为九分之寸。虽然都只提到《汉书》中的九寸而未涉及《史记》中的九寸(更没有提到《淮南子》中的九寸),但却都是将《汉书》中的九寸与《史记》中的八寸十分一相对照而言的。所以,既然《汉书》中九寸为九分之寸,《史记》中的九寸亦应为九分之寸,并且九寸即为一尺,即八十一分。二人均未提到《史记》和《淮南子》中的九寸,可能是疏忽的缘故。也就是说,在《史记》中,实际上已有一种虚拟的九进位尺被用于律学计算。南宋蔡元定的《律吕新书》中曾运用九进位制运算。至明朝朱载堉,又"托古于河图洛书的传说,并继承了蔡元定的九进位制律数成果,发展了九与十两种进位制的算术思维,创造了纵黍律长和横黍律长相互间以珠算折算的简捷方法"③。此时,又有纵黍和横黍两种尺被用

---

① 转引自《历代天文律历等志汇编》,中华书局,1976年3月版第五卷第1341页。
② 转引自丘琼荪:《历代乐志律志校释》,人民音乐出版社,1999年9月版,第144页。
③ 冯文慈:《律学新说及其作者》,《律学新说》,冯文慈点注本,北京:人民音乐出版社,1986年第一版(下同)冯文第13页。

于律学计算。历史上原无九寸之尺,朱载堉亦称"所谓长九寸,长八寸十分一之类,盖算家立率耳"。① 既无九寸之尺,为何要立九进位之率呢？正如王元启所言,是为了计算方便。如果以 81 分作 9 寸进行三分损益,要在第六律才出现小数；而如果以 90 分作 9 寸,到第四律就会出现小数。看来,《管子》之所以将 3 "四开以合九九",是因为早就看到了九进位的计算之便。因只算了五律,所以只乘 4 次方就足够了。如果要算出更多的律,就会增加 3 的乘方次数,例如黄钟大数 177147,即 3 的 11 次方,就是在需要算出十二律的情况下使用的。但《管子》没有明确将 81 定为九进位的一尺,只是显现出九进位的思维。《淮南子》首次提出黄钟九寸,并以 81 为黄钟之数,但也没有将 81 化为尺寸,也即没有将二者明确地联系起来,而只是继承了《管子》的思维。九寸尺的产生,现在追寻起来,就是由于司马迁将律数 81 化作八寸十分一,继而将其等同于九寸,然后司马贞对其做出解释。后来的蔡元定、何瑭、朱载堉等人应该是看到了这一点的,并多有实践与发挥。王元启已在朱载堉之后,对于确立九寸之尺作用不大,但他的解释却是很清楚的。

另外,《史记》还给出了三分损益十二律各律与黄钟律的精确的长度比,这是前人未曾做过的。其数为:黄钟 1,林钟 2/3,太簇 8/9,南吕 16/27,姑洗 64/81,应钟 128/243,蕤宾 512/729,大吕 1024/2187,夷则 4096/6561,夹钟 8192/19683,无射 32768/59049,仲吕 65536/177147。因仲吕律是第十二律,就必须要用到 177147 这个黄钟大数了。

《汉书》在生律法方面无新的建树,但《续汉书》却推出一个京房以及他的六十律。其法依旧为三分损益,但在生出十二律之后没有"极不生",而是继续生至六十律。其第五十四律色育已与黄

---

① 《律学新说》朱文第 11 页。

钟只差3.61音分,由这一律出发再生六律,连同色育共七律,构成一均,恰好凑齐六十律,而这最后的七律与最初的七律均差了61音分。从京房的话看,他的六十律应是从他的老师焦延寿那里学来的。他为什么要突破传统的十二律体系而搞出一个六十律,后世学者多有争论。较多的人,包括朱载堉在内,认为他发现了仲吕还生黄钟时出现的音差,要通过增加律数实现黄钟还原。但并无一人说明黄钟为什么要还原,而且京房本人没有提到也没有实现还原。用同样的方法从第六十律继续算下去是可以还原的,为什么京房不继续计算而是止于六十呢?也有人认为京房的做法是为了寻找变律,解决旋宫问题。京房本人也确实说到:"《礼运》篇曰'五声六律十二管,还相为宫',此之谓也。"但旋宫有十八律足够,为什么要算到六十?还有学者提出六十律是用于算卦占卜,做灾异预测。中国古代律学与阴阳五行联系紧密,京房和焦延寿又都是易学家,而京房本人也确曾讲到了占卜:"以六十律分期之日,黄钟自冬至始,及冬至而复,阴阳寒燠风雨之占生焉。"从《汉书·艺文志》著录的许多与"钟律"有关的占卜书目来看,当时的律学是有这样一种"任务"的。所以,六十律为占卜而出现的可能性也是存在的。总之,对京房六十律的真实面目,我们尚未认识清楚。目前律学界主要是从音乐实践着眼,从数理的角度去认识它的乐学意义。这可能是不全面的,而在此基础上所做的一些评说可能也是不全面的。我们现在能够说的是,先不管京房提出六十律的目的是什么,即先不管那些数字背后的意义是什么,他毕竟把六十个律一一精确地算了出来,其中的科学精神还是掩盖不住的。它使律学的数理计算趋向更加精密,更具理论形态。作为律学基础理论的研究,具有较高的价值。

除六十律外,京房还指出了"竹声不可以度调",即提出了律管的管口校正问题。由于管律较为复杂而旋律较为单纯,所以他"作准以定数",创制了十三弦的准,用来调出他的六十律。

汉代对生律法以及相关问题的研究对后世的律学研究推动极大。《淮南子》提出的黄钟大数177147,提高了律学计算的精确性,多为律学家所用。京房的六十律是南朝钱乐之、沈重三百六十律和南宋蔡元定十八律的先导,同时也从反面刺激了何承天新律的出现。他提出的"竹声不可以度调"的理论,又可以说是荀勖笛管口校正方法的先导。他制作的弦准,由于具有较强的实用性,更被后来许多人模仿、改制并用于律学实验,包括北魏的陈仲儒、后周的王朴,以及明代的朱载堉等。

除成就以外,汉代律学在生律法方面也曾有过很大的遗憾,例如曾侯乙编钟的甫页曾生律法,就没有在汉代被继承下来,而是随着金石之乐的衰落而失传了。若不是曾侯乙编钟重见天日,这种生律法也许就再也没有机会为后人所知,先秦律学的高度成就也就不会被后人充分认识。

二、天文律历合一的思想与实践

天文律历合一是天人合一思想的发展和具体化。天人合一思想成熟于战国时期,代表人物是齐国的邹衍。这种学说将阴阳五行融为一体,利用五行相克、阴阳消长、五德转移的理论解释一年四季的变化和历史演进的规律,并进而规范人类特别是王者的行为。但早在这种学说成熟之前,天人感应的思想萌芽就已出现在对音乐问题的论述之中。其最典型的例证,就是《国语·周语》(下)记载的伶州鸠对周景王所问"七律者何"所作的回答。他先进述了武王伐纣时日月星辰的位置以及相关历史,而后作出结论:"凡人神以数合之,以声昭之,数合声和,然后可同也。故以七同其数,而以律和其声,于是乎有七律。"这些思想可视为天人合一学说的先声。由于这里将音乐作为天人关系的纽带,故冯文慈先生称之为"天乐人合一"。再如,宫、商、角、徵、羽五声阶名出自星宿的名称,也是天乐人合一思想的例证之一。

成熟时期的天人合一学说仍将乐律纳入其中,故仍为天乐人合一。其在文献中的具体反映,就是天文律历合一。这种反映最早见于先秦的《管子》、《吕氏春秋》等文献。《管子·幼官》将五种时节与五色、五味、五声、五气、五数相对应,作为国君行为的规范。为省篇幅,现略去其他(后同),只录五声:五和时节听宫声。八举时节(春)听角声,七举时节(夏)听羽声,九和时节(秋)听商声,六行时节(冬)听徵声。《吕氏春秋》的十二纪按照四季十二月分卷,十二月又与五音、十二律对应,还涉及日月星辰。其对应方法是:孟春之月,其音角,律中太簇;仲春之月,其音角,律中夹钟;季春之月,其音角,律中姑洗;孟夏之月,其音徵,律中仲吕;仲夏之月,其音徵,律中蕤宾;季夏之月,其音徵,律中林钟;其音宫,律中黄钟之宫;孟秋之月,其音商,律中夷则;仲秋之月,其音商,律中南吕;季秋之月,其音商,律中无射;孟冬之月,其音羽,律中应钟;仲冬之月,其音羽,律中黄钟;季冬之月,其音羽,律中大吕。其四声的排列顺序与《管子》不同。

这种将天文、历法与音律融为一体的思想与做法,不但在汉代得到了全面继承,还被扩展到更多的方面。最明显的反映就是在《汉书》和《续汉书》两部正史中,将律和历法放在一起,形成了《律历志》。在内容方面,《史记》、《汉书》、《礼记·月令》都把律与月份的对应全部或部分照搬过来。《淮南子·天文训》除将十二律与十二月、十二地支对应外,还将五音与五星对应:"东方木也……其音角;南方火也……其音徵;中央土也……其音宫;西方金也……其音商;北方水也……其音羽。"又将十二律与二十四节气对应:"冬至,音比黄钟;小寒,音比应钟;大寒,音比无射;立春,音比南吕;雨水,音比夷则;惊蛰,音比林钟;春分则雷行,音比蕤宾;清明风至,音比仲吕;谷雨,音比姑洗;立夏,音比夹钟;小满,音比太簇;芒种,音比大吕;夏至,音比黄钟;小暑,音比大吕;大暑,音比太簇;立秋,音比夹钟；处暑，音比姑洗；白露，音比仲吕；秋分，音比蕤宾；寒露，音比林钟；霜降，音比夷则；立冬，音比南吕；小雪，音比无射；大雪，音比应钟。"做了这一番比附之后，又说："一律而生五音，十二律而为六十音。因而六之，六六三十六，故三百六十音，以当一岁之日。故律历之数，天地之道也。"这句话，除直接道出了天文律历合一的观念外，还预示了南朝钱乐之、沈重三百六十律的出现。《淮南子·时则训》在月份与音律的对应外又加入了春委鼓琴瑟、孟夏与仲夏之月吹竽笙、秋季撞白钟、冬季击磬石等内容。其中仲夏之月要朝于明堂太庙，因此，要命乐师修鼗鞞琴瑟管箫，调竽篪，饰钟磬。

《史记》在将律与月份对应时引入了阴阳家对概念。曰："十一月也，律中黄钟。黄钟者，阳气踵黄泉而出也。……七月也，律中夷则。夷则，言阴气之贼万物也。……"

《汉书·律历志》又进一步扩大了对应范围。刘歆曾提出三统历，于是他就将三统与律对应起来，并且还伴随着与八卦的关系："十一月，乾之初九，阳气伏于地下，始著为一，万物萌动，钟于太阴，故黄钟为天统，律长九寸。……六月，坤之初六，阴气受任于太阳，继养化柔，万物生长，楙之于未，令种刚强大，故林钟为地统，律长六寸。……正月，乾之九三，万物棣通，族出于寅，人奉而成之，仁以养之，义以行之，令事物各得其理。寅，木也，为仁；其声，商也，为义。故太簇为人统，律长八寸，象八卦，宓羲氏之所以顺天地，通神明，类万物之情也。"此外，又以八十一分应一统之章数，为黄钟之实；以三百六十分应当期之日，为林钟之实；以六百四十分应六十四卦。《史记》提出的律与阴阳两气的对应，在《汉书》中直接演化为六阳律和六阴律。曰："律有十二，阳六为律，阴六为吕。律以统气类物，一曰黄钟，二曰太族，三曰姑洗，四曰蕤宾，五曰夷则，六曰亡射。吕以旅阳宣气，一曰林钟，二曰南吕，三曰应钟，四曰大吕，五曰夹钟，六曰仲吕。"

更加实际的将天文历法与律结合在一起的理论及实践是《续

汉书》中介绍的"候气"。文曰:"夫五音生于阴阳,分为十二律,转生六十,皆所以纪斗气,效物类也。天效以景,地效以响,即律也。阴阳和则景至,律气应则灰除。是故天子常以日冬夏至御前殿,合八能之士,陈八音,听乐均,度晷景,候钟律,权土炭,效阴阳。……候气之法,为室三重,户闭,涂衅必周,密布缇缦。室中以木为案,每律各一,内庳外高,从其方位,加律其上,以葭莩灰抑其内端,案历而候之。气至者灰动。其为气所动者其灰散,人及风所动者其灰聚。"从以上叙述可以看出,候气之法的产生同出现于先秦的律与月份的对应之间有着密切的关系。《吕氏春秋·季夏纪》在叙述某月生某律之前说:"天地之气,合而生风。日至则月钟其风,以生十二律。"之后又说:"天地之风气正,则十二律定矣。"从这些语言中,似乎已经能够体察到候气法的存在。《礼记·月令》中的"律中太簇"、"律中夹钟"之类,东汉郑玄注即将其解释为候气。所以有学者据此认为,候气之法可能出现于先秦。除《续汉书》的记载外,汉代的一些著名学者,如刘向、扬雄、蔡邕等,也都曾提到候气。

　　先秦天人合一的思想体系,在汉代演化为"天人感应"的思想。以上见于汉代文献的各种对应、比附以及候气之法,应是这一思想体系的产物。这些理论与做法,也对后世产生了较大的影响。唐代旋宫中的"随月用律"就产生于《礼记·月令》中音律与月份的对应,而这种旋宫方法又直接波及宋代。汉以后的文献中,除继续将音律与月份、节气、五行、阴阳等作对应外,其应用理论——候气说更加受到重视。《晋书》、《宋书》均转述了候气之法。《隋书·律历志》详细记载了后齐信都芳不但能以管候气,而且独创二十四轮扇以候气,与管互相验证,基本成功。又载:隋开皇九年平陈后,高祖遣毛爽、蔡子元、于普明等以候节气。众人依古法而行,其结果是:"每其月气至,于律冥符,则灰飞冲素,散出于外。而气应有早晚,灰飞有多少。或初入月其气即应,或至中下旬间气始应者;或灰飞出,三五夜而尽;或终一月,才飞少许者。高祖异之,以问牛弘。弘对曰:'灰飞半出为和气,吹灰全出为猛气,吹灰不能出为衰气。和气应者其政平,猛气应者其臣纵,衰气应者其君暴'。"牛弘的解释,遭到隋高祖的驳斥。宋、元诸儒对候气说更加热心,就连沈括这样具有科学精神的人也对候气做了详细的叙述。到了明代,可能是由于自然科学更加发展的原因,候气说被许多人坚决否定,例如邢云路、刘濂、朱载堉等。清初,朝廷以候气作为测定农时的手段。耶稣会士汤若望掌钦天监监务,因敷衍候气,险些招来杀身之祸。后因继任官员屡测不应,又因耶稣会士南怀仁对候气说的抨击,朝廷终于废止了候气。尽管如此,仍有胡彦升对候气说报有坚定的信念,详载《乐律表微》卷2"论候气"一节。近代,郑觐文曾于1926年冬至日做过候气实验,在口径同为3分而长度不同的6支律管中,只有一支长81分的律管获得成功,其他则因尺寸不同,或根本未动,或只有部分草末(以代葭灰)吹出,事见郑氏《中国音乐史》卷1"候气"一节。时至今日,候气问题仍在困扰着人们并时有讨论发生。若说其为谎言,它居然能够蒙骗朝野上下如此之久且屡屡载于正史,真可谓千古奇案;若说其为科学,却又难以用现代学理加以解释。这些出自古人的观念和做法,其中到底有多少科学道理,有多少迷信成分,看来还有待继续深入研究。据说吕骥先生在世时曾建议做候气实验,以彻底揭开这个谜。但由于种种原因,终于未能付诸实施。

三、"同律度量衡"的思想与实践

"同律度量衡"的思想最早见于《尚书·虞书·舜典》。该篇一般被认为是伪经,但并不排除其中保留了较古老的材料。这一思想在汉代文献中得到充分的反映。《淮南子·天文训》曰:"古之为度量轻重,生乎天道。黄钟之律修九寸,物以三生,三九二十七,故幅广二尺七寸。音以八相生,故人修八尺。寻自倍,故八尺而为寻。有形则有声,音之数五,以五乘八,五八四十,故四丈而为匹。匹者,中人之度也。一匹而为制,秋分蔈定,蔈定而禾熟。律之数十二,故十二蔈而当一粟,十二粟而当一寸,律以当辰,音以当日。日之数十,故十寸而为尺,十尺而为丈。其以为量,十二粟而当一分,十二分而当一铢,十二铢而当半两。衡有左右,因倍之,故二十四铢为一两。天有四时以成一岁,因而四之,四四十六,故十六两而为一斤。三月而为一时,三十日为一月。故三十斤为一钧。四时而为一岁,故四钧为一石。"《淮南子》没有引《尚书》的话(或许当时《舜典》一篇尚未出现),但是把律数、音数与度量衡的关系都说到了,而且还强调了以黄钟为本。

《史记·律书》同样没有引《尚书》中的话,但开宗明义地指出:"王者制事立法,物度轨则,壹禀于六律,六律为万事根本焉。"《尚书》只讲了"同律度量衡",并没有讲以谁为根本。《淮南子》和《史记》提出的律为万事根本的思想,对后人影响很大。

《汉书·律历志》引用了"乃同律度量衡"这句话,并将数、声、度、量、权衡的起源都归结于黄钟。"数者,一、十、百、千、万也,所以算数事物,顺性命之理也。……本起于黄钟之数。""声者,宫、商、角、徵、羽也。……五声之本,生于黄钟之律。""度者,分、寸、尺、丈、引也,所以度长短也。本起黄钟之长。""量者,龠、合、升、斗、斛也,所以量多少也。本起于黄钟之龠,用度数审其容,以子穀秬黍中者千有二百实其龠"就是累黍定律法的源头。

《续汉书》也陈述了有关同律度量衡的观点,但与《汉书》并不全同:"记称大桡作甲子,隶首作数。二者既立,以比日表,以管万事。夫一十百千万,所用同也;律、度、量、衡、历,其别用也。故体有长短,检以度;物有多少,受以量;量有轻重,平以权衡;声有清浊,协以律吕;三光运行,纪以历数;然后幽隐之情,精微之变,可得而综也。"这里没有强调以黄钟为本,而是将律度量衡摆在同一层次上,四者同用数来表示。

从以上诸种文献的记载可知,尽管《舜典》有可能是伪经,但同律度量衡的思想在汉以前确实存在,并且已经由思想化为实践,以黄钟律管作为标准器来统一度量衡,从而规范社会的经济生活。关于这种思想和实践的合理性,冯文慈先生有如下论述:"以我国来说,尺、斛等度量衡器,应是伴随着商品交换而产生、发展,并逐步规范化而来的。而礼乐制度的形成,从而使律(黄钟律管)上升到独尊的地位,并统率度量衡器,则应当是奴隶制国家形态比较成熟以后的事情。显然,商品交换的历史要比奴隶制国家的历史长远得多。因此,尺、斛一类度量衡器的历史也要比黄钟律管取得独尊地位的历史悠久得多。……但是,后来者居上,以律为本,以度量衡为末,这种情况在历史上确实存在。这当然是由于国家政权为了统一度量衡,为了便于商品交换,为了社会生产和社会秩序的稳定。由此,代表礼乐,代表统治阶级精神力量的黄钟律管,统率了度量衡。……关于最早统一度量衡的年代,虽然难以说得准确,但这种文献记载,应该是有其历史可信性的,其中并无神秘可言。"①也可以说,同律度量衡实际上是一项重要的政治经济措施。《魏书·律历志》载高闾曰:"书称'同律度量衡',论云'谨权量,审法度'。此四者乃是王者之要务,生民之所由。"此言当不虚。汉代律学文献详尽地记载了最早的一批实施同律度量衡的信息,可谓弥足珍贵。

同律度量衡的思想与天文律历合一思想也有着密切的联系,而将其联系在一起的纽带就是候气。历代候气不中者,多被解释为黄钟尺度的原因。另外,时有出现的"作乐不和"的现象也多被归结为黄钟尺度的原因。于是,考证黄钟长度、体积的工作在汉以后更加受到重视,正史中的《律历志》、《乐志》有大量这方面的记载,其中以《隋书·律历志》和《宋史·乐志》等所载更加详细。这

---

① 《律学新说》,冯文第7—8页。

实际上是我国古代度量衡史研究的一个重要部分。明代的朱载堉是古代律学家中在律度量衡考证方面工作做得最精细的一个。他所著《律学四物谱》(黍、度、量、权四谱)详尽地考证并阐明各代律度量衡之间的关系。后又在此基础上改写成《律学新说》，首倡新法密率，但仍保留了原著的基本内容。在以律为本还是以度为本的问题上，朱载堉淡化了以律为本的观念，他说："古人以度定量，以量定权，必参相得而后黄钟可求。然则律与度量衡相须为用，非度量衡生于律也。"①这一观点，与《续汉书》近似。朱载堉在律度量衡研究方面取得的卓越成就，使得他不但在中国的律学史上独树一帜，而且在度量衡史上也具有举足轻重的地位。

从以上粗略的浏览可知，不论从汉代律学本身看，还是将其作为中国律学发展的一个环节来看，它都是重要的。丰富的文献、新鲜活跃的思维、精确的运算，是这一时代的亮点。尽管我们也从中体味到了浓重的神秘气氛，但其科学精神却依然夺目。汉代留下的问题，还有许多需要我们去进一步认识。既要将其放到当时的历史环境中去认识，也要用现代的科学知识去认识，这样，才能看清楚科学和神秘的界线之所在。同时要历史地看待其局限性，恰当地继承和保护好这一历史文化成果。

---

① 朱载堉:《律学新说》,第 4 附录《律学四物谱》序,冯文慈点注本第 276 页。

天人合一述论

赵世超

曾几何时,谈论天人合一成了一种时髦。有人甚至将其作为国粹玩弄于股掌之上,不免令人惊诧。这种形成于中国封建社会早期的老古董果真那么值得炫耀于世人?本文拟通过追根溯源寻找正确的答案。

一、商周时期人们对天的看法

商人宗教崇拜的对象大致分为上帝、自然神和祖先神。上帝与某些自然神能降祸福,或向人们发出祸福的预示。祖先神也有对时王及商国作祟的神力。但从甲骨卜辞反映的情况来看,商人主要依靠祭祀以求去祸降福,尚未见到以某种行为感天而达到与天合一的明确记录。

周人对天的崇拜明显得到了加强。《说文解字》:"天,颠也。"原指人的颠顶,从而笼盖于人们颠顶之上的浩渺太空也可叫天,进一步又指一切至高无上的事物,如父母、丈夫和主宰一切的上帝。作为周人主要崇拜对象的天,其神性与殷的帝或上帝完全一致,说明这时已出现天与帝的合一,故《尚书》诸篇和《诗经》的《雅》、《颂》中多有两者互用的例证。在周人心目中,天几乎是万能的。它可以令风,令雨,驱使雷电;可以降休,降福,予明哲、予吉祥、予永年,阴骘下民；又可以降罚、降灾、降咎、降丧、降割（害）、殀民，以逞其威怒。但最令人敬畏的则是它握有左右天命的权力。天密切监视着下土四方，比如，殷纣无道，民怨"登闻于天"，"庶群自酒，腥闻在上"，它便"降丧于殷"，"遐终大帮殷之命"，"乃眷西顾"，发现"惟文王尚克修和我有夏"，于是，遂决定将"中国民"及"疆土"一齐交付于周，"大命文王"，让他以天子的身份"作民父母"、"为天下王"。这样的天显然已是一个有意志的人格化的天了。

毫无疑问，近于万能的天自然会成为人们求助的主要对象。同殷代一样，祭祀和卜筮是沟通天人的主要渠道。周人不仅创制了以祭礼为核心的礼乐制度，而且认定文王正是正确使用了卜筮，才"克绥受此命"的。既然卜筮可以"绍天命"，那么，遇有大疑，便必须"谋及卜筮"。若"龟筮共违于人"，"用静吉，用作凶"，断不可轻易举事。所不同者，殷人先公先王与帝的界划不清，"高后"或"先后"直接就可以崇降"福祥"或"罪疾"，而到了西周，先王却成为在帝左右、有责于天的配角。所以，人们以"祈天永命"为目的的祭天活动也成为诸祭之中的大祭，而祖先则只剩下了"迓续乃命于天"的作用。

另外，在天人关系上，这时还出现了一些新的观念，值得我们加以重视。

首先，为了论证自己"奄甸万姓"的合理性，周人提出了天命可变的思想。他们明确指出，文王、武王都是受了天命"灵承帝事"，才恭行大之罚剿绝殷命的，这一符合天意的革命，四国多方自应乖乖地服从。那么，是不是任谁都可以承受天命呢？否。从殷人亡国的教训出发，他们提出了"天棐忱辞"、"天若元德"、"天命有德"的观点，并且认为"天聪明自我民聪明，天明畏自我民明畏"，只有像"殷先哲王"和周文、武那样"爱知小人之依"、"徽柔懿恭"、"怀保小民"、"惠鲜鳏寡"，能"明德慎罚"者，才配受到天的眷顾。这就在天人之间又辟出了一条新的蹊径，即：爱民而有德者的"德馨香祀"

自可登闻于天,凭借好的德行也能博得天的欢心。这一被概括为"敬德保民"或"敬天保民"的政治哲学论著多已述及,于此不赘。

其次,我们还清楚地看到,即使在周初,就已有了对天的怀疑,其主要代表人物当推召公奭。据《尚书·君奭》篇,他曾明确指出"天不可信",主张"恃我"、"惟人"①。这一记载同《墨子·非命》引召公之语,说大命"天降自天,自我得之",是完全一致的。他的看法似乎在一定程度上还得到了周公的肯定。在《尚书·无逸》篇中,周公自己也表示了应"自图天命"的意思②。至于《吕刑》篇所说的"非终惟终,在人"③,更是召公"恃我"、"惟人"说的翻版。这种以反对"执命"论为特色的观点,当是从严酷现实中迸发出来的一种很有价值的思想火花。

另外,《尚书·洪范》假箕子之口,论列据说是由天赐给禹的"洪范九畴",其中已有"五行"及"庶征"说,很有些天人感应的味道。但刘节先生著《洪范疏证》,已证《洪范》篇"实非周初箕子所传","其著作时代,当在秦统一中国以前,战国之末"。刘先生的结论为多数前辈学者所认同,即便持有异议,往往也因其方法科学,而"令反驳者极难容喙"④。因而,我们也不把《洪范》的"五行"、"庶征"视为西周的思想资料。这样一来,大致便可以说,周人的天帝观虽比殷人成熟和复杂,却也还没有出现"天人合一"的系统理论。

西周后期,政治变动剧烈,失势贵族们关于"天不我将"、"昊天

---

① 《君奭》篇原文作"时我",周秉钧曰:时,借为恃,《吕览·恃君览》,《史记索隐》作《时君览》,时与恃古通用。
② 《无逸》篇原文作"天命自度"。周秉钧曰:度,图度也。天命自度者,自图天命也。
③ 终,成也。"非终惟终在人",即不成与成,在人。皆事在人为之意。
④ 梁启超:《洪范疏证跋》,见《古史辨》第五册。

不忒"、"昊天不傭"、"昊表不惠"、"昊天不平"的悲叹屡见于《小雅》及《大雅》板、荡诸篇。"下民之孽、匪降自天。噂沓背憎，职竞由人"①，周初已有的"恃我"、"惟人"思想在新的陆遇下重被提起，并且表现得更加强烈。延及春秋，对天的怀疑进而又上升到了理论的层面。隋国的季梁说："夫民，神之主也，是以圣王先成民而后致力于神"②。鲁国的穆叔说："民之所欲，天必从之"③。郑国的子产说："天道远，人道迩，非所及也。"并鄙薄当时的星象家裨灶说，他讲了那么多话，自然有偶然巧合的时候，哪里是懂什么天道④？是天神主宰下民，还是下民主宰天神？是民从天，还是天从民？天道究竟有多大的可信度？甚而至于，天到底为何物？这些骇世惊俗的大题目都需要圣哲们做出令人满意的回答。于是，老子便发明了道来代替天，认为道"先天地而生"、"独立而不改，周行而不殆，可以为天下母"⑤；孔子谓天道不言而"四时行焉，百物生焉"⑥，已有用自然规律解释天道的倾向；孟子所言及的天，有自然之天，义理之天，却没有主宰之天，在《万章》篇中，他还有尧、舜禅让的生动故事，说明天不过就是人民的意志；荀子为了阐发自己对天的看法，写下了不朽名篇《天论》。正是在这样的文化大背景下，后于孟子，先于荀子，生长于齐地的邹衍也开始了以"谈天"为主要内容的学术和政治生涯。正是他第一次把天人合一变成了系统的学说。

---

① 《小雅·十月之交》。
② 《左传》桓公元年。
③ 《左传》襄公31年。
④ 《左传》昭公18年。
⑤ 《老子》第25章。
⑥ 《论语·阳货》。

二、邹衍和邹衍的学说

邹衍的显名后于孟子,约当齐宣、湣之世,而其出生的年份或可早至齐威王时代。"宣王喜文学游说之士,自如邹衍、淳于髡、田骈、接予、慎到、环渊之徒七十六人,皆赐列第,为上大夫,不治而议论。是以齐稷下学士复盛,且数百千人"①。然而到了湣王,却凭借父祖的余烈,与秦昭王并称东西帝,"矜功不休,百姓不堪","诸儒谏不从"②,只好各自散去。也许正由于这个缘故,邹衍离开了自己的母邦,"适梁"、"过赵"、"如燕","昭王拥彗先驱,请列弟子之座而受业,筑碣石宫,身亲往师之"③,使他受到空前的礼遇,令一切游诸侯者欣羡,更与"仲尼菜色陈蔡,孟轲困于齐梁"形成鲜明对照。公元前314年④,齐将匡章曾率军攻燕,燕国城破君死,几近灭亡。燕昭王于破败之余即位,"卑身厚币以招贤者",立誓要"雪先王之耻",早已饮誉各国的稷下先生邹衍"自齐往"⑤,自然会使他喜出望外。《韩诗外传》卷7:"燕昭王得郭隗、邹衍、乐毅",是以魏、赵与燕兴兵攻齐,使齐湣王"栖子莒"。《新序》、《大戴礼记》、《新书》、《说苑》所记略同,我们完全有理由相信,邹衍和郭隗、乐毅一样,都是燕昭王富国强兵、破齐雪耻的大功臣。《太平御览》卷14引《淮南子》说:"邹衍事燕惠王尽忠,左右谮之王,王系之狱,仰天哭,夏五月,天为之下霜。"惠王为太子时,即与乐毅有隙,"及即

---

① 《史记》卷46《田敬仲完世家》。
② 《盐铁论·论儒》。
③ 《史记》卷74《孟子荀卿列传》。《孟子荀卿列传》作"适赵",《平原君列传》作"过赵",当以"过赵"为是。
④ 《史记》卷34《燕召公世家》谓齐破燕在齐湣王时,诸家据《孟子》的记录考证,多以为实在宣王时期,约当公元前314年。
⑤ 《史记》卷34《燕召公世家》。

位,疑毅",又有左右的逸诡浸润,势必祸及与乐毅共佐先王的一班老臣。乐毅将兵在外,尚可及时亡走于赵,一向住在碣石宫中的邹衍无所趋避,恐怕就只能被惠王困毙于狱中了。

邹衍的著作据司马迁说,起码应有"十余万言",但随着他并不美妙的人生结局的到来,也都陆续地散佚了。他的后学,操其术以荧惑时君世主者,自战国至秦汉,层出不穷,却都讳言邹衍,这便使许多明明是袭取他学说的文字无从得到最终确认。而《史记》的概括便成了了解他闳大思想体系的主要依据。

据《史记》的《孟子荀卿列传》和《封禅书》,并参以其他文献,我们将邹衍思想的要点归纳为三。

(一)主运。邹衍的学说通常被称为"终始五德之运"、"五德之传"、"变化始终之论"等等,其中有"主运",讲的是王者"受命而帝"的大题目,或者就是司马迁说的"始终大圣之篇"。这一部分按照当时学者所共述的帝系,采取"先序今,以上至于黄帝"的办法,搜集了许多"怪迂之变",用以说明世代的盛衰无不取决于阴阳的消息和五德的转移。而且,每次消长和转移,都有自然的先兆昭示于人间①。这些先兆就是符应。以符应显现吉凶,就是所谓的机祥度制。

《史记·封禅书》曰:"邹衍以阴阳主运显于诸侯",《集解》引如

---

① 邹衍一派学者所谓消息应释为消长。《淮南子·缪称训》:"积薄为厚,积卑为高,故君子日孳孳以成辉,小人日怏怏以至辱。其消息也,离朱弗能见也。"《史记·历书》正义引皇侃云:"乾者阳生为息,坤者阴死为消。"均为此意。

淳说:"今其书有主运","五德各以所胜为行"①。《文选·魏都赋》注引《七略》也说:"邹子有《终始五德》,从所不胜:土德后木德继之,金德次之、火德次之、水德次之。"很显然,"主运"或"终始大圣之篇"用的是"五行相胜"说:因木克土,故继土后,金克木,故金又继木后,等等,依次类推。换言之,前朝德衰,新朝乃起,而新朝所拥有之德,必为前朝所不胜。

自战国以上至于黄帝的四代盛衰,《吕氏春秋·应同》篇记录最详,学者多认为便是邹衍主运思想的具体化②。其文曰:"凡帝王者之将兴也,天必先见祥乎下民。黄帝之时,天先见大螾大蝼,黄帝曰:'土气胜'。土气胜,故其色尚黄,其事则土。及禹之时,天先见草木秋冬不杀,禹曰:'土气胜'。土气胜,故其色尚青,其事则木。及汤之时,天先见金刃生于水,汤曰:'金气胜'。金气胜,故其色尚白,其事则金。及文王之时,天先见火,赤乌衔丹书集于周社,文王曰:'火气胜'。火气胜,故其色尚赤,其事则火。""五德转移"的符应"若兹",一下子被说得明明白白,活灵活现,不容大家不信。

邹衍的时代,据火德的周期经历了七百多年的发展,早已衰落得不成样子了。强大的诸侯,无不急于取而代之。于是,先后便有齐湣王与秦昭王一度并称东西帝,苏代建议以秦为西帝、赵为中帝、燕为北帝、立三帝以令诸侯,辛垣衍劝赵尊秦昭王为帝等等诸

---

① 邹衍遗书散佚较早,三国时代的如淳无法窥其原貌。《集解》所引他的两处注语内容虽好,但所系的篇目却是依据《汉书·艺文志》选定的,未免乱点鸳鸯谱。台湾学者王梦鸥疑其"恰好互易",即"今其书有主运"下,应为"五德各以所胜为行","今其书有五德终始"下,应为"五行相次转用事,随方面为服"。今采王说,读者可参考王梦鸥著《邹衍遗说考》,台湾商务印书馆发行。

② 马国翰《玉函山房辑佚书》定《应同》篇篇首至"将徒于土"为邹子遗文。

多事件的发生①。然而,究竟谁能稳据帝位,局势始终并不明朗。依照邹衍的理论,"代火者必将水",而且推断说,天很快就要降下"水气胜"的符应,"水气至而不知,数备,将徒于土"。这一旷世稀有的大预言为侯王们的觊觎之心提供了理论根据,自然会受到他们的热烈欢迎,邹衍能以"阴阳主运显于诸侯"的奥秘也全在于此。有人指出,这种缺水的五帝德是邹衍入燕后专为燕昭王称帝而设计的②,从燕在北、居于水位的情况来看,此说或有一定道理,但必须承认,邹衍学说的影响实际上远远超出了燕国的范围。

(二)王居明堂礼。邹衍的"五德终始",除"主运"讲的是历史大循环以外,还有一部分讲的却是一年之内的小循环,其内容概括起来,应即如《史记·封禅书》集解引如淳所说,是"五行相次转用事,随方面为服"。既为"五行相次转用事",显见其用的是"五行相生律",而不再是"五行相胜律"。方指明堂的各方;服为王者之服,有青、赤、黄、白、黑诸色。王者依"五行相生"的原理"随方面为服",实即"王居明堂礼"。学者认为,这是邹衍套取古时政之书,并加以阴阳五行化而制造出来的关于"五德终始"的另一种大理论③。

所谓"王居明堂礼",其书虽不存,但郑玄曾据以注《礼记·月令》,从郑注所引用的文字来看,此礼依四时规定王者的行为、政令和服御之器等,与《月令》实属同一类型。

《月令》或《时令》一类的著作,所能见到的有《吕氏春秋·十二

---

① 分别见《战国策·齐策四》、《史记·秦本纪》、《田敬仲完世家》、《六国年表》、《战国策·燕策》、《史记·六国年表》、《战国策·赵策三》、《史记·鲁仲连列传》。
② 王梦鸥:《邹衍遗说考》,台湾商务印书馆发行。
③ 钱穆:《评顾颉刚五德始终说下的政治和历史》,《古史辨》第5册。王梦鸥:《邹衍遗说考》,台湾商务印书馆。

纪》、《管子·幼官》、《夏小正》、《逸周书·时训解》、《礼记·月令》及《淮南子·时则训》等等。其中《吕氏春秋·十二纪》、《礼记·月令》与《淮南子·时则训》的五行配列最为整齐，且文字大同小异，可视为三种较为完备的《月令》。它们的构造大致分五个层次：第一部分先讲"定星历，建五行"的事；第二部分则是节候的实验；第三部分乃王居明堂之礼；第四部分为每月的行政措施；第五部分是行令的结果，或叫庶征休咎。例如孟春之月，即首言"日在营室，昏参中，旦尾中"、"其帝太昊，其神句芒"、"盛德在木"等等，次言"东风解冻，蛰虫始振"之类的节候现象，自"天子居青阳左个"起，讲王者的衣食住行及应用的服御之器，接下来便是"迎春"、"祈谷"、"行庆施惠"、"耕籍田"、"修封疆"、"祀山泽"等开春应做的大事，最后指出："是月也，不可以称兵，称兵必有天殃"，又警告说："孟春行夏令，则风雨不时，草木早槁，国乃有恐。行秋令，则民大疫，疾风暴雨数至，藜莠蓬蒿并兴。行冬令，则水潦为败，霜雪大挚，首种不入。"其余各月无不如此，均可类推。

由此可见，王居明堂礼也罢，月令或时令也罢，其核心都是邹衍一派学者按"五行相次转用事"的规律，即五行相生的规律，为统治者设计的一年之内的施政纲领。既然与五行相配的十二个月均各有教令，而且是"顺之者昌，逆之者不死则亡"，就无怪乎"王侯大人，初见其术"，要"惧然顾化"了①。因此，我们也切不可低估邹衍这种"小循环"理论的影响力。

（三）大九州说。据《史记·孟子荀卿列传》，邹衍在著作中曾"先列中国名山大川通谷，禽兽，水土所殖，物类所珍，因而推之，及海外人之所不能睹"，并进而认为："儒者所谓中国者，于天下乃八十一分居其一耳。中国名曰赤县神州，赤县神州内自有九州，禹之序九州是也，不得为州数。中国外如赤县神州者九，乃所谓九州

---

① 《史记·太史公自序》、《孟子荀卿列传》。

也。于是裨海环之，人民禽兽莫能相通者，如一区中者，乃为一州，如此者九，乃有大瀛海环其外，天地之际焉。"此段文字所表述的，便是他的大九州说。

关于大九州说，以前仅谓当时齐国海上交通已经发达，国人看到了不少海外奇观，积累了不少海外奇谈，从而促使邹衍驰骋其想像力。绘出了一幅比现实世界大得多的地图①。但他这样做的用意究竟是什么，实则并不清楚。台湾学者王梦鸥经过考证，提出了大九州原为大五州的假设，并谓邹衍于赤县神州之外另列四州，是为了让五方帝各自都有一个地盘，以便在地理空间和方位上能与五行相配，而变五为九，可能是邹子之徒或燕齐方士在八卦派八风说影响下，改造邹衍遗文的结果②。此论自然不能完全坐实，不过《淮南子·时则训》确曾言及："东方之极"为"太昊、句芒之所司者，万二千里"，"南方之极"，"为赤帝，祝融之所司者，万二千里"，恰也是五帝、五神分居五方、五位，而且范围巨大，不以禹序九州为限，很有些大五州的味道。而专记"四海之外，绝域之国，殊类之人"的《山海经》，其《海外经》和《大荒经》也均以东、西、南、北分别部居，合《五藏山经》或《海内经》为五。由之我们大致可以相信，《淮南子》、《山海经》诸书所提供的地理框架，反比司马迁所见、经方士们改造过的邹子遗书更接近于邹衍学说的原貌。倘果如此，则邹衍本来可能只是如《时则训》一样，在叙述一年之内阴阳五行的小终始时，先讲四季（含季夏为五），后言五位，经辗转改造和《史记》的传扬，竟变成了影响很大的大九州说，追根溯源，却只有算作他的"小循环"理论的一部分，并不见得会有十分独特的意义和价值。

从上述的简要介绍即可看出，春秋以来遇到严重怀疑的天人关系，在邹衍这里得到了重新确定，但沟通天人的已不是祭祀和占

---

① 顾颉刚：《五德终说下的政治和历史》，《古史辨》第5册。
② 王梦鸥：《邹衍遗说考》，台湾商务印书馆。

卜,而是阴阳的变化和五行的转移。预示阴阳的各类信号是符应,人们只要善观符应,顺乎阴阳,并以自己的行为促使五行顺利运转和阴阳正常消息,就不仅可以使风调雨顺,国泰民安,而且还有登临大宝、取得天子高位的希望。能够掌握阴阳变化和五行运转的规律,并精妙地加以运用,算是进入了自由境界,达到了与天合一的地步。这就使原本显得空泛的天命观变得具体,变得可以捕捉和可以操作,从而也变得更受统治者欢迎了。邹衍在齐,与早于他的名臣邹忌和晚于他的邹奭合称为"三邹子"。"三邹子"中,惟有他又被戴上了"谈天衍"的桂冠,这固然与他的著作"尽言天事"有关①,而更主要的,恐怕还是因为他创立了具有划时代意义的"天人合一"说。

三、邹衍天人合一说的实质和原理

《史记·孟子荀卿列传》认为,邹衍著作述及的范围曾"至于天地未生,窈冥不可考而原"。我们完全可以肯定,他对天的形成进行过一番很认真的探究。《淮南子·天文训》曰:"天坠未形,冯冯翼翼,洞洞灟灟,故曰太昭……清阳者薄靡而为天,重浊者凝滞而为地",应是能够反映邹衍思想的关于天的学说。冯翼洞灟,无形貌,指天地未分的混沌状态。清扬者,指混沌中充满光明的轻澄之气;重浊者,指混沌中充满尘埃的黑暗之气。这轻澄之气就是阳,黑暗之气就是阴,阴阳分而天地成。同时,因为阴阳本为同根关系,共出自混沌,故又能相互牵连,亲密往来,交感交合化生万物,此长彼消形成四时。

司马迁谓邹衍"深观阴阳消息",是说他对阳长(息)则阴消、阴

---

① 《史记集解》引刘向《别录》云:"邹衍之所言五德终始,天地广大,尽言天事,故曰'谈天'。"

长(息)则阳消的自然规律进行过深入考察。而"散消息之分以显诸侯",则是说他曾把阴阳与五行相结合,把阴阳消长的过程分散到五行中去,以五行能否顺利运转作为阴阳能否正常消息的前提,进而既用五行相生原理解释一年中阴阳的变化、节候的更替、万物的生长收藏,乃至风霜雨雪、休咎祸福,又用五行相克原理解释政治的盛衰、朝代的代兴和历史的循环。

在邹衍一派学者看来,一年之内,从冬至到夏至,阳气理应一天天增长(息),阴气理应一天天减弱(消),此谓之阳轨;从夏至到冬至,阴气理应一天天增长(息),阳气理应一天天减弱(消),此谓之阴轨。倘若在阳轨上多做助阳抑阴之事,在阴轨上多做助阴抑阳之事,就能使五行顺利地运动轮回,阴阳正常地交感交合,达于和谐,从而带来风调雨顺,"疠疾不降,民不夭折"的好结果,万物生生不息,繁延不绝。反之,如行事悖谬,使阳气不能如期伸长,阴气不能如期消退,或阴气不能如期伸长,阳气不能如期消退,则会存在愆阳、伏阴,并酿成干旱、虫蝗、霜雪、霹雳、凄风、苦雨,出现禾稼不熟、五谷不实、民殃于疫之类的惨局,甚至引起暴兵来至、土地侵削。进一进"推而大之",长期阴阳不调,更意味着旧德已衰,新德将兴,于是,"天必先见祥乎下民",一场除旧布新的"革命"就要开始了。

从天地的形成谈起,融阴阳与五行为一体,用五行生克、阴阳消长和五德转移的理论解释一年四季的诸多变化和历史演进的规律,并进而规范人类、特别是王者的行为,这便是邹衍学说的实质和核心,并无如何难解之处。但问题在于,邹衍凭什么认定政治可以感阴阳,即人事会影响阴阳二气的相互运动呢?为了找到答案,就不能不考察一下阴阳家的学术渊源。

据说邹衍是目睹"有国者益淫侈,不能尚德",才发奋著书的,他的学说的落脚点也不过是"仁义节俭,君臣上下,六亲之施"①。但他这一用心却被他满篇的"怪迂之变"和"闳大不经"的理论体系淹没了。故《汉书·艺文志》赫然列《邹子》四十九篇、《邹子终始》五十六篇于阴阳家,而太史公父子则把邹衍对于仁义道德的关注视为"天下一致而百虑,同归而殊途"②的结果。

"阴阳家者流,盖出羲和之官"③。羲和之官的责任是"历象日月星辰,敬授人时",即观测记录天象,编制颁布历法,指导农业生产。但种种迹象表明,这似乎仅是他们职掌的一部分。《尚书·尧典》曰:"分命羲仲,宅隅夷,曰旸谷,演宾出日,平秩东作","分命和仲,宅西,曰昧谷,寅饯纳日,平秩西成";《左传》桓公十七年曰:"天子有日官……日官居卿以底(致)日";《周礼·典瑞》之职曰:"土圭以致四时日月";《冯相氏》之职又曰:"冬夏致日,春秋致月。"羲仲、和肿乃羲和的分化。寅,敬也;宾,导也;饯,送也。羲和及其属官究竟是用什么办法来导日、送日和致日的呢?

且看《山海经·大荒南经》。其文曰:"东南海之外,甘水之间,有羲和之国,有女子名羲和,方日浴于甘渊"。"日浴"诸家皆以为当作"浴日",郭璞注指出:"羲和盖天地始生,主日月者也……作日月之象而掌之,沐浴运转之于甘水中,以效其出入旸谷虞渊也。"原来,所谓导、送、致的动作,居然是把一个日月的模型——象,从水中托起来,沉下去,沉下去,再托起来,循环往复。这不免使我们想到了古代的巫术。

各民族都有自己的巫术文化,并有以巫术文化占统治地位的初始发展阶段。远古的人们曾盲目地认为,自然界总是按不变的秩序演进的,只要掌握了事物的嬗变、衍生的奥秘,凭借自己的魔

---

① 《史记》卷74《孟子荀卿列传》。
② 《史记》卷130《太史公自序》。
③ 《汉书》卷30《艺文志》。

力,就能成功地控制自然。他们用以控制自然的方法就是巫术。巫术赖以建立的思想原则第一是"同类相生"或"果必同因",第二是"物体一经互相接触,在中断实体接触后还会远距离地相互作用"。从前一原则出发,古代的巫师坚持说,通过模拟便能够实现他想要做的事,这样的模拟活动叫做"顺势巫术"或"模拟巫术"。从后一原则出发,古代的巫师又坚持说,通过曾经与某人接触过的物体(如发、须、指甲、衣服、偶像等)便可对其本人施加影响,这一类的巫术活动叫做"接触巫术"。两种巫术不仅在实践中常常合用,而且都承认物体通过某种神秘的交感可以远距离地相互作用,因此也可统称为"交感巫术"①。在对古代巫师的思维定式有了一点粗浅的了解之后,再来回味《山海经》本文和郭璞的注,羲和双手运转"日月之象"以"效"日月的"出入",难道不正是一种典型的"模拟巫术"吗?

用各种模拟的活动导日、送日、致日,以促其正常运转的事,还见之于世界许多地方。例如,在古埃及,作为太阳化身的国王,常常肃穆地绕着一个庙宇的墙转圈,为的是保证太阳能完成它每天的行程,不至于因日蚀或其他意外而停顿;在路易斯安那的纳切斯人中,每天早上太阳升起时,部落首领要面向东方,并朝上伸三次烟袋,向太阳的方向抽第一口烟;在班克斯列岛上,居民们用一个仿制的太阳来求得阳光,他们拿一个很圆的名叫"瓦特·洛阿"或"太阳石"的石头,缠上绿色穗带,再粘上猫头鹰的羽毛以代表光线,低声唱着固定的祷词,然后将它高悬在圣地中央的榕树或黄麻树顶上②,等等。这同中国上古羲和们的做法何其相似乃尔!所以,我们完全可以得出结论说,羲和之官的职责不是单一的,他们

---

① 詹·乔·弗雷泽:《金枝》第三章。
② 爱德华·泰勒:《原始文化》,上海文艺出版社 1992 年版;詹·乔·弗雷泽:《金枝》,大众文艺出版社,1998 年出版。

首先是能用巫术成功控制太阳的巫师①,随之才派生出观察日出日入的时刻、记录天象和"敬授民时"的任务,并因所司的记录之责而被称为史官。由于他们对于天的了解远远超乎常人之上,司马迁又称之为"传天数者"。据此,所谓阴阳家出自"羲和之官",实已昭示该派学说与古代的巫术有着千丝万缕的联系。

巫术赖以建立的认识基础在实际上又是错误的和虚妄的,所以,随着人类社会的发展,巫术的荒诞和无能最终要被一些智力较为发达的人看破,于是,社会开始倾向于承认超人力量的存在,由试图自己控制自然力,变为乞求神灵的佑助,宗教渐渐取巫术而代之,巫师渐渐为祭司所排斥。

在中国,颛顼以前曾经存在过一个体巫术十分盛行的"家为巫史"阶段。自颛顼"绝地天通",施巫权逐步为"南正重"之类的部落上层分子所垄断②。同时,这些专业巫师集团的代表,也成为权势很大的社会公职人员,并在他们中间产生了最早的王。黄帝,颛顼、帝喾、尧、舜及有夏一朝的统治者可能都兼具最高巫师的身份,大家相信,正是他们无边的法力维持了日月的运行、自然界的均衡和天下的安宁,他们也因此受到社会的衷心拥戴。直到"殷人尊神,率民以事神"③,才出现了"巫术文化"向"祭司文化"的过渡。西周以后,天命思想占统治地位,祭祀和战争成为国家的头等大事,巫师满不在乎地宣称他们同神灵一样也能控制一切的态度和做法,便不能不引起对神权十分敬畏的祭司阶层的厌恶。正是在这一文化背景之下,才有"焚巫尪"、杀桑田巫和晋人执杀周之"传

---

① 羿射九日的故事早为大家所熟知,有的地方又说是尧射九日,这都是"历象日月星辰"的一部分,即用射日控制温度。
② 《尚书·吕刑》、《国语·楚语下》。
③ 《礼记·表记》。

天数"者苌弘一类的事情见之于竹帛①。孔子论六经,也把"国殊窟穴,家占物怪,以合时应"的巫术活动记录视为"禨祥不法"的文字和图籍,采取"记异而说不书"的办法处理,致使"天道命不传"②。然而,由于行之久远而根深蒂固,巫术在周代仍有极大的影响和市场。巫师不仅因审于生死、能去苛病等受到民众乃至部分贵族的信任,而且因可以承担驱除恶鬼,祓除不祥等辅助性的责任,还在各类祀典中被保留了一席之地,故《周礼》司巫、男、女巫等便仍得与大祝、小祝一起同列于春官,而大雩、大傩、藏冰、伐鼓于社以救日蚀等风习,实际都是巫术的变种。巫术文化在殷周时期地位的下降,主要表现在它已不起主导作用,并不意味着巫术活动都已销声匿迹,相反,巫术的根子仍深深扎在社会的深层土壤里,被孔子删除的巫术活动记录也深深刻在人们的脑海里,这就有可能为邹衍的"造说"提供丰富的思想资料。

战国时期,一方面是七雄"争于攻取,兵革更起,城邑数屠,因以饥馑疾疫焦苦",故"臣主共忧患,其察禨祥,候星气尤急",另一方面,却因自春秋以来出现的"史不记时,君不告朔,畴人子弟分散"的情况愈演愈烈,致使"禨祥废而不统"③,因此,"独明于五德之传"的邹衍真正地成了凤毛麟角。而他生活的齐地,"其民阔达多匿智","言与行谬,虚诈不情","国中民家长女不得嫁,名曰巫儿为家主祠"④,显然有着十分浓厚的巫风,这当然会对他思想的形成产生重要的影响,于是,对邹衍来说,如何适应时代的需要,接受孟轲"守旧术不知世务"、孔子"能方不能圆"的教训,利用自己掌握的天象学知识和熟悉的巫术原理建立新说,借以宣传仁义节俭的

---

① 《左传》僖公21、成公10年。《史记》卷28《封禅书》。
② 《史记》卷27《天官书》。
③ 《史记》卷26《历书》。
④ 《汉书》卷28《地理志》。

基本宗旨,便成为既势在必行又顺理成章、水到渠成之事。他的著作,不仅语言闳大不经,包含了许多为缙绅先生所不言的怪迂之变,而且还特别记录了为孔子所删除的自黄帝以来的"机祥度制",能使人耳目一新,"惧然顾化",这一点司马迁已说得十分清楚。而他在四出游说时,往往"先验小物,推而大之,至于无垠",据我们推测,很可能还进行过巫术表演①,从而较易收到取信于人的效果。与此同时,荀子却批评他是"闻见杂博,案往旧造说","甚僻违而无类,幽隐而无说,闭约而无解"②,并正式把"相阴阳占祲兆"归为"伛巫跛觋之事"③。种种迹象表明,邹衍据以造说的"往旧",正是曾盛于唐虞夏殷之际,后虽曾衰落,但却仍有深厚影响的传统巫术。

　　如上节所言,邹衍学说的要件是"主运"和"王居明堂礼"。依据前一项,新受命之君必须推德定制,改正朔易服色,如以土德王者,衣服旌旗皆尚黄,以木德王者,衣服旌旗皆尚青,等等。依据后一项,在大地复苏的春天,天子必须"居青阳左个,乘鸾路,驾苍龙,载青旗,衣青衣,服青玉",吃掉有克木性质的麦,用疏镂通达象征阳气射出之器,同时又应"布德和令,行庆施惠","安萌芽,养幼少,存诸孤","禁止伐木",不许"杀孩虫胎夭飞鸟"等等,所作所为全是与木德相应、有利于万物发生之事。其他各季可依五行类推,恕文烦不赘。一言以蔽之,"主运"也罢,"王居明堂礼"也罢,无不是强调要利用巫术的相似律进行模拟。包含有邹衍遗说的《吕氏春秋·应同》篇在分析这样做的理由时说"类同相召,气同则合,声比则应",与詹·乔·弗雷泽在概括模拟巫术的思想基础时

---

①② 汉武帝时,有人向他推荐术士栾大,"于是上使验小方斗棋",栾大作起法来,居然能使棋"自由触击"。"先验小物"应就是验以"小方"。这大概是邹衍喜欢采用的宣传手段,后成为"邹子之徒"和"燕齐方士"们的惯技。
③ 《荀子·王制》。

所使用的"同类相生"一词,几乎是同意语,绝非偶然巧合。在北欧,每逢五朔节,总有两队骑马的年轻人互相对峙,好像要拼个你死我活,两队中,一队由穿皮衣的冬天代表者领导,他扔下雪球和冰块,以延长寒冷,另一队则由披新鲜树叶和花卉的夏天代表者指挥,这种假斗每次都以冬败夏胜而告终;在日本,人们正月间的迎春习俗中,有刺杀属于"介虫"、象征水气和冬天的蟹,穿成蟹串,插于门外的做法;在老挝,苗族人为了于除夕的傍晚顺利实现辞旧迎新,就一边向西边天空的夕阳开枪,一边在广场中央竖立一株带绿叶的树,并在树旁轮番跳起欢快的舞;在新不列颠,苏乐卡人把烧红的石头和热灰扔向空中以止雨;爪哇岛上的农夫为了让稻子上饱浆,竟带着他们的妻子,夜间专门到田间去过性生活……① 看来,全世界各民族都曾在长时间内自觉不自觉地受到传统巫术的驱动,指望用种种模拟动作的表演达到真实的目的,那么,我们认为邹衍的学说利用了巫术的原理,又有什么可奇怪的呢?

四、邹衍天人合一说的传播和影响

邹衍真是个聪明人,他鉴于仲尼、孟轲四处碰壁的教训,转而采取"作先合然后引之大道"的办法,成功避免了"持方枘欲内圆凿"的错误,从而使自己的学说变得甚易为人接受。他本人虽可能因受到燕惠王的迫害而客死异乡,但由他营造起来的天人合一理论却得到了广泛的传播,并对秦汉政治产生了深远的影响。兹举其荦荦大者。

(一)依据主运或大五德终始说所进行的改德活动

《史记·封禅书》说:"自齐威、宣之时,邹子之徒,论著终始五

---

① 见《金枝》、《原始文化》和吉野裕子所著《阴阳五行和日本民俗》,后一书于1989年由学林出版社出版。

德之运,及秦帝而齐人奏之,故始皇采用之"。秦王朝采用邹衍终始五德之运的主要表现就是宣布"今秦变周",得"水德之时",并据水德定制,"更名河曰德水,以冬十月为年首,色尚黑,度以六为名,音上大吕,事统上法"①。自此以后,改德的做法便为历代所沿袭,成为最高统治者政治生活中的大事。

刘邦建汉,多半是因为嫌秦祚太短,不配在五德的大循环中占去一席地位,所以,竟也以水德自居,沿袭了秦的制度。但这一决定的破绽是显而易见的。于是,在文帝时,便有"颇通诸家之书"的贾谊和鲁人公孙臣分别提出过改德的建议,并且按秦得水德,及汉受之,汉当土德的推断,各自草具了新的仪法,可惜遭到张苍等一班老臣的反对而未果行。热衷兴作的汉武帝即位后利用儒者赵绾、王臧,重新又搭起改历、改服色的班子,也因笃信"黄老之学"的窦太后从旁掣肘,以至于"诸所兴为皆废",赵绾、王臧竟在太后的威逼下自杀身亡。直到窦太后去世,汉武帝忙完了伐匈奴、平南越、登封泰山等几项重大活动,这才正式把改德付诸实行,宣布公元前104年为太初元年,"以正月为岁首,色上黄,数用五,定官名,协音律"②,终于确立了土德之制的规模。土德派与水德派的争论虽然激烈,但依据的理论却都是邹衍创立大五德终始说时所用的五行相胜律。

到了西汉末年,刘歆为了帮助王莽实现篡位的图谋,却又转而采用五行相生律来解释朝代的兴替。

邹衍只用五行相生解释一年之内的小循环。邹衍所说的历史大循环从当时"学者所共述"的黄帝说起,接下来是夏、商、周,总共也只有四代。这对一味注意为我所用的刘歆来说,都实在太不方便了。于是他便重新编定了帝系,参考着日渐纷繁的关于古帝的

---

① 《汉书》卷25《郊祀志》。
② 《汉书》卷6《五帝纪》。

传说,在黄帝之前加上了太昊伏羲氏、炎帝神农氏,在黄帝之后加上了少昊金天氏、颛顼高阳氏、帝喾高辛氏、帝尧陶唐氏和帝舜有虞氏,让帝舜下接夏、商、周、汉,又分别为刘邦和王莽制了一套家谱,然后煞有介事地宣布说:"汉为尧后,居火德;王莽为舜后,居土德。"依五行相生律,火生土,汉皇帝用禅让的方式把位子让给王莽,难道不是顺理成章的吗①?刘歆的做法虽属荒唐,但其学说一经鼓吹起来,却又变得根深蒂固。所以,刘秀一即位,便没怎么犹豫,很快决定要"正火德,色尚赤"②,而汉王朝在历史上也有了"炎汉"的别称。

汉朝由水德到土德,又到火德。自王莽开始,凡靠征诛得天下者即依五德相胜说推德定制,凡借"禅让"之名取天下者则用五德相生说推德定制。这些重要历史现象的形成虽与刘歆的兴风作浪有关,但根子还在邹衍。试想,若不是他提出最高统治者必须应了五德终始中的一德,才能与天合一,帝王们何苦要为改德的事绞尽脑汁呢?

(二)燮理阴阳和顺四时月令

在邹衍一派学者看来,宇宙万物的变化皆取决于阴阳的消息。同时他们又认为,"阴阳之精,其本在地,而上发于天","政失于此",就会"变见于彼",其灵验的程度,"犹影之象形,响之应声"③。因此,相信其学说的人们,无不痛切地感触到"燮理阴阳"的重要。

两汉诸帝均以"调和阴阳"的最高责任人自居,每当灾害祸乱发生,他们必认为是阴阳错缪所致,定会频卜明诏,屡敕公卿,认真地在政治上进行检讨,并设法加以补救。

皇帝之下的大臣既鼎足居职,股肱元首,自然也把"理阴阳"放

---

① 顾颉刚:《秦汉的方士与儒生》。
② 《后汉书》卷1《光武帝纪》。
③ 《汉书》卷26《天文志》。

在各项工作的首位。如汉初名相陈平,文帝问他"一岁决狱几何"、"钱谷出入几何",他都答不出,却还理直气壮地辩白说,决狱可责廷尉,钱谷可问治粟内史,宰相要管的大事是佐天子,理阴阳,育万物①。时议不以为非,反说他"知大体"。再如宣帝时为相的丙吉,外出巡查,逢"群斗者","死伤横道",均"过之不问",偶见一条牛气喘吐舌,急忙向赶牛人调查:到底已经走了几里,竟至如此? 有人讥笑他主次颠倒,他也回答说:"方春少阳用事,未可大热此时气失节……三公典调和阴阳,职所当忧,是以问之"②。陈平、丙吉的例子反映的应是汉代政治家的平常心态。

但究竟是如何"理"呢? 一言以蔽之,那就是"务顺四时月令"③。

如前所言,邹衍曾套取古时政之书,编成"王居明堂礼",用"随方面为服"做主线,为王者设计了一年之中的施政纲领。很可能是在秦王政即位前,当吕不韦"使其客人人著所闻"时,即有自燕、齐来者,在秦编写了《吕氏春秋·十二纪》。到了汉代,以十二纪纪首为基础,正式形成了《礼记·月令》。与此相应,在关东地区大约也曾有人写定过邹衍遗说,在淮南王刘安"招致宾客方术之士数千人"为其著书时,被采入《淮南子》,其中与《月令》大致类似的篇章就是《时则训》。经过不断整理、补充和传扬,这种专讲一年之内五行循环的小终始说就变得如日中天了。

从邹衍的王居明堂礼,到规范化、具体化了的《月令》,用的都是五行相生律。这一派学者认为,五行与阴阳有着亲密的因果关系,即:只要在一年中,五行按照相生律顺利地运转,阴阳就能正常地消息(长)。而天道又是由阴阳消息决定的,所以,他们要求大家

---

① 《史记》卷56《陈丞相世家》。文字有省略。
② 《汉书》卷74《魏相丙吉传》。
③ 《汉书》卷10《成帝纪》。

在处理各类事务时,必须严格遵守《月令》的规定,绝不能妨碍五行完成其一年中的相继相生的循环。并反复强调说:"法天地,顺四时,以治国家",这才是"奉宗庙安天下之大礼"①,凡圣明之君,都应"尊天地,重阴阳,敬四时,严月令",只要依照《月令》的指示,"顺之以善政,则和气可立致"②。如此看来,燮理阴阳的关键无它,只在一个顺字。

顺令而行,动静以道,则阴阳不舛,阴阳不舛,"则日月光明,风雨时节,寒暑调和","三者得叙,则灾害不生,五谷熟,丝麻遂,草木茂,鸟兽蕃,民不夭疫,衣食有余",进而,还可换来"君尊民悦,上下无怨,政教不违,礼让可兴"的太平盛世③。这就是阴阳家鼓吹的天人合一,也是两汉政治家们追求的最高理想。因为春天是万物生养的季节,所以皇帝要派人"存问耆老鳏寡孤独乏困失职之人,举茂材特立之士"④,还要下宽缓诏书,赦免罪犯,清理冤狱⑤;因为刑杀属阴,所以处理重囚,当在秋冬之月,以防阴气微弱,阳气发泄,招致旱灾⑥,到冬至之后,便再"无鞫狱断刑之政"⑦。说来说去,无非是依照阴阳消息(长)的规律去做助阳抑阴或助阴抑阳的事情。刘邦即位后,曾"令群臣议天子所服,以安治天下"。于是,萧何、周昌、王陵、叔孙通等议:"春夏秋冬天子所服,当法天地之

---

① 《汉书》卷74《魏相丙吉传》。
② 《汉书》卷75《李寻传》。
③ 《汉书》卷74《魏相丙吉传》。
④ 《汉书》卷9《元帝纪》。
⑤ 《后汉书》志第4《礼仪志上》曰:"立春之日,下宽大诏书曰:'制诏三公,方春东作,敬始慎微,动作从之。罪非殊死,且勿案验,皆须麦秋。退贪残,进柔良,下当用者,如故事'"。注引《献帝起居注》曰:"建安二十二年二月壬申,诏书绝,立春宽缓诏书不复行。"可见此前一直行用不辍。
⑥ 《后汉书》卷46《陈宠传》。
⑦ 《后汉书》卷3《章帝纪》。

数,中得人和",乃令"中谒者赵尧举春,李舜兴夏,倪汤举秋,贡禹举冬,四人各职一时",使衣服礼物朝祭百事不得淆乱①。可见,由邹衍开始倡导的"随方面为服",到了汉代,才算由表及里地落到了实处。后来虽曾出现过"公卿大夫或不信阴阳","所奏请多违时政"的情况,经过当朝名臣的规诲,都及时得到了纠正②。这样,我们便可以大胆地说,两汉政治实际上带有"月令政治"的色彩。

(三)从灾异祥瑞到谶纬迷信

怎样判断阴阳是否调和呢?在汉人看来那很简单,天人之间原是有信号相通的,这信号就是灾异和祥瑞。

董仲舒说:"国家将有失道之败,而天乃先出灾害以谴告之,不知自省,又出怪异以警惧之"③,可见灾异乃灾害与怪异的合称。日月薄蚀,五星失行,昼冥宵光,大地震裂,山崩川溃,旱蝗洪涝,枯树复生,妖孽并见,百姓短折,万物夭伤等等,今天我们皆可视之为反常的自然现象,但汉人却说是来自皇天的警示,是"咎败将至"的征兆,犹如"严父之明诫",故可名之曰"天谴"。贤君能侧身博问,恐惧敬改,则可祸消福降;倘忽视懈怠,漫不经心,则咎罚不除,对终不改悟者,待到恶洽变备,天即不复谴告,这时就要"更命有德",来革除其天命了。与之相应,王者若躬行道德,承顺天地,天也会降下祥瑞,以昭保佑,如甘露屡臻,树枝内附,谷生双穗,地出宝鼎,芝草生,神雀集,远方之人慕义贡献等,不一而足,此类有吉祥意义的现象则被称之为"天赏"④。

灾异祥瑞代表着天的意志,是处理"天人之际"各类关系的枢

---

① 《汉书》卷74《魏相传》魏相奏议引高皇帝所述书《天子所服第八》。如淳曰:"第八,天子衣服之制也,于施行诏书第八。"
② 《汉书》卷74《魏相传》。
③ 《汉书》卷56《董仲舒传》。
④ 《汉书·李寻传》、《谷永传》,《后汉书·明帝纪》、《章帝纪》等。

纽和锁钥。所以,汉代的政治家要"仰视天文,俯察地理,观日月消息(长),候星辰行伍,揆山川变动",先捕捉到天的信息,再参以"人民谣俗",然后来制订法度,治理国家①。同时,他们又强调,灾异祥瑞虽见于天变,根子却在人事,所谓"人道悖于下,效验见于天"②,"瑞由德至,灾应事生"③。故而,从政治上找准天变的原因,并对症下药地予以解决,就成了转祸为福的关键和各级执政者的具体行动指南。经过不断积累,他们还总结出了许多带规律性的东西,如:霹雳数发,为刑诛繁多所生;水旱不时,为刑罚不中,怨怒蓄积所致;虎狼伤人,缘自苛政未除;蝗虫损稼,缘自贪利伤民;月朓日食,皆阴类盛长,臣下专制之象等等。每遇灾害,他们并不忙于全力以赴地采取救灾措施,却常把改除"致伤和气"的政治积弊作为当务之急,有时竟然十分灵验。如东汉永元六年秋七月,京师大旱,和帝亲幸洛阳狱,"录囚徒,举冤狱,收洛阳令抵罪,司隶校尉、河南尹左降。未及还宫而澍雨"④。再如,曹褒任河内太守,"时春夏大旱,粮谷踊贵,褒到,乃省吏并职,退去奸残",结果是"澍雨数降,其秋大孰,百姓给足,流冗皆还"⑤。这虽都是偶然的巧合,但对于相信天人感应、天人合一理论的汉代人来说,却是一种莫大的鼓舞。

政治好坏的要害在于用人,根据这一浅近的道理,汉人推断说:"位非其人,则庶事不叙。庶事不叙,则政有得失,政有得失,则感动阴阳,妖变为应"⑥。即一切天变灾异,最终都要归咎于用人

---

① 《汉书》卷75《李寻传》。
② 《后汉书》卷37《丁鸿传》。
③ 《后汉书》卷54《杨震传》。
④ 《后汉书》卷4《和帝纪》。
⑤ 《后汉书》卷35《曹褒传》。
⑥ 《后汉书》卷46《陈忠传》。

不当。清平之世，皇帝还常主动出来承担责任，认为"灾异屡见，咎在朕躬"，倘若世无贤君，那便要"移过于下"，拿大臣开刀。轻则策免三公，重则竟有迫令丞相自杀者①，而一些阴险狡诈的权幸，还进一步把"陈灾异之变"当成了相互倾轧的工具。西汉成帝时，即有"善言灾异"的谷永"党于王氏"，故"前后所上四十余事，略相反覆，专攻上身与后宫而已"②。到东汉，外戚、宦官更经常将一支支盖有灾异"戳记"的毒箭射向鲠直派官僚，如著名的权臣梁冀就曾指使被免官者"作飞章"以"璇玑不平"为名诬陷太尉李固③，另一方面，当太史令陈授因"日食之变"上书，认为"咎在大将军"时，他却又"讽洛阳令收考授"，并将其迫害致死于狱中④。所以，仲长统叹息说："怨气并作，阴阳失和，三光亏缺，怪异数至，虫螟食稼，水旱为灾，此皆戚宦之臣所致然也。反以策让三公，至于死免，乃足为叫呼苍天，号啕泣血者也。"⑤

　　灾异祥瑞可以传递天的指示，但总是说得不十分准确，正直的士人因天意被歪曲而愤懑扼腕，而头脑灵活的政治家却早在为如何更便于投机而另谋新招了。这新的招数就是谶纬。

　　谶是一种隐语或预言，有时还附有图画，故又叫图谶。纬是指汉代部分儒生用穿凿附会方式对儒经所做的神秘化的解释。零星的谶大约战国时期早已存在，但谶纬之帜的高张，则始于西汉后期，盛于王莽、刘秀。王莽要做皇帝，德祥符瑞也降过不少，但不论是"临淄新井"、"巴郡石牛"，还是"越裳氏重译来朝"、"高祖考墓门梓柱生枝叶"等，仍都过于含蓄。于是，便出了扶风石文，有八个红

---

① 《汉书》卷84《翟方进传》。翟方进即汉代为灾异而自杀的一位丞相。
② 《汉书》卷85《谷永传》。
③ 《后汉书》卷63《李固传》。
④ 《后汉书》卷34《梁翼传》。
⑤ 《后汉书》卷49《仲长统传》。

字赫然写在一块白石上,曰"告安汉公莽为皇帝",又在长安发现了一幅"铜符帛图",上写着"天告帝符,献者封侯。承天命,用神令"。而骗子哀章也趁机做了两个铜柜放进汉高帝的庙里,里边分别藏着"天帝行玺金匮图"和"赤帝行玺邦传予黄帝金策书",书中把王莽应做真皇帝的意思说得更加明白。到这时,王莽才决定走完篡位夺权的全过程,去掉皇帝前边的"摄"字,用土德的新莽正式取代了火德的"炎汉"①。刘秀在河北打了几个胜仗,闹得势力很大,他手下的将领都劝他称帝,他却有些迟疑,刚好他以前的同学强华从关中赶来,献上了《赤伏符》,符上明确说"刘秀发兵捕不道,四夷云集龙斗野,四七之际火为主",刘秀便不再犹豫,当即在鄗地筑坛,即了皇帝位。由此可见,政治风云的激荡与新学说的走红常常是并驾齐驱的。谶纬帮助政治家实现了政治野心,政治家也把谶纬请进了天子的殿堂。王莽、刘秀都以谶纬做证据,来任用官吏,决定大事。从此,在他们的影响和带动下,汉代政治又进一步谶纬迷信化了。

(四)天人合一说下的宗教和民间习俗

天人合一说的基础是阴阳五行,而阴阳五行与方位和季节相配,便有了分别主管一方或一季的五帝神。在汉代,天人合一说既日渐风靡,五帝崇拜也便越来越受到统治阶级的重视。

高祖东击项籍还入关,诸事尚在草创,即向臣下询问秦时祭祀五帝的情况,并说:"吾闻天有五帝,而秦只有白、青、黄、赤四帝之祠,何也?"还等不及左右想好答案,他又大言道:"吾知之矣,乃待我而具五也。"于是,乃立黑帝祠,名曰北畤②。从古书这段生动的叙述可以看出,这位出自民间、生长于楚地的开国之君对阴阳家的五帝系统是耳熟能详的。

---

① 《汉书》卷99《王莽传》。
② 《汉书》卷25《效祀志》。

此后,文帝始幸雍,用郊礼祀五畤,又听从"望气者"赵人新垣平的意见,在"灞渭之会"作"渭阳五帝庙"。武帝喜欢巡游,除数次至雍"郊见五畤"外,还在他常住的甘泉宫南筑五帝坛,环居于泰一坛下。他到东方封禅,发现泰山脚下有一处古代明堂的遗址,恰逢济南人公玉带上"黄帝时明堂图",于是,就又下令在汶水边进行仿造,"祠泰一、五帝于明堂上坐"。大致说来,在西汉中前期,对五帝的祭祀已成为汉代诸祭中的大祭,但地点十分散乱,制度也不规范,以至于在按照公玉带图造起来的明堂里,因五帝无法与四面相配,只好将黄帝与赤帝并为一处。汉成帝时,丞相匡衡、御史大夫张谭以"天随王者所居而飨之"为由,奏请将甘泉泰一、五帝以及河东后土之祠等均"徙置长安",而将"诸侯妄造",或汉家未定天下时所立的"故祠",如雍地五畤等,尽行罢去。经过几次反复的争论,到平帝元始年间,才由既热衷于天人学说、又受过《礼经》的王莽,凭借政治上的强力,将该项建议落到了实处。除黄帝坛的营域被定在未位,即长安城的西南外,青帝太昊、赤帝炎帝、白帝少昊、黑帝颛顼及相关诸神的祭处依次放在东、南、西、北郊,于是,"长安旁诸庙兆畤"由此变得空前整齐,到东汉明帝时,又"采元始中故事,兆五郊于洛阳四方",并突出了"迎时气"的内容,从而使五帝祭祀活动与阴阳家设想的形式完全一致起来了①。

文帝祭渭阳五帝,"权火举而祠,若光辉然属天焉"②,其场面之大,可以想见。而尤应引起我们充分注意的,则是汉人在五帝祭祀中对于色彩的讲究。西汉时,主祭者及祝、宰一班人的服饰已是"各如其帝色"。到东汉,更明确规定,迎春于东郊,祭青帝句芒,"车旗服饰皆青。歌《青阳》,八佾舞《云翘》之舞";迎夏于南郊,祭赤帝祝融,"车旗服饰皆赤。歌《朱明》,八佾舞《云翘》之舞";迎黄

---

① 《汉书·郊祀志》及《后汉书·祭祀志》。
② 《汉书》卷25《郊祀志》。

灵于中兆,祭黄帝后土,"车旗服饰皆黄。歌《朱明》,八佾舞《云翘》、《育命》之舞";迎秋于西郊,祭白帝蓐收。"车旗服饰皆白。歌《西皓》,八佾舞《育命》之舞";迎冬于北郊,祭黑帝玄冥。"车旗服饰皆黑。歌《玄冥》,八佾舞《育命》之舞"①。而"五时变服"的范围,除"执事者"外,也包括了"京都百官"②。他们甚至还"令一童男冒青巾,衣青衣",先藏在东郊外的野中,待迎春的队伍到来,即从野中走出,由迎者"拜之而还"③。上述形式今日看来如同儿戏,但当时人却做得十分认真和痴迷,原因在于他们坚信通过种种逼真的模拟,就能把一种看不见的力量传导给自然,进而促使阴阳正常消息,四时有序运行和万物顺利生化。而这种意识的根源,仍在于邹衍"巫术化"了的天人合一说。

邹衍的学说也给汉代民俗打上了深深的烙印。如,由于相信龙出现时,会有风雨兴起,所以,在求雨活动中就常设土龙或草龙以收"感气之效",并要"闭诸阳,纵诸阴",即关掉南门,禁止举火,大开北门,用水洒人等等④;由于相信杀死属于金畜的狗,就等于杀死了五行中与木气相克的金气,具有"抑金扶木"的作用,可以使春天顺利地过渡到属于火的夏天,所以便在季春三月于"九门磔攘,以毕春气"⑤,由于相信将与十二月(丑月)相关的丑牛出之于外,具有驱阴助阳的效果,可以使寒冷尽快过去,并为新春开道,所

---

① 《后汉书》卷25《祭祀志》。
② 据《后汉书》志第7《祭祀上》《祭祀志》:"诸五时变服,执事者先后其时皆一日",则所谓"京都百官皆衣青"、"京都百官皆衣赤"云云,均指迎气祭五帝时的礼服,非常服。
③ 《后汉书》志第7《祭祀上》。
④ 《汉书》卷56《董仲舒传》。《春秋繁露》。
⑤ 《风俗通义》卷8。

以便于季冬十二月"出土牛以送寒气"①。诸如此类,实难枚举,无一不是指望借助模拟的表演来实现真正的目的,以期与天合一。

以上所记虽仅数端,却足可看出邹衍的"天人合一"理论,在汉代几乎达到了笼盖一切的程度。

五、邹衍天人合一说评议

阴阳家的学术源头可以追溯到"羲和之官",如本文第三节中所分析的那样,"羲和之官"原指上古时期专司迎送日月,并用巫术的方法帮助日月正常运行的巫师群体。正因为迎送日月是职责所系,关乎全部落的安危祸福,所以,他们也很早就在迎送的过程中养成了观测记录天象的习惯,被叫做"传天数者",堪称天文学的开山祖;并通过"敬授民时",给重视农业的古代人民带来过许多的实际利益。战国时,"明于星历"的邹衍利用阴阳家从古羲和之官那里继承下来的天文知识,以王居明堂礼为形式,以适时、顺时为原则,以违时、逆时、失时的可怕后果相警告,以天人合一的理想境界相诱惑,按照五行相生律,为王者编制了一年之内的施政纲领,并逐步演变为《月令》,在社会上产生了巨大的影响。这不仅可以借助自然法则规范统治阶级的行为,使淫侈者在一定程度上回归"仁义节俭",而且在古生态学和环境保护学方面,也确有其理论价值和实践价值。太史公自序指出:阴阳家"序四时之大顺,不可失也"。《文心雕龙》的作者刘勰也说:"邹子养政于天文。"这种评价和分析都是比较中肯的。

但是,阴阳家终究没有脱掉古巫群体身上的"巫气",他们在继

---

① 《后汉书》志第5《礼仪志中》:"是月也(季冬之月),立土牛六头于国都、郡、县城外丑地,以送大寒。"注:"《月令章句》曰:'是月之昏建丑,丑为牛。寒将极,是故出其物类形象,以示送达之,且以升阳也。'"

承"羲和之官"丰富的天文知识的同时,也继承了古代巫术的原理和许多巫术活动的记录——机祥度制。从邹衍的五居明堂礼到《吕氏春秋》十二纪,再到《礼记·月令》和《淮南子·时则训》,用以促进阴阳正常消息,并最终实现与天合一的惟一手段就是根据交感巫术的相似律进行模拟。而在实际上,穿同样色彩的衣服、打同样色彩的旗帜也罢,用具有象征意义的器具也罢,行性质相类的政令也罢,或是依照阴阳否替、五行生克的原理直接举行巫术化的仪式也罢,从根本上都无助于愿望的实现。其间即有偶然的巧合,那也不过如班固所说,是"仿佛一端,假经设谊,依托象类,或不免乎'亿则屡中'"①,根本不能作为成功的证据。所以我们又必须指出,邹衍的天人合一理论和它所自出的巫术原理一样,归根结底是错误的和虚妄的,它与科学之间的距离比宗教与科学的距离还要遥远,完全不是什么至今还需要倍加珍爱的"国粹"。

古代的巫师狂妄地认为,只要掌握了事物嬗变、衍生的奥秘,学会正确地使用符咒和仪式,就能凭借其所独具的魔力,成功地控制自然,强迫风与气候以及动物禾稼等遵从自己的意旨。因此,邹衍一派学者也致力于制订一套仪式化的政纲,试图通过规范人的社会活动,按照"类同相召,气同则合,声比则应"的原理,以期收到"感气之效",促使阴阳正常消息,万物顺利生化,风雨时而寒暑节。从这一角度观察,阴阳家在天人感应、天人合一的范式中,似乎给人留下了一定的主动权,与殷周时期人类完全屈从于天神的情况有所不同。但是,人事活动可以"感阴阳"的理论依据,又是交感巫术的相似律,这就不能不处处借助于顺势和模拟,并把"顺"的作用强调到了不适当的程度,从而使人在自然面前,始终摆脱不了"顺之者昌,逆之者不死则亡"的被动局面。《太史公自序》曰:"尝窃观阴阳之术,大祥而众忌讳,使人拘而多畏",《汉书·艺文志》也说:

---

① 《汉书·眭两复侯京翼李传赞》。

"及拘者为之,则牵于禁忌,泥于小数,舍人事而任鬼神",都可谓一语破的。总体看来,阴阳家对待自然的态度在本质上是消极的,照他们的办法去做,也根本无法真正实现人与自然的和谐统一。

在阴阳家初创的天人合一体系中。阴和阳是平等的,两者均衡地消长,共同构成自然界运行和人类社会发展的基础。到了汉代,董仲舒始倡"阳尊阴卑"说,强调"物随阳而出入,数随阳而终始,三王之正随阳而更起"。并且认为"丈夫虽贱皆为阳,妇人虽贵皆为阴","诸在上者皆为其下阳,诸在下者皆为其上阴"①。以此为基础,正式推出了有名的"王道三纲"。这样,阴阳学说中原有的那点约束国君的淫侈行为、要统治者也过仁义节俭生活的民主政治火花熄灭了,忠臣义士借阴阳灾变进行谏争的渠道关闭了,邹衍的思想经过严重篡改,完全变成了维护封建专制主义的工具。董仲舒附会《春秋》经义,说什么"天数佑阳不佑阴"、"君不名恶,臣不名善,善皆归于君,恶皆归于臣"②。在如此不公平的强盗逻辑下,臣下除了去做替罪羊,还有什么出路呢?《汉仪注》曰:"有天地大变,天下大过,皇帝使侍中持节乘四白马,赐上尊酒十斛,牛一头,策告殃咎。使者去半道,丞相即上病。使者还,未白事,尚书以丞相不起病闻"③。皇帝反躬自责的情况越来越少,策免三公或迫令丞相自杀的例子却越来越多,以至于形成了"故事",足以证明天人合一理论早已御用化,它不可能超越时空,历久不衰,至今仍旧熠熠生辉,当然更不值得我们再去对它顶礼膜拜。

与邹衍提倡"天人合一"说不同,战国时期另一位对天也有过深入研究的思想家荀况却主张"天人相分"。他要求人们"明于天人之分",充分了解"天行有常,不为尧存,不为桀亡"的客观性;他

---

① 《春秋繁露·阳尊阴卑》。
② 《春秋繁露·阳尊阴卑》。
③ 《汉书》卷84《翟方进传》注如淳引《汉仪注》。

以禹、桀相对照,来说明"治乱非天也"的道理,从而把西周时期就已有了萌芽的"恃我"、"惟人"思想发展到极致;他列举星坠、木鸣、日月薄蚀、风雨不节、怪星偶见等人们所熟知的现象,明确指出这都是"天地之变,阴阳之化,物之罕至者也。怪之可也,而畏之,非也",根本不是什么传递天神意志的信号。在彻底割断人事治乱与天地间的神秘联系之后,他进一步要求君子"敬其在己者,而不慕其在天者",并豪情满怀地宣告"大天而思之,孰与物畜而制之;从天而颂之,孰与制天命而用之",这就是著名的"人定胜天"说①。这一彻底突破了宿命论和天命论、重视发挥人的主观能动性的学说,激励着历朝历代的有识之士探索自然、改造自然,通过与自然界的抗争来推动社会的进步,也激励着以唯物主义为理论基础的中国共产党和党领导下的广大人民群众,进行了伟大的社会主义建设。但是,似乎是一夜之间,分明是一向都被看好的理论却突然出现问题了。在"天人合一"大红大紫的同时,"人定胜天"却成了被厌弃的丑小鸭。经济发展过程中出现的生态失衡和环境污染问题,据认为都应由这句口号来负责。在西安召开的中国科协2000年学术年会上,一位颇具地位的人士在第一天的大会报告中就发出了是要人定胜天,还是要天人合一的疑问,公然将两者相对立,真让人莫名其妙。

其实,所谓可持续发展,只是说在努力满足人类各项需求的同时,又不对子孙后代造成危害,而不是简单地放慢发展速度,或干脆不发展。所谓追求人与自然的和谐,也是说要用长远的眼光,科学的态度,合理地去改造自然,既利用自然为社会造福,又不使整个生态失去平衡,而不是如"天人合一"论者所主张的那样,对自然一味地顺从,甚至变得"拘而多畏",缩手缩脚。具体到西部大开发中的重要课题之一——黄土高原的治理,恐怕同样不能简单化地

---

① 《荀子·天论》。

"退耕还林",而应推行长住西安的朱显谟院士的二十八字方针,即:"全部降水就地入渗拦蓄,米粮下川上源,林果下沟上岔,草灌上坡下坬,"用积极的态度,重新安排河山,在发展生态农业的过程中,实现保持水土的目标。荀子在提倡"制天命而用之"的同时,又强调人在天地面前要"知其所为,知其所不为",认为只有如此才能使"天地官而万物役",说明"人定胜天"思想本身就是一个科学体系,至今仍不失为一种正确的世界观,源于巫术且又"大祥而众忌讳"的"天人合一"说,何可望其项背?以前几十年经济建设中对自然环境的破坏恰恰是错误理解"人定胜天"的结果;在极"左"政治影响下出现的"人有多大胆,地有多大产"式的蛮干,恰恰是对"人定胜天"理论的背离。我们不去认真总结造成失误的政治教训,不用正确的分析去清理真正的思想根源,偏要把充满睿智的"人定胜天"思想弃若蔽履,转而求助于"天人合一",这对今后如何处理好人和自然的关系毫无益处。

建设有中国特色的社会主义文化,需要继承我国各民族历史上的一切优秀的思想道德和文化成果。但这种继承既不是不加选择地从封建武库中照搬照抄,更不是颂古非今,而应是取其精华,去其糟粕,古为今用,推陈出新。有人一看到"天人合一"四字,马上就联想到人与自然的和谐统一,并试图用它取代"人定胜天"来指导当前的生产活动和社会活动,这不仅在对古代文化的理解上是肤浅的和片面的,而且对我们所从事的社会主义伟大实践也是有害的。失之毫厘,谬以千里。理论工作者不可不慎。

张衡与中国古代科学技术的发展
——兼论中国古代科技发展滞后的文化原因

王仁宇

汉代是中国本土文化发展最完备的时期,也是中国古代科学理念基本确立的时期。佛教的传入和传播虽然对中国传统文化有较大的影响,但在科学技术方面的影响却十分微小。因此研究汉代的科学理念和科学技术对透视中国古代科学技术的发展很有意义。张衡作为汉代最博学、最全面的人才,他的科学思想和科学成就最能体现中国古代科学技术的特征,最能够反映出中国传统的思维方式、价值取向、哲学思想、伦理精神、审美意识对中国古代科学技术的影响。因此对张衡的研究有利于把握中国古代科学技术的特征以及发展的规律。

张衡出生于东汉章帝建初三年(公元78年),在此后的一个多世纪内东汉帝国经济繁荣、社会安定、军事强盛,与外联系也空前发达。与这种大好的社会形势相适应,并且与张衡的成长和科学发明联系密切的是东汉科学技术与精神文化的繁荣。在生产技术方面,首先是农业有了较大的发展。汉明帝永平十一年(公元68年),汉朝下令推广农业专家氾胜之的分畦分区种植的"区种法"。同时在各地的坡池、渠塘、水闸进行新的水利建设,如汝南郡用以节制水量的石造水门"方渠石洫"等灌溉技术有较大的改进。在炼铁技术方面,汝南郡产出了"龙泉剑",济南郡出产了"钢成剑"等锐利武器。在手工业制造方面,原来出产丝绢的山东临淄等城市生产出光洁如白冰的"冰纨"缎和方空轻细的纱绢"方空縠"等名贵产品。与这种生产技术提高相适应的是东汉早期科学理论的发展。这一时期的天文学思想有重大的突破:在宇宙结构理论方面出现了盖天说、浑天说、宣夜说诸学派;在哲学方面有企图以道家的思想来融合百家的《淮南要略》;在数学方面有流传的数学专著《周髀算经》和《九章算术》;在医学方面,和张衡同时的张仲景著《伤寒杂病论》和《金匮要略》,有神医之称的华佗发明了外科麻醉术。古代的天文学著作《甘石星经》、《月令》与数学著作《九章算术》、《许商算术》、《杜忠算术》等都在汉朝广为流传。这是张衡科学理论和科学发明产生的科学背景。

张衡生于南阳,这里是东汉开国皇帝光武帝刘秀的发迹之地,当时被称为"帝乡"、"南都"。当时的南阳经济文化、科学技术各个方面都比较先进,是仅次于都城洛阳的天下第一大郡。同时代的医学家张仲景生于这里,后来著名的军事家、政治家诸葛亮也曾经隐居在这里。显赫的政治地位、繁荣的经济条件、便利的交通位置、丰厚的文化底蕴,都为张衡的成长创造了得天独厚的社会环境。而与此同时,张衡生于著姓望族,长于官宦之家。《后汉书·张衡传》中说:"张衡,字平子,南阳西鄂人也。世为著姓,祖父堪,蜀郡太守。"[1]这种优越的家庭环境也为张衡的成长提供了必要的经济和文化条件。亚里士多德在论及哲学的产生时有一段著名的论述:"古往今来人们开始哲理探索,都应起源于对自然万物的惊异;他们先是惊异于种种迷惑的现象,逐渐积累一点一滴的解释,对一些较重大的问题,例如日月与星的运行以及宇宙之创生,作成说明。一个有所迷惑于惊异的人,每自愧愚蠢;他们探索哲理只是为想脱出愚蠢,显然,他们为求知而从事学术,并无任何实用目的。

---

[1] 《后汉书》卷59《张衡传》。

这个可由事实为之证明：这类学术研究的开始，都是在人生的必需品以及使人快乐安适的种种事物几乎全都获得了以后。这样，显然，我们不为任何其他利益而寻找智慧；只因人本自由，为自己的生存而生存，不为别人的生存而生存，所以我们认取哲学为惟一的自由学术而深加探索，这正是为学术自身而成立的惟一学术。"①正是张衡有着优越的条件，才使得他能够不为生计而奔波，没有依附于"经济仕途"，而是从容不迫地从事学术和科学研究。这一点对于民间的天文学学者来说是十分重要的："衡少善属文，游于三辅，因入京师，观太学，遂通五经，贯六艺。虽才高于世，而无骄尚之情。常从容淡静，不好交接俗人。永元中，举孝廉不行，连辟公府不就。……大将军邓骘奇其才，累召不应。"②摆脱了生活琐事的羁绊，超越了世俗功名的桎梏，张衡才能够把自己兴趣、时间和精力倾注在对人类命运的关注上面，耗费在对自然奥秘的探讨上面。

作为中国历史上最为博学的学者，张衡的思想是超越他的时代的。恩格斯在谈到文艺复兴时说："这是一次人类没有经历过最伟大、进步的变革，是一个需要巨人而且产生巨人——在思维能力、热情和性格方面，在多才多艺和学识渊博方面的巨人的时代。给现代资产阶级打下基础的人物，决不受资产阶级的局限"③。张衡的时代当然不是西方的文艺复兴，但张衡也和西方文艺复兴时期的人物一样，在思维能力方面，在热情和性格方面，在学识渊博和多才多艺方面，都是超越时代的巨人，因而对于张衡这样的科学家及其伟大成就，也就不能仅仅单从当时的社会现实和物质条件来做出说明，还需要挖掘其浓厚的思想根源与文化背景。继西汉

---

① 亚里士多德：《形而上学》，商务印书馆，1959版，第5页。
② 《后汉书》卷59《张衡传》。
③ 恩格斯：《马克思恩格斯选集》，第3卷，人民出版社，1975年版，445页。

董仲舒的神学目的论破灭之后,东汉思想界占统治地位的除了传统经学以外,还有谶纬神学。东汉王朝为了粉饰太平,麻痹民众,强化思想统治,不仅早已"宣布图谶于天下",大肆培植儒林僧侣,鼓吹神学,让谶纬神学笼罩整个社会,并且在汉章帝建初四年(公元79年)召开了一次空前盛大的神学会议——白虎观会议。由汉章帝亲自主持,"主持五经同异",让儒林僧侣们"高论白虎、深言日食",实际上是把天人感应的神学更加直接的应用于封建特权统治。

从现在科学的观点看来,这种谶纬神学自然是十分荒唐的。但在当时,与这种谶纬神学并存并得以盛行的"九流"与道教以及各种方术,反倒为科学的发展提供营养和空间,正像西方古老的炼金术孕育出近代化学一样。在中国传统文化的格局中,从来都存在着"道"与"术"或"学"与"术"的区别,"三教"和"九流"的区别,或者说是士大夫和术士、工匠的传统的区别。占主流和上层的学说是三教,当然在真正意义上的三教是佛教传入中国并在华夏流布之后的事情,在张衡的时代"三教"可以说是儒、道、法。与三教并存的是所谓的"九流"与各种方术,它们与正统的经学和儒家以及法家没有什么联系。而和正宗的道家也没有什么太多的关联。虽然道教以及很多方术是由道家蜕变而来,但道教和正宗的道家如老子和庄子的区别还是十分明显的。因此,与谶纬迷信相随的各种方术反倒为科学的发展提供了一些资源。这也许是为什么在"罢黜百家,独尊儒术"的西汉并没有出现什么特大的科学成就和出色的科学人物,相反倒是在谶纬神学盛行的东汉却出现很多科学成就。不仅在天文学方面,而且在数学、医学和冶金、造纸方面都取得了举世瞩目乃至彪炳千秋的发明。其实,这并不是偶然的现象,是中国传统文化的特质决定的。

当代史学大师陈寅恪指出:"中国之哲学美术远不如希腊,不特科学为逊泰西也。但中国古人素擅长于政治与实践伦理,与罗马人最为相似。其言道德,唯重实用,不究虚理,其长处短处均在于此。长处即修齐治平之旨;短处即对事实之利害得失观察过明,而乏精深远大之思。故昔则士子群习八股,以得功名富贵。而学德之士,终属极少数。""中国家庭伦理之道德制度,发达最早。周公之典章制度实为中国上古文明之精华。至若周秦诸子,实无足称。老庄思想尚高,然比起西方之哲学士,则浅陋之至。余如管、商之政学,尚足研究,外则不见有充实精粹之学说……"①中国的传统文化虽然源远流长,但其基本定型是在周朝,周公的典章礼乐制度决定了中国传统中主流文化的价值取向和思维路向。周公的典章礼乐制度是建立在血缘关系、自然亲情上的宗法制度。

> 人道,亲亲也。亲亲故尊祖,尊祖故敬宗,敬宗故收族,收族故宗庙严,宗庙严故重社稷,重社稷故爱百姓,爱百姓故刑罚中,刑罚中故庶民安,庶民安故财用足,财用足故百事成,百事成故礼俗刑(型),礼俗刑(型)然后乐。②

这里从"人道"的本质"亲亲"出发,推演出宗法、政治、法律、经济、伦理、宗教、艺术、风俗、习惯等一系列社会原则和行为规范,实现了政治和社会的同构、国家和家庭的同构。这种政治架构、社会组织与文化传统不仅维持了周王朝的统治,而且决定了中国传统文化的基本走向,后来中国的主流文化儒、法、道、释一直没有打破这种格局。儒、法的理想无非是要人"内圣外王",走上通下达的"经济仕途",对大自然的奥秘和人类精神生活的更高追求(文学、艺术、心灵和感觉的丰富性)都失去了兴趣和敏感性。这种哲学理论虽然尊重理性,反对迷信,反对宗教中超自然的存在,但把人们的一切仅仅局限于人事和社会范围内,而忽略了其他方面,只对"事"进行研究而放弃了一切对"物"的研究(不惟没有科学的位置,

---

① 引自《吴宓日记》第2卷,三联书店,1998年版,第100页。
② 《礼记·大传》。

就连较高的宗教也没有自己发展的余地,它没有为科学的发展留下足够的空间),所谓的"子以四教,文、行、忠、信"和"子不语怪,力,乱,神"①都是讲的这个意思。道家崇尚自然,讲究顺应自然,当然也谈不上改造自然了,自然科学和技术在他们看来完全是多余的,庄子在《逍遥游》中就说:"日月出矣,而爝火不息,其于光也,不亦难乎?时雨降矣,而又浸灌,其于泽也,不亦劳乎?"②而有道家延伸出来的道教以及各种方术也只不过是道家的末流与旁门左道,从来不登大雅之堂。(儒、法、道这些理论有着共同的出发点,就是抹平人的个性去维持一种状态,不论这种状态是社会的还是自然的。)先秦诸子,无不欲以其道济天下,即便倡言逍遥物外的庄子也不例外。河上公注"常道"为"经术政教之道也,非自然长生之道也"。所以,单从当时占主流地位,具有意识形态意义的儒、法、道三家着眼,是解释不了中国古代的科学技术的。所幸张衡生活的时代是在主流文化、意识形态之外还有与谶纬神学相伴随的"九流"以及各种方术的盛行的时代。

这样,在儒家经学、谶纬神学和"九流"以及各种方术盛行的东汉时代,思想界是比较活跃的。张衡作为一个博学的敏锐的天才的学者,他对中国传统文化和当时的各种思潮的汲取是多方面的:张衡的政治思想和他对国是民瘼的关注是来自儒家那种传统的修齐治平的理想;他那绚丽多彩的辞赋、诗歌显然来自道家特别是庄子的荒诞夸张以及楚骚的奇异瑰丽;而他对科学的执着和科学思想在很大程度上是来自当时的道教以及与谶纬神学相伴随的"九流"以及各种方术等。在秦代就已经成书的《吕氏春秋》就容纳了很多道家的思想,在西汉成书的《淮南要略》更是道家的集大成之作,其中的《天文训》、《地理训》和《时则训》中有丰富的天文学、地

---

① 《论语·述而》。
② 《庄子·逍遥游》。

理学、农学和律历学知识,这些对张衡的科学思想形成的诱发作用是不可估量的。这里从西汉扬雄的《太玄经》对张衡影响就可见一斑。《后汉书·张衡传》记载:

> 衡善机巧,尤致思于天文、阴阳、历算。常耽好《玄经》,谓崔瑗曰:"吾观《太玄》,方知子云妙极道数,乃与《五经》相似,非徒传记之属,使人难论阴阳之事,汉家得天下二百岁之书也。复二百岁,殆将终乎。所以作者之数,必显一世,常然之符也。汉四百岁,《玄》其兴矣"。①

把扬雄的《太玄》提高到与《五经》并列的程度,可见《太玄》在张衡心中的地位。张衡在读《太玄经》的同时,对它进行了详细的研究和分析,曾经撰写《太玄经注解》,并绘制《太玄图》。

那么,再来看扬雄的《太玄经》是一部什么样的书。桓谭在《新论》中说:

> 扬雄作《玄书》,以为玄者,天也,道也。言圣贤制法作事,皆引天道以为本统,因而附续万类、王政、人事、法度。故伏羲氏谓之《易》,老子谓之道,孔子谓之元,而扬雄谓之玄。《玄经》三篇,以纪天、地、人之道,立三体有上中下,如《禹贡》之陈三品。三三而九,因以九九八十一,故为八十一卦。以四为数,数从一至四,重累变易,竟八十一而遍,不可损益。以三十六蓍之。《玄经》五千言,而传十二篇也。②

这种混杂了道教、易经乃至各种方术的宗教等在东汉时代是比较流行的,中国的道教大多数出现在东汉的晚期,就说明这一问题。作为博学的敏锐的富有创造性的学者,张衡科学思想的渊源是多方面的,他的科学发明是由多种因素诱发的,我们现在很难简单地把他具体地归结到某一派。作为现代受过西方科学思想和

---

① 《后汉书》卷57《张衡传》。
② 桓谭:《新论》。

科学范式影响的人,是很难体会和理解张衡时代的各种思潮对他的具体影响的。还是先看他在科学方面的具体贡献吧。

作为科学家,张衡的主要贡献首先是在天文学方面。与宇宙发生学要描述宇宙、天体的起源不同,天文学不涉及天体的产生问题,它只是对目前或眼下的天体运动作出说明或解释。张衡的天文学思想是在总结前人成果的基础上产生的。在他之前中国的天文学已有三种学说:盖天说、宣夜说、浑天说。浑天说认为,宇宙像一个鸡蛋,天地都是圆的,地球在内像个蛋黄,天在外像个蛋壳。张衡是浑天说的主要代表。他在《浑天仪图注》中说:

> 浑天如鸡子,天体圆如弹丸,地如鸡中之黄,孤居于内,天大而地小。天表里有水,天之包地,犹壳之裹黄。天地乘气而立,载水而浮……其形浑浑,故曰浑天也。①

张衡还利用视觉差的方法观察和研究天体的运动。在《灵宪》中他说:

> 凡文耀丽乎天,其动者七,日月五星是也,周旋右回,天道者贵顺也,近天则迟,远天则速,行则屈,屈则留回,留回则逆,逆则迟,迫于天也。

这明显表明,张衡认为日月五星绕地球运转,其运动速度取决于该天体离大地的远近。张衡在天文学上的另一重要贡献是他运用"反光说"来正确地解释月光和月食现象,他是东方最早用"反光说"来正确地解释月光和月食的人。在《灵宪》中他指出:

> 夫日譬犹水,火则外光,水则含景。故月光生于日之所照,魄生于日之所蔽。当日则光盈,就日则光尽也。众星被耀,因水转光。当日之冲,光常不合者,蔽于地也。是谓暗虚。是星星微,月过则食。日之薄地,其明也。②

---

① 张衡:《浑天仪图注》。
② 张衡:《灵宪》。

张衡在天文学方面的划时代的贡献是在技术与制作方面。他所制造的浑天仪是以实物模型的方式表达浑天说思想,再现天体运行的情况。这一模型对中国古代天文学的发展产生了深远的影响。张衡观察天象的地方叫灵台。它建于公元 56 年。台高 20.7 米,周围 46 米,有 12 个门,上下两层平台,平台有坡道相连,气势雄伟壮观。这里的总主管是灵台丞,属太史令管辖,上面有候气的、候风的、候星的等 40 多人,机构庞大,分工细密。张衡利用这一有利的条件进行了无数次的观察、研究、测验。于公元 116 年(东汉安帝元初 3 年)首先制作出一个浑天仪的模型叫小浑。

张衡在《浑天仪图注》中对小浑有如下记载:

> 本当以铜仪日月度之则可知也,以仪一岁乃竟。而中间又有阴雨,难率成也。是以作小浑,尽赤道、黄道,乃各调赋三百六十五度四分之一;从冬至所在时起,令之相当直也,取北极及冲各针穿之为轴;取薄作篾穿其两端;令两端中间与浑半等,以贯之;令察之与浑相切摩也。乃从针半起,以为百八十二度八分度之五,尽冲针之半焉。又中分其针篾,拗去其半,令其半之际正直与两端针相直。令篾半之际,从冬至起,一度一移之,视篾之半际多少,赤道几何也,其所多少,则进退之数也。从北极数之,则去极之度也。①

从上述记载可以看出,小浑是一个较浑天仪小的竹制浑天模型。在圆球上先画出一个大圆为赤道,再划一个与之成 24 度交角的大圆为黄道,在黄道上均分成 365.25 刻度,两者的起端都在冬至点。在赤道北极其相冲处(南极),各用针琢一孔,作为圆球旋转轴的两端。取一条长竹篾,在其两端各穿一孔,令这两孔之间的距离与圆球半个圆弧的长度相等,将竹篾的两孔与南北极相重合,竹篾则纵贯圆球,这时竹篾两孔间的连线与圆球相切合。从冬至点

---

① 张衡:《浑天仪图注》。

起,使竹篾的中分线沿赤道每隔一度移动一次,每一次均读出它与黄道相交的度道。这多少之数即为黄赤道的进退数。赤道度增长率大于黄道的增长率时,为多,为进数;相反,为少,为退数。这是我国古代量度黄赤道进退数具体办法最早、最为详尽的记载。

小的浑天仪模型制成后,做了实验,实验很准确,然后又用铜来铸成正式的仪器。在张衡的认真、谨慎、细致操作下,耗费了无数的心血,经过一年多的努力,这个仪器终于制造成功。其形状是球形,相当于现在的天球仪。因为它是根据浑天理论制造的,所以张衡就把那个竹篾做的模型叫小浑,而把铜铸的模型叫"浑天仪"。张衡的浑天仪在很多地方和近代的假天仪相似,当然近代的假天仪比它精密得很多。《晋书·天文志》记载:"浑天仪者,测天之仪器,本浑天说之原理而制。以铜为之,以四分长为一度,周天一丈四尺六寸一分。具内外规,南北极,黄赤道。列二十四气,二十八宿,中外星官,及日月五纬。"

为了使浑天仪能够按照时刻自己转动,张衡又设计了一组滴漏壶。巧妙地使两个漏壶和浑天仪配合起来,利用漏壶里滴出的水的力量来推动齿轮,齿轮再推动浑天仪运转,通过适当的选择齿轮的个数,使得浑天仪一昼夜转动一周,把天象变化形象地演示出来,人们就可以从浑天仪上面观察到日月星辰的运行。《晋书》记载:

> 诸论天者虽多,然精于阴阳者少。张平子、陆公纪之徒,咸以为推步七曜之道,以度历象昏明之征候,校以四八之气,考以刻漏之分,占晷景之往来,求形验于事情,莫密于浑象者也。张平子既作铜浑天仪于密室中以漏水转之,令伺之者闭户而唱之。其伺之者以告灵台之观天者曰:"璇玑所加,某星始见,某星已中,某星今没",皆如符合者也。崔子玉为其碑铭曰:"术数穷天地,制作侔造化。高才伟艺,与神合契。"盖由于

平子浑天仪及地动仪之有验故也。①

张衡还为这些制造写过两部书,一部是《浑天仪图注》,一部是《漏水转浑天仪注》,可惜后者今已失传。张衡在浑天仪上的发明创造,后来经过唐朝的一行和梁令瓒,宋朝的张思训和苏颂等人的不断发展,研制成了世界上最早的天文钟。

张衡在研制浑天仪的同时,还制造了地动仪。《后汉书·张衡传》中有详细而又生动的记载:

> 阳嘉元年,复造候风地动仪。以精铜铸成,圆径八尺,合盖隆起,形似酒尊,饰以篆文山龟鸟兽之形。中有都柱,旁行八道,施关发机。外有八龙,首衔铜丸,下有蟾蜍,张口承之,其牙机巧制,皆隐在尊中,覆盖周密无际。如有地动,尊则振龙机发吐丸,而蟾蜍衔之。振声激扬,伺者因此觉知。虽一龙发机,而七首不动,寻其方面,乃知震之所在。验之以事,合契若神。自书典所记,未之有也。尝一龙机发而地不觉动,京师学者咸怪其无征,后数日驿至,果地震陇西,于是皆服其妙。
>
> 自此以后,乃令史官记地动所从方起。②

除此之外,张衡的科学贡献还表现在数学方面。众所周知,数学是自然科学的先导,天文学、物理学和机械制造更是离不开数学。张衡的所有科学成就都与数学有关,他对当时的数学也是十分精通的。在数学方面,他的著作有《算罔论》,可惜已经失传了。有人估计它是一部总结概括当时数学上各类问题的书,有人推测它是一篇用数学方法来推算天文的著作。但无论怎么说,张衡的数学造诣是非常高的。我们可以从《张衡算》一文中看到张衡对圆周率的计算。三国时的数学家刘徽在其所著的《九章算术注》中就引用了《张衡算》里"圆周率一十之面"的说法。经清代数学家李潢

---

① 《晋书》卷11《天文志》。
② 《后汉书》卷59《张衡传》。

的考证,认为张衡所指的圆周率"一十之面"就是十的平方根,即3.1622。而钱宝琮在《张衡灵宪中的圆周率问题》一文中指出:"《后汉书天文志注》里张衡《灵宪》原文,其中有下列几句'悬象著明莫大乎日、月。其径当周天七百三十六分之一,地广二百四十二分之一'。从这几句话中,我们可以计算出张衡取用的圆周率的近似值。张衡在天文学上是主张浑天学说的,浑天说认为'天浑然而圆,地在其中',地的广度就是天的直径。以地广来除以天周,就得《灵宪》中的圆周率。传刻版《后汉书天文志注》所引的《灵宪》中的'天周七百三十六分之一'中的'六'是多余的,'地广二百四十二分之一'中的'四'字应改为'三'。由此可计算张衡《灵宪》中的圆周率是730/232,即3.1466。"①综合以上我们可以得出,张衡所用的圆周率是在3.14和3.16之间。

同时,张衡在地理学方面也有杰出的贡献。他曾经绘制一幅"地形图",一直流传到唐代,仍为人们所珍视。据推测,张衡的地形图不但标画出全国主要山川河流的地理位置,而且还形象地展现了各地的地理风俗。这幅图不仅在地理学上有重要价值,也使张衡居东汉六大名画家之首位。

张衡的科学思想与科学贡献主要有以上几个方面。现在我们来考察张衡科学思想、科学发明所体现出来的中国古代的科学技术的特征,以及孕育产生这种科学技术的文化怎样影响和制约了中国古代技术的发展,并由此决定了张衡及其科学理论和科学发明在中国的命运和遭遇。为了使这种考察得到更多的佐征,我们很有必要和把他与同时代的西方天文学家托勒密相比较。

与张衡集学者、文人和官吏于一身不同,托勒密是纯粹的学者、科学家。他的主要贡献是在天文学领域,他的天文学思想集中

---

① 钱宝琮:《张衡灵宪中的圆周率问题》,《张衡研究》,北京,西苑出版社,1999年版,第371页。

体现在《天文学大全》里面。在这部鸿篇巨制中,第一卷和第二卷给出了地心体系的基本构造,并用一系列观测事实论证了这个模型。如地球是球形的,处在宇宙的中心,诸天体绕它旋转,依离地球的距离从大到小的排列是月亮、水星、金星、太阳、火星、木星和土星等。重要的是,在这里他还讨论了描述这个体系所必须的数学工具,如球面几何与球面三角形等。第三卷讨论太阳的运动以及与之相关的周年长度计算。第四卷讨论月球的运动。第五卷计算月地距离和日地距离。他运用希帕克斯的视差法计算的结果是,月地距离是地球半径的59倍,日地距离是地球半径的1210倍。前者比较准确,后者相差较大。第六卷讨论日食和月食的计算方法。第七卷和第八卷讨论恒星和岁差现象,给出了比希帕克斯星图更为详尽的星图,而且将星按亮度分为六等。从第九卷到第十三卷,分别讨论五大行星的运动,对西方后世天文学思想影响深远的本轮与均轮的组合的理论主要在这里得到运用。

在托勒密的天文学思想中有两点对西方影响较大的原则和方法,他一方面认为地球是宇宙的中心,另一方面认为地球上的事物是不完美的,完美的事物是在天上。围绕地球运动的天球做正圆运动,在希腊人的心目中,圆是最美好、最完美的几何图形。这里已经包含着源于古希腊的人类中心论和人类自我超越论。在这个体系中另有一点值得注意的是数学理论与数学方法的运用。他改进并发展了三角学,一意要把自己的工作建立在"算术与几何学的无可争论的方法"之上。他重述了一个重要原则:在解释现象的时候,采用能够把各种事实统一起来的最简单的假说,乃是一条正路。

古代的天文与地理是不分的,和张衡既是天文学家同时也是地理学家一样,托勒密在地理学上也有造诣。有趣的是张衡与托勒密在地理学方面的思想和贡献与他们在天文学方面是一致的。张衡在地理学方面的贡献是对地震的研究和候风地动仪的研制,其贡献主要是在实用和技术方面。托勒密在地理学方面的造诣是在地图的绘制方面。他不仅绘制了当时世界上最为完整、最为精确的地图,而且提出了绘制地图的科学的思想和方法。他坚持认为,在测量和绘制地图时,必须先对地球的经纬度进行精确的观察和测量,然后才能取得圆满的结果。这无疑是把地理学置于稳固的基础之上。虽然受当时手段的限制,托勒密没有实现自己的理想,但这一原则和方法对西方后来的影响是十分巨大和深远的。

张衡与托勒密的天文学思想和贡献的差异大致如此。我们来看中国古代科学技术的特征以及它与西方科学技术的区别,再看导致这种特征和差异的文化背景与哲学基础。在谈到中国古代的发明和西方科学的基础时,爱因斯坦有一段著名的论述:"西方科学的发展是以两个伟大的成就作为基础,那就是,希腊哲学家发明的形式逻辑体系(在欧几里德几何学中),以及通过系统的实验发现有可能找出因果关系(在文艺复兴时期)。在我看来,中国古代的贤哲们没有走上这两步。"①

这个论断同样适合于张衡与托勒密。就天文学的基本思想而言,张衡与托勒密十分接近。张衡的浑天说与托勒密的地心说有极其相似之处:张衡和托勒密都通过视差法计算天体的大小及距离;并且他们都对地震做过观察和研究,得出的结论也比较接近。然而在这种理论表面的背后却蕴藏着巨大的科学方法与科学理念的差异。张衡虽然也认为日月五星是绕地球运动,但他并没有明确提出托勒密的地心说模型,尽管张衡制造的浑象几乎是一个物化了的托勒密地心说模型。在张衡的天文学体系中存在技术化倾向,缺乏原始科学结构的示范作用。托勒密是用欧几里德几何学的示范来建立其天文学理论的,为此他必须首先选择能在天文学

---

① 爱因斯坦:《爱因斯坦文集》,第 1 卷,北京,商务印书馆,1976 年版。第 10 页。

理论中作为公理的假说,他自然而然把圆周运动作为最基本的模型,然后用圆周运动的均轮与本轮建立他的地心说。张衡虽然认为日月星辰是作圆周运动,但他没有原始科学结构逻辑构造原理的框架的示范。张衡的主要兴趣在于行星运动的代数特征,即周期的大小来建立天文学理论。这样,在张衡那里天文学便成了对天体运动周期取公倍数和公约数的算术运算。这样,虽然从天文观察和计算来说,张衡和托勒密的结论比较接近,但是就理论结构而言,托勒密的天文学更为科学和更接近近代。就科学方法而言,张衡和托勒密作为古代的天文学家,他们都是用的观察法,主要是视差法。但与张衡不同的是,托勒密十分重视数学方法的运用,他发展并改进三角法,把自己的研究建立在代数与几何学的基础上,并利用数学的方法进行观察和计算。这是张衡天文学中所没有的。托勒密的天文学思想内在地存在着一种超越性,存在着一种必要的张力;而张衡的体系中没有超越性,不存在必备的张力。在托勒密的体系中,地球和其他星体有很大差别。地球虽然是宇宙的中心,但它并不完美,完美的事物是在其他天体之上。人和天是相分的,人并不是完美的,人对完美的向往、对上天的期盼,内在地包含着对自身的超越。自然,宇宙中其他星体也不一样。就天体及其运动而言,在托勒密的体系中,天体和数字关系是截然不同的。而在张衡的体系中,人和天是合一,人世是完美的,自然没有对上天的期盼,也就没有自身的超越。不仅如此,在张衡的天文思想中,天体和数字是不分的,他采用的是数值计数法,只有十个符号,通过位置变化,来表达无穷的数目。在这里,实体(天体)和数字是不分的。

张衡和托勒密这种科学理念与科学方法的差异植根于他们的哲学思想中,而他们的哲学思想又渊源于并内在地包含于中西早期的文化之内。在中国古代,人们对天的看法多停留在抽象的关系上面,所谓的"气"、所谓的"阴阳"就是这样,即便是"五行",指的也并不仅是"金、木、水、火、土"五种具体元素,而是指五种力量或关系。在这里,实体、元素和关系、规律是混沌不分的。在西方的古希腊时代,有代表性的是实体元素说、实体始基说。从泰勒斯的"水"到恩培多克勒的"四根",从赫拉克利特的"火"到德谟克利特的"原子",都是用一个具体的实体来说明、解释宇宙万物的产生和形成。但希腊人并不是不重视关系和规律,只是他们把这两者分开考察。恩培多克勒的"爱和憎",赫拉克利特的"逻各斯",都是在揭示宇宙万物的规律和数学关系。在毕达格拉斯学派那里,已经把这种逻辑和数学关系的重要性推向极致。毕达哥拉斯学派认为数是万物的原型,万物是数学的摹本,数的原则统一着宇宙的一切现象。亚里士多德在《形而上学》中谈到这一学派时说,由于他们在数目中间看到了各种各类和谐的特性和比例,而一切其他事物就其整个本性来说就是以数目为范型的,数目的本身则先于自然中的一切其他事物,所以他们从这一切进行推论,认为数目的原则就是万物的元素,认为整个的天是一个和谐,一个数目。这些哲学家显然是把数目看作本原,把它既看作存在物的质料因,又拿来描写存在物的性质与状态。把数目作为宇宙万物间的本原,当然是唯心主义的。但是,毕达哥拉斯学派是从本体论的高度来论证逻辑、规律、关系在宇宙万物间的重要性。更为重要的是,这种数目(数学)本质主义与上述的元素(实体)本质主义合在一起形成了古希腊哲学乃至西方文化的两大传统——实验传统和数理传统。作为主要的科学手段,实验方法是在近代才派上用场,但作为一种理念和思想,早在古希腊时期就已经出现。既然万物都是由不同的元素、原子按照不同的比例和关系构成,那么按照这些关系和比例对这些物质进行分解和重组也就成为自然而然的事了。西方人早在古希腊时期就对人进行解剖,其对实验的重视可见一斑。反观中国的古代哲学,则没有这些传统。早期中国哲学中的这种重关系、重系统、重经验而轻实体、轻分析、轻逻辑的传统对中国古代科学的发展造成了很大的障碍。中国古代虽然有精湛的工艺和高超的技术，但在科学理论和科学方法上面却一直欠缺，《伤寒杂病论》、《天工开物》、《齐民要术》、《农政全书》、《本草纲目》等都是实用经验的汇编，而不是逻辑化的理论。由于没有系统的理论和逻辑的论证，中国古代的科学与技术是工匠式乃至术士式的，其发展也多半采取师傅带徒弟的方式。这不仅导致中国古代的科学技术难以超越狭隘的经验向纯理论领域迈进，也造成中国古代科学技术传播与发展的困难，致使很多发明和创造失传。所以，单从科学技术自身发展的内在逻辑上看，中国古代科学技术的落后是先天的和必然的，并不是从近代开始，也不是统治者的一时失策所造成的。

中国古代科学技术的特征以及它与西方科学技术的差异源于中西科学理念的不同，而中西科学理念的差异又深深地植根于中西伦理观念之中。人对自然的看法最初来自于对自身的看法，科学的背后和深处其实是伦理问题。人们经常说西方哲学是一种自然哲学，中国哲学是一种伦理哲学。其实，西方的自然哲学一开始就有伦理哲学、人生哲学的含义。西方的伦理是一种对象化的伦理哲学，我们体会不到其中的伦理含义，只是因为在我们自己的文化心理和人格结构中，从来没有把外部世界（包括自然界）当做对象。我们只承认那种直接讨论人心、人性的"心性之学"是伦理哲学。人们不能理解，西方的伦理学家们为什么都一定要有自己的自然哲学，却以为柏拉图的"理念世界"、伊壁鸠鲁的"原子论"、斯多葛学派的"世界理性"或"逻各斯"对于他们自己的为人处世态度来说似乎都是可有可无的东西。西方的伦理学是对象性的、个体性的、间接性伦理学，它是通过物与物的关系来反映人与人的关系，或者说人与人的关系是通过"物"这一中介实现的。因而，西方的伦理学是把处世建立在做事的基础之上，它首先强调的是人和物之间的关系，突出的是个体。中国的伦理学是直接讲究处世的，它首先强调的是人和人之间的关系,把个体掩埋、包裹在群体之中。

西方伦理学对个体的重视由来已久。早在古代的希腊时期,人的独立性被凸显出来,人的自我与自由一直被高度重视。人们不仅意识到自己与外物不同。而且意识到个人与他人不同,把个体从与人际、人群的粘连中割裂开来,突出出来。主体与客体的两分、人与物两分都建立在人、我、群、己两分的基础之上。天人相分实际上来自于人人相分。所谓的"原子论"也无非为个人的独立性提供一种自然哲学的论证。苏格拉底则从伦理学深入到了个体与独立人格的理性和价值内核,向一切人提出了"认识你自己"的精神课题,首次建立在哲学上的"个别自我意识"观念,把个体性由自然性和社会性上升到精神性,为个体意识的张扬与独立人格的建立开辟了无限可能性。智者学派的普罗泰哥拉进一步把感性的个体的人,即人的感官作为判断一切事物的出发点,提出"人是万物的尺度"。他接受德谟克利特关于自然界的冷暖、甜苦、红黄等都是"从俗约定"的观点,推而广之,认为法律和国家也是"从俗约定"的,从而由社会学的角度肯定了个人意识、独立人格的原则。哲学也就是人学,人对外物的看法最终源于对人类对自身的看法,是对自己生存状态的审视和对生存理念的期盼。任何信仰与真理的原始基础就是个体人格的独立,至少是对个人的不同于周围环境和自然万物的独立性的坚持。希腊哲学与文化中的超越性的根源就是在于此。托勒密虽然认为地球是宇宙的中心,但他认为这个中心并不完美,完美的东西在天上。这是把个人从群体与人际中提升起来,朝着认识自然的方向迈进。再看中国古代哲学与文化,儒、法的理想无非是要人"内圣外王",走上通下达的"经济仕途",对大自然的奥秘和人类精神生活的更高追求(文学、艺术、心灵和感觉的丰富性)都缺乏兴趣和敏感性。在这种哲学理论框架中,不惟没有科学的位置,就连较高的宗教也没有自己的位置,它没有给科学与宗教的发展留下足够的空间。道家讲究自然、崇尚自然也只是顺应自然,而不是认识和改造自然。道教为求得长生而进行的各种修炼和炼丹服石之类离自然科学稍近的活动在正宗的道家看来,只不过是旁门左道,从来不登大雅之堂。儒、法、道这些理论有着共同的出发点,就是抹平人的个性去维持一种状态,不论这种状态是社会的还是自然的。所以,在中国传统的文化和社会中,崇尚的是士大夫,而各种能工巧匠是没有什么地位的,甚至被贬斥为奇技淫巧。希腊人推崇个人、张扬自由意志的同时,也强调群体与社会,但他们是通过契约和法律来实现的,在他们看来,社会和群体是由契约和法律把个人和个人结合在一起而实现的、构成的。对此,黑格尔评论道:"照原子论的政治学来看,个人的意志本身就是国家的创造原则。个人的特殊需要和嗜好,就是政治上的引力,而共体或国家本身只是一个外在的契约关系。"[①]希腊人对法的尊重、对逻辑的钟爱、对数学的偏好是与希腊人重视契约的思想是一致的,甚至可以说是重视契约的习惯在科学与哲学方面的表现。中国的古代哲学既然不提倡个性、不推崇自由意志,也就不需要对个性的规范,也就不再重视契约的神圣。再者中国传统的哲学与文化没有也不需要基于个性只可规范不可抹杀、原子只可重组不能消灭的理念之上的实验传统,同样的也就没有也不需要基于规范个性的契约之上的逻辑与数理传统。西方在哲学上的天人相分就其实质而言是来自于社会伦理中的人人相分,同样的,就最终根源来讲,中国在哲学上的天人合一可以归结到社会伦理上的天人合一。

这样,虽同样是伟大的天文学家,虽然他们的成就达到了同样的高度,但是由于文化背景和伦理观念的不同,他们的学说的命运与遭遇迥然不同。托勒密的思想在西方统治长达一千多年,他的

---

① 黑格尔:《小逻辑》,北京,商务印书馆,1980年版,第215页。

《天文学大全》是西方天文学方面的教科书;他的基本理论、基本方法一直影响到哥白尼,哥白尼只是把托勒密的地心变成日心,其他方面基本上还是沿用托勒密的理论,天体运动轨道椭圆说是由后来的开普勒提出来的。而在中国,张衡的天文学著作虽然还保存下来一部分,但是他基本上是一位被遗忘的科学家。他的几篇文学著作被列入《昭明文选》,但他的科学贡献却不为人所知,他的地动仪与天文学思想没有得到传人,更没有得到进一步的发展,直到20世纪的20年代才由历史学家而不是科学家注意到张衡的科学成就,那也只是他们强调"西方"科学在古代华夏也有的根据。李约瑟想赞美古代中国科学的成就,所以他也就特别注意提到张衡。因此,人们才认识并恢复了张衡在华夏历史与世界历史上应有的地位。

战国诸子相通论发微

姜建设

认知战国诸子之学,后人很难跳出当年班固等人设定的范式。两千年来,不断有人对这个范式提出批评,但这些批评大都是就具体问题而言的,很少有人对其本体产生怀疑。在对这个范式逆向一瞥后,我们打算就其立意本身献上了一点异辞,目的不在于标新立异,而是为了唤起人们对诸子之学的全面认识。不当之处,敬请批评。

一

在谈到战国时代的思想流派时,人们总爱用"诸子百家"一词来表达。"百家"言其多而非实指,今天能够举出名字的,也不过儒、道、阴阳、法、名、墨、纵横、杂、农、小说十家而已。战国时代子学昌盛,学者何止千百,稷下学宫兴盛时,学士"且数百千人"。把这成千上万的学者指派在这十家的名下,这是采用了《汉书·艺文志》(以下简称《汉志》或《艺文志》)的说法。为了给东汉以前的子书分类,在对战国诸子思想归属一一甄别的基础上,《汉志》"诸子略"对诸子之学从总体上做了一次反思与批判,勾勒出一个全貌和范式,这就是上面列举的这个诸子十家的说法。后世反思战国诸子之学,很难跳出这个范式或曰定式的约束。

这个范式是在对战国诸子之学不断反思与批判中得来的,起初的面貌并不是这样。对战国诸子之学的反思与批判,其历史差不多与其本体一样悠久。先是零星的、不成系统的只言片语,进而出现了鸿篇巨制。今天可以见到的先秦文献,就有《庄子·天下》篇、《荀子·非十二子》和《韩非子·显学》篇的传世。从这三篇传世文献中可以看出来,它们的批评对象都是一个个具体的人物,而不是后世所谓的家派。

《庄子·天下》篇把墨子、禽滑厘看作一组,把宋钘、尹文看作一组,把彭蒙、田骈、慎到看作一组,把关尹、老聃看作一组,把庄子自己看作一组,把惠施、桓团和公孙龙看作一组,一一评判了各组人物思想的优劣得失。由于认同了关尹、老聃和庄子的思想,《天下》篇认为这三人的学说没有缺点,除此之外,其他人的思想都有长处,但也都存在着明显的不足。《荀子·非十二子》俩人一组,共分六组批评了十二个人。其中它嚣、魏牟为一组,陈仲、史鳅为一组,墨翟、宋钘为一组,慎到、田骈为一组,惠施、邓析为一组,孟轲、子思为一组。荀子指出:这十二个人"饰邪说,文奸言,以枭乱天下,矞宇嵬琐,使天下混然不知是非治乱之所存者",所以必须加以批判。十二子倡导歪理邪说,败坏世道人心,导致天下大乱,当务之急就在于,"上则法舜、禹之制,下则法仲尼、子弓之义,以务息十二子之说",只有这样,才能做到"天下之害除,仁人之事毕,圣王之迹著矣"。熄灭十二子的邪说,归心于孔子和子弓的正论,这就是荀子的结论。在承认"其持之有故,其言之成理,足以欺惑愚众"的同时,《非十二子》又分别指出了他们各自错在了什么地方。例如它嚣、魏牟的错误就在于,"纵情性,安恣睢,禽兽行,不足以合文通治";而墨翟和宋钘则错在了"不知壹天下,建国家之权称,上(尚)功用、大(太)俭约而僈差等,曾不足以容辨异、县君臣"。"世之显学,儒、墨也",《韩非子·显学》篇针对这两大学派展开了批评。他指出:儒、墨大讲尧舜之道,说的尽是些无法验证的假话、大话和空话,然而这些"愚诬之学"偏能迷惑一些糊涂的君主,这是天下大乱的原因所在。由于孔子之后"儒分为八",墨子之后"墨离为三",韩非子在《显学》篇中的批评,仍然是围绕着一个个具体的人物来展开的。

直到汉武帝时代问世的《淮南子·要略》篇,在学术批评上仍然沿用这种传统的方法,但新的方法差不多在这前后也出现了,这与"罢黜百家,表彰六经"可能存在着密切的联系。一般认为,把战国诸子"分家"之后进行批评,始于司马谈的《论六家要旨》。按照金德建先生的考证,"法家"、"道家"和"阴阳家"的名称"是出于司马谈开始运用而后确定下来的"①。所以我们认为,《论六家要旨》虽然篇幅不大,但它言简意赅,实实在在把上古时代的学术批评推上了一个新台阶,人们用家派的眼光来看待战国诸子,这是司马谈教给我们的方法。

根据思想内涵上的差异,《论六家要旨》把战国诸子分为阴阳、儒、墨、名、法、道德六家,一一区分了它们的长处和不足。在司马谈看来,"道家使人精神专一,动合无形,赡足万物。其为术也,因阴阳之大顺,采儒、墨之善,撮名、法之要,与时转移,应物变化,立俗施事,无所不宜,指约而易操,事少而功多",惟有这种思想完美无缺。司马谈认为道家学说"赡足万物","无所不宜",显而易见他认同了道家学说,对于"表彰六经"来讲,这是一种反调,表达了作者的独立思考。

《论六家要旨》直接启迪了后世对诸子之学的反思。后来刘向校理群书,在此基础上写出了中国历史上第一部目录学著作——《别录》,又把战国诸子分为十家,这是对司马谈"六分法"的进一步细化。刘歆在《别录》基础上写出了《七略》,"诸子略"一仍乃父的分类,从而成为班固《艺文志》的蓝本。

---

① 金德建:《司马迁所见书考》[M],上海:上海人民出版社,1963,p5.

《艺文志》本是一篇书目,其中的"诸子略"把周秦西汉诸子的著作分为十家,每家书目之后缀一段小序,评论该派学术的源流得失;篇末附一段总序,总评十家思想的优劣长短。二刘和班固继承司马谈的"别异"事业,诸子思想上的差异进一步被细分开来。在他们看来,儒家学派"祖述尧舜,宪章文武,宗师仲尼,以重其言,于道最高",这是他们与司马谈在认同上的不同抉择。经过这些反思和抉择之后,诸子十家的范式被推了出来,上古时代的诸子批判至此也告一段落。

向、歆父子和班固的反思批判代表了两汉时代认知战国子学的最高水平,诸子十家的分法遂被后世接受下来。"诸子略"的结尾处还有一句话:"诸子十家,其可观者九家而已",佛、道两教能够与儒教分庭抗礼后,"三教九流"的说法流行起来,班固的分类从而也就更加深入人心了。

二

然而"诸子略"对一些著作的分类——在这种分类之后是对其主人思想归属的认识,在后世引起了不少争论。其中有些批评来得婉转一些,有些批评则直截了当,简洁明快。试举几例说明之。

《晏子》八篇,《汉志》归入儒家著作类。《四库全书总目提要》批评道:"《晏子》一书,由后人撷其轶事为之。虽无传记之名,实传记之祖也。旧列子部,今移入于此(指史部传记类——引者)"。

《管子》一书,"诸子略"列在道家著作类,而《隋书·经籍志》和《四库全书》则把它归在法家的名下。这直接改变了对管子本人思想归属的认识。

《申子》六篇,"诸子略"列在法家类书目中。章学诚《校雠通义·内篇三》在征引了刘向、荀子和韩非子的说法之后指出:"申子为名家者流,而《汉志》部于法家,失其旨矣。"申不害传统上被归入法家,章学诚则认为他是名家学派的代表人物。

《慎子》一书,"诸子略"归在法家著作中,而《四库全书》则把它列在子部杂家类。《总目提要》评论道:"今考其书,大旨欲因物理之当然,各定一法而守之,不求于法之外,亦不宽于法之中,则上下相安,可以清净而治。然法所不行,势必刑以齐之,道德之为刑名,此其转关。"这就是说,《慎子》一书的思想志趣介于道、法两家之间。郭沫若先生在《十批判书·稷下黄老学派的批判》中也指出:"现存《慎子》只是残余的辑本……据这辑本《慎子》来看,差不多都是法理论,黄老的气息比较稀薄,但这一部分的法理论毫无疑问也是道家思想的发展。"据此应该把慎子划归道家学派。

《易传》一书,传统说法为孔子所作,所以《艺文志》"六艺略"把它附在《易经》的后面。但在今天看来,其中扑面而来的"阴阳"怪气,使人很难把它与正宗的阴阳家说区分开来,说它们属于阴阳家著作也未尝不可。近年来,随着对马王堆帛书研究的深入,把《易传》看作黄老道家著作的说法也开始流行起来,陈鼓应先生《易传与道家思想》一书,集中表达的就是这种观点。

毫无疑问,当初在对每部著作和每位思想家归类时,向、歆父子和班固的态度是严肃的,他们的分类有自己的根据;然而同样没有疑义的是,后世学者的这些批评并非无的放矢,也是十分认真的。我们认为,这相反相成的两种现象共生并存的原因就在于,每位思想家的思想都是多层面而非纯而又纯的,其中存在着许多互相吸纳、互相融通、互相重叠的内容;为了图书分类的需要,进而为了认知的需要,把某书、某人硬性归入某家,在向、歆父子和班固那里固然十分必要,然而其中必然存在着削足适履或凿柄不周之处,见仁见智,批评也就在所难免了。任何一种事物的分类与自己所要区分的对象肯定不会百分之百地吻合,对此我们不必大惊小怪。

三

　　前人在反思诸子之学的过程中,从不同角度、不同层面或多或少地看到了思想趋向这一现象,于是有了上面引述的从《隋书·经籍志》、章学诚、四库馆臣直到钱穆、郭沫若、陈鼓应等人的种种批评。这些批评是对《汉书·艺文志》的补充和修正,它们的出现,指出了《艺文志》的局限与不足,自有自己的学术价值。但这些批评正好从一个侧面反映出百家异趣中的另一种趋向——思想趋同现象。如果把视野再放宽一些,我们还会看到诸子百家在思想志趣上更多的一致性。

　　先来看看儒墨两家。儒家学派"游文于六经之中,留意于仁义之际",仁爱是其基本主张。孔子宣扬"仁者,爱人","泛爱众,而亲仁";孟子宣称"恻隐之心,人皆有之",表达的就是这种主张。而墨子也在大讲特讲"兼相爱,交相利,此自先圣六王者亲行之"。孔子"祖述尧舜,宪章文武",赞美尧之为君的伟大:"巍巍乎!唯天为大,唯尧则之,荡荡乎,民无能名焉。巍巍乎其有成功也,焕乎其有文章"①;"孟子道性善,言必称尧舜",明确宣称"我非尧舜之道,不敢以陈于王前","法先王"是思孟学派的一个基本主张②;而墨子更是张口一个"先王",闭口一个"先王",时常把"尧舜禹汤文武"挂在嘴边。所以《韩非子·显学》篇评论道:"孔子、墨子俱道尧舜,而取舍不同,皆自谓真尧舜。"孔、孟诅咒"春秋无义战","善战者服上刑",而墨家"非攻",把"繁为攻伐"视为"天下之巨害",反战的情绪更为激烈。当然,反战是一个时代主题,除了法家"奖励农战"和纵横家倡导合纵连横之外,其他学派何尝不反战?道家学派对战争

---

① 《论语》[M],北京:中华书局,1954.
② 《孟子》[M],北京:中华书局,1954.

的诅咒甚至超过了儒、墨两家。儒墨之间在思想上为什么会有这么多契合之处？《淮南子·要略》篇的一段记载为我们提供了一条重要的线索："墨子学儒者之业，受孔子之术，以为其礼烦扰而不说，厚葬靡财而贫民，华服伤生而害事，故背周道而用夏政。"说墨家思想是儒学的发展，从某种意义上讲也是可以讲得通的，其思想上的交汇互通也就在情埋之中了。

道家学派是先秦诸子中较早崛起的一个学派，对后世社会思想的发展影响也很大。其中蕴涵的以柔克刚的思想，为后世军事家所采纳，后世遂有把《老子》当作兵书来读的说法出现。而道家学派所谓的"无为而治"，尤其是黄老道家的"无为而无不为"，与慎到所谓的"势治"实在有异曲同工之妙，甚至韩非子的法治观——建立一个依法治国机制的思想——与之也是息息相通的，所以我们在韩非子的著作中发现了内涵丰富的《解老》和《喻老》篇。这两篇著作是存世的系统阐释《老子》思想最早的文献，也是韩非子政治思想的哲学基础。换句话说，韩非子政治思想植根在老子思想的基础之上，所以司马迁明确指出：韩非子"喜刑名法术之学，而其归本于黄老"[①]。《汉志》认为，道家"历记成败存亡祸福古今之道，然后知秉要执本，清虚以自守，卑弱以自持，此君人南面之术也"，这个评论对黄老学派思想特征的归纳基本上是准确的。在"南面之术"——君主统治的阴谋术上，道、法两家的确有不少互通之处，难怪韩非要"解《老》"和"喻《老》"了。《韩非子》中的《主道》、《二柄》、《扬权》、《亡征》、《备内》、《南面》、《诡使》等篇，把战国时代的"南面之术"推向了极致。《艺文志》认为道家的长处在于谦让不争，短处在于"绝去礼学，兼弃仁义"，而儒家也强调"一谦而四益"，法家学派则把仁义礼智看做寄生在国家肌体上的虱子，必欲彻底铲除之而后快，后者的知识论简直就是道家知识论的翻版。在这

---

① 司马迁：《史记》[M]，北京：中华书局，1959，P3290。

里我们看到了诸子百家之间在思想上盘根错节、纵横交错的复杂联系。

《汉志》评价农家的长处在于"播百谷,劝耕桑,以足衣食";"及鄙者为之,以为无所事圣王,俗使君臣并耕,悖上下之序",这是其短处。其实就其长处来讲,诚如《艺文志》所指出的那样,《洪范》"八政一曰食,二曰货",儒家学派也在强调农业生产的重要性;而法家学派更以奖励农战而著称。"重农"决不仅仅是农家学派的一家之言。论者往往把班固所谓的"鄙者"指认为许行,一般认为许行是战国农家的代表人物。钱穆先生揭发了许行思想与墨家学说的许多共同点:"许行之至滕,曰'愿受一廛而为氓','其徒数十人,皆衣褐,捆屦织席以为食',此墨子度身而衣,量腹而食,比于宾萌,未敢求仕之遗教也。许行之言曰:'滕有仓廪府库,是厉民而以自养也',此墨子非礼毁乐之绪论也。并耕之说,盖自兼爱蜕变而来"。钱先生由此而做出一个大胆的推测:"许行之为墨徒,信矣。墨学盛于南方,许行楚人,亦南方之墨之健者耶?"① 几句话直接把许行并入墨家学派,钱先生真是快人快语。我们尽可以不接受钱先生的这种看法,但不得不承认他所揭示的这一事实:许行一派——即传统所谓的农家学派,思想志趣与墨家学派在许多地方是互通的。

《汉志》评论杂家"兼儒、墨,和名、法",体现出王者之治贯综百家之学的博大精深,这是其长处。仅从这个评论中就可以看出其思想特色来。所以当我们从《吕氏春秋》中看到儒家、墨家、法家、名家等不同学派的言论时,也就不必大惊小怪了。冯友兰先生在为许维遹《吕氏春秋集释》所写的序言中甚至提出这样的看法:"此书不名《吕子》而名曰《吕氏春秋》,盖文信侯本自以其书为史也……此书虽非子部之要籍,而实乃史家之宝库也。"

---

① 钱穆:《先秦诸子系年》[M],北京:中华书局,1985,P352.

在百家争鸣的当时,局中人是很当真的,为了自己心目中的真理,他们时常吵得面红耳赤;但在今天看来,诸子百家之间的观点许多时候又是十分接近的。也许这就是所谓的当事者迷、旁观者清吧!再举几例来加以说明。

有人说,中国传统哲学是在天人之辨的争论过程中发生和发展起来的,这话讲得很有见地。中国第一代哲学家——周秦诸子几乎无一例外,差不多都要对天人关系发表看法。在讨论的过程中,天人合一和天人相分这两种截然对立的观点先后问世。前者以墨子和庄子为代表,后者以荀子为代表。墨子强调天有意志,人们应该顺从天意而行事;庄子则宣扬什么"天地与我并生,而万物与我为一"。荀子《天论》中的天人相分说、"制天命而用之"的思想更是闻名遐迩。儒家学派对天地阴阳等也给予了不同程度的关注,《汉志》认为儒学的功用就在于"助人君顺阴阳,明教化"。而军事家何尝不重视阴阳问题?《汉志》把兵书分为四家,"兵阴阳家"就是其中的一种。在著录了兵阴阳家的十六部著作之后,《小序》评论了这类著作与其思想的长短:"(兵)阴阳者,顺时而发,推刑德,随斗击,因五胜,假鬼神而为助者也。"一派阴阳家说的气息!而司马谈《论六家要旨》把阴阳家的主张归纳为:"春生夏长,秋收冬藏,此天道之大经也,弗顺则无以为天下纲纪,故曰'四时之大顺,不可失也'。"①《汉志》在评论这派人思想长短优劣时指出:"敬顺昊天,历象日月星辰,敬授民时,此其所长也。"其不足之处则在于"牵于禁忌,泥于小数,舍人事而任鬼神"。无论其长处还是缺点,在儒、墨、道三家思想中都能看到一些雷同的内容。

随着社会变革的逐步深入,礼坏乐崩之后,旧有的社会秩序被打破,华夏社会在春秋战国时代发生了名实危机,名实之辨由此发生。孔子提倡"君君,臣臣,父父,子子",反复强调"正名实","名不

---

① 《史记·太史公自序》[M],北京:中华书局,1959,P2146.

正则言不顺,言不顺则事不成"①;墨家学派也在探讨什么"名实耦,合也",《墨子》中的《经上》、《经下》、《经说上》、《经说下》等四篇著作为我们留下了许多名实之辨的著名命题②;而法家学派则强调"循名实而定是非,因参验而审言辞",名实问题也是他们所极为关心的③。名实之辨一时间成为华夏社会所关注的热门话题。在这种社会文化氛围中,惠施、桓团、公孙龙之流活跃起来,一个"控名责实,参伍不失"的名家学派脱颖而出,其思想与儒、墨、道、法诸家思想的相通也是显而易见的。几道著名的诡辩命题出现在《庄子·天下》篇的末段,这决非庄周之流一时间的心血来潮,道家代表人物庄子本人何尝没有参加这场轰轰烈烈的名实之辨?

如此说来,诸子百家在异趣的同时,思想趋同也是一个十分普遍的现象,只是我们没有更多地去留心罢了。这正应验了《易大传》上的一句名言:"天下百虑而一致,殊途而同归"。其实古人也朦胧地看出了这一点,所以《庄子·天下》篇、司马谈《论六家要旨》以及《汉书·艺文志》这几篇学术批评文献都在反复地重复征引着这段名言。

在我们看来,诸子思想的趋同或曰融通是一个十分自然的现象。诸子百家生活在同一片蓝天下,面对着同一个华夏社会,思考的问题出于同一时代的社会需求,思维方式受当代人共同的思维特征所制约,认识水平建立在当代社会共有水平的基础上,思想成果打上那个时代的共同印记也就是再自然不过的事情了。《易大传》所谓的"天下百虑而一致,殊途而同归",揭示的正是这种现象。在我们看来,"殊途"是就其来路而言的,出身阶级或阶层的不同,所代表的利益不同,各人有各人的想法,"百虑"之后的七嘴八舌自

---

① 《论语》[M],北京:中华书局,1954,P283.
② 《墨子》[M],北京:中华书局,1954,P190—242.
③ 《韩非子》[M],北京:中华书局,1954,P70.

在情理之中；而有了上面的这种种相同，"一致"与"同归"也就跑不出情理之外了。

对于战国诸子及其著作的思想归属，《汉书·艺文志》做出了明确的划分。后世对此有许多批评。诸子思想本是丰富多彩的，硬性把一个思想家归入某一类，削足适履在所难免。放开看去，诸子思想之间本来就存在着许多融通之处，儒、墨、道、法、名、阴阳诸家思想交互影响，你中有我，我中有你，思想趋同是战国时代百家异趣主旋律中的一个重要音符，纯而又纯、绝对对立的两派思想本来就不存在。从庄子、荀子、韩非子、司马谈直到班固，上古时代的学术批判有认同，有别异，别异的任务重于认同，而别异的主要目的则是为了排斥异己乃至于消灭异己，因此对诸子之间的思想趋同自然不太留心。趋同与异趣并行不悖，这才是战国时代意识形态领域里的真实景象。共同的社会历史性是思想趋同存在的根本原因之所在。

经过这些认同与别异之后，百家思想九九归一，儒术赢得了一尊地位。求同成为规范的思维方式，逆向思维被排斥在通行思维定式之外，求异与求新受到大众思维模式的抑制。于是在想到战国诸子之学时，人们很自然地想到了百家之间的思想异趣。固然，百花齐放，百家争鸣，百家异趣是战国时代思想奏鸣曲的主旋律，这一点没有任何疑义。然而在主旨异趣、形同水火的同时，诸子百家的思想内涵在许多地方又是互通的，互相吸纳，互相包容。这与异趣的主旋律似乎不很和谐，而这又是没有争议的客观存在。在一部战国思想奏鸣曲中，这种趋同取向代表着一个重要音符，缺少了这个音符，这首奏鸣曲就不完整，后世出现的儒术独尊也就显得突兀难解，自然应该有个明确的说法。大声疾呼一花独放，思想内涵又息息相通，这是百家争鸣背面所展示出来的现象。趋同与异趣并行不悖，这才是战国时代意识形态领域里的真实画面。这就是我们的结论。

汉初儒、道的融合与互黜新探

赵 振

西汉王朝是在经历了秦末农民大起义的洗礼之后建立起来的,而这场疾风暴雨式的革命也迫使统治者在建国之初不得不认真反省秦失天下而汉得之的原因,并积极寻找能够维持其长治久安的良策。于是,全面纠正秦王朝的各种弊政,特别是把人们的思想从秦"焚书"的阴影中解放出来,并为新生的政权寻找合适的政治指导思想,便显得迫在眉睫。汉惠帝四年(前191年)"除挟书律",被秦火劫余的文献才渐次复出,遭秦禁止的各家学说,特别是儒、道两家学说又开始活跃起来,并且都有了新的发展,原因是这一时期,无论是儒家还是道家,能都适应时代的需求,积极吸收其他学派的思想,对自身进行改造,更好地为现实政治服务。因此,汉初儒、道两家更多的是表现为相互融合和吸收,但同时也伴随着排斥和斗争,其中前者是主流,后者在很大程度上是政治势力插手学术论争的结果。所以那种过分强调两者之间的对立斗争而忽视其相互融合渗透的传统观点,是十分片面的,我们对此应该加以纠正和反思。

一、儒、道思想在汉初的发展与变化

汉王朝建立之初,对于怎样治理国家以及选择什么样的意识形态作为治理国家的指导思想,还有一个认识的过程。据《史记·郦生陆贾列传》记载,最初陆贾向高祖刘邦兜售儒家思想时,这位对儒者颇有成见的皇帝便以"乃公居马上而得之,安事《诗》、《书》!"为借口而加以拒绝。后来面对陆贾的"居马上得之,宁可以马上治之乎?"的一番诘问,态度才有所缓和,于是陆贾便趁机为其著《新语》十二篇。但《新语》所体现出来的思想已经跟先秦儒家有很大的不同,它主要融会了黄老道家及法家思想而最后归本于儒家的仁义观。陆贾认为要想守住汉家王朝的江山必须以儒家的仁义德教作为政策的指导思想,因为仁义既是维持社会关系稳定的纽带,即"骨肉以仁亲,夫妇以义合,朋友以义信,君臣以义序",同时也是政治的根本,即"圣人怀仁义,分明纤微,忖度天地,危而不倾,佚而不乱者,仁义之所治者。"[1]并强调对人民施行教化的重要性,他说:"夫法令者所以诛恶,非所以劝善,故曾、闵之孝,夷、齐之廉,岂畏死而为之哉?教化之所致也,故曰:尧、舜之民,可比屋而封,桀、纣之民,可比屋而诛者,教化使然也。"[2]陆贾的思想可以说是初步改变了刘邦鄙薄儒学的态度,以至于其所著《新语》"每奏一篇,高帝未尝不称善"[3],这就为儒学在汉初的传播创立了一个良好的开端。而后叔孙通为刘邦制作儒家的礼仪制度,从而使刘邦真正看到和体会到了儒学的作用,据《史记·刘敬叔孙通列传》所载,叔孙通是一个非常识时务的儒者,不固守先秦儒家之礼,认为"五帝异乐,三王不同礼。礼者,因时世人情为之节文者也。"并指责那些"不知时变"的儒者是"鄙儒",甚至为了取悦于刘邦并博得他的信任,而"变其服,服短衣",并不顾那些所谓的"鄙儒"们关于"礼乐所由起,积德百年而后可兴也"的警告,在"天下初定,死者未

---

[1] 《新语·道基》。
[2] 《新语·无为》。
[3] 《史记》卷97《郦生陆贾列传》。

葬,伤者未起"的情况下,为刘邦制定了一套庄严肃穆的朝廷礼仪,使刘邦真正尝到了做皇帝的高贵滋味,并且在制定这些礼仪时能根据当时社会发展的状况,抛弃儒家礼仪制度烦琐的外部形式,以简易、实用为目的,所以司马迁称赞他说:"叔孙通希世度务制礼,进退与时变化,卒为汉家儒宗。"

虽然陆贾和叔孙通使刘邦改变了对儒学的态度,但可惜刘邦还未来得及把他们提出的儒家治国的设想付诸实践便去世了。而后来的一些统治者和当权者,如文帝、景帝、窦太后等,都喜好"无为而治"的黄老之学,排斥儒学,据《史记·外戚世家》载:"窦太后好黄帝、老子言,帝及太子诸窦不得不读《黄帝》、《老子》,尊其术。"这样一来,儒学在汉初仍然处于被压抑的地位,以至于儒家"诸博士具官待问,未有进者"①。在这种情况下,著名的儒者贾谊冲破重重阻力,再次擎起了儒学的大旗。贾谊认为汉兴三十年来所推行的"无为而治"的政策,在使社会经济恢复发展的同时,也暴露出种种弊端:人们侈靡相竞,社会等级秩序受到挑战,诸侯王僭越叛上,王权受到严重的威胁等,而要想改变这种局面,使国家长治久安,就必须"施仁义"、"行仁政"。他所谓的"仁义"、"仁政"就是要安定人民生活,使人民能够安居乐业,《新书·无蓄》说:"民非足也,而可治之者,自古及今未之尝闻",并且从这一思想出发,强调统治者要爱民、惠民,即"为人君者,敬士爱民,以终其身"②,"为人臣者,以富乐民为功,以贫苦民为罪"③。这种仁义观跟陆贾有明显的不同,带有鲜明的民本主义色彩。其次,贾谊针对当时"俗至不敬也、至无等也、至冒其上也"④的社会现实,指出当务之急是要

---

① 《史记》卷 121《儒林传》。
② 《新书·修正语下》。
③ 《新书·大政上》。
④ 《新书·孽产子》。

严格礼制。《新书·礼》曰:"礼者,所以固国家,定社稷,使君无失其民者也。主臣,礼之正也;威德在君,礼之分也;尊卑大小,强弱有位,礼之数也。"也就是说,只有严格礼的规定,才能维护封建的等级秩序,为此他强调建立起森严的礼仪制度,即"人主之尊譬如堂,群臣如陛,众庶如地"①。应该说,贾谊的思想对于扭转汉初由于崇尚"黄老无为"思想而造成的一些社会弊端,还是有一定的指导意义的。但可惜由于这一时期功臣、外戚和诸侯王的势力还很强大,他们为了使自己的既得利益不受皇权侵害,希望最高统治者"清静无为",黄老之学仍然有很大的市场,而儒家学说发挥作用的时机显然还不成熟,所以贾谊遭到了朝廷元老旧臣的排挤,先被贬为长沙王太傅,后迁为梁怀王太傅,最后由于怀王堕马而死,贾谊也抑郁而终,正如著名学者任继愈所说:"贾谊命运的悲剧具有一种时代的意义。当时,汉朝统治面临着战略转变。在这种情况下,个别天才人物是无能为力的。贾谊看到了转变的必要,但没有看到转变的时机尚不成熟,这是造成他悲剧的内在原因。"②但尽管如此,通过陆贾、叔孙通、贾谊等人的努力,汉初儒学无论是在理论上还是在实践上都已为用世做好了积极的准备,所以,后来时机一旦来临,即希望大有作为的武帝刘彻登上王位,儒家学说便自然而然地成为统治者治国的首选。

相对于汉初儒者的艰难跋涉来说,以黄老之学标榜的道家却要幸运得多,由于它所主张的"无为而治"的思想适应了汉初经济凋敝不堪,人民迫切需要休养生息,以及功臣、外戚、诸侯王等希望"皇帝垂拱无为,不去干预郡国事务"③等形势的需求,因而受到了

---

① 《史记》卷84《屈原贾生列传》。
② 任继愈等:《中国哲学史》(秦汉卷),人民出版社,1985年版,第150页。
③ 侯外庐等:《中国思想史纲》(上),中国青年出版社,1980年版,第140页。

统治者的青睐,并成为当时治国的指导思想。所谓黄老之学,就是一种形成于战国中后期,以先秦道家为基础,又融合了其他各家思想的新道家,其思想以长沙马王堆汉墓出土的托名于黄帝的《经法》、《十六经》、《称》、《道原》等四篇古佚书和由淮南王刘安集众多门客编成的《淮南子》中所反映出来的思想为代表。这些思想主要表现在两个方面:一是主张刑德并用,是糅合了儒、法思想的产物;二是主张清静无为,是先秦道家的进一步发展。这两者相辅相成,其中前者是基础,后者是形式。因此它所主张的"无为"与先秦老子所崇尚的"无为"有着本质的不同,老子的"无为"是一种纯粹的"消极无为",即"我无为而民自化,我好静而民自正,我无事而民自富,我无欲而民自朴"。① 而黄老之学所主张的"无为"则是一种有条件的"无为",是君无为而臣有为,正如《淮南子·主术训》所说:"人主之术,处无为之事,而行不言之教,清静而不动,一度而不摇,因循而任下,责成而不劳。"对此,《汉书·曹参传》记载的一件事为之做了很好的注解:当时在齐国推行"黄老之术"的曹参代萧何而为汉相,"举事无所变更,一遵萧何约束",结果汉惠帝以"不治事"来责怪他,而曹参却辩解说:"且高帝与萧何定天下,法令既明,今陛下垂拱,参等守职,遵而勿失。不亦可乎?"这就清楚地表明汉初统治者所倡导的"无为",就是在"法令既明"的前提下放手让各级官吏各自有为。正因为如此,黄老道家思想才成为汉初占统治地位的思想,并为汉初经济的恢复发展起了积极的作用。但随着时间的推移,这种"无为之治"却导致了许多社会弊端(前已述),并严重威胁着汉王朝的统治。在这种情况下,国家迫切需要施行一种积极有为的政治,而主张用世的儒家学说便被推到了前台,黄老之学最终让位于儒学。

---

① 《老子》57章。

二、儒、道思想在汉初的相互融合与吸收

儒、道两家虽然由于受种种因素的影响,在汉初遭到不同的境遇,以至于形成对立和斗争,但作为思想文化的儒、道思想却始终处于一种吸收和融合状态,即"在思想领域内,事实上在道法互黜、儒道互黜中的各家,原则上各有中心,思想上互相吸收,学术路线上各有承继,逐步形成了三种具有新的时代特征的主要思潮,即新道家、新法家和新儒家"①。之所以会出现这种状况,原因是儒、道两家都能以发展的眼光来审视自己,并且为了能够更好地适应现实政治的需要,它们也不得不打破先秦学术的那种壁垒界限,积极吸收其他学派的思想,包括儒、道相互吸收渗透,以便进一步充实自己、改造自己、发展自己。

汉初儒家从陆贾开始就放弃了先秦儒家的固步自封,不再拘于一家,而是本着为现实政治服务的目的,对各家学说进行批判吸收,这既是时代推动的结果,也在一定程度上跟陆贾个人的人生经历有关,因为他早年追随刘邦南征北战,并以善辩常为说客出使诸侯,这就养成了他善于因时通变的思想性格,他在《新语·术事》篇中说:"治事者因其则,服药者因其良。书不必起仲尼之门,药不必出扁鹊之方。合之者美,可以为法,因是而权行。"因此,他的思想体系中糅合了不少其他学派的思想,特别是道家的思想。一方面,它吸收了道家的"尚俭"思想,认为一切金银璧玉、奇珍异宝,都是惑人心智的,对于自身修养及国家政事一无所补,并明确提出"国不兴无事之功,家不藏无用之器"②的思想主张。这种崇尚俭朴的思想在很大程度上取之于道家,老子曾说"我有三宝,持而保之:一

---

① 萧萐父、李锦全:《中国哲学史纲要》,外文出版社,2000年版,第189页。
② 《新语·本行》。

曰慈,二曰俭,三曰不敢为天下先"①,而黄老道家也强调"黄金珠玉藏积,怨之本也。女乐玩好燔材,乱之基也"②。另一方面,它渗入了黄老之学的"无为"思想,《新语·无为》曰:"夫道莫大于无为,行莫大于谨敬,何以言之?昔虞舜治天下,弹五弦之琴,歌《南风》诗,寂若无治国之意,漠若无忧民之心,然天下治。周公制作礼乐,效天地,望山川,师旅不设,刑格法悬,而四海之内奉供来臻,越裳之君,重译来朝。"不仅如此,它还为我们描绘了一幅无为而治的"至德之世",即"君子之为治也,块然若无事,寂然若无声,官府若无吏,亭落若无民。间里不讼于巷,老幼不愁于庭。近者无所议,远者无所听。邮无夜行之卒,乡无夜召之征。犬不夜吠,鸡不夜鸣。耆老甘味于堂,丁男耕耘于野"③。但这里描绘的绝不是老子所向往的那种"小国寡民"的自然状态,这种"无为"也不是老子所主张的"消极无为",而是黄老之学所倡导的"无为而无不为",是一种真正的"有为",正如《新语·道基》所说:"故无为也乃有为也。"陆贾的这种思想实际上是熔儒家的"仁义"于道家的"无为"之中,以积极的"仁义"来补充、改铸消极的"无为",从而收到"无不为"的功效。

被称为汉初第一大儒的贾谊,其思想内涵也非纯粹的儒家精神,而是杂糅了包括道家在内的一些学派的思想。其中对道家思想吸收的最明显的表现是他公开借用道家《老子》的宇宙观作为其儒家道德论的依据。贾谊认为,"阴阳"、"天地"、"人与万物"都是由"德"产生,而"德"又是由"道"产生的,他在《新书·道德说》中说:"德之有也,以道为本,故曰:'道者,德之本也。'德生物安利矣,……德生于道而有理,守理则合于道,与道理密而弗离也,故能畜

---

① 《老子》67章。
② 《经法·四度》。
③ 《新语·至德》。

物养物也。"又说:"德者,离无而之有,故润则月居然浊而始刑矣,故欠理发焉。"由此我们可以看出贾谊所描绘的宇宙理论就是:道("无形")→德("有")→万物("有形")。这种观点与老子的"天下万物生于有,有生于无"①的思想如出一辙,尽管贾谊的这种糅合多少有些牵强附会的味道,但他顺应时代的发展而积极对儒学进行改造的精神还是值得肯定的。

汉初盛行的黄老之学更是一个庞杂的思想体系,是融合、吸收了先秦各家思想的产物,正如司马谈在《论六家要旨》中所总结的那样:"其为术也,因阴阳之大顺,采儒墨之善,撮名法之要。"其中它对儒家的融合和吸收主要表现在以下三个方面:一是扬弃了先秦道家蔑弃礼法的思想,强调尊卑等级秩序的建立,曰:"主阳臣阴,上阳下阴,男阳女阴,父阳子阴,兄阳弟阴,长阳少阴,贵阳贱阴",《淮南子·泰族训》亦云:"制君臣之义、父子之亲、夫妇之辨、长幼之序、朋友之际,此之谓五。"甚至与儒家辕固生争论"汤武革命"问题的道家黄生所强调的核心问题也是封建的等级秩序,他说:"冠虽敝,必加于首;履虽新,必关于足。何者,上下之分也。今桀纣虽失道,然君上也;汤武虽圣,臣下也。夫主有失行,臣下不能正言匡过以尊天子,反因过而诛之,代立践南面,非弑而何也?"②这实际上就是对儒家君君臣臣、父父子子思想的吸收;二是提倡仁义和德政,《淮南子·泰族训》认为:"治之所以为本者,仁义也;所以为末者,法度也",《十六经·姓争》说:"缪(穆)缪(穆)无刑,非德必顷(倾)。刑德相养,逆顺若成。刑晦而德明,刑阴而德阳,刑微而德章(彰)。"而行仁义和施德政的根本就是爱民、惠民,所以《十六经·顺道》说:"正信以仁民,兹(慈)惠以爱人",而《淮南子·诠言训》则认为:"为治之本,务在于安民;安民之本,在于足用;足用

---

① 《老子》40章。
② 《史记》卷121《儒林传》。

之本,在于勿夺时。"这实际上就是儒家所倡导的仁政与民本思想的一种体现;三是吸收儒家的尚贤思想,《经法·六分》说:"王天下者,轻县国而重士,故国重而身安;贱财而贵有知(智),故功得而财生;贱身而贵有道,故身贵而令行",而《淮南子·主术训》则认为国君只有大力选拔优秀人才来辅助自己,做到"以天下之目视,以天下之耳听,以天下之智虑,以天下之力争",才能真正达到"君无为而臣有为"的目的。正是由于汉初道家能广泛吸收儒家等一些学派的思想,抛弃先秦道家的消极因素,充分适应社会现实政治的需要,才能成为当时社会占主导地位的意识形态。

三、儒、道两家在汉初的排斥与斗争

儒、道是两种不同的思想流派,由于对一些问题的认识与看法不同,两者之间产生分歧与斗争也是很自然的事,正如司马迁在《史记·老庄申韩列传》中所说:"世之学老子者,则黜儒学,儒学亦黜老子,道不同,不相为谋。"正是因为如此,儒、道两家在汉初互黜也是不可避免的。据《史记·儒林传》记载,比较著名的事件有三次:第一次是儒家辕固生与道家黄生在景帝面前争论"汤武革命"的问题,前者认为汤、武代夏、商是"受命",后者认为是"非受命,乃弑也。"看起来两者观点截然不同,但为汉代新兴政权服务的目的却是一致的,因为辕固生旨在寻找汉受命代秦而王的理论,黄生则是要维护已经建立起来的现有政权的等级秩序,这两者都是统治者所需要的,所以景帝对于这场争论也不置可否,只好以"食肉毋食马肝,未为不知味也;言学者毋言汤武受命,不为愚"等模棱两可的话平息了这场争论。第二次是好黄老之言的窦太后与辕固生围绕对《老子》一书的评价所产生的冲突:"窦太后好《老子》书,召辕固生问《老子》书,固曰:'此家人言耳。'太后怒曰:'安得司空城旦书乎?'乃使固入圈刺豕。"在这件事中,辕固生虽然公开贬低道家,但他对问题的争论仍然局限在学术的范畴内；而窦太后的所作所为却已超越了学术的范畴，她竟然借助于非学术的手段来置对方于死地，要不是景帝暗中帮助，借一把快刀给辕固生，让他刺死野猪，恐怕辕固生就要为这场争论付出血的代价了。第三次是武帝初年，丞相窦婴、太尉田蚡、御史大夫赵绾、郎中令王臧等隆推儒术、贬道家言，并谋划建立明堂、架空窦太后等，结果遭到了窦太后的反击，"尽下赵绾，王臧吏，后皆自杀"。这场斗争则完全偏离了学术论争的轨道，把思想文化之争上升为政治权力斗争。儒、道两家在汉初的互黜一直持续到窦太后死后田蚡出任丞相，"绌黄老刑名百家之言，延文学儒者数百人"，才以儒家的胜利而告终。

纵观汉初儒、道两家的互黜，我们不难看出，其中真正属于学术意义上的斗争只有一次，那就是辕固生和黄生就"汤武革命"所展开的论争，其他两次则超出了学术论争的范畴，与春秋时期的"百家争鸣"相比已经发生了本质的变化，思想文化被完全政治化了，学术成了对立双方进行政治斗争的御用工具，这实际上是那些不懂学术的政客对学术的亵渎，正如著名学者葛兆光所说："窦太后干预朝政数十年，是一个权势欲望极强的贵族女人，把个人的偏爱强加在他人头上，甚至杀戮赵绾、王臧，陷害辕固生，使景帝、武帝及诸窦氏'不得不读黄帝、老子，尊其术'，但她却未必真的理解黄老之学，也未必真的能够领会黄老之学作为意识形态的意义。"[①]所以我们说汉初儒、道两家的排斥与斗争，并非完全是两种思想文化之间的对立和斗争，而是被那些打着学术旗号的政客们干预和利用的结果，实际上两者更多的是处于一种相互融合和吸收的状态，因为惟有如此，它们才能进步，才能发展。而事实也证明了这一点，作为黄老之学的道家正是由于吸收了儒家等学派的

---

① 葛兆光：《中国思想史》（第1卷），复旦大学出版社，2001年版，第252页。

一些合理因子,才使自己能够适合汉初的政治需要;而儒家也正是由于吸收了道家等学派的一些思想观点,才能完成自身的改造,并为以后走向政治舞台的前台,担负起指导治理国家的重任而做好充分的准备。因此,汉初儒、道的融合和互黜给我们留下了极为深刻的经验教训:一方面,无论哪种思想文化都要善于学习和吸收其他文化的优秀分子,只有这样,才能使自己的生命之树常青,否则,搞自我封闭,甚至妄自尊大、盲目排外,只能窒息自己的生命,直至消亡;另一方面,思想文化的论争在任何时候都只能在学术的范畴内进行,不能把学术论争转化为政治斗争,更不能把学术变为政治的附庸,否则,就会导致灾难性的社会后果。关于后一点,我们国家是有过沉痛教训的,应当引起我们足够的重视,以更好地促进思想文化的繁荣。

全国汉文化学术研讨会综述

李法惠

南阳师范学院汉文化研究所承办的全国汉文化学术研讨会于 2002 年 5 月 7 日——9 日在历史文化名城南阳市召开，来自中国社会科学院、中国艺术研究院、陕西师大、山东大学、河南大学、郑州大学、南阳汉画馆等 35 个科研机构、高等学府的 80 位专家学者参加了这次会议。全国著名历史学家朱绍侯、赵世超、熊铁基、黄留珠、王子今、孟祥才、宋超，著名艺术家张道一、顾森、伍国栋、王子初、贺西林、廉静等应邀出席了会议，并做了专题学术报告。会议共收到论文 42 篇，内容涉及汉代文化研究的各个方面。与会专家对汉文化的形成、发展及特点，做了深入的探讨。与会学者一致认为，汉代文化是佛教传入中国之前中国本土文化发展的定型时期和完善时期，它决定了中国古代文化的基本格局和历史走向。朱绍侯在《汉民族的形成与发展》的学术报告中论述了汉民族的形成和发展的过程，认为汉代是我国汉民族形成和发展的重要时期。黄留珠在《秦文化与汉文化》一文中，从秦族、秦国、秦朝三个层次探讨了秦文化的特征及与汉文化的区别，认为秦文化有地域性与超地域性的双重品格，汉文化是对秦文化的继承和发展。孟祥才在《从地域文化到主流文化——先秦两汉齐鲁文化的发展》一文中指出，先秦两汉的齐鲁文化由于儒家的大一统、三纲五常等内容及其开放性、普及性和实践性的学术品格，能够长期满足社会各阶层的需要,所以是惟一转变为主流文化的地域文化。本文试图从汉画、艺术、思想、民俗、社会、科技等方面对会议讨论的主要问题作一综合论述。

一、汉画研究

本次会议共收到汉画研究论文18篇,几乎占全部论文的一半,内容涉及到汉代思想、政治、经济、艺术、民俗、文学等文化的各个方面。这里只对汉画的综合性研究作一论述,其他专题研究放到有关部分介绍。刘太祥在《汉代画像石研究综述》一文中,对汉代画像石的分区、分期和分类,艺术特色,天文学,舞乐百戏,民风民俗,政治经济,思想观念,建筑学等方面的研究情况作了较为全面和深入的综合论述。唐军的《浪漫与现实相辉映——徐州汉画像石艺术研究》一文,认为徐州汉画像石艺术既反映了大地主、贵族的现实生活情景,也反映了人们幻想的天上神仙世界,又反映了现实与幻想、天上仙境与地上人间的浪漫主义思想意识,现实与幻想并存的浪漫主义思想是徐州汉画像石艺术的一大特征。杜少虎的《天人感应,拙笔妙彩——洛阳汉墓壁画艺术大观》认为,洛阳汉墓壁画从招魂升天到车骑出行,从日月星象到宴乐歌舞,从宗教迷信到封建礼仪,反映了汉代艺术逐渐从神鬼世界走向现实生活,稚拙古朴、天真浪漫是其独特的艺术风貌。贺西林在《图像的意义——关于汉墓壁画的研究》一文中对壁画在汉文化研究中的图像学价值进行了探讨,他还认为,汉画像石的研究与解说,必须置于墓室的序列中进行,否则就没有什么意义。崔华、牛耕《从汉画看汉代的纺织业》一文,对汉画中的纺织图像进行研究,认为纺织图像再现了汉代纺织业的盛况,反映了汉代纺织技术达到了空前的水平,并对后代的纺织业产生了深远的影响。李真玉、赵唯在《从汉画看门神的演变过程》一文中认为,在原始的图腾崇拜及万物有灵观念支配下,借助神力战胜客体的原始巫术的基础上演化的门神,随着时代的变迁,人类思维的进步,世事的更替,远古的情绪淡漠了,其神祇形象从虎形神变为了人形神,并且逐渐被赋予了新的内容,成为一种广为流行的民俗。王忠阁在《汉画与中国戏剧的起源》一文中认为,戏剧是由文学、音乐、舞蹈、武术、杂技等多种艺术的融合而成的综合性艺术,汉画中的乐舞,傩仪等都是戏剧因素而不能称为戏剧,其中的角抵百戏是融诸多艺术而成的、具有很强的戏剧因素的艺术形式。因此,汉画反映了中国戏剧发展过程中的一个环节,汉画研究对研究中国戏剧的发展无疑有重要的意义。牛天伟在《试论汉画中的鱼及其文化内涵》一文中,对汉画中的鱼图像进行了全面研究,认为汉画中的鱼画像具有丰富多样的文化内涵,它涉及了汉代的渔业经济、饮食文化、祭祀风俗、鬼神信仰、生殖崇拜、百戏表演艺术及招祥求吉心理意识等方面。孙怡村《有意味的形式——试谈汉画中的菱形连(穿)环图案》一文,认为这些几何纹饰蕴含了吉庆辟邪、生命永恒的祯祥寓意,体现了汉代人渴望长生、追求幸福的炽烈情感。

二、汉代思想文化研究

汉代思想文化可以说是众说纷呈,百花齐放,既继承了先秦诸子百家思想,又有所发展。赵世超在《天人合一述论》一文中,论述了"天人合一"学说的产生、发展、内容和实质以及对汉代社会产生的影响。他认为邹衍的天人合一思想主要有主运、王居明堂礼、大九州说三项基本内容,它的实质是把阴阳与五行结合起来,用五行相生原理解释一年阴阳、四季、祸福的变化,又用五行相克原理解释政治兴衰、朝代的代兴和历史的循环。邹衍的天人合一说,虽然其理论以及它所依据的巫术原理是错误和虚妄的,但对秦汉社会产生了深远的影响。汉代依据主运或大五德终始说所进行的改德活动,燮理阴阳和顺四时月令,从灾异祥瑞到谶纬迷信、民间五帝的祭祀等都是天人合一说影响的表现。而天人合一理论在汉代已经御用化了,政治色彩比较浓厚,因而不能一味地肯定天人合一理论而否定"天人相分"、"人定胜天"思想。姜建设在《从〈汉志〉诸子分类说到百家异趣中的思想趋同》一文中,针对《汉书·艺文志》提出的战国诸子十家的说法,作者认为,"诸子略"对一些著作的分类——在这种分类之后是对其主人思想归属的认识,在后世引起了不少的争论,而正好从一个侧面反映出百家异趣中的另一种倾向——思想趋同现象。经过认同和别异之后,百家思想归一为儒学独尊,趋同与异趣并行不悖才是战国时代意识形态领域里的真实画面。熊铁基在《论两汉新道家》学术报告中,分析了道家思想从先秦到两汉的流变,指出了两汉时期道家新的思想特征。赵振在《汉初儒道的融合与互黜新探》一文中认为,儒道两家作为同一时代的两种不同的思想文化,在汉初更多地处于一种相互融合的状态,这既是时代推动的结果,也是文化自身发展的需求,两者之间虽然也有排斥和斗争,但很大程度上是政治因素造成的,已远远超出了学术论争的范畴。金荣权在《从对屈原的评价看汉代人的文学批评思想》一文中指出,汉代人对屈原及其作品的批评反映了汉人的文学批评思想和文学观念。他认为主要表现在三个方面:以人品定文品,肯定屈原及其作品者目之为"忠贞之臣",而贬之者则说他是"狂狷之士";司马迁通过屈原的作品发现了一个"怨"字,从而提出了"发愤著书"的创作动因;以儒家诗教原则和儒家经典为标准对屈原作品进行评判,反映出以政教为中心的实用批评思想。曾宪波、郭瑞华的《试析南阳汉画中的祥瑞图像》一文认为南阳汉画中众多祥瑞图像,辟邪求福,吉祥意识相当浓厚,反映了汉代的祥瑞思想,为研究汉代吉祥文化提供了重要资料。

三、汉代艺术文化研究

汉代艺术文化的研究集中在汉画艺术、汉代美术史和音乐史三个方面。张道一在《汉画与本元文化》的学术报告中认为,长期以来,美术史的研究存在着以汉族为中心,以中原为中心,以文人为中心,以绘画为中心的倾向,这种美术史不是全面发展的美术史,应注重各民族、各地区民间艺术、建筑工艺的研究,汉画像石集建筑、雕塑、绘画于一体,具有本元艺术的特征,应该深入挖掘汉画的美术史价值。顾森在《汉代美术产生的文化背景》的学术报告中认为,汉代大一统的学说、礼教思想、神仙思想对美术有至关重要的影响。黄佩贤在《汉代四灵图像的构图分析》一文中,论述了不同地区的四灵图在平面和立体上的具体分布情况及与之配套器物的配置。他认为在平面的例子上,空间限制较大,为了要清楚表示四灵的方位意义,它总是被置于平面上的四边或四个角落。平面上四灵的图案多数会是围绕着一个或一组中心主题,但有时它们也会是作品的惟一图案。在立体的例子上,四灵图案的编排有更广阔的空间位置可供选择。不过,在立体器物上编排四灵图像的位置时,还是有两个原则:一是四灵的方位意义仍然是最主要考虑的因素;二是四灵图像的配置和设计需要与所处器物的作用、研制和观者的角度等配合。孙保瑞在《简析汉画像石刻的视觉构成》一文中,从明暗调子对画像石刻的影响、部分石刻充当汉画像石刻彩绘制底、汉画像石刻拓片形成的错觉三个方面论述了汉画像石刻的视觉构成。徐丽娟在《略论南阳汉画像石中的人物形象》中,认为南阳汉代画像石中的人物形象内容广泛,带有明显的华夏民族审美心理特征;善于突破时空局限,拓展意象空间,从不同角度表现人物的气质和内心情感;运用简练夸张、程式化、平面化等多种造型手法,奠定了中国传统人物画的审美原则和造型方式。徐华的《东汉草书艺术的演变及其精神实质》一文认为,西汉末至东汉中后期草书确立,并由为交流而书写的实用工具升华为一种以审美为最高目标的艺术。这一由实用到审美的演变,不仅标志着中国艺术的观念由非自觉到自觉的飞跃,而且蕴含了东汉士人精神世界中个体生命意识和艺术精神的萌生,这与东汉时期社会思潮的兴替变迁密切相关。王子初在《考古学与中国音乐学》的学术报告中指出,先秦两汉的音乐资料十分稀少,因而有关文物资料十分珍贵,随州出土的编钟填补了中国古代音乐史研究的空白,汉画像石中的乐舞图像也应充分开发利用,应该及早建立音乐考古学。伍国栋在《音乐学·图像学·社会学》的学术报告中就音乐学、图像学、社会学三者的学科意义、研究对象及相互关系作了深入的探讨。刘勇在《汉代律学概览》一文中从生律法、天文律历合一和同律度量衡三方面考察了汉代律学对先秦的继承和发展,以及对后世的影响。李荣有在《汉画音乐图像及其艺术特色》一文中指出,两汉墓葬中的音乐图像,较为直观、生动地展现了汉代社会音乐文化生活的内容、形式与风格,成为一部珍贵的汉代社会音乐文化图史。透过当时不同地区、不同时空条件下的汉画艺术的不同刻绘技法、不同构图布局、不同画面内容以及不同的音乐艺术表现,反映了汉代社会文化艺术的多种特色。他还在《〈西京赋〉的音乐学探析》一文中分析了《西京赋》的音乐学价值。黄雅峰在《汉画艺术的时代精神》一文中认为,中华民族本土艺术精神经过岩画、彩陶、楚画几个发展阶段,由汉画艺术最终形成。它通过汉画像砖石、汉墓壁画帛画、汉代雕塑、汉墓的地下墓室和地上祠堂等形式表现出的整体灵动、浪漫进取的艺术时代精神,在艺术发展的不同时期得到释放和发扬。王蕊的《南阳汉画像砖石艺术形象构成的文化内涵》认为,南阳汉画像石艺术形象构成的本质内涵是楚文化中的巫觋文化观念。柳玉东、逯爱英在《论南阳汉画像砖石艺术对南北朝南阳雕塑艺术的影响》一文中认为,南北朝南阳雕塑艺术吸收了汉画散点透视的技法,并且结合减地浮雕减地的深浅程度控制,使空间人物之间的位置关系一目了然。

四、汉代风俗文化的研究

汉代风俗文化具有明显的地域性,李法惠在《南阳汉代的风俗文化》一文中,根据文献记载和考古发掘的文物资料,从祭祀风俗、饮食风俗、葬制葬俗、游猎风俗、民风士俗等方面深入地探讨了南阳汉代独具特色的风俗文化。王玉金的《试论汉画中的民风民俗》、冯建志的《汉画像乐舞百戏中的民俗文化底蕴》、刘克《从南阳升仙画像石看汉代民俗心理的扭曲与分裂》等文章,从不同角度研究了汉画的民俗学价值。王玉金认为,汉画为研究汉代民风民俗提供了宝贵资料,汉画反映了舞乐之风、角抵之风、礼俗、宴宾习俗、门户饰神荼和郁垒之节俗、丧葬习俗、辟邪风俗、祈雨风俗等汉代民风民俗。杨天宇在《略论汉代的三年丧》一文中考察了汉代三年丧的实施情况,作者认为三年丧虽然在春秋战国时期已很少有人实行,随着汉代儒学地位的提高,统治者的支持和鼓励,却逐渐盛行起来,特别到了东汉竟成风气。叶舒宪在《女神研究新动向》的学术报告中,对20世纪女性神话进行深入的研究,他认为女性主义观点和考古学材料为双重契机的女神再发现运动,构成西方文化寻根思潮的一个重要领域。汉画像石中经常出现的女娲形象也应从生殖文化意义上去把握,才能真实揭示其内涵。张铭洽、王玉龙在《西安杜陵汉牍〈日书〉"农事篇"考辨》一文中对杜陵汉牍《日书》的农事篇进行了考辨,认为它是西汉民间意识的神秘的官方化、统一化,并且与社会礼仪制度相结合的有力佐证,反映了汉代神秘文化融入社会各项活动之中的事实。

五、汉代社会与文化生活的研究

汉代社会与文化的研究涉及社会文化生活的各个方面。黄宛峰在《东汉党人、明末东林党人的生死观与士大夫精神》一文中,分析了东汉党人和明末东林党人在生死观上的异同,认为循道而生,殉道而死是其一脉相承的精神追求,它铸就与锻造了士大夫精神;然而,在士大夫身上体现的是共性而不是个性,是群体道德,而非独创性的精神成果。赵沛的《文化传承与两汉宗族的发展》认为,由于汉武帝以后"独尊儒术"的政策和学校教育的普遍发展及"经学取士"的选官制度的确立,经学传统成为维系两汉家庭的纽带,促进了两汉宗族势力的发展。薛瑞泽在《汉代夫妻关系研究》一文中,认为汉代夫妻之间的传统思维是夫妻尊卑有序,妻子要服从丈夫;既有夫妻共度危难、相互理解的一面,也有关系紧张,丈夫抛弃妻子,夫妻相互厮杀的现象,这种复杂的夫妻关系是汉代社会生活的反映。夏增民在《试论汉武时代官僚群体之抑制心态》一文中指出,在汉武时代官僚群体积极开拓进取的精神状态背后,其实还存在着一种抑制心态。它由专制主义的强化和汉武帝本人的卡里斯马品质所生成,并对汉武时代乃至整个西汉后期政治产生很大的消解作用。这种心态逐渐固化为一种"范型人格",在古代中国长期延续,影响至今。丁毅华在《西汉末南阳郡"南岳诸刘"等豪强的文化特征》一文中认为,南阳刘氏家族在西汉末年起兵反莽,建立了东汉王朝,从文化上讲是南阳由于经济的繁荣、教育文化事业的发展和区域文化优势,很适合培养出有希望在社会秩序重建中发挥重大作用的力量。李桂阁《略谈汉代豪强地主庄园的武装防卫》一文,利用文献记载和考古文物资料考察了汉代豪强地主庄园的武装防卫情况,指出豪强地主庄园的私人武装力量使其形成强大的社会势力,成为中央集权的异己力量。王子今在《〈南都赋〉自然生态史料研究》一文中,分析了《南都赋》的自然生态史料价值,指出两汉盛产在南阳的云杉、铁杉、棕榈、柑橘等植物,以及生活在南阳的金丝猴等动物现在却生长在远离南阳的地方,是因为汉代气候曾发生由暖到寒的变化。宋超在《"乐府诗"中反映的汉匈战争》一文中以诗证史,通过对"乐府诗"中有关汉朝和匈奴战争描绘的分析,反映了汉代特别是汉武帝时期匈奴战争的具体情况及其对社会心态的深刻影响。

后　记

　　本书虽是《中国·南阳汉文化研讨会》的论文集,但可否说是一个里程碑?因为它既记录着南阳师院科研跋涉中的一段重要历程,同时又昭示着汉文化研究的美好前景。

　　在学院领导提出的"教学为本,学术至上"的办学方针指导下,考虑到汉画像石和曾作为"帝乡"的南阳文化特色,我们选择了汉代文化研究作为突破口,更加注重地方文化的研究和学科特色的形成。经过这些年来的努力汉文化研究已经取得了丰硕的成果,完成了几项国家和省级项目,出版了相应的学术专著,逐渐受到社会的关注和学界的重视。2001年8月,在陈江风副院长的敦促下,经多方协调、积极努力,得到了省教育厅高教处领导的支持,全国汉文化研讨会顺利召开。学院领导又筹措资金,使论文集得以面世。

　　此书得到与会者的支持和帮助,河南大学出版社为论文集的出版做了大量的工作,河南大学历史文化学院资料室为本书资料核对提供了极大的便利,郑先兴、朱顺玲、何越、陆宜新诸位老师为本书校对付出了辛勤的劳动,在此一并表示感谢。

南阳师范学院《南都学坛》编辑部
汉文化研究所
2003年2月20日于南阳